JN074541

Over
2,700
Musicians

The Rock Musicians' Birthday Encyclopedia

ロックミュージシャン 誕生日事典

寺嶋孝直 著

DU BOOKS

はじめに――"誕生日"を入り口にした新しい音楽の楽しみ方

2011年3月、東日本大震災が発生しました。同年7月に私は大病をし、治療を終えた10月には、身体と心のリハビリを兼ねて近くの図書館に通うようになりました。高校生の姿も多い自習室で音楽の本を読んでいるうちに、「自分が大好きな洋楽のミュージシャンたちの"誕生日"をすべて調べてみよう」という想いがなぜかふっと頭に浮かびました。今その時のひらめきを思い返すと何とも不思議ですが、迷うことなくすぐに作業を始めました。翌年2月に自分の誕生日を無事迎えることができた時は、治療後初めて安堵感を覚えました。次の誕生日を元気に迎えられるのだろうか……と、心の何処かで大きな不安を抱え続けていたのだと思います。この時ほど、人がこの世に生まれてきた日、すなわち

"誕生日"のことを強く意識したことはありませんでした。

私は団塊の世代ですので、1950年代後半から現在まで活躍しているロック&ポップスのミュージシャンたちをたくさん聴き続けてきた幸運な世代です。同時代に生まれ、活躍した多くのミュージシャンとバンド・メンバーの誕生日を可能な限り詳しく調べてみたい――。病気後のその突然の思いつきは、私を元気づけるために神様が与えてくれたのではないか、とすら感じるようになりました。人間には必ず"生と死"があることを、2011年に私は自身の身体と心で実感しました。その時からミュージシャンたちの生死を改めて見つめ直すために、"誕生日"を通して彼らの輝いていた音楽活動にもう一度真摯に向き合おうと決めま

した。

　当たり前ですが、この世に生を受けた日は、その時々の社会情勢から必ず大きな影響を受け、その人の運命を左右し、翻弄します。ミュージシャンたちの人生模様も、不幸な子供時代を過ごした人、薬物に溺れてしまった人、大病をしても復活した人、残念な事故・事件で他界した人など様々です。彼らの誕生日をより詳細に調べていくなかには、思いもよらない出会いや発見も多々ありました。レコード店やCDショップに足繁く通い、そのたびの未知の作品との出会いが私にとって大きな喜びでしたが、病気という試練がそれまで思いもつかなかった"生き甲斐"を与えてくれたおかげで、今は音楽の新たな楽しみ方を知れたような心境です。

　本書には主に、名前・生年月日・出身地・バンド名・担当楽器・代表作品名の紹介と、同日に起こった象徴的な出来事を「ロック史」「社会史」として記載しました。またそこから分かった様々なエピソードや未知の真実、ミュージシャンらしい生き様などを7つの「コラム」という形でまとめました。この『ロックミュージシャン誕生日事典』が皆様にとっても新しい音楽との出会いのきっかけになり、自分と同じ誕生日のミュージシャンを見つけて、「この人の曲、聴いてみようかな」と思える機会にしていただければ幸いです。

寺嶋孝直

3

Contents

目 次

Usage Guide

凡 例

アルバム作品名は『　　』、シングル曲名は「　　」で記した

✘ は没年月日

楽器略号

Acc：アコーディオン	Kb：キーボード
B：ベース	Org：オルガン
Banjo：バンジョー	P：ピアノ
Com：コンポーザー	Pro：プログラミング
Dance：ダンス	Per：パーカッション
Ds：ドラム	Rap：ラップ
Fiddle：フィドル	Sax：サックス
Fl：フルート	Syn：シンセサイザー
G：ギター	Tp：トランペット
Harm：ハーモニカ	Vi：ヴァイオリン
Hrp：ハープ	Vla：ヴィオラ
Horn：ホーン	Vo：ヴォーカル
	Whistle：ホイッスル

掲載情報は 2022 年 11 月末調べ

図版は記載の各社提供、およびその他著者私物の雑誌・ファンクラ
ブ会報誌・コンサートパンフレット・LP ほかより

1

The
Rock
Musicians'
Birthday
Encyclopedia

January

ELVIS PRESLEY　エルヴィス・プレスリー

1935 年 1 月 8 日
US ミシシッピ州テュペロ出身

子供の頃から聖歌隊に入り、ゴスペルを歌っていた。11 才
の誕生日に母親からギターを買ってもらい、音楽に傾倒して
いく。13 才で引っ越したメンフィスでは、R&B を聴いて育
ち、このことがのちにエルヴィスの音楽性に大きな影響を与
える。高校卒業後、機械修理・電気工、トラック運転手とし

1

JIMMY PAGE　ジミー・ペイジ

1944 年 1 月 9 日
UK イングランド・ミドルセックス州ヘストン出身

サラリーマンの一般家庭の一人息子として生まれる。家庭環
境もよく、12 才でギターを始める。エルヴィスなどの曲を
耳で覚えて、独学で弾けるようになっていった熱心さに感心
した父親がアコースティック・ギターを買い与える。このギ
ターこそが彼にとって初めての愛器となり、BBC の番組で
演奏を披露することに繋がった。17 才でニール・クリスチャ

2

DAVID BOWIE　デヴィッド・ボウイ

1947 年 1 月 8 日
UK イングランド・ロンドン出身

本名は「David Robert Jones（デヴィッド・ロバート・ジョーン
ズ）」。彼に最も大きい影響を与えたのが異父兄テリーで、
モダンジャズやビートニクに関心を持つようになる。14 才
の時、母親がアルトサックスを贈り、地元でレッスンも受け
る。16 才の頃、ガールフレンドを巡って友人とけんかし目

3

て働く。最初の給料で母の誕生日プレゼントにレコードを吹き込む。それを当時のスタジオのオーナー、サム・フィリップ（サン・レコード創業者）に認められ、1954年「That's All Right」でデビューする。シングルをラジオで聴いた人たちは黒人歌手だと勘違いする。ここからプロ・キャリアが始まり、メンフィスのエルヴィスから、全米、そして世界のエルヴィスになっていく。58年、陸軍に入隊。ドイツに赴任後、60年に除隊。60年代は映画を中心に、69年はラスベガス公演で大成功するが、77年8月16日、自宅で心臓マヒにより42才で他界。全米1位のシングルは18曲、売上げ枚数は20億枚。

ンのクルセイダーズに入り、2年間ツアー生活を送る。1963年からセッション・ミュージシャンとなり、色々なアーティストの影響を受けるが、中でもブリティッシュ・フォークのバート・ヤンシュの影響が大きい。64年、20才の時にアビーロード・スタジオに呼ばれ、待っていたジョージ・マーティンと一緒にザ・ビートルズの初映画『ビートルズがやって来るヤァ！ヤァ！ヤァ！』のサントラを制作することとなり非常に驚く。66年、ヤードバーズのメンバーになるが、2年後にバンドが分裂し、レッド・ツェッペリンの母体となるニュー・ヤードバーズが結成される。その後アトランティックと契約し、69年にレッド・ツェッペリンとしてのデビュー作が発表される。

を負傷、左目の瞳孔が開きっ放しになる後遺症を負う。左右の虹彩色が異なるのはこの負傷のためではなく、先天性虹彩異色症のためともいわれる。名前がモンキーズのデイヴィ・ジョーンズと間違われないように、1966年から「デヴィッド・ボウイ」と名乗る。2016年1月10日、肝癌で他界。2日前の69才の誕生日にアルバム『Black Star（★）』をリリースしたばかりで、同作が最後のメッセージとなってしまう。

1

Morgan Fisher　モーガン・フィッシャー
1950 年　UK イングランド・ロンドン出身／キーボード奏者＆作曲家／Mott the Hoople（モット・ザ・フープル）／Kb　※ 1974 年　正式メンバー

Allen McKenzie　アレン・マッケンジー
1960 年　US オハイオ州ジャクソン出身／Firehouse（ファイアーハウス）／B　▶
1990 年　デビューアルバム『Firehouse』

Boff Whalley　ボフ・ホエーリー
1961 年　UK イングランド・ランカシャー州バーンリー出身／Chumbawamba（チャンバワンバ）／Vo.G　▶ 1986 年　デビューアルバム『Pictures of Starving Children Sell Records』

Michael Hanson　マイケル・ハンソン
1963 年　カナダ出身／Glass Tiger（グラス・タイガー）／Ds　▶ 1986 年　デビューアルバム『The Thin Red Line』

✄ Alexis Korner　アレクシス・コーナー
1984 年　享年 55 才（肺癌）／UK ブルース・シンガー（ブリティッシュ・ブルース・シンガーの父と呼ばれる）

社会史
- ⊙ 1973 年　イギリス、アイルランドの EC 加盟（拡大 EU）
- ⊙ 1979 年　アメリカと中国が国交樹立
- ⊙ 1987 年　中国・北京の天安門広場で学生数百人がデモ
- ⊙ 1993 年　チェコスロバキアが連邦を解消。チェコとスロバキアに分離
- ⊙ 2001 年　この年月日から、21 世紀が開始
- ⊙ 2002 年　EU の統一通貨「ユーロ」が、通常通貨として流通開始

2

Chick Churchill　チック・チャーチル
1946 年　UK イングランド・ダービーシャー州イクストン出身／Ten Years After（テン・イヤーズ・アフター）／Kb　▶ 1967 年　デビューアルバム『Ten Years After』

Douglas Robb　ダグラス・ロブ
1975 年　US カリフォルニア州アゴーラ・ヒル出身／Hoobastank（フーバスタンク）／Vo.G　▶ 2003 年　アルバム『Reason』

ロック史
- ⊙ 1926 年　イギリスの伝説的な音楽雑誌「メロディ・メーカー（Melody Maker）」の第 1 号が発行される

3

George Martin ジョージ・マーティン
1926 年 UK イングランド・ロンドン出身／The Beatles（ザ・ビートルズ）のプロデューサー　✗ 2016 年 3 月 8 日　享年 90 才

Van Dyke Parks ヴァン・ダイク・パークス
1943 年 US ミシシッピ州ハッティズバーグ出身／サウンドプロデューサー、作曲家
▶ 1995 年 『Orange Crate Art』（ブライアン・ウィルソンとの共演アルバム）

Stephen Stills スティーヴン・スティルス
1945 年 US テキサス州ダラス出身　／ 1966 年　The Buffalo Springfield（ザ・バッファロー・スプリングフィールド）でデビュー／ 1968 年　Crosby, Stills, Nash & Young（CSNY：クロスビー、スティルス、ナッシュ＆ヤング）結成　▶ 1970 年　ソロアルバム『Stephen Stills』

John Paul Jones ジョン・ポール・ジョーンズ
1946 年 UK イングランド・ケント州シドカップ出身／ Led Zeppelin（レッド・ツェッペリン）／ B.Kb　▶ 1969 年 デビューアルバム『Led Zeppelin』

Thomas Bangalter トーマ・バンガルテル
1975 年　フランス・パリ出身／ Daft Punk（ダフト・パンク）　▶ 1997 年 デビューアルバム『Homework』

✗ Gerry Marsden ジェリー・マースデン
2021 年　享年 78 才（心臓の感染症）／ Gerry & The Pacemakers（ジェリー＆ザ・ペースメーカーズ）／ Vo.G

社会史
◉ 2011 年　チュニジアでの民衆蜂起「アラブの春」始まる

4

Mark Hollis マーク・ホリス
1955 年 UK イングランド・ロンドン出身／ Talk Talk（トーク・トーク）／ Vo.G　▶ 1982 年　デビューアルバム『The Party's Over』 ✗ 2019 年 2 月 25 日　享年 64 才

Nels Cline ネルス・クライン
1956 年 US イリノイ州シカゴ出身／ Wilco（ウィルコ）／ G.B　▶ 1995 年　デビューアルバム『A.M.』

Bernard Sumner バーナード・サムナー
1956 年 UK イングランド・グレーターマンチェスター州サルフォード出身／ Joy Division（ジョイ・ディヴィジョン）　▶ 1979 年　デビューアルバム『Unknown Pleasures』／ New Order（ニュー・オーダー）／ G.Kb

4

Michael Stipe　マイケル・スタイプ
1960 年　US ジョージア州ディケイター出身／1980 年　R.E.M. 結成／Vo　※ R.E.M.：
Rapid Eyes Movement ＝最も深い睡眠中に、眼球の速い動きが見られる状態のこと。
ガレージを練習場にしていたことがバンド名の由来といわれる　▶ 1983 年　デビュー
アルバム『Murmur』　▶ 1991 年　代表作『Out of Time』／グラミー賞 7 部門ノミネー
ト／ 2011 年　R.E.M. 解散

Martin McAloon　マーティン・マクアルーン
1962 年　UK イングランド・ダラム州ダラム出身／Prefabu Sprout（プリファブ・ス
プラウト）／ B　▶ 1988 年　アルバム『From Langley Park to Memphis』

Cait O'Riordan　ケイト・オリオーダン
1965 年　ナイジェリア・ラゴス出身／The Pogues（ザ・ポーグス）／ B（ケルティッ
ク・パンク）　▶ 1984 年　デビューアルバム『Red Roses for Me』

Tin Wheeler　ティン・ウィーラー
1977 年　UK 北アイルランド・ダウンパトリック出身／Ash（アッシュ）／ G.Vo　▶
1994 年　デビューアルバム『Trailer』

✗ Phil Lynott　フィル・リノット
1986 年　享年 36 才（ヘロイン注射に伴う内臓感染症・敗血症による急死）／ Thin
Lizzy（シン・リジィ）

✗ Keith Baxter　キース・バクスター
2008 年　享年 37 才（肝不全）／ UK ロック・ドラマー

✗ Tony Clarke　トニー・クラーク
2010 年　享年 68 才／ The Moody Blues（ザ・ムーディ・ブルース）／ G

✗ Gerry Rafferty　ジェリー・ラファティ
2011 年　享年 64 才（多臓器不全）／スコットランドのシンガーソングライター

✗ Mick Karn　ミック・カーン
2011 年　享年 52 才（癌）／元 Japan（ジャパン）／ B

✗ Ray Thomas　レイ・トーマス
2018 年　享年 76 才／ The Moody Blues（ザ・ムーディ・ブルース）／ Fl、Vo

社会史
⊙ 1972 年　米ニクソン大統領がスペースシャトル計画を発表
⊙ 2004 年　マーク・ザッカーバーグが SNS「Facebook」開設

5

Phil Ramone　フィル・ラモーン

1934 年　南アフリカ連邦出身／プロデューサー（バート・バカラック、レイ・チャールズ、シカゴ、ボブ・ディラン、ビリー・ジョエル、エルトン・ジョン、クインシー・ジョーンズ、B.B. キング、マドンナ、ポール・マッカートニー他多数アーティスト）　✄ 2013 年 3 月 30 日　享年 79 才

Chris Stein　クリス・ステイン
1950 年　US ニューヨーク州ニューヨークシティ・ブルックリン出身／ Blondie（ブロンディ）／ G　▶ 1976 年　デビューアルバム『Blondie』

Grant Young　グラント・ヤング
1964 年　US アイオワ州アイオワシティ出身／ Soul Asylum（ソウル・アサイラム）／ Ds　▶ 1986 年　デビューアルバム『Made to Be Broken』

Marilyn Manson　マリリン・マンソン
1969 年　US オハイオ州キャントン出身／本名：Brian Hugh Warner（ブライアン・ヒュー・ワーナー）　▶ 1994 年　デビューアルバム『Portrait of an American Family』　▶ 1995 年　アルバム『Smells Like Children』

✄ Sonny Bono　ソニー・ボノ
1998 年　享年 63 才（スキー中の事故）／ US シンガーソングライター（ソニー＆シェール）

✄ Phil Everly　フィル・エヴァリー
2014 年　享年 74 才／ The Everly Brothers（ザ・エヴァリー・ブラザーズ）

6

Van McCoy　ヴァン・マッコイ
1940 年　US ワシントン D.C. 出身／プロデューサー、作曲家　▶ 1975 年　アルバム『Disco Baby』　▶シングル「The Hustle」全米 1 位、世界売上げ 1,000 万枚　✄ 1979 年 7 月 6 日　享年 39 才（心臓発作）

Syd Barrett　シド・バレット
1946 年　UK イングランド・ケンブリッジシャー出身／本名：Roger Keith Baret（ロジャー・キース・バレット）　Pink Floyd（ピンク・フロイド）　▶ 1967 年　デビューシングル「Arnold Layne」（シド・バレット作）／ 1968 年　ドラッグ問題で脱退　✄ 2006 年 7 月 7 日　享年 60 才（糖尿病合併症）

Sandy Denny　サンディ・デニー
1947 年　UK イングランド・ロンドン出身／ Fairport Convention（フェアポート・コンヴェンション）／ Vo　▶ 1969 年　アルバム『What We Did on Our Holidays』　✄ 1978 年 4 月 21 日　享年 31 才（友人宅の階段を踏み外した事故）

Kim Wilson　キム・ウィルソン
1951 年　US ミシガン州デトロイト出身／ Fabulous Thunderbirds（ファビュラス・サンダーバーズ）／ Vo.Harm　▶ 1969 年　デビューアルバム『Girls Go Wild』

6

Malcolm Young　マルコム・ヤング

1953 年　UK スコットランド・グラスゴー出身／AC/DC（エーシー・ディーシー）／G　▶ 1975 年デビューアルバム『High Voltage』／マルコム＆アンガス・ヤング 3 兄弟が、1963 年にオーストラリア・シドニーに家族と移住して結成。「AC/DC」とは、ふたりの姉が彼らの演奏する大音量を掃除機の騒音に例えて名付けたといわれている　✗ 2017 年 11 月 18 日　享年 64 才

Mark O'Toole　マーク・オトゥール

1964 年　UK イングランド・マージーサイド州リヴァプール・ウォルトン出身／Frankie Goes to Hollywood　／ B　▶ 1983 年シングル「Relax」が大ヒット　▶ 1984 年　デビューアルバム『Welcome to the Pleasuredome』

Josh Dibb　ジョシュ・ディヴ　※ Deakin　ディーケン

1978 年　US カリフォルニア州オレンジ郡出身／Animal Collective（アニマル・コレクティヴ）／ G　▶ 2000 年　デビューアルバム『Spirit They're Gone, Spirit They've Vanished』

Alex Turner　アレックス・ターナー

1986 年　UK イングランド・サウスヨークシャー州ハイグリーン出身／Arctic Monkeys（アークティック・モンキーズ）／Vo.G　▶ 2006 年　デビューアルバム『Whatever People Say I Am, That's What I'm Not』

✗ Lou Rawls　ルー・ロウルズ

2006 年　享年 72 才（肺癌）／R&B シンガー

> **社会史**
>
> ◉ 2021 年　アメリカ合衆国議会議事堂にドナルド・トランプ支持者が乱入し銃撃事件が発生（警察官含め 5 名死亡）。大統領選に勝利したジョー・バイデン次期大統領の就任を正式確定するための議会を阻止しようと、大勢のトランプ支持者が議事堂を襲撃するという前代未聞の事件。

7

Paul Revere　ポール・リヴィア

1938 年　US アイダホ州ボイス出身／Paul Revere & The Raiders（ポール・リヴィア＆ザ・レイダーズ）／ Kb　▶ 1961 年　デビューアルバム『Like, Long Hair』

Mike McGear　マイク・マクギア

1944 年　UK イングランド・マージーサイド州リヴァプール出身／本名：Peter Michael McCartney（ピーター・マイケル・マッカートニー）／ポール・マッカートニーの実弟／シンガー、写真家　▶ 1968 年　アルバム『McGough and McGear』

Dave Cousins　デイヴ・カズンズ

1945 年　UK イングランド・ミドルセックス州ホーンスロウ出身／The Strawbs（ザ・ストローブス）／Vo　▶ 1969 年　デビューアルバム『Strawbs』

Sony Music Japan

Kenny Loggins　ケニー・ロギンス

1948 年 US ワシントン州エヴェレット出身／シンガーソングライター／ Loggins & Messina（ロギンス＆メッシーナ）　▶ 1972 年デビューアルバム『Sittin' In』　▶ 1977 年　ソロ・デビューアルバム『Celebrate Me Home』　▶ 1981 年　サントラ盤『Foot Loose』　▶ 1986 年　『トップガン』のサントラ収録曲「Danger Zone」

Katy Valentine　キャシー・ヴァレンタイン

1959 年　UK イングランド・ロンドン出身／ The Go-Go's（ザ・ゴーゴーズ）／ B　▶ 1984 年　デビューアルバム『Beauty and the Beat』

John Ondrasik　ジョン・オンドラジク

1965 年 US カリフォルニア州ロスアンゼルス出身／シンガーソングライター、ギタリスト／ソロプロジェクト「Five for Fighting（ファイヴ・フォー・ファイティング）」　▶ 1997 年　デビューアルバム『Message for Albert』

Tom Simpson　トム・シンプソン

1972 年　UK スコットランド・グラスゴー出身／ Snow Patrol（スノウ・パトロール）／ Kb　▶ 1998 年　デビューアルバム『Songs for Polar Bears』

✄ Neil Peart　ニール・パート

2020 年　享年 67 才（脳腫瘍）／ Rush（ラッシュ）／ Ds

社会史

⊙ 1989 年　昭和天皇御崩御。「昭和」最後の日となる（皇太子明仁親王が第 125 代 天皇に）

8

Sony Music Japan

Elvis Presley　エルヴィス・プレスリー

1935 年　US ミシシッピ州テュペロ出身／愛称：キング・オブ・ロックンロール　▶ 1954 年　サン・レコードから、デビューシングル「That's All Right」／全米 1 位 18 曲 ／推定 20 億枚売上げ　▶ 2005 年　アルバム『Elvis Presley』（デビュー盤＋ 1956 年録音のボーナストラック 6 曲）　✄ 1977 年 8 月 16 日　享年 42 才（処方薬の極端な誤用による不整脈）

Robby Krieger　ロビー・クリーガー

1946 年　US マサチューセッツ州ローレンス出身／ The Doors（ザ・ドアーズ）／ G　▶ 1967 年　デビューアルバム『The Doors』

Sony Music Japan

David Bowie　デヴィッド・ボウイ

1947 年　UK イングランド・ロンドン出身／本名：David Robert Haywood Jones（デヴィッド・ロバート・ヘイウッド・ジョーンズ）　▶ 1967 年　デビューアルバム『David Bowie』　▶ 1969 年　セカンドアルバム『Space Oddity』／ 1970 年代はグラムロックのスターとして、マーク・ボランと双璧を成す／ 1989 年　Tin Machine（ティン・マシーン）として活動／ 93 年からソロ活動　✄ 2016 年 1 月 10 日　享年 69 才（肺癌）

8

Terry Sylvester　テリー・シルヴェスター
1947 年　UK イングランド・マージーサイド州リヴァプール出身／ The Hollies（ザ・ホリーズ）／ G　▶ 1964 年　デビューアルバム『Stay with the Hollies』

Mike Reno　マイク・レノ
1955 年　カナダ、ブリティッシュ・コロンビア州ニューハンプシャー出身／ Loverboy（ラヴァーボーイ）／ Vo　▶ 1980 年　デビューアルバム『Loverboy』

Paul Hester　ポール・ヘスター
1959 年　オーストラリア・ヴィクトリア州メルボルン出身／ Crowded House（クラウデッド・ハウス）／ Ds　▶ 1986 年　デビューアルバム『Crowded House』

Ron Sexsmith　ロン・セクスミス
1964 年　カナダ・オンタリオ州セントキャサリンズ出身／シンガーソングライター　▶ 1995 年　メジャー・デビューアルバム『Ron Sexsmith』

R. Kelly　R・ケリー
1967 年　US イリノイ州シカゴ出身／本名：Robert Sylvester Kelly（ロバート・シルヴェスター・ケリー）／ R&B シンガー　▶ 1992 年　ソロ・デビューアルバム『Born into the 90's』

✗ Steve Clark　スティーヴ・クラーク
1991 年　享年 30 才（アルコール中毒）／ Def Leppard（デフ・レパード）／ G

✗ Otis Clay　オーティス・クレイ
2016 年　享年 73 才（心臓発作）／ソウル・シンガー

> **社会史**
> ⊙ 1989 年　日本で「平成」に改元
> ⊙ 1942 年　小泉純一郎元総理大臣の誕生日は彼が大ファンのエルヴィス・プレスリーと同じ日

9

Joan Baez　ジョーン・バエズ
1941 年　US ニューヨーク州ニューヨークシティ・スタテンアイランド出身／フォーク・シンガー　▶ 1960 年　デビューアルバム『Joan Baez』

Scott Walker　スコット・ウォーカー
1943 年　US オハイオ州ハミルトン出身／本名：Noel Scott Engel（ノエル・スコット・エンゲル）／ The Walker Brothers（ザ・ウォーカー・ブラザーズ）　▶ 1965 年　アルバム『Take It Easy with the Walker Brothers』　▶ 1966 年　シングル「In My Room（孤独の太陽）」　✗ 2019 年 3 月 22 日　享年 76 才（癌）

Jerry Yester　ジェリー・イエスター

1943 年　US アラバマ州バーミンガム出身／The Lovin' Spoonful（ザ・ラヴィン・スプーンフル）／Vo.G／1967 年加入

Warner Music Japan

Jimmy Page　ジミー・ペイジ
1944 年　UK イングランド・ミドルセックス州ヘストン出身／ギタリスト／1966 年The Yardbirds（ザ・ヤードバーズ）にベーシストとして加入／1971 年　Led Zeppelin（レッド・ツェッペリン）結成　▶アルバム『Led Zeppelin Ⅳ』／1980 年　レッド・ツェッペリンはジョン・ボーナム（Ds）の他界により解散／1984 年 The Honeydrippers（ザ・ハニードリッパーズ）参加

David Johansen　デイヴィッド・ヨハンセン
1950 年　US ニューヨーク州ニューヨークシティ・スタテンアイランド出身／New York Dolls（ニューヨーク・ドールズ）／Vo　▶1973 年　デビューアルバム『New York Dolls』

Crystal Gayle　クリスタル・ゲイル
1951 年　US ケンタッキー州ペインツヴィル出身／フォーク・シンガー　▶1974 年デビューアルバム『Crystal Gayle』　▶1977 年　シングル「Don't It Make My Brown Eyes Blue（瞳のささやき）」がヒット

Sony Music Japan

Dave Matthews　デイヴ・マシューズ
1967 年　南アフリカ・ヨハネスブルグ出身／1991 年　US ヴァージニア州シャーロッツヴィルでバンド結成／Vo.G　▶1993 年　ライヴ・デビューアルバム『Remember Two Things』　▶2002 年　アルバム『Busted Stuff』全米 1 位

Steve Harwell　スティーヴ・ハーウェル
1967 年　US カリフォルニア州クララ出身／Smash Mouth（スマッシュ・マウス）／Vo　▶1997 年　デビューアルバム『Fush Yu Mang』

Sean Paul　ショーン・ポール
1975 年　ジャマイカ・キングストン出身／レゲエ・シンガー　▶2003 年　シングル「Get Busy」（『Dutty Rock』収録）

A.J.（Alexander James）McLean　アレクサンダー・ジェイムズ・マクリーン
1978 年　US フロリダ州ウェストパームビーチ出身／Backstreet Boys（バックストリート・ボーイズ）　▶1996 年　アルバム『Backstreet Boys』

✂ Dave Harman　デイヴ・ハーマン
2009 年　享年 67 才（前立腺癌）／Dave Dee Group（デイヴ・ディー・グループ）／Vo

社会史
- ◉ 1976 年　中国の周恩来国務院総理が他界（享年 77 才）
- ◉ 2007 年　米アップル社の「iPhone」初代モデルがスティーブ・ジョブズによって発表される

10

Scott McKenzie　スコット・マッケンジー

1939 年 US フロリダ州ジャクソンヴィル出身／シンガー　▶ 1967 年　シングル「San Francisco（Be Sure to Wear Flowers in Your Hair）［花のサンフランシスコ］」✗ 2012 年 8 月 18 日　享年 73 才

Jim Croce　ジム・クロウチ

1943 年 US ペンシルベニア州フィルデルフィア出身／シンガーソングライター　▶ 1966 年　デビューアルバム『Facets』　▶ 1972 年　アルバム『You Don't Mess Around with Jim』　▶ 1973 年　シングル「Time in a Bottle」がヒット　✗ 1973 年 9 月 20 日 享年 30 才（飛行機事故）

Rod Stewart　ロッド・スチュワート

1945 年 UK イングランド・ロンドン出身／本名：Sir Roderick David "Rod" Stewart （サー・ロデリック・デイヴィッド・"ロッド"・スチュワート）　▶ 1969 年　ソロ・デビュー・アルバム『An Old Raincoat Won't Ever Let You Down』／ Faces（フェイセズ）のメンバーとして活躍／ Vo　▶ 1971 年　シングル「Maggie May」全英 1 位（ソロアルバム『Every Picture Tells a Story』収録）

Aynsley Dunbar　エインズレー・ダンバー

1946 年 UK イングランド・マージーサイド州リヴァプール出身／ Jefferson Starship （ジェファーソン・スターシップ）、Whitesnake（ホワイトスネイク）／ Ds 等に参加

Donald Fagen　ドナルド・フェイゲン

1948 年 US ニュージャージー州バサイク出身／ 1972 年　Walter Becker（ウォルター・ベッカー）と Steely Dan（スティーリー・ダン）／ Vo.Kb を結成　▶ 1977 年　アルバム『Aja（彩／エイジャ）』、グラミー賞「最優秀録音賞」受賞　▶ 1982 年　ソロアルバム『The Nightfly』を発表、シングル「I.G.Y.」がヒット

Pat Benatar　パット・ベネター

1953 年 US ニューヨーク州ロングアイランド出身／本名：Patricia Andrzejewski（パトリシア・アンジェイェフスキ）／ロック・シンガー　▶ 1980 年　シングル「You Better Run」がヒット（『Crime of Passion』収録）

Michael Schenker　マイケル・シェンカー

1955 年　ドイツ・ハノーヴァー出身／ Scorpions（スコーピオンズ）／ G　▶ 1972 年 デビューアルバム『Lonesome Crow』／ 1980 年　Michael Schenker Group（マイケル・シェンカー・グループ）／ G

Shawn Colvin　ショーン・コルヴィン

1956 年 US サウスダコタ州ヴァーミリオン出身／シンガーソングライター　▶ 1989 年　デビューアルバム『Steady On』　▶ 1997 年　シングル「Sunny Came Home」

Sony Music Japan

Keziah Jones　キザイア・ジョーンズ

1968 年　ナイジェリア・ラゴス出身／シンガーソングライター／ギタリスト　▶ 1995
年　アルバム『Million Miles from Home』

✗ David Bowie　デヴィッド・ボウイ
2016 年　享年 69 才（肺癌）

✗ Eddie Clarke　エディ・クラーク
2018 年　享年 67 才（肺炎）／ Motörhead（モーターヘッド）／ G

✗ Bobby Harrison　ボビー・ハリソン
2022 年　享年 82 才／ Procol Harum（プロコル・ハルム）

11

Sony Music Japan

Clarence Clemons　クラレンス・クレモンズ
1942 年　US ヴァージニア州ノーフォーク出身／ Bruce Springsteen & The E Street
Band（ブルース・スプリングスティーン＆ザ・E ストリート・バンド）／ Sax　▶ 1975
年　アルバム『Born to Run』 ✗ 2011 年 6 月 18 日　享年 69 才（脳卒中の合併症）

Tony Kaye　トニー・ケイ
1946 年　UK イングランド・レスターシャー州レスター出身／ Yes（イエス）／ Kb
▶ 1969 年　デビューアルバム『Yes』

Vicki Peterson　ヴィッキー・ピーターソン
1958 年　US カリフォルニア州ロスアンゼルス出身／ The Bangles（ザ・バングルス）
／ G　▶ 1982 年　デビュー EP『Bangles』

Tom Dumont　トム・デュモント
1968 年　US カリフォルニア州ロスアンゼルス出身／ No Doubt（ノー・ダウト）／ G
▶ 1992 年　デビューアルバム『No Doubt』

Mary J. Blige　メアリー・J・ブライジ
1971 年　US ニューヨーク州ニューヨーク・ブロンクス出身／ R&B シンガー　▶ 1992
年　デビューアルバム『What's the 411』　▶ 2005 年　シングル「Be without You」

Tom Rowlands　トム・ローランズ
1971 年　UK イングランド・グレーターマンチェスター州マンチェスター出身／ The
Chemical Brothers（ザ・ケミカル・ブラザーズ）　▶ 1995 年　デビューアルバム『Exit
Planet Dust』

KASABIAN
Sony Music Japan

Tom Meighan　トム・ミーガン
1981 年　UK イングランド・レスターシャー州レスター出身／ Kasabian（カサビアン）
／ Vo　▶ 2004 年　デビューアルバム『Kasabian』

✗ Spencer Dryden　スペンサー・ドライデン

11

2005 年　享年 67 才（結腸癌）／ Jefferson Airplane（ジェファーソン・エアプレイン）／ Ds

✄ James Griffin　ジェイムズ・グリフィン
2005 年　享年 61 才（肺癌）／ Bread（ブレッド）／ Kb

12

George Duke　ジョージ・デューク
1946 年　US カリフォルニア州ラファエル出身／キーボード、プロデューサー、コンポーザー（ジャズ、フュージョン）▶ 1977 年　アルバム『From Me to You』発表　▶ 1982 年　アルバム『Dream On』✄ 2013 年 8 月 5 日　享年 67 才（リンパ性白血病）

Larry Hoppen　ラリー・ホッペン
1951 年　US ニューヨーク州ウッドストック出身／ Orleans（オーリアンズ）／ Vo.G ▶ 1973 年　デビューアルバム『Orleans』✄ 2012 年 7 月 24 日　享年 61 才（自殺）

Per Gessle　ペール・ゲッスル
1959 年　スウェーデン・ハルムスタッド出身／ Roxette（ロクセット）／ G　▶ 1986 年　デビューアルバム『Pearls of Passion』

Rob Zombie　ロブ・ゾンビ
1965 年　US マサチューセッツ州ハーヴァーヒル出身／ White Zombie（ホワイト・ゾンビ）／ Vo　▶ 1987 年　デビューアルバム『Soul-Crusher』

Zack de la Rocha　ザック・デ・ラ・ロッチャ
1970 年　US カルフォルニア州ロングビーチ出身／ Rage Against The Machine（レイジ・アゲインスト・ザ・マシーン）／ Vo　▶ 1992 年　デビューアルバム『Rage Against the Machine』▶ 1999 年　アルバム『The Battle of Los Angeles』

Dan Haseltine　ダン・ハセルタイン
1973 年　US マサチューセッツ州ハンプデン出身／ Jars of Clay（ジャーズ・オブ・クレイ）／ Vo　▶ 1995 年　アルバム『Jars of Clay』

Melanie Chisholm　メラニー・チズム
1974 年　UK イングランド・マージーサイド州ウィンストン出身／ Spice Girls（スパイス・ガールズ）▶ 1996 年　アルバム『Spice』

Zain Javadd Malik　ゼイン・ジャヴァッド・マリク
1993 年　UK イングランド・ウェストヨークシャー州ブラッドフォード出身／ One Direction（ワン・ダイレクション）▶ 2011 年　デビューアルバム『Up All Night』

✄ Maurice Gibb　モーリス・ギブ
2003 年　享年 53 才（腸閉塞）／ The Bee Gees（ザ・ビー・ジーズ）／ Vo.B

✗ Randy VanWarmer ランディ・ヴァンウォーマー
2004 年　享年 48 才（白血病）／カントリー出身の AOR シンガーソングライター

✗ Ronnie Spector ロニー・スペクター
2022 年　享年 78 才（癌）／ The Ronettes（ザ・ロネッツ）

13

Daevid Allen デイヴィッド・アレン
1938 年　オーストラリア・ヴィクトリア州メルボルン出身／ Soft Machine（ソフト・マシーン）／ G.Vo ／ 1968 年デビュー　✗ 2015 年 3 月 13 日　享年 77 才（癌）

John Lees ジョン・リーズ
1947 年　UK イングランド・グレーターマンチェスター州オールダム出身／ Barclay James Harvest（バークレイ・ジェイムズ・ハーヴェスト）／ G.Vo

Trevor Rabin トレヴァー・ラビン
1954 年　南アフリカ共和国ヨハネスブルグ出身／ Yes（イエス）／ Vo.G　▶ 1983 年アルバム『Lonely Hearts』

Wayne Coyne ウェイン・コイン
1961 年　US ペンシルベニア州ピッツバーグ出身／ The Flaming Lips（ザ・フレーミング・リップス）／ Vo.G　▶ 2002 年　アルバム『Yoshimi Battles the Pink Robots』

Graham "Suggs" McPherson グラハム・"サッグス"・マクファーソン
1961 年　UK イングランド・イーストサセックス州ヘイスティングス出身／ Madness（マッドネス）／ Vo.Per ／ 1970 年デビュー

✗ Donny Hathaway ダニー・ハサウェイ
1979 年　享年 33 才（ホテルからの転落死）／シンガーソングライター

ロック史
⊙ 1973 年　ロンドンのレインボー・シアターで開催された「レインボー・コンサート」で、エリック・クラプトンが復活。クラプトンはドラッグ中毒で数年間音楽活動から遠ざかっていたが、ロン・ウッドやピート・タウンジェンドら良き友人により表舞台に引き出され、復活への第一歩となった歴史的なコンサート

14

Allen Toussaint アラン・トゥーサン
1938 年　US アリゾナ州ニューオーリンズ出身／ピアニスト、シンガー、プロデューサー
▶ 1975 年　アルバム『Southern Nights』　✗ 2015 年 11 月 14 日　享年 77 才（コンサート後に心臓発作）

T-Bone Burnett ティー・ボーン・バーネット
1948 年　US ミズーリ州セントルイス出身／シンガーソングライター／プロデューサー

14

Biff Byford　ビフ・バイフォード
1951 年　UK イングランド・ウェストヨークシャー州ホンリー出身／ Saxon （サクソン）
／ Vo

Chas Smash　チャス・スマッシュ
1959 年　UK イングランド・ロンドン出身／本名：Cathal Smyth （カサル・スミス）
／ Madness （マッドネス）／ Tp.Vo

Chas SmasGeoff Tate　ジェフ・テイト
1959 年　US ワシントン州ベルヴュー出身／ Queensryche （クイーンズライク）／ Vo

L.L. Cool J　LL クール J
1968 年　US ニューヨーク州ウェストチェスター出身／ヒップホップ・アーティスト
▶ 1985 年　アルバム『Radio』

Dave Grohl　デイヴ・グロール）
1969 年　US オハイオ州ウォレン出身／ 1990 年　Nirvana （ニルヴァーナ）／ Ds
／ 1995 年　Foo Fighters （フー・ファイターズ）結成　▶ デビューアルバム『Foo
Fighters』

Caleb Followill　カレブ・フォロウィル
1982 年　US テネシー州マウントジュリエット出身／ Kings of Leon （キング・オブ・
レオン）／ G.Vo　▶ 2003 年　アルバム『Youth & Young Manhood』

✗ Jerry Nolan　ジェリー・ノーラン
1992 年　享年 45 才（髄膜炎、肺炎）／ New York Dolls （ニューヨーク・ドールズ）／ Ds

15

Captain Beefheart　キャプテン・ビーフハート
1941 年　US カリフォルニア州グレンデール出身／本名：Don Glen Vliet （ドン・グレン・
ヴリート）　▶ 1967 年　デビューアルバム『Safe as Milk』　▶ 1969 年　代表作『Trout
Mask Replica』　✗ 2010 年 12 月 17 日　享年 69 才（多発性硬化症）

Ronnie Van Zant　ロニー・ヴァン・ザント
1948 年　US フロリダ州ジャクソンヴィル出身／ Lynyrd Skynyrd（レーナード・スキナー
ド）／ Vo　▶ 1973 年　アルバム『Lynyrd Skynyrd』　✗ 1977 年 10 月 20 日　享年 29
才（飛行機事故）

Duke Erikson　デューク・エリクソン
1951 年　US ネブラスカ州リオンズ出身／ Garbage （ガービッジ）／ G.B.Kb

Joe Leeway　ジョー・リーウェイ
1955 年　UK イングランド・ロンドン出身／ Thompson Twins （トンプソン・ツインズ）
／ Conga & Bongo

Sony Music Japan

Adam Jones　アダム・ジョーンズ
1965 年　US カリフォルニア州ロスアンゼルス出身／ Tool（トゥール）／ G ／ 1993年　デビュー

Pitbull　ピット・ブル
1981 年　US フロリダ州マイアミ出身／ラッパー　▶ 2004 年　アルバム『M.I.A.M.I.（マイアミ）』でデビュー

✗ Harry Nilsson　ハリー・ニルソン
1994 年　享年 52 才（就寝中の心不全）／ US ソングライター

✗ Dolores O'Riordan　ドロレス・オリオーダン
2018 年　享年 46 才（急性アルコール中毒による溺死）／ The Cranberries（ザ・クランベリーズ）／ Vo

✗ John Lind　ジョン・リンド
2022 年　享年 73 才／ソングライター／ The Fifth Avenue Band（ザ・フィフス・アヴェニュー・バンド）／ G.Vo

ロック史
- ⦿ 2005 年　スマトラ島沖地震の被災者救済番組『ツナミエイド』をアメリカ NBC ネットワークが放映。司会：ジョージ・クルーニー、出演：エルトン・ジョン、マドンナ、シェリル・クロウ、エリック・クラプトン等多数

社会史
- ⦿ 2005 年　「YouTube」設立。米カリフォルニア州サンブルーノに本社を置くオンライン動画共有プラットフォーム。PayPal の元従業員 3 人によって設立された

16

Bob Bogle　ボブ・ボーグル
1934 年　US オクラホマ州ワグナー出身／ The Ventures（ヴェンチャーズ）／ B　▶ 1965 年　シングル「Pipeline」　✗ 2009 年 6 月 14 日　享年 75 才

Dennis Lindsey　デニス・リンゼイ
1942 年　US コロラド州ボールダー出身／ The Astronauts（ザ・アストロノウツ）／ G

Sade　シャーデー
1959 年　ナイジェリア・イバダン出身／本名：Helen Folasade Adu（ヘレン・フォラシャーデー・アデュ）　▶ 1984 年　デビューアルバム『Diamond Life』　▶ 1984 年「Smooth Operator」ヒット

Sony Music Japan

Paul Raven　ポール・レイヴン
1961 年　UK イングランド・スタッフォードシャー州ウルヴァープトン出身／ Killing Joke（キリング・ジョーク）／ B　✗ 2007 年 10 月 20 日　他界 46 才（心臓発作）

Paul Webb　ポール・ウェッブ
1962 年 UK イングランド・ロンドン出身／ Talk Talk（トーク・トーク）／ B ／ 1982 年 デビュー

Danbert Nobacon　ダンバート・ノバコン
1962 年 UK イングランド・ランカシャー州バーンリー出身／ Chumbawamba（チャンバワンバ）／ Vo ／レーベル「Agit-Prop」を設立　▶ 1985 年　シングル「Revolution」

Stevie Jackson　スティーヴィー・ジャクソン
1969 年 UK スコットランド・グラスゴー出身／ Belle and Sebastian（ベル・アンド・セバスチャン）／ G.Hrp ／ 1996 年　デビュー

Aaliyah　アリーヤ
1979 年　US ニューヨーク州ニューヨークシティ・ブルックリン出身／ R&B シンガー　▶ 1994 年　デビューアルバム『Age Ain't Nothing But a Number』 ✗ 2001 年 8 月 25 日　享年 22 才（飛行機事故）

Nick Valensi　ニック・ヴァレンシ
1981 年　US ニューヨーク州ニューヨークシティ・マンハッタン出身／ The Strokes（ザ・ストロークス）／ G

Samuel Preston　サミュエル・プレストン
1982 年　UK イングランド・イーストサセックス州ブライトン出身／ The Ordinary Boys（ザ・オーディナリー・ボーイズ）／ G.Vo ／ 2004 年　デビュー

✗ Dave Holland　デイヴ・ホランド
2018 年　享年 69 才／ Judas Priest（ジューダス・プリースト）／ Ds

✗ Phil Spector　フィル・スペクター
2021 年　享年 81 才（新型コロナウイルス合併症）／プロデューサー、ソングライター

ロック史

⦿ 1980 年　ポール・マッカートニーがマリファナ不法所持で成田空港にて逮捕。日本公演はすべてキャンセルとなる。グループとしての活動が休止状態に陥ったウイングスは、翌年 4 月デニー・レインの脱退により自然消滅した。

Mick Taylor　ミック・テイラー
1949 年　UK イングランド・ハートフォードシャー州ウェリンガーデンシティ出身／ 1967 年　John Mayall & Bluesbreakers（ジョン・メイオール＆ブルースブレイカーズ）／ G ／ 1969 年　The Rolling Stones（ザ・ローリング・ストーンズ）加入（ブライアン・ジョーンズ脱退後）　▶ 1971 年　アルバム『Sticky Fingers』／英米で 1 位／ 1975 年脱退　▶ 1979 年　ソロアルバム『Mick Taylor』

Paul Young　ポール・ヤング
1956 年　UK イングランド・ベッドフォードシャー州ルートン出身／ブルーアイド・ソウルシンガー　／ 1979 年　ストリート・バンドでデビュー　▶ 1983 年　ソロ・デビューアルバム『No Parlez（何も言わないで）』全英 1 位　▶ 1985 年　シングル「Everytime You Go Away」

Janet Kay　ジャネット・ケイ
1958 年　UK イングランド・ロンドン出身／シンガー　▶ 1993 年　シングル「Missing You」

Susanna Hoffs　スザンナ・ホフス
1959 年　US カリフォルニア州ロスアンゼルス出身／ The Bangles（ザ・バングルス）／ Vo.G　▶ 1982 年　EP『Bangles』　▶ 1985 年　アルバム『Different Light』

Sony Music Japan

John Crawford　ジョン・クロフォード
1960 年　US カリフォルニア州ロスアンゼルス出身／ Berlin（ベルリン）／ B.Kb

Andy Rourke　アンディ・ローク
1964 年　UK イングランド・グレーターマンチェスター州マンチェスター出身／ The Smiths（ザ・スミス）／ B ／ 1983 年　デビュー

Kid Rock　キッド・ロック
1971 年　US ミシガン州デトロイト出身／本名：Robert "James" Ritchie（ロバート・ジェイムズ・リッチー）　▶ 1998 年　デビューアルバム『Devil without a Cause』／ G（1,000 万枚の大ヒット）

Ricky Wilson　リッキー・ウィルソン
1978 年　UK イングランド・ウェストヨークシャー州キースリー出身／ Kaiser Chiefs（カイザー・チーフス）／ Vo　▶ 2005 年　アルバム『Employment』

Calvin Harris　カルヴィン・ハリス
1984 年　UK スコットランド・ダンフリーズ出身／シンガーソングライター、DJ　▶ 2012 年　アルバム『18 Months』

社会史
- ⊙ 1991 年　湾岸戦争勃発（多国籍軍のイラク空爆開始）
- ⊙ 1995 年　阪神・淡路大震災発生

18

David Ruffin　デヴィッド・ラフィン
1941 年　US ミシシッピ州ホワイノット出身／ The Temptations（ザ・テンプテーションズ）、初代リードヴォーカル　▶ 1964 年　シングル「My Girl」　✗ 1991 年 6 月 1 日 享年 50 才（薬物過剰摂取）

18

Bobby Goldsboro　ボビー・ゴールズボロ
1941 年　US フロリダ州マリアンナ出身／シンガー　▶ 1968 年　アルバム『Honey』

Dave Greenslade　デイヴ・グリーンスレイド
1943 年　UK イングランド・サリー州ウォキング出身／ Colosseum（コロシアム）／ Kb.Vo

Tom Bailey　トム・ベイリー
1954 年　UK イングランド・ウェストヨークシャー州ハリファックス出身／ Thompson Twins（トンプソン・ツインズ）／ Vo.Kb　▶ 1984 年　シングル「Hold Me Now」

Jim O'Rourke　ジム・オルーク
1969 年　US イリノイ州シカゴ出身／ギタリスト・プロデューサー　▶ 1999 年　アルバム『Eureka』

Jonathan Davis　ジョナサン・デイヴィス
1971 年　US カリフォルニア州ベイカーズ・フィールド出身／ Korn（コーン）／ Vo ▶ 1998 年　アルバム『Follow the Leader』

Crispian Mills　クリスピアン・ミルズ
1973 年　UK イングランド・ロンドン出身／ Kula Shaker（クーラ・シェイカー）／ Vo.G　▶ 1996 年　アルバム『K』

Richard Archer　リチャード・アーチャー
1977 年　UK イングランド・サリー州ステイン・アポン・テムズ出身／ Hard-Fi（ハード・ファイ）／ Vo.G ／ 2005 年　デビュー

✗ Fergie Frederiksen　ファーギー・フレデリクセン
2014 年　享年 62 才（肝臓癌）／ TOTO（トト）／ Vo

✗ Glenn Frey　グレン・フライ
2016 年　享年 67 才（合併症）／ The Eagles（ザ・イーグルス）／ Vo.G

✗ Mike Kellie　マイク・ケリー
2017 年　享年 69 才／ Spooky Tooth（スプーキー・トゥース）／ Ds

19

Sony Music Japan

Phil Everly　フィル・エヴァリー
1939 年　US イリノイ州シカゴ出身／ The Everly Brothers（ザ・エヴァリー・ブラザーズ）　✗ 2014 年　1 月 5 日　享年 74 才

Janis Joplin　ジャニス・ジョップリン
1943 年　US テキサス州ポート・アーサー出身／ブルース・ロックシンガー／ 1966 年　ビッグ・ブラザー＆ホールディング・カンパニー加入／ 1968 年　アルバム『Cheap

Thrills』全米 1 位　▶ 1971 年　ラストアルバム『Pearl』発売 ／ 9 週連続全米 1 位　✗
1970 年 10 月 4 日　享年 27 才（ドラッグ中毒）

Dolly Parton　ドリー・パートン
1946 年　US テネシー州セバービル出身／カントリー・シンガー／ 1965 年　バブルガ
ム・ポップ・シンガーとしてデビュー　▶ 1973 年　『Jolene』US カントリーチャート
1 位

Rod Evans　ロッド・エヴァンス
1947 年　UK イングランド・バークシャー州スラウ出身／ Deep Purple（ディープ・パー
プル）／ Vo

Robert Palmer　ロバート・パーマー
1949 年　UK イングランド・ヨークシャー州バトレー出身／ポップ・シンガー　▶ 1985
年　アルバム『Riptide』　▶ 1986 年　シングル「Addicted Love」　✗ 2003 年 9 月 26
日　享年 54 才

Dewey Bunnell　デューイ・バネル
1951 年　UK イングランド・ヨークシャー州ハロゲイト出身／ America（アメリカ）／
Vo.G　▶ 1971 年　アルバム『America』

✗ Carl Perkins　カール・パーキンス
1998 年　享年 65 才（咽頭癌）／ロックンロール／ロカビリー・シンガー

✗ Wilson Pickett　ウィルソン・ピケット
2006 年　享年 64 才（心臓発作）／ R&B シンガー

✗ Denny Doherty　デニー・ドハーティ
2007 年　享年 66 才（腎臓病）／ The Mama's & The Papa's（ザ・ママス & ザ・パパス）

社会史
⊙ 2004 年　日本の自衛隊がイラク派遣開始

20

Eric Stewart　エリック・スチュワート
1945 年　UK イングランド・グレーターマンチェスター州マンチェスター出身
1964 年　Wayne Fontana & Mindbenders（ウェイン・フォンタナ & マインドベンダー
ズ）／ 1972 年　10cc（テン・シー・シー）結成／ Vo.G　▶ 1975 年　シングル「I'm
Not in Love」発表

Mel Pritchard　メル・プリチャード
1948 年　UK イングランド・グレーターマンチェスター州オールダム出身／ Barclay
James Harvest（バークレイ・ジェイムズ・ハーヴェスト）／ Ds ／ 1970 年　デビュー
✗ 2004 年 1 月 28 日　享年 56 才（心臓発作）

Ian Hill　イアン・ヒル
1951 年　UK イングランド・ウェストミッドランズ州ウェスト・ブロムウィッチ出身／ Judas Priest（ジューダス・プリースト）結成／ B ／ 1974 年 デビュー　▶ 1980 年 アルバム『British Steel』

Paul Stanley　ポール・スタンレー
1952 年　US ニューヨーク州ニューヨークシティ・マンハッタン出身／本名：Stanley Bert Eisen（スタンレー・バート・アイゼン）／ 1973 年　KISS（キッス）をニューヨークで結成／ G　▶ 1975 年　アルバム『Alive!』

Robin McAuley　ロビン・マッコーリー
1953 年　アイルランド出身／ Michael Schenker Group（マイケル・シェンカー・グループ）／ Vo ／ 1980 年　デビュー

Greg K　グレッグ K
1965 年　US カリフォルニア州グレンデール出身／本名：Gregory David Kriesel（グレゴリー・デイヴィッド・クリーセル）／ The Offspring（ザ・オフスプリング）／ B

Nicky Wire　ニッキー・ワイアー
1969 年　UK ウェールズ・ブラックウッド出身／ Manic Street Preachers（マニック・ストリート・プリーチャーズ）／ B

Gary Barlow　ゲイリー・バーロウ
1971 年　UK イングランド・チェシャー州フロッドシャム出身／ Take That（テイク・ザット）／ Vo ／ 1990 年 デビュー　▶ 1993 年　アルバム『Everything Changes』

Sid Wilson　シド・ウィルソン
1977 年　US アイオワ州デイモン出身／ Slipknot（スリップノット）／ターンテーブル
▶ 1999 年 デビューアルバム『Slipknot』

Rob Bourdon　ロブ・ボードン
1979 年　US カリフォルニア州カラバサス出身／ Linkin Park（リンキン・パーク）／ Ds

Nathan Connolly　ネイサン・コノリー
1981 年　UK スコットランド・グラスゴー出身／ Snow Patrol（スノウ・パトロール）／ G ／ 1994 年　デビュー　▶ 2003 年　メジャー移籍後最初のアルバム『Final Straw』がヒット

✗ Alan Freed　アラン・フリード
1965 年　享年 42 才（肝硬変／尿毒症）／ 50 年代アメリカにおいて「ラジオ界の帝王」と呼ばれた白人 DJ ／「ロックンロール」という名称の提案者

✗ Etta James　エタ・ジェイムズ
2012 年　享年 72 才（白血病の合併症）／ソウル・シンガー

✗ Meat Loaf　ミートローフ
2022 年　享年 74 才（新型コロナウイルス感染症）／ロック・シンガー

社会史

⊙ アメリカ合衆国大統領就任式
　　1961 年　ジョン・F・ケネディ：第 35 代アメリカ大統領就任（民主党）／暗殺
　　1969 年　リチャード・ニクソン：第 37 代アメリカ大統領就任（共和党）／ウォーターゲート事件
　　1981 年　ロナルド・レーガン：第 40 代アメリカ大統領就任（共和党）／元俳優、"レーガノミクス"
　　1993 年　ビル・クリントン：第 42 代アメリカ大統領就任（民主党）／ IT・ハイテク重視／スキャンダル
　　2001 年　ジョージ・ブッシュ：第 43 代アメリカ大統領就任（共和党）／アメリカ同時多発テロ事件発生
　　2009 年　バラク・オバマ：第 44 代アメリカ大統領就任（民主党）／黒人初／ノーベル平和賞受賞
　　2017 年　ドナルド・トランプ：第 45 代アメリカ大統領就任（共和党）／不動産業大富豪／人種問題
　　2021 年　ジョー・バイデン：第 46 代アメリカ大統領就任（民主党）／アメリカ史上最高齢大統領（78 才）
⊙ 2010 年　ハイチ大地震発生（マグニチュード 7.0）

21

Richie Havens　リッチー・ヘイヴンズ
1941 年　US ニューヨーク州ニューヨークシティ・ブルックリン出身／シンガーソングライター

Edwin Starr　エドウィン・スター
1942 年　US テネシー州ナッシュビル出身／本名：Charles Edwin Hatcher（チャールズ・ハッチャー）　▶ 1970 年　シングル「War」　✗ 2003 年 4 月 2 日　享年 61 才（心臓発作）

Chris Britton　クリス・ブリトン
1945 年　UK イングランド・ハンプシャー州アンドーバー出身／ The Troggs（ザ・トロッグス）／ G

Pye Hastings　パイ・ヘイスティングス
1947 年　UK スコットランド・バンフシャー出身／ Caravan（キャラヴァン）／ G ／ 1968 年　デビュー

Billy Ocean　ビリー・オーシャン
1950 年　トリニダード・ドバゴ出身／シンガー／本名：レスリー・セバスチャン・チャールズ　▶ 1984 年　シングル「Caribbean Queen」

Rob Brill　ロブ・ブリル

21

1956 年　US カリフォルニア州ロスアンゼルス出身／Berlin（ベルリン）／Ds

Jason Mizell　ジェイソン・ミゼル
1965 年　US ニューヨーク州ニューヨークシティ・ブルックリン出身／Run-D.M.C.（ラン DMC）

Robert Del Naja　ロバート・デル・ナジャ
1965 年　UK イングランド・ブリストル出身／Massive Attack（マッシヴ・アタック）／Vo

Emma Bunton　エマ・バントン
1976 年　UK イングランド・ロンドン出身／Spice Girls（スパイス・ガールズ）

22

Sam Cooke　サム・クック
1931 年　US ミシシッピ州クラークスディル出身／1964 年　アルバム『Ain't That Good News』　✘ 1964 年 12 月 11 日　享年 33 才（銃殺）

Steve Perry　スティーヴ・ペリー
1949 年　US カリフォルニア州ハンフォード出身／Journey（ジャーニー）／Vo　▶ 1984 年　ソロ・デビューアルバム『Street Talk』

J.P. Pennington　ジェイ・ピー・ペニントン
1949 年　US ケンタッキー州ベレア出身／Exile（エグザイル）／G.Vo

Michael Hutchence　マイケル・ハッチェンス
1960 年　オーストラリア・シドニー出身／INXS（インエクセス）／Vo　▶ 1987 年　アルバム『Kick』　✘ 1997 年 11 月 22 日　享年 37 才（自殺）

Daniel Johnston　ダニエル・ジョンストン
1961 年　US カリフォルニア州サクラメント出身／シンガーソングライター　▶ 1983 年　アルバム『Hi, How Are You』　✘ 2019 年 9 月 10 日　享年 58 才（心臓発作）

Steven Adler　スティーヴン・アドラー
1965 年　US オハイオ州クリーヴランド出身／Guns N' Roses（ガンズ・アンド・ローゼズ）／Ds　▶ 1991 年　アルバム『Use Your Illusion Ⅱ』

Ben Moody　ベン・ムーディー
1981 年　US アーカンソー州リトルロック出身／Evanescence（エヴァネッセンス）／G

Orianthi　オリアンティ
1985 年　オーストラリア・アデレード出身／ロック・ギタリスト　▶ 2009 年　セカンドアルバム『Believe』

☡ Peter Bardens ピーター・バーデンズ

2002 年 1 月 22 日　享年 57 才（肺癌）／ Camel（キャメル）／ Kb（UK プログレ・バンド）

☡ Don Wilson ドン・ウィルソン

2022 年 1 月 22 日　享年 88 才（老衰）／ The Ventures（ザ・ヴェンチャーズ）／ G

ロック史

⊙ 2010 年　ハイチ地震被災者支援のためのチャリティ番組『ホープ・フォー・ハイチ・ナウ』が MTV で放映され、多数の俳優、ミュージシャンが電話で募金を受け付けた。司会：ジョージ・クルーニー、出演：マドンナ、ビヨンセ、U2 等多数

社会史

⊙ 2021 年　核兵器禁止条約発効。50 か国以上賛同。被爆国・日本と 9 つの核保有国は賛同せず

23

Danny Federici ダニー・フェデリチ

1950 年　US ニュージャージー州フレミントン出身／ Bruce Springsteen & E Street Band（ブルース・スプリングスティーン＆ザ・E ストリート・バンド）／ Kb　☡ 2008 年 4 月 17 日　享年 57 才（皮膚癌）

Robin Zander ロビン・ザンダー

1953 年　US イリノイ州ロックフォード出身／ Cheap Trick（チープ・トリック）／ Vo
▶ 1979 年　アルバム『Dream Police』

Richard Finch リチャード・フィンチ

1954 年　US フロリダ州マイアミ出身／ KC & The Sunshine Band（KC & ザ・サンシャイン・バンド）／ B ／ 1994 年　デビュー

Sony Music Japan

Greg Guidry グレッグ・ギドリー

1954 年　US ミズーリ州セントルイス出身／ AOR シンガーソングライター　▶ 1982 年　アルバム『Over the Line』　☡ 2003 年 7 月 28 日　享年 49 才（ガレージ内の自動車で焼身自殺）

Nick Harmer ニック・ハーマー

1975 年　西ドイツ・ラントシュトゥール出身／ Death Cab for Cutie（デス・キャブ・フォー・キューティ）／ B ／ 1998 年　デビュー

☡ Terry Kath テリー・キャス

1978 年　享年 31 才（自動拳銃暴発事故）／ Chicago（シカゴ）／ G

☡ Allen Collins アレン・コリンズ

1990 年　享年 38 才（慢性肺炎）／ Lynyrd Skynyrd（レーナード・スキナード）／ G

23 社会史

⊙ 1987 年　中国・北京の天安門広場で学生数百人がデモ

24

Sony Music Japan

Neil Diamond　ニール・ダイアモンド

1941 年　US ニューヨーク州ニューヨークシティ・ブルックリン出身／シンガーソングライター　▶ 1971 年　シングル「Sweet Caroline」

Aaron Neville　アーロン・ネヴィル

1941 年　US ルイジアナ州ニューオーリンズ出身／ The Neville Brothers（ザ・ネヴィル・ブラザーズ）／ Vo

Warren Zevon　ウォーレン・ジヴォン

1947 年　US イリノイ州シカゴ出身　▶ 1970 年　デビューアルバム『Wanted Dead or Alive』　▶ 1976 年　ジャクソン・ブラウンのプロデュース・アルバム『Warren Zevon』
✗ 2003 年 9 月 7 日　享年 56 才（肺癌）／同年発表の 14 作目『The Wind』が遺作となる

Jools Holland　ジュールズ・ホランド

1958 年　UK イングランド・ロンドン出身／ Squeeze（スクウィーズ）／ Kb ／ 1992年　母国イギリス BBC の大人気スタジオ・ライヴ番組『Later with Jools Holland（ジュールズ倶楽部）』の司会を始める（本書刊行現在も放映中）

✗ David Cole　デイヴィッド・コール

1995 年　享年 30 才（エイズによる髄膜炎）／ C ＋ C Music Factory（C+C ミュージック・ファクトリー）／ Kb

✗ Butch Trucks　ブッチ・トラックス

2017 年　享年 69 才（自殺）／ The Allman Brothers Band（ザ・オールマン・ブラザーズ・バンド）／ Ds

ロック史

⊙ 1878 年　世界初のレコード会社、エジソン・スピーキング・フォノグラム設立

25

Andy Cox　アンディ・コックス

1956 年　UK イングランド・ウェストミッドランズ州バーミンガム出身／ Fine Young Cannibals（ファイン・ヤング・カニバルズ）／ G

Gary Tibbs　ゲイリー・ティブス

1958 年　UK イングランド・ミドルセックス州ノースウッド出身／ Roxy Music（ロキシー・ミュージック）／ B

Matt Odmark　マット・オドマーク

1974 年　US ニューヨーク州ニューヨークシティ出身／ Jars of Clay（ジャーズ・オブ・

クレイ）／ G ／ 1993 年　デビュー

Sony Music Japan

Alicia Keys　アリシア・キーズ

1981 年　US ニューヨーク州ニューヨークシティ・マンハッタン出身／ R&B シンガー
ソングライター　▶ 2001 年　デビューアルバム『Songs in A Minor』(1,200 万枚売上げ)

社会史

⊙ 2011 年　エジプト革命。チュニジアにおいて長期政権を倒した「ジャスミン革命」
に触発されたエジプトの民衆蜂起により、30 年間にわたるムバラク独裁政権が崩
壊した革命。アラブ世界で巻き起こった一連の変革「アラブの春」のひとつ

26

Ashley Hutchings　アシュリー・ハッチングス

1945 年　UK イングランド・ロンドン出身／ Fairport Convention（フェアポート・コ
ンヴェンション）／ B ／ 1968 年　デビュー

David Briggs　デヴィッド・ブリッグズ

1951 年　オーストラリア・ヴィクトリア州メルボルン出身／ Little River Band（リトル・
リヴァー・バンド）／ G

Warner Music Japan

Edward Van Halen　エドワード・ヴァン・ヘイレン

1955 年　オランダ・ナイメーヘン出身／ 1974 年　Van Halen（ヴァン・ヘイレン）結
成（US・LA）／ G ／デヴィット・リー・ロスとエディが中心となり大人気バンドに
▶ 1984 年　アルバム『1984』（シングル「Jump」全米 1 位）／ 1986 年　デヴィット・
リー・ロス脱退。その後、サミー・ヘイガー（Vo）が加入／
2000 年　舌癌を発症し、その後喉頭癌のため活動休止　✗ 2020 年 10 月 6 日　享年
65 才（咽頭癌）

Anita Baker　アニタ・ベイカー

1958 年　US オハイオ州トレド出身／ R&B シンガーソングライター ／ 1983 年　デ
ビュー　▶ 1986 年　アルバム『Rapture』がヒット

Charlie Gillingham　チャーリー・ギリンガム

1960 年　US カリフォルニア州トランス出身／ Counting Crows（カウンティング・ク
ロウズ）／ Kb　▶ 1993 年　デビューアルバム『August and Everything After』

Andrew Ridgeley　アンドリュー・リッジリー

1963 年　UK イングランド・サリー州ウィンドルシャム出身／ Wham!（ワム！）／ G
▶ 1984 年　アルバム『Make It Big』

Chris Hesse　クリス・ヘス

1974 年　US カリフォルニア州ロスアンゼルス出身／ Hoobastank（フーバスタンク）
／ Ds　▶ 2001 年　デビューアルバム『Hoobastank』

Bobby Bland　ボビー・ブランド
1930 年　US テネシー州ローズマーク出身／ブルース・シンガー　▶ 1968 年　アルバム『Touch of the Blues』　✗ 2013 月 6 月 23 日　享年 83 才

Nick Mason　ニック・メイソン
1944 年　UK イングランド・ウェストミッドランズ州バーミンガム出身／ Pink Floyd（ピンク・フロイド）／ Ds

Seth Justman　セス・ジャストマン
1951 年　US ワシントン D.C. 出身／ The J. Geils Band（ザ・J・ガイルズ・バンド）／ Kb

Brian Downey　ブライアン・ダウニー
1951 年　アイルランド・ダブリン出身／ Thin Lizzy（シン・リジィ）／ Ds

G.E. Smith　G.E. スミス
1952 年　US ペンシルベニア州ストラウズバーグ出身／ Hall & Oates Band（ホール＆オーツ・バンド）／ G

Gillian Glibert　ジリアン・ギルバート
1961 年　UK イングランド・グレーターマンチェスター州マンチェスター・ウェイリーレインジ出身／ New Order（ニュー・オーダー）／ Kb.G

Margo Timmins　マーゴ・ティミンズ
1961 年　カナダ・ケベック州モントリオール出身／ Cowboy Junkies（カウボーイ・ジャンキーズ）／ Vo

Mike Patton　マイク・パットン
1968 年　US カリフォルニア州ユーレカ出身／シンガーソングライター／ Faith No More（フェイス・ノー・モア）／ Vo　▶ 1989 年　アルバム『The Real Thing』

Mark Owen　マーク・オーエン
1972 年　UK イングランド・グレーターマンチェスター州オールダム出身／ Take That（テイク・ザット）／ 1990 年 デビュー

✗ Pete Seeger　ピート・シーガー
2014 年　享年 94 才／ US フォーク・シンガーソングライター

ロック史
⊙ 1978 年　英ハードロック・バンド「Rainbow（レインボー）」のコンサート（北海道公演）で熱狂したファンがステージ前に殺到し、死者 1 名が出る事故発生

⊙ 1973 年　ベトナム戦争終結。ベトナム和平協定（パリ協定）締結。3 月にはアメリカ軍がベトナムから撤兵完了（アメリカの犠牲者：58,000 人／250 万人の兵士動員）

28

Dick Taylor　ディック・テイラー
1943 年　UK イングランド・ケント州ダートフォード出身／The Pretty Things（ザ・プリティ・シングズ）／G

Robert Wyatt　ロバート・ワイアット
1945 年　UK イングランド・ブリストル出身／Soft Machine（ソフト・マシーン）／Ds／1968 年　デビュー

Dave Sharp　デイヴ・シャープ
1959 年　UK イングランド・グレーターマンチェスター州サルフォード出身／Alarm（アラーム）／Vo.G／1978 年　デビュー

Sarah McLachlan　サラ・マクラクラン
1968 年　カナダ・ノバスコシア州ハリファックス出身／シンガーソングライター　▶
1997 年　アルバム『Surfacing』

Sony Music Japan

Nick Carter　ニック・カーター
1980 年　US ニューヨーク州ジェームズタウン出身／Backstreet Boys（バックストリート・ボーイズ）　▶ 1996 年　アルバム『Backstreet Boys』　▶ 2002 年　ソロアルバム『Now or Never』

✕ Mel Pritchard　メル・プリチャード
2004 年　享年 56 才（心臓発作）／Barclay James Harvest（バークレイ・ジェイムズ・ハーヴェスト）／Ds／1970 年　デビュー

✕ Jim Capaldi　ジム・キャパルディ
2005 年　享年 60 才（胃癌）／Traffic（トラフィック）／Ds

✕ Billy Powell　ビリー・パウエル
2009 年　享年 56 才（心臓発作）／Lynyrd Skynyrd（レーナード・スキナード）／Kb

✕ Paul Kantner　ポール・カントナー
2016 年　享年 74 才　／Jefferson Airplane（ジェファーソン・エアプレイン）／G.Vo

⊙ 1973 年　ザ・ローリング・ストーンズ初来日公演中止。過去の大麻所持を理由に外務省が入国拒否
⊙ 1985 年　USA for Africa「We Are the World」がレコーディングされる（米ハリウッ

ド・A&M スタジオ)。英「バンド・エイド」の成功に触発されたハリー・ベラフォンテの提唱のもと、米国の有名ミュージシャン 46 名が終結し録音された。作詞作曲はマイケル・ジャクソンとライオネル・リッチー、プロデューサーはクインシー・ジョーンズ。アーティストたちが集まった部屋に、「ドアの前で自分のエゴをチェックするように」という文言が挙げられていたことが有名。録音は 22 時から明朝 8 時まで行われた。この楽曲は同年 3 月 7 日にリリースされ、アフリカ飢餓救済のために数百万ドルの基金が集まった

社会史

⊙ 1986 年　米スペースシャトル・チャレンジャー号爆発事故発生（乗組員全員死亡）

David Byron　デヴィッド・バイロン

1947 年　UK イングランド・ロンドン出身／ Uriah Heep（ユーライア・ヒープ）／ Vo
✗ 1985 年 2 月 28 日　享年 38 才（アルコール性合併症）

Tommy Ramone　トミー・ラモーン

1949 年　US ニューヨーク州ニューヨークシティ・クイーンズ出身／本名：Thomas Erdelyi（トーマス・アーデライ）／ The Ramones（ザ・ラモーンズ）／ Ds ✗ 2014 年 7 月 11 日　享年 65 才（胆管癌）／メンバーで最長寿

Louie Perez　ルイス・ペレス

1953 年　US カリフォルニア州ロスアンゼルス出身／ Los Lobos（ロス・ロボス）／ Ds

Eddie Jackson　エディ・ジャクソン

1961 年　US テキサス州ロブスタウン出身／ Queensryche（クイーンズライク）／ B

Marcus Vere　マーカス・ヴェア

1964 年　US カリフォルニア州サンフランシスコ出身／ Living In a Box（リヴィング・イン・ア・ボックス）／ Kb

Roddy Frame　ロディ・フレイム

1964 年　UK スコットランド・クライドバンク出身／シンガーソングライター／ 1980 年　Aztec Camera（アズテック・カメラ）結成　▶ 1983 年　デビューアルバム『High Land, Hard Rain』

Jonny Lang　ジョニー・ラング

1981 年　US ノースダコタ州ファーゴ出身／ブルース、ロック、シンガーソングライター、ギタリスト　▶ 1995 年　デビューアルバム『Smokin'』

Stuart Coleman　スチュアート・コールマン

1983 年　UK イングランド・ウェストヨークシャー州リーズ出身／ The Music（ザ・ミュージック）／ B

✗ James Ingram ジェイムズ・イングラム
2019 年　享年 66 才（脳腫瘍）／ヴォーカリスト

✗ Hilton Valentine ヒルトン・ヴァレンタイン
2021 年　享年 77 才／ The Animals（ザ・アニマルズ）／ G

30

Marty Balin マーティ・バリン
1942 年　US オハイオ州シンシナティ出身／ 1965 年　Jefferson Airplane（ジェファーソン・エアプレイン）結成／ Vo　▶ 1981 年　ソロアルバム『Balin』

Steve Marriott スティーヴ・マリオット
1947 年　UK イングランド・ロンドン出身／ 1965 年　Small Faces（スモール・フェイセス）でデビュー／ Vo.G ／ 1969 年　Humble Pie（ハンブル・パイ）／ Vo.G　▶ 1976 年　ソロアルバム『Marriott』／ 1991 年　マリオットとピーター・フランプトンによるハンブル・パイ再結成が期待されたが、実現する前にマリオットが焼死してしまう／ 2001 年　「スティーヴ・マリオット・メモリアル・コンサート」にて一時的な再結成を果たす　✗ 1991 年 4 月 20 日　享年 44 才（自宅火災のため）

Phil Collins フィル・コリンズ
1951 年　UK イングランド・ロンドン出身／ 1970 年　Genesis（ジェネシス）結成／ 1976 年　ブランド X（ジャズ・ロックバンド）参加　▶ 1981 年　ソロアルバム『Face Value』　▶ 1985 年　アルバム『No Jacket Required』全米 1 位／ 2011 年 3 月 8 日 自身のサイトで引退宣言発表

Jody Watley ジョディ・ワトリー
1959 年　US イリノイ州シカゴ出身／ R&B シンガー　▶ 1987 年　シングル「Looking for a New Love」

Bill Leverty ビル・レヴァティー
1967 年　US ノースキャロライナ州出身／ Firehouse（ファイアーハウス）／ G ／ 1990 年　デビュー

ロック史
⦿ 1969 年　ザ・ビートルズ、ロンドン・アップル社の屋上で最後のライブを実施

社会史
⦿ 1972 年　UK 北アイルランド・ロンドンデリーで「血の日曜日事件（Bloody Sunday）」発生。北アイルランド・ロンドンデリーのカトリック系住民が多い地区で、公民権を求めるデモ行進中の市民 27 名がイギリス陸軍落下傘連隊に銃撃される。軍が非武装市民を殺傷したこの事件は、現代アイルランド史における重要な事件になる。これを機に北アイルランド紛争はさらに激化。69 年から約 30 年間カトリック系とプロテスタント系の抗争が続き、約 3,500 人が死亡。2007 年頃にはほぼ収束したといわれているが、その後も時折、小規模ながら暴力は続いている

30

● アイルランド系のジョン・レノンとポール・マッカートニー、U2 らがこの事件について の作品を発表／ポール・マッカートニー：1972 年 2 月 「Give Ireland Back to the Irish」（7 インチシングル）、BBC により放送禁止／ジョン・レノン：1972 年 6 月 「Sunday Bloody Sunday」「The Luck of the Irish」の 2 曲（『Sometime in New York City』収録）／U2：1983 年 3 月 「Sunday Bloody Sunday」（サードアルバム『WAR』収録のオープニングソング、同作のサードシングルはヨーロッパと日本で限定リリース）

31

Terry Kath　テリー・キャス
1946 年　US イリノイ州シカゴ出身／Chicago（シカゴ）／G　▶ 1969 年　アルバム『Chicago Transit Authority』　✗ 1978 年 1 月 23 日　享年 31 才（自動拳銃暴発事故）

Harry Wayne Casey　ハリー・ウェイン・ケイシー
1951 年　US フロリダ州オパロッカ出身／KC & The Sunshine Band（KC & ザ・サンシャイン・バンド）／Vo.Kb ／ 1974 年　デビュー

Phil Manzanera　フィル・マンザネラ
1951 年　UK イングランド・ロンドン出身／Roxy Music（ロキシー・ミュージック）／G

Jonny Rotten　ジョニー・ロットン
1956 年　UK インランド・ロンドン出身／本名：John Lydon（ジョン・ライドン）／ギタリストのスティーヴ・ジョーンズが彼の汚い歯を見て「腐ってる！（You're rotten!)」と言ったことから "Rotten" がニックネームになる／ 1976 年　Sex Pistols（セックス・ピストルズ）でデビュー（元祖ロンドン・パンク）　▶ 1977 年　アルバム『Never Mind the Bollocks Here's the Sex Pistols』／ 1978 年　セックス・ピストルズ解散。その後、本名 John Lydon（ジョン・ライドン）に改名／同年　PIL（Public Image Limited）結成　▶ファーストアルバム『Public Image: First Issue』／ 1992 年　PIL 活動停止／ソロ活動へ

Jeff Hanneman　ジェフ・ハンネマン
1964 年　US カリフォルニア州オークランド出身／Slayer（スレイヤー）／G　✗ 2013 年 5 月 2 日　享年 49 才（肝不全）

Alan Jaworski　アラン・ジャウォースキー
1966 年　UK イングランド・ロンドン出身／Jesus Jones（ジーザズ・ジョーンズ）／B

Fat Mike　ファット・マイク
1967 年　US カリフォルニア州ロスアンゼルス出身／本名　Michael John Burkett（マイケル・ジョン・バーケット）／ NOFX（ノー・エフエックス）／B

Jason Cooper　ジェイソン・クーパー
1967 年　UK イングランド・ロンドン出身／The Cure（ザ・キュアー）／Ds

Sony Music Japan

Justin Timberlake　ジャスティン・ティンバーレイク

1981 年　US フロリダ州オーランド出身／ N'Sync（イン・シンク）　▶ 2002 年　ソロ
アルバム『Justified』

Marcus Mumford　マーカス・マムフォード

1987 年　UK イングランド・ロンドン出身／ Mumford & Sons（マンフォード・アン
ド・サンズ）／ Vo.G ／ 2007 年　デビュー　▶ 2009 年　デビューアルバム『Sigh No
More』全米・全英 2 位

✄ Dewey Martin　デューイ・マーティン

2009 年　享年 68 才／ The Buffalo Springfield（ザ・バッファロー・スプリングフィールド）
／ Ds

✄ John Wetton　ジョン・ウェットン

2017 年　享年 67 才（大腸癌）／ King Crimson（キング・クリムゾン）、Asia（エイジア）
／ B

Column 1

辛い子供時代を過ごしたミュージシャンと音楽の出会い

ジョン・レノン

1940年10月9日
UKイングランド・マージーサイド州
リヴァプール出身

幼い頃、商船の乗組員であった父親が家を出ていく。母親も他の男性と同棲したため、ミミ伯母さんに預けられ厳しく育てられる。ジョンは終生彼女を愛したが、実の両親に育てられなかったためか、反抗的な少年時代を送ることになる。幼い頃に両親に捨てられた心の深い傷はジョンの一生を決定づけ、その後の様々な表現の核となっていく。

ジョンが16才の時、彼に会いに来た母親が非番の警察官が運転する車にはねられ突然死亡してしまう。この悲劇がジョンの人格形成にさらに暗い影を落とし、彼は「母親を二度も失った」と考えるようになったといわれる。同じ年、エルヴィスの「Heartbreak Hotel」を聴き、ロックンロールの洗礼を受け夢中になる。翌年、友達と「ザ・クオリーメン」を結成。夏の教会でのコンサートでポール・マッカートニーを紹介され運命的出会いとなる。14才の時に母親を乳癌で亡くしていたポールとは"母親の死"という同じ境遇でもあり、友情を深めていった。その後22才でビートルズとして華々しくデビュー。ソロになってからの楽曲「Mother」は、母親に対するジョンの深い愛情と悲しみを反映している。

ジミ・ヘンドリックス

1942年11月27日
USワシントン州シアトル出身

アフリカ系の父親とインディアンの母親との間に生まれる。母親は17才の時にジミを生んだが、遊び好きの家庭を顧みない奔放な性格で、まだ幼い彼を残して出奔し、数年後には亡くなってしまう。ジミの誕生時、父親は第二次世界大戦に出征中だったため伯母夫婦のもとで育てられる。たびたび預けられた祖母は純血のチェロキー族で、居住地の希望を持てない生活を送るインディアンたちの辛い姿を目の当たりにしてショックを受けたジミは、後年その体験を楽曲にしている。その後、父親に引き取られる。生活は厳しかったが、15才の頃ギターに興味を持った息子に、父親はアコースティック・ギターを買い与えた。ジミは父親が聴いていたブルースやR&Bを聴くようになり、エルヴィスのコンサートでロックンロールに衝撃を受ける。その後熱心に練習を重ね、アマチュア・バンドでたくさんの経験を積みギターの腕を上げていく。

エリック・クラプトン

1945年3月30日
UKサリー州リプリー出身

16才の母親と既婚のカナダ軍兵士の間に私生児として生まれるが、母親はエリックを引き取ることなく別の男性とドイツで結婚してしまう。やむなく母親の祖父母に育てられた複雑な家庭環境が、その後長い間彼の心に暗い影を落としていく。内省的な彼の性格がブルース音楽の感情表現に惹かれていくのは当然のことだったのかもしれない。

エリックが音楽に興味を持つようになったのは、ビッグバンド・ジャズを聴いていた15才年上の叔父の影響だった。テレビで観たジェリー・リー・ルイスの演奏に心奪われ、13才の誕生日プレゼントに祖父母から本物のガットギターをもらい、ギタリストとしてのキャリアがスタートする。

シド・ヴィシャス

1957年5月10日
UKイングランド・ロンドン出身

　3才の時、陸軍兵の実父と離婚した母親と一緒にスペイン・イビサ島に移住する。母親はマリファナを売って生計をたてるものの、生活が困窮してイギリスに帰国。ドラッグの売人になった彼女は自らが麻薬中毒者となり入院。退院後、大学生と再婚するが病死してしまう。そんな混乱した家庭環境の中でシドは中学時代にグラム・ロック（デヴィッド・ボウイ、T・レックス、ロキシー・ミュージック）に傾倒。高校でジョニー・ロットンと出会い親友になり、「セックス・ピストルズ」に加入。彼のカリスマ性と過激なパフォーマンスに人々は熱狂的に魅了されたが、バンド加入前の本来の彼は気弱で礼儀正しい青年であったという。バンド解散後に麻薬の過剰摂取で若くして他界。享年21才。波乱に満ちた生涯がパンク・ムーブメントの伝説として今も語り継がれている。

マドンナ

1958年8月16日
USミシガン州ベイ・シティ出身

　8人兄弟の3番目に生まれたが、6才の時に最愛の母親が乳癌で他界。早くに再婚した父親と継母との確執や憎悪が、その後の彼女の心の深い傷となる。亡き母への想いと父親の愛情を自分に取り戻したい一心で学業を頑張り、常に優秀な成績をおさめ、奨学生としてミシガン州立大学に入学するが1年で退学。ニューヨークでスターを目指すことを決意し、わずか35ドルの所持金で移住。昼はヌードモデルやウェイトレス、夜はダンサー・女優になるためのレッスンを受けながらの極貧生活を2年間続ける。プロモーターに送り続けたテープがやっと認められ、初シングル「Like a Virgin」が全世界で1,500万枚のセールスを達成。少女時代の両親への深い想いが、何をやってもへこたれず、大胆で頭のきれる彼女の強い性格を際立たせ、ニューヨークでの成功に導いていった。

アクセル・ローズ

1962年2月6日
USインディアナ州ラファイエット出身

　実父と母親の再婚相手の夫（養父）のふたりから様々な虐待を受ける。"父親"という存在は彼にとって恐怖と憎悪の対象そのものであった。そのトラウマが、情緒不安定でガラスのような神経を持ち、人に対してすぐに怒りをぶつける性格を作ってしまう。そんな彼を救ったのが学校や教会のコーラス隊で歌い始めたことだった。やがてロックに目覚めていき、ロック好きの友ジェフ・イザベルとの出会いでアクセルの荒んだ心は次第に安らいでいった。アクセル・ローズという名前に変えたのも、自分の親から逃げたかったから、決別したかったからという幼い頃の辛いトラウマが理由だったといわれる。

ジュリアン・レノン

1963月4月8日
UKイングランド・マージーサイド州
リヴァプール出身

　5才の時まではサリー州の大きな邸宅に家族3人で幸せに暮らしていたが、ヨーコに恋した父ジョンが妻シンシアと離婚して以降は母のもとで育つ。1970年代初頭までは、父親とは数えるほどしか会っていなかった。ただジョンとヨーコの別居中に、ジョンと当時の愛人メイ・パンにアメリカで会ったり、ジョンとヨーコとその息子ショーンのニューヨークの新しい家庭にも遊びに行くようになる。しかし、「実際に会ったその貴重な時間の中でも、目の前の父の心は遠く離れていて、僕を怯えさせることの方が多かった。（…）父の人生の中では、僕は取るに足らない存在で、拒絶されているようにすら感じていた」とシンシアの著書『ジョン・レノンに恋して』に書かれている。そしてジョンは自分の父親が家を出ていった時と同じく、5才の息子を残してこの世を去ってしまう。
　その後1984年にフィル・ラモーンがプロデュースした『Valotte』でレコード・デビュー。

チャートでもかなりの成功を収め、「Too Late for Goodbyes」（84 年）「Saltwater」（91 年）などの英米 TOP10 の大ヒット曲を生んだ。異母兄弟のショーンとは幼少期から親密であったが、父の死後、なぜかジュリアンは遺産相続人から外されていた。96 年にやっと相続人としてヨーコが支払いに同意した。また、両親の仲が最も険悪であった時期にあたる 5 才のジュリアンを不憫に思ったポール・マッカートニーは、彼をよく可愛がり、励ますために「Hey Jude」を作ったといわれている。

カート・コバーン

1967年2月20日
USワシントン州アバディーン出身

8 才の頃に両親の離婚により精神的に不安定になり、9 才で精神安定剤を服用。内向的で引きこもりがちな少年期を過ごす。そんな時、彼の心を救ったのがブラック・サバス、レッド・ツェッペリン、エアロ・スミス、ELO などのロック・ミュージックだった。図書館に通いつめ、学校でも友達を作らなかったが、ハイスクールではパンク・ロックに興味を持ち、音楽で自分自身を開放できることを知る。

21 才の時ニルヴァーナを結成し、グランジ・ロックの牽引者になったが、ドラッグの過剰摂取で倒れたのち、自宅で猟銃自殺する（死因は他殺など数々の噂あり）。少年時代に孤独で不安定だった気持ちをロックに救われ、一瞬で成功をつかみ花開いた結果、再び薬物により 27 才で自ら死を選んでしまい、短く悲しい、非常に惜しまれる人生に。しかし死後もそのカリスマ性は高く、幼少期（1968 〜 84 年／彼が辛い思春期を過ごした時期）に住んでいた家が、ワシントン州内の歴史的に重要な場所や資産を保存する「ヘリテージ・レジスター」として登録されることが決定した。

クリスティーナ・アギレラ

1980年12月18日
USニューヨーク州ニューヨークシティ・スタテンアイランド出身

エクアドル出身のアメリカ陸軍軍曹の父親と、アイルランド系アメリカ人でスペイン語教師の母親との間に、ニューヨーク市のスタテンアイランドで生まれる。父親の仕事の都合で、日本を含む世界各地の米軍基地で育つ。7 才の頃に父親の虐待が原因で両親が離婚。母と妹と共に、祖母の住むアメリカ・ペンシルベニア州に移住する。母親は再婚し、継父と 3 人の異父弟妹と共に暮らすことになる。3 〜 6 才まで日本に住んでいたという。

10 才の時、タレント・コンテスト番組に出演するが不合格。12 〜 14 才までは、のちにスターとなるブリトニー・スピアーズや N'Sync のジャスティン・ティンバーレイクらと共に、「ミッキーマウス・クラブ」にも出演した。1999 年にメジャーデビューし、全米 1 位を獲得、グラミー賞も受賞するが、メイクや服装がデビュー当時の清純なイメージから露出度の高い派手な見た目に変貌したため、批判されることも少なくなかった。反面、父親による暴力に怯えて過ごした幼年時代の告白や、社会的弱者への共感を歌った楽曲「Beautiful」（2002 年）などが高く評価される。この曲の発表により、ゲイからも多くの支持を集め、同性愛者に対する支援のメッセージを送り続けている。

2

February

The
Rock
Musicians'
Birthday
Encyclopedia

February

GEORGE HARRISON　ジョージ・ハリスン

1943 年 2 月 25 日
UK イングランド・マージーサイド州リヴァプール・ウェイヴァートリー出身

　3 人兄弟の末息子として生まれる。名前は当時の国王ジョージ 6 世にちなんでつけられた。父は船の客室乗務員から市営バスの車掌になり、生計を立てていた。ジョージはダブディル小学校卒業後、リヴァプール・インスティチュートに入学。テレビのなかった時代にラジオから流れる「Rock Around the Clock」を聴き、エルヴィスの音楽に惹かれる。母から援助を得て中古ギターを手に入れ、ひたすら練習を重

1

AXL. ROSE　ウィリアム・アクセル・ローズ

1962 年 2 月 6 日
US インディアナ州ラハイエット出身

　本名は William Bruce Rose（ウィリアム・ブルース・ローズ）。実父から、そして再婚相手の父親からも虐待を受ける。彼にとって「父親」という存在は、恐怖と憎悪の対象でしかなかった。そんな彼を救ったのは学校や教会のコーラス隊で歌い始めたことだったが、やがてロックに目覚める。その後

2

KURT COBAIN　カート・コバーン

1967 年 2 月 20 日
US ワシントン州アバティーン出身

　8 才の頃、両親の離婚により精神的に不安定になり、9 才には精神安定剤を服用するようになる。そんな彼の心を救ったのはブラック・サバス、レッド・ツェッペリン、エアロスミス、ELO などの音楽だった。ハイスクール時代、彼の先輩でバンド「メルヴィンズ」リーダーのハズ・オズボーンと

3

ねる。ギターの腕前を上げたジョージは念願のスキッフル・バンド「Revels（反逆者）」を結成。そして通学バスの中で1年上のポール・マッカートニーから声をかけられ、ふたりで演奏するようになる。その後ふたりは1958年7月、美大に通うジョン・レノンがリーダーを務める「ザ・クオリーメン」の一員となる。ジョージは以前から在籍しているバンドも辞めずに活動したため、夜通し演奏することもあったが苦にならなかった。

　ザ・ビートルズ解散後もソロとして活躍し、71年にはチャリティ・コンサートの先駆けとなる「バングラディシュ難民救済コンサート」を開催。自らのレコードレーベル「ダークホース」を設立し、88年にボブ・ディラン、トム・ペティ、ロイ・オービソン、ジェフ・リンらと「トラヴェリング・ウィルベリーズ」を結成して活動を続けたが、2001年11月29日、肺癌等により他界。享年58才だった。

にロック好きの親友ジェフ・イザベルに出会うことで、荒んだ心は安らいでいった。ミュージシャンを目指して行ってしまったジェフを追いかけるように、1980年ロスアンゼルスに向かう。当初はビル・ヘイリーと名乗り、ホームレス状態でバンド活動を続けていた。ジェフはイジー・ストラドリン（G）、ウィリアムはアクセル・ローズ（Vo）と改名し、85年にガンズ・アンド・ローゼズを結成する。当初は依然貧困状態で、自主ツアーの移動はいつもヒッチハイクだった。87年にメジャーデビューし、ようやく快進撃を果たして数年間でスターダムへ駆け上がっていく。

の出会いからインディハードコアを聴くようになり、パンク・ロックに興味を抱く。そして彼は音楽で自分自身を開放できることを知る。高校退学後、親友のクリス・ヴォゼリックとバンドを結成し何度かバンド名を変えながら、1989年に「ニルヴァーナ」となる。アルバム『Bleach』でデビューし、91年にはメジャーから『Nevermind』を発表。グランジロックの牽引者となる。しかし94年3月、ツアー先のイタリアでドラッグ過剰摂取のため倒れ入院。帰国後行方不明になり、4月8日に自宅にて猟銃で自殺する。享年27才。

Ray Sawyer　レイ・ソーヤー（Dr. Hook ／ドクター・フック）
1937 年　US アラバマ州チッカソウ出身／カントリー・ロック系バンド Dr. Hook & the Medicine Show（ドクター・フック＆ザ・メディスン・ショー）／ Vo　▶ 1972 年　デビューアルバム『Doctor Hook』　▶ 1980 年　シングル「Sexy Eyes」

Don Everly　ドン・エヴァリー
1937 年　US ケンタッキー州ブラウニー出身／ The Everly Brothers（ザ・エヴァリー・ブラザーズ）　✗ 2021 年 8 月 21 日　享年 84 才

Jimmy Carl Black　ジミー・カール・ブラック
1938 年　US テキサス州エルパソ出身／本名：James Inkanish Jr.（ジェームズ・インカニッシュ・ジュニア）／ The Mothers of Invention（ザ・マザーズ・オブ・インヴェンション）／ Ds ／ 1966 年　デビュー　✗ 2008 年 11 月 1 日　享年 70 才（肺癌）

Rick James　リック・ジェームス
1948 年　US ニューヨーク州バッファロー出身／シンガー・ギタリスト　▶ 1978 年ソロアルバム『Come Get It!』

Mike Campbell　マイク・キャンベル
1950 年　US フロリダ州ジャクソンヴィル出身／ Tom Petty & The Heart Breakers（トム・ペティ＆ザ・ハートブレイカーズ）／ G.B

Frankie Sullivan　フランキー・サリヴァン
1955 年　US イリノイ州シカゴ出身／ Survivor（サヴァイヴァー）／ G　▶ 1982 年アルバム『Eye of the Tiger』

C.J. Lewis　C.J. ルイス
1967 年　UK イングランド・ロンドン出身／レゲエ・シンガー　▶ 1994 年　『Sweets for My Sweet』

Lisa Marie Presley　リサ・マリー・プレスリー
1968 年　US テネシー州メンフィス出身 (エルヴィス・プレスリーの娘)　▶ 2003 年デビューアルバム『Lisa Marie Presley』

Patrick Wilson　パトリック・ウィルソン
1969 年　US ニューヨーク州バッファロー出身　Weezer（ウィーザー）／ Ds

Ron Welty　ロン・ウェルティ
1971 年　US カリフォルニア州ロングビーチ出身／ The Offspring（ザ・オフスプリング）／ Ds

Big Boi　ビッグ・ボーイ
1975 年　US ジョージア州アトランタ出身／本名：Antwan Andre Patton（アントワン・

アンドレ・パットン）／ラッパー／OutKast（アウトキャスト）

Gustaf Noren　グスタフ・ノリアン
1981 年　スウェーデン・ストックホルム出身／ Mando Diao（マンドゥ・ディアオ）
／ Vo.G ／ 1995 年　デビュー

Andrew VanWyngarden　アンドリュー・ヴァンウィンガーデン
1983 年　US ミズーリ州コロンビア出身／ MGMT（エムジーエムティー）／ Vo.G　▶
2007 年　アルバム『Oracular Spectacular』

Sony Music Japan

Harry Edward Styles　ハリー・エドワード・スタイルズ
1994 年　UK イングランド・ウスター州レディッチ出身／ One Direction（ワン・ダイ
レクション）　▶ 2011 年　アルバム『Up All Night』

社会史
- 1991 年　アパルトヘイト政策の廃止を宣言（南アフリカ共和国）
- 2020 年　イギリスがヨーロッパ連合（EU）より離脱
- 2021 年　ミャンマーで軍部クーデター勃発。アウンサンスーチー国家顧問は自宅
  軟禁後、2022 年 4 月に 5 年間の禁固刑決定

2

Graham Nash　グラハム・ナッシュ
1942 年　UK イングランド・ランカシャー州ブラックプール出身／ 1963 年　The
Hollies（ザ・ホリーズ）／ Vo.G ／ 1968 年　Crosby, Stills, Nash & Young（CSNY：
クロスビー、スティルス、ナッシュ & ヤング）結成　▶ 1969 年　アルバム『Crosby
Stills & Nash』

Robert Deleo　ロバート・ディレオ
1966 年　US ニュージャージー州モントクレア出身／ Stone Temple Pilots（ストーン・
テンプル・パイロッツ）／ B

Ben Mize　ベン・マイズ
1971 年　US カリフォルニア州サンフランシスコ出身／ Counting Crows（カウンティ
ング・クロウズ）／ Ds

Billy Mohler　ビリー・モーラー
1975 年　US カリフォルニア州サウスオレンジ郡出身／プロデューサー、ソングライ
ター／ The Calling（ザ・コーリング）／ B

Shakira　シャキーラ
1977 年　コロンビア・ベランキア出身／ラテンポップ・シンガーソングライター　▶
2005 年　アルバム『Fijacion Oral Vol.1』

✗ Sid Vicious　シド・ヴィシャス

2

1979 年　享年 21 才（薬物中毒）／ Sex Pistols（セックス・ピストルズ）

3

Eric Haydock　エリック・ヘイドック
1943 年　UK イングランド・グレーターマンチェスター州ストックポート出身／ The Hollies（ザ・ホリーズ）／ B

Stan Webb　スタン・ウェッブ
1946 年　UK イングランド・ロンドン出身／ Chicken Shack（チキン・シャック）／ G ／ 1965 年デビュー

Dave Davis　デイヴ・デイヴィス
1947 年　UK イングランド・ロンドン出身／ The Kinks（ザ・キンクス）／ Vo.G　▶
1964 年　アルバム『Kinks』

Lee Ranaldo　リー・ラナルド
1956 年　US ニューヨーク州ロングアイランド出身／ Sonic Youth（ソニック・ユース）／ G

✗ Buddy Holly　バディ・ホリー
1959 年　享年 22 才（飛行機事故）

✗ Ritchie Valens　リッチー・ヴァレンス
1959 年　享年 17 才（飛行機事故）

✗ Maurice White　モーリス・ホワイト
2016 年　享年 74 才（パーキンソン病）／ Earth Wind & Fire（アース・ウィンド・アンド・ファイア）／ Vo.Ds

4

John Steel　ジョン・スティール
1941 年　UK イングランド・ダラム州ゲイツヘッド出身／ The Animals（ザ・アニマルズ）／ Ds

Alice Cooper　アリス・クーパー
1948 年　US ミシガン州デトロイト出身／本名：Vincent Damon Furnier（ヴィンセント・デイモン・ファーニア）／ロック・ヴォーカリスト　▶ 1969 年　デビューアルバム『Pretties for You』　▶ 1972 年　アルバム『School's Out』がヒット

Phil Ehart　フィル・イハート
1951 年　US カンザス州コフィヴィル出身／ Kansas（カンザス）／ Ds　▶ 1976 年　アルバム『Left Overture』

Sony Music Japan

Jerry Shirley　ジェリー・シャーリー

1952 年　UK イングランド・ハートフォードシャー州ウォルスハム・クロス出身／
Humble Pie（ハンブル・パイ）／Ds

Kevin "Noodles" Wasserman　ケヴィン・"ヌードルズ"・ワッサーマン
1963 年　US カリフォルニア州オレンジ郡出身／The Offspring（ザ・オフスプリング）
／G

Natalie Imbruglia　ナタリー・インブルーリア
1975 年　オーストラリア・シドニー出身／シンガー　▶ 1998 年　シングル「Torn」

✗ Karen Carpenter　カレン・カーペンター
1983 年　享年 32 才（拒食症）／ Carpenters（カーペンターズ）／Vo.Ds

✗ Reg Presley　レグ・プレスリー
2013 年　享年 71 才（脳卒中）／ The Troggs（ザ・トロッグス）／Vo

5

Hal Blaine　ハル・ブレイン
1929 年　US マサチューセッツ州ホルヨーク出身／本名：Harold Simon Belsky（ハロ
ルド・サイモン・ベルスキー）／セッション・ドラマー／ザ・ロネッツ、ザ・ビーチ・ボー
イズ、エルヴィス・プレスリーなど延べ 35,000 曲、全米 1 位 40 曲に参加 ✗ 2019 年
3 月 11 日　享年 90 才

Cory Wells　コリー・ウェルズ
1942 年　US ニューヨーク州バッファロー出身／ Three Dog Night（スリー・ドッグ・
ナイト）／Vo

Al Kooper　アル・クーパー
1944 年　US ニューヨーク州ニューヨークシティ・ブルックリン出身／プロデューサー、
ソングライター／ 1965 年　ボブ・ディラン「Like a Rolling Stone」のオルガン奏者／
1967 年　Blood, Sweat & Tears（ブラッド・スウェット＆ティアーズ）結成　▶ 1969
年　ソロアルバム『I Stand Alone』／ソロ活動中

J.R. Cobb　J.R. コブ
1944 年　US アラバマ州バーミンガム出身／ Atlanta Rhythm Section（アトランタ・リ
ズム・セクション）／G

Mauro Pagani　マウロ・パガーニ
1946 年　イタリア・ロンバルディア州キアーリ出身／ Premiata Forneria Marconi（PFM
／プレミアータ・フォルネリア・マルコーニ）／Vi.Horn.Vo

Valerie Carter　ヴァレリー・カーター
1953 年　US フロリダ州ウィンター・ヘイヴン出身／シンガーソングライター（LA ポッ
プスのバックコーラス）　▶ 1978 年　アルバム『Wild Child』 ✗ 2017 年 3 月 4 日　享

5

年 64 才（心臓発作）

Nick Laird‑Clowes　ニック・レアード・クロウズ

1957 年　UK イングランド・ロンドン出身／ Dream Academy（ドリーム・アカデミー）／ Vo.G

Duff McKagan　ダフ・マッケイガン

1964 年　US ワシントン州シアトル出身／ Guns N' Roses（ガンズ・アンド・ローゼズ）／ B ／ Velvet Revolver（ヴェルヴェット・リヴォルヴァー）／ B　▶ 1991 年　アルバム『Use your Illusion I』

Jon Spencer　ジョン・スペンサー

1965 年　US ニューハンプシャー州ハノーバー出身／ Jon Spencer Blues Explosion（ジョン・スペンサー・ブルース・エクスプロージョン）／ G.Vo　▶ 1994 年　アルバム『Orange』

Chris Barron　クリス・バロン

1968 年　US ハワイ州ホノルル出身／ Spin Doctors（スピン・ドクターズ）／ Vo

Bobby Brown　ボビー・ブラウン

1969 年　US マサチューセッツ州ロックスバリー出身／ New Edition（ニュー・エディション）　▶ 1989 年　シングル「Every Little Step」　▶ 1992 年　Whitney Houston（ホイットニー・ヒューストン）と結婚／ 2006 年　離婚

6

Bob Marley　ボブ・マーリー

1945 年　ジャマイカ・セントアン教区ナインマイルズ出身／本名：Robert Nesta Marley（ロバート・ネスタ・マーリー）／レゲエ・シンガー／ 1961 年　The Wailers（ザ・ウェイラーズ）結成　▶ 1973 年　デビューアルバム『Catch a Fire』　✘ 1981 年 5 月 11 日　享年 36 才（脳腫瘍）

Richie Hayward　リッチー・ヘイワード

1946 年　US アイオワ州セロゴード郡クレアレイク出身／ Little Feat（リトル・フィート）／ Ds ／ 1971 年　デビュー　✘ 2010 年 8 月 12 日　享年 64 才（肝臓癌）

Natalie Cole　ナタリー・コール

1950 年　US カリフォルニア州ロスアンゼルス出身／ R&B シンガー（ナット・キング・コールの娘）　▶ 1976 年　シングル「Mr. Melody」　▶ 1991 年　アルバム『Unforgettable』　✘ 2015 年 12 月 31 日　享年 65 才（心臓疾患）

Simon Phillips　サイモン・フィリップス

1957 年　UK イングランド・ロンドン出身／セッションドラマー、スタジオミュージシャン（ザ・フー、ミック・ジャガー、TOTO）

Universal Music

Axl. Rose　アクセル・ローズ

1962 年　US インディアナ州ラファイエット出身／本名：William Bruce Rose（ウィリアム・ブルース・ローズ）／1980 年　Guns N' Roses（ガンズ・アンド・ローゼズ）結成　▶ 1991 年　アルバム『Use Your Illusion I』『同 II』

Rick Astley　リック・アストリー

1966 年　UK イングランド・マージーサイド州ニュートン・ル・ウィローズ出身／シンガー　▶ 1987 年　シングル「Never Gonna Give You Up」／プロダクション「PWL」をストック、エイトキン、ウォーターマンで主宰

✂ Carl Wilson　カール・ウィルソン

1998 年　享年 51 才（肺癌）／The Beach Boys（ザ・ビーチ・ボーイズ）

✂ Falco　ファルコ

1998 年　享年 40 才（交通事故）／オーストリア出身ミュージシャン

✂ Gary Moore　ゲイリー・ムーア

2011 年　享年 58 才（心臓発作）／Skid Row（スキッド・ロウ）や Thin Lizzy（シン・リジィ）で活動後に独立

7

King Curtis　キング・カーティス

1934 年　US テキサス州フォートワース出身／R&B サクソフォーン奏者　✂ 1971 年 8 月 13 日　享年 37 才（刺殺）

Jimmy Greenspoon　ジミー・グリーンスプーン

1948 年　US カリフォルニア州ビヴァリーヒルズ出身／Three Dog Night（スリー・ドッグ・ナイト）／Kb

Alan Lancaster　アラン・ランカスター

1949 年　UK イングランド・ロンドン出身／Status Quo（ステイタス・クォー）／B／1968 年 デビュー　✂ 2021 月 9 月 26 日　享年 72 才（多発性硬化症）

Steve Bronski　スティーヴ・ブロンスキー

1960 年　UK イングランド・ロンドン出身／Bronski Beat（ブロンスキー・ビート）／Kb　▶ 1984 年　アルバム『The Age of Consent』（当時メンバーが全員ゲイであることを公言し、同性愛者が直面する問題を歌った曲も多い）　✂ 2021 年 12 月 7 日　享年 61 才（ロンドンの自宅の火災で煙を吸い込んだため）

Garth Brooks　ガース・ブルックス

1962 年　US オクラホマ州タルサ出身／カントリー・シンガー　▶ 1991 年　アルバム『Ropin' the Wind（アメリカの心）』

David Bryan　デヴィッド・ブライアン

7

1962 年　US ニュージャージー州パースアンボイ出身／ Bon Jovi（ボン・ジョヴィ）
／ Kb

Wes Borland　ウェス・ボーランド
1975 年　US フロリダ州ジャクソンヴィル出身／ Limp Bizkit（リンプ・ビズキット）
／ G

✘ Lonesome Dave　ロンサム・デイヴ
2000 年　享年 56 才（腎臓癌）／ Foghat（フォガット）／ G.Vo

✘ Pat Torpey　パット・トーピー
2018 年　享年 64 才（パーキンソン病）／ Mr. Big（ミスター・ビッグ）／ Ds

社会史
⊙ 1965 年　アメリカが北ベトナムへ爆撃開始（ベトナム戦争の開戦とされる）。ベ
トナムの共産化を阻止する口実でアメリカは本格的に軍事介入して南ベトナム軍を
支援。75 年には南ベトナム政府の首都サイゴンが陥落し、北によるベトナム統一
が行われ完全に終結。76 年にはベトナム社会主義共和国が成立した。アメリカ軍
の死者は 58,220 人、従軍数は 870 万人といわれる。この戦争に対するフォークや
ロックの反戦歌がアメリカで盛んに創り歌われるようになり、若者文化の大きな
ムーブメントとなる

8

Creed Bratton　クリード・ブラットン
1943 年　US カリフォルニア州ロスアンゼルス出身／本名：William Charles Schneider
（ウィリアム・チャールズ・シュネデール）／ The Glass Roots（ザ・グラス・ルーツ）
／ G

Dan Seals　ダン・シールズ
1948 年　US テキサス州マッカミー出身／ England Dan & John Ford Coley（イングラ
ンド・ダン＆ジョン・フォード・コーリー）　▶ 1979 年　アルバム『Dr. Heckle & Mr.
Jives』　✘ 2009 年 3 月 25 日　享年 61 才（悪性リンパ腫）

Vince Neil　ヴィンス・ニール
1961 年　US カリフォルニア州ロスアンゼルス出身／ Motley Crue（モトリー・クルー）
／ Vo　▶ 1985 年　アルバム『Theatre of Pain』

Will Turpin　ウィル・ターピン
1971 年　US アラスカ州フェアバンクス出身／ Collective Soul（コレクティヴ・ソウル）
／ B.Kb ／ 1994 年　デビュー

Guillaume Emmanuel "Guy-Manuel" de Homem-Christo
ギ＝マニュエル・ド・オメン＝クリスト
1974 年　フランス・パリ出身／ Daft Punk（ダフト・パンク）／ G.Kb.Ds

Dave Phoenix Farrell　デイヴ・ファーレル
1977 年　US マサチューセッツ州プリマス出身／ Linkin Park（リンキン・パーク）／
B ／ステージネーム：Phoenix（フェニックス）

✗ Del Shannon　デル・シャノン
1990 年　享年 56 才 (自殺) ／ソロシンガー

✗ Keith Knudsen　キース・ヌードセン
2005 年　享年 56 才（肺炎）／ The Doobie Brothers（ザ・ドゥービー・ブラザーズ）
／ Ds.Vo

9

Barry Mann　バリー・マン
1939 年　US ニューヨーク州ニューヨークシティ・ブルックリン出身／ソングライター
／ 1963 年　The Righteous Brothers（ザ・ライチャス・ブラザーズ）でデビュー　▶
1964 年　シングル「You've Lost That Lovin' Feelin'（ふられた気持ち）」　▶ 1965 年
The Animals（ザ・アニマルズ）　▶シングル「We've Gotta Get Out of This Place（朝
日のない街）」

Rich Fifield　リッチー・ファイフィールド
1941 年　US コロラド州ボールダー出身／ The Astronauts（ザ・アストロノウツ）／
G　▶ 1964 年　シングル「Movin'（太陽の彼方に）」

Carol King　キャロル・キング
1942 年　US ニューヨーク・ニューヨークシティ・ブルックリン出身／夫ゲリー・ゴフィ
ンとのコンビでヒット曲を発表　▶ 1962 年　Little Eva（リトル・エヴァ）のシングル
「Loco-Motion」（作曲）／ 1968 年　The City（ザ・シティ）に参加　▶アルバム『Now
That Everything's Been Said』　▶ 1971 年　ソロアルバム第 2 作『Tapestry（つづれおり）』
／ 15 週間連続全米 1 位

Holly Johnson　ホリー・ジョンソン
1960 年　UK イングランド・マージーサイド州リヴァプール出身／ Frankie Goes to
Hollywood（フランキー・ゴーズ・トゥ・ハリウッド）／ Vo　▶ 1984 年　アルバム
『Welcome to the Pleasuredome』

✗ Bill Haley　ビル・ヘイリー
1981 年　享年 56 才（脳腫瘍）／ロカビリー・シンガー

✗ Ian McDonald　イアン・マクドナルド
2022 年　享年 75 才（結腸癌）／マルチプレイヤー

ロック史
⊙ 1961 年　ザ・ビートルズがリヴァプール「キャバーン・クラブ」に初出演（1963
年　最後の出演）

9

⊙ 1964 年　ザ・ビートルズが US テレビ番組『エド・サリバン・ショー』に初出演（3
週連続）

10

Don Wilson　ドン・ウィルソン

1933 年　US ワシントン州タコマ出身／本名：Donald Lee Wilson（ドナルド・リー・ウィ
ルソン）／ The Ventures（ザ・ヴェンチャーズ）創設者／ G　▶ 1960 年　アルバム『Walk
Don't Run』　✗ 2022 年 1 月 22 日　享年 88 才（老衰）

Roberta Flack　ロバータ・フラック

1937 年　US ノースカロライナ州ブラックマウンテン出身　▶ 1973 年　アルバム
『Killing Me Softly with His Song（やさしく歌って）』

Sony Music Japan

Peter Allen　ピーター・アレン

1944 年　オーストラリア・ニューサウスウェールズ州テンタフィールド出身／ AOR
シンガーソングライター　▶ 1980 年　アルバム『Bi-Coastal』　▶ 1983 年　アルバム
『Not the Boy Next Door』　✗ 1992 年 6 月 18 日　享年 48 才（エイズ合併症）

Nigel Olsson　ナイジェル・オルソン

1949 年　UK イングランド・チェシャー州ウォーラシー出身／ドラマー、シンガー、
エルトン・ジョンのバンド・ドラマー　▶ 1979 年　アルバム『Nigel』

Sony Music Japan

Clifford Lee Burton　クリフォード・リー・バートン

1962 年　US カリフォルニア州カストロ・ヴァレー出身／ Metallica（メタリカ）／ B
✗ 1986 年 9 月 27 日　享年 24 才（交通事故）

Tony Reno　トニー・レノ

1963 年　スウェーデン、ダンデリッド出身／ Europe（ヨーロッパ）／ Ds

Brian Liesegang　ブライアン・リーゼガング

1970年　US ニューヨーク州ニューヨークシティ出身／ Filter（フィルター）／ Kb.Pro.G.Ds
▶ 1995 年　デビューアルバム『Short Bus』

11

Gene Vincent　ジーン・ヴィンセント

1935 年　US ヴァージニア州ノーフォーク出身／本名：ヴィンセント・ユージン・ク
ラドック／ロック・シンガー　▶ 1956 年　シングル「Be-Bop-A-Lula」　✗ 1971 年 10
月 12 日　享年 35 才（胃潰瘍）

Bob Demmon　ボブ・デモン

1939 年　US コロラド州ボールダー出身／ The Astronauts（ザ・アストロノウツ）／
G　▶ 1963 年　アルバム『Surfin with the Astronauts』

Sergio Mendes　セルジオ・メンデス

Jan

Feb

Mar

Apr

May

Jun

Jul

Aug

Sep

Oct

Nov

Dec

1941 年　ブラジル・リオデジャネイロ州ニテロイ出身／ボサノバ＆ジャズ・アーティスト　▶ 1966 年　アルバム『Sergio Mendes & Brasil '66』

Otis Clay　オーティス・クレイ
1942 年　US ペンシルベニア州フィラデルフィア出身／ソウル・シンガー　▶ 1972 年　アルバム『Trying to Live My Life without You』　✗ 2016 年 1 月 8 日　享年 73 才（心臓発作）

David Uosikkinen　デイヴィッド・ウォシキネン
1956 年　US ペンシルベニア州フィラデルフィア出身／ The Hooters（ザ・フーターズ）／ Ds ／ 1985 年 デビュー

Sheryl Crow　シェリル・クロウ
1962 年　US ミズーリ州ケネット出身／ロック・シンガー　▶ 1993 年　デビューアルバム『Tuesday Night Music Club』　▶ 1994 年　シングル「All I Wanna Do」

D'Angelo　ディアンジェロ
1974 年　US ヴァージニア州リッチモンド出身／ R&B シンガーソングライター　▶ 2000 年　シングル「Left & Right」

Mike Shinoda　マイク・シノダ
1977 年　US カリフォルニア州ロスアンゼルス出身　Linkin Park（リンキン・パーク）／ Rap.Vo　▶ 2000 年　アルバム『Hybrid Theory』

Brandy　ブランディ
1979 年　US ミシシッピ州アッコム出身／ R&B シンガー　▶ 1994 年　デビューアルバム『Brandy』

Kelly Rowland　ケリー・ローランド
1981 年　US ジョージア州アトランタ出身／ Destiny's Child（デスティニーズ・チャイルド）

✗ Estelle Bennett　エステル・ベネット
2009 年　享年 67 才（結腸癌）／ The Ronettes（ザ・ロネッツ）

✗ Whitney Houston　ホイットニー・ヒューストン
2012 年　享年 48 才（コカイン摂取による心臓発作）

✗ Rick Huxley　リック・ハクスリー
2013 年　享年 72 才（慢性閉塞性肺疾患）／ The Dave Clark Five（ザ・デイヴ・クラーク・ファイヴ）／ B

12

Ray Manzarek　レイ・マンザレク
1939 年　US イリノイ州シカゴ出身／ The Doors（ザ・ドアーズ）／ Kb　▶ 1967 年

アルバム『Strange Days』 ✗ 2013 年 5 月 20 日　享年 74 才（胆管癌）

Steve Hackett　スティーヴ・ハケット
1950 年　UK イングランド・ロンドン出身　Genesis（ジェネシス）／ G　▶ 1974 年
アルバム『The Lamb Lies Down on Broadway』

Cory Lerios　コリー・レリオス
1952 年　US カリフォルニア州パロアルト出身／ Pablo Cruise（パブロ・クルーズ）／
Vo.Kb　▶ 1977 年　アルバム『A Place in the Sun』

Michael McDonald　マイケル・マクドナルド
1952 年　US ミズーリ州セントルイス出身／ The Doobie Brothers（ザ・ドゥービー・
ブラザーズ）／ Vo.Kb　▶ 1978 年　アルバム『Minute by Minute』　▶ 1982 年　ソロ
アルバム『If That's What It Takes』

Brian Robertson　ブライアン・ロバートソン
1956 年　UK スコットランド・レンフルーシャイア出身／ Thin Lizzy（シン・リジィ）
／ G

Gary Whelan　ゲイリー・ホエーラン
1966 年　UK イングランド・グレーターマンチェスター州マンチェスター出身／
Happy Mondays（ハッピーマンデーズ）／ Ds ／ 1987 年　デビュー

Chynna Phillips　チャイナ・フィリップス
1968 年　US カリフォルニア州ロスアンゼルス出身／ Wilson Phillips（ウィルソン・フィ
リップス）／ヴォーカル・グループ　※ザ・ママス＆ザ・パパスのジョン・フィリップ
スとミシェル・フィリップスの子供

Meja　メイヤ
1969 年　スウェーデン・ストックホルム出身／ポップ・シンガー　▶ 1996 年　ソロ・
デビューアルバム『Meja』／アルバム収録曲「How Crazy Are You?」が、日本の FM
ラジオ局のヘビーローテーションから大ヒット

Sarah Martin　サラ・マーティン
1974 年　UK スコットランド・グラスゴー出身／ Belle and Sebastian（ベル・アンド・
セバスチャン）／ Vi ／ 1996 年　デビュー

Tony Arthy　トニー・アーシー
1976 年　UK イングランド・ロンドン出身／ Jesus Jones（ジーザス・ジョーンズ）／
Ds ／ 1989 年　デビュー

Brian Chase　ブライアン・チェイス
1978 年　US ニューヨーク州ロングアイランド出身／ Yeah Yeah Yeahs（ヤー・ヤー・ヤー
ズ）／ Ds ／ 2003 年　デビュー

Peter Tork　ピーター・トーク
1942 年 US ワシントン D.C. 出身／ The Monkees（ザ・モンキーズ）／ Vo.B　✂
2019 年 2 月 21 日　享年 77 才（腺様嚢胞癌）

Judy Dyble　ジュディ・ダイブル
1949 年　UK イングランド・ロンドン出身／ Fairport Convention（フェアポート・コンヴェンション）／ Vo ／ 1968 年　デビュー　✂ 2020 年 7 月 12 日　享年 71 才（肺癌）

Peter Gabriel　ピーター・ガブリエル
1950 年　UK イングランド・サリー州ウォキング出身／ Genesis（ジェネシス）／ Vo ／ 1974 年 脱退　▶ 1977 年　ソロアルバム『Peter Gabriel』発表　▶ 1986 年　アルバム『So』、シングル「Sledgehammer」がヒット

Ed Gagliardi　エド・ガリアルディ
1952 年　US ニューヨーク州ニューヨークシティ・ブルックリン出身／ Foreigner（フォリナー）／ B　✂ 2014 年 5 月 11 日　享年 62 才（癌）

Scott Smith　スコット・スミス
1955 年　カナダ・カルガリー出身／ Loverboy（ラヴァーボーイ）／ B ／ 1980 年　デビュー

Peter Hook　ピーター・フック
1956 年　UK イングランド・グレーターマンチェスター州サルフォード出身／ New Order（ニュー・オーダー）／ B

Tony Butler　トニー・バトラー
1957 年　UK イングランド・ロンドン出身／ Big Country（ビッグ・カントリー）／ B

Marc Fox　マーク・フォックス
1958 年　UK イングランド・ケント州出身／ Haircut 100（ヘアカット 100）／ Per ／ 1982 年　デビュー

Henry Rollins　ヘンリー・ロリンズ
1961 年　US ワシントン D.C. 出身／ Black Flag（ブラック・フラッグ）／ Vo ／ 1981 年 デビュー／ Rollins Band（ロリンズ・バンド）／ Vo ／ 1992 年 メジャーデビュー

Robbie Williams　ロビー・ウィリアムス
1974 年　UK イングランド・スタッフォードシャー州ストーク・オン・トレント出身／シンガー／ 1992 年　Take That（テイク・ザット）のメンバーでデビュー　▶ 1997 年　ソロ・デビューアルバム『Life Thru a Lens』　▶ 1998 年　シングル「Millennium」

Andy Nicholson　アンディ・ニコルソン
1986 年　UK イングランド・サウスヨークシャー州シェフィールド州ヒルズボロ出身

13

／ Arctic Monkeys（アークティック・モンキーズ）／ B

14

Tim Buckley　ティム・バックリィ
1947 年　US ワシントン D.C. 出身／シンガーソングライター　▶ 1969 年　アルバム
『Happy Sad』 ✗ 1975 年 6 月 29 日　享年 28 才（ヘロイン過剰摂取）

Roger Fisher　ロジャー・フィッシャー
1950 年　US ワシントン州シアトル出身／ Heart（ハート）／ G

Rob Thomas　ロブ・トーマス
1972 年　US フロリダ州オーランド出身／ Matchbox Twenty（マッチボックス・トゥ
エンティ）／ Vo　▶ 1996 年　アルバム『Yourself or Someone Like You』　▶ 1999
年　シングル「Smooth」（サンタナと共演）／全米 1 位　▶ 2005 年　ソロアルバム
『...Something to Be』

✗ Michael Tucker　マイケル・タッカー
2002 年　享年 54 才（白血病）／ Sweet（スウィート）／ Ds

✗ John O'banion　ジョン・オバニオン
2007 年　享年 59 才（交通事故）／ AOR シンガー

✗ Doug Fieger　ダグ・フィージャー
2010 年　享年 57 才（肺癌）／ The Knack（ザ・ナック）／ Vo

ロック史
⊙ 1990 年　ザ・ローリング・ストーンズ 初来日公演（東京ドーム）

15

Mick Avory　ミック・エイヴォリー
1944 年　UK イングランド・サリー州イースト・モルゼイ出身／ The Kinks（ザ・キン
クス）／ Ds

John Helliwell　ジョン・ヘリウェル
1945 年　UK イングランド・ヨークシャー州トッドモーデン出身／ Supertramp（スー
パートランプ）／ Sax

Billy Ficca　ビリー・フィッカ
1950 年　US ニューヨーク州デラウェア出身／ Television（テレヴィジョン）／ Ds ／
1975 年 デビュー

Melissa Manchester　メリサ・マンチェスター
1951 年　US ニューヨーク州ニューヨークシティ・ブロンクス出身／シンガーソング
ライター　▶ 1978 年　アルバム『Don't Cry Out Loud（あなたしか見えない）』

Ali Campbell　アリ・キャンベル
1959 年　UK イングランド・ウェストミッドランズ州バーミンガム出身／ UB40 ／
Vo.G ／ 1980 年　デビュー

Mikey Craig　マイキー・クレイグ
1960 年　UK イングランド出身／ Culture Club（カルチャー・クラブ）／ B

Sony Music Japan

Brandon Boyd　ブランドン・ボイド
1976 年　US カリフォルニア州ヴァン・ニュイス出身／ Incubus（インキュバス）／
Vo ▶ 2006 年　アルバム『Light Grenades』

Ronnie Vannucci　ロニー・ヴァヌッチィ
1976 年　US ネヴァダ州ラスヴェガス出身／ The Killers（ザ・キラーズ）／ Ds ／
2003 年 デビュー（UK）

Conor Oberst　コナー・オバースト
1980 年　US ネブラスカ州オマハ出身／シンガーソングライター／ Bright Eyes（ブラ
イト・アイズ）　▶ 2007 年　アルバム『Cassadaga』

✄ Nat King Cole　ナット・キング・コール
1965 年　享年 45 才（肺癌）／ジャズ・ピアニスト、シンガー

✄ Mike Bloomfield　マイク・ブルームフィールド
1981 年　享年 36 才（ヘロイン過剰摂取）／ブルースロック・ギタリスト

16

Sonny Bono　ソニー・ボノ
1935 年　US ミシガン州デトロイト出身／本名：Salvatore Phillip Bono（サルヴァトー
レ・フィリップ・ボノ）／ Sonny & Cher（ソニー＆シェール）　▶ 1965 年　シングル「I
Got You Babe」✄ 1998 年 1 月 5 日　享年 62 才（スキー事故）

John O'banion　ジョン・オバニオン
1947 年　US インディアナ州ココモ出身／ AOR シンガー　▶ 1981 年　シングル「Love
You Like I Never Loved Before」✄ 2007 年 2 月 14 日　享年 59 才（ひき逃げ事故）

James Ingram　ジェイムズ・イングラム
1952 年　US オハイオ州アクロン出身／ R&B シンガーソングライター　▶ 1983 年
デビューアルバム『It's Your Night』✄ 2019 年 1 月 29 日　享年 66 才（脳腫瘍）

Ice-T　アイス -T
1958 年　US カリフォルニア州ロスアンゼルス・クレンショー出身／ラッパー　▶
1987 年　デビューアルバム『Rhyme Pays』

Pete Willis　ピート・ウィリス

16

1960 年　UK イングランド・サウスヨークシャー州シェフィールド出身／ Def Leppard
（デフ・レパード）／ G

Andy Taylor　アンディ・テイラー
1961 年　UK イングランド・ウェストミッドランズ州バーミンガム出身／ Duran Duran
（デュラン・デュラン）、Power Station（パワー・ステーション）／ G

Dave Lombardo　デイヴ・ロンバード
1965 年　キューバ・ハバナ出身／ Slayer（スレイヤー）／ Ds ／ 1983 年　デビュー

The Weeknd　ザ・ウィークエンド
1990 年　カナダ・オンタリオ州トロント出身／本名：Abel Tesfaye（エイベル・テス
ファイ）／ R&B シンガーソングライター　▶ 2015 年　アルバム『Beauty Behind the
Madness』

✗ Tony Sheridan　トニー・シェリダン
2013 年　享年 72 才（心臓手術後の他界）／イングランドのシンガーソングライター

✗ Lesley Gore　レスリー・ゴーア
2015 月　享年 68 才／ポップ・シンガー

17

Karl Jenkins　カール・ジェンキンス
1944 年　UK サウスウェールズ州スウォンジー出身／ Soft Machine（ソフト・マシーン）
／ Sax.Kb ／ 1968 年　デビュー

Billie Joe Armstrong　ビリー・ジョー・アームストロング
1972 年　US カリフォルニア州ロデオ出身／ Green Day（グリーン・デイ）／ Vo.G
▶ 2004 年　アルバム『American Idiot』

Taylor Hawkins　テイラー・ホーキンス
1972 年　US ワシントン州シアトル出身／ Foo Fighters（フー・ファイターズ）／ Ds
／ 1997 年　加入（3 〜 8 作目まで）✗ 2022 年 3 月 25 日　享年 50 才（10 種類の薬
物依存症、コンサート当日のホテル内にて発見）

John Hassall　ジョン・ハッサール
1981 年　UK イングランド・ロンドン出身／ The Libertines（ザ・リバティーンズ）／
B ／ 2002 年　デビュー

Ed Sheeran　エド・シーラン
1991 年　UK イングランド・ウェストヨークシャー州ハリファクス出身／シンガーソ
ングライター　▶ 2011 年　デビューアルバム『＋（プラス）』がヒット　▶ 2017 年
シングル「Shape of You」（全米 11 週連続 1 位、全英 15 週連続 1 位、日本 1 位の快
挙）　▶同年　サードアルバム『÷（ディバイド）』（英米のアルバム・チャート 1 位）

／2010 ～ 19 年の 10 年間、全英オフィシャル・チャートでの "ナンバーワン・アーティスト"

✗ Michael Davis　マイケル・デイヴィス
2012 年　享年 68 才（肝不全）／ MC5（エム・シー・ファイヴ）／ B

✗ Bob Casale　ボブ・キャセール
2014 年　享年 61 才（心不全）／ Devo（ディーヴォ）／ G.Kb

18

Yoko Ono　オノ・ヨーコ
1933 年　東京都出身／ 1969 年　John Lennon（ジョン・レノン）と結婚

Skip Battin　スキップ・バッティン
1934 年　US オハイオ州ギャリポリス出身／ The Byrds（ザ・バーズ）／ B ／ 1965 年 デビュー　✗ 2003 年 7 月 6 日　享年 69 才（アルツハイマー病）

Dennis De Young　デニス・デ・ヤング
1947 年　US イリノイ州シカゴ出身／ STYX（スティクス）／ Vo.Kb　▶ 1981 年　アルバム『Paradise Theatre』

Keith Knudsen　キース・ヌードセン
1948 年　US アイオワ州ル・マーズ出身／ The Doobie Brothers（ザ・ドゥービー・ブラザーズ）／ Ds.Vo ／ 1971 年　デビュー　✗ 2005 年 2 月 8 日　享年 56 才（肺炎）

Juice Newton　ジュース・ニュートン
1952 年　US ニュージャージー州レイクハースト出身／女性フォーク＆カントリー・シンガーソングライター　▶ 1981 年　シングル「Angel of the Morning」

Randy Crawford　ランディ・クロフォード
1952 年　US ジョージア州メイコン出身／ R&B シンガー　▶ 1979 年　ザ・クルセイダーズ『Street Life』のゲストヴォーカル（同名シングル曲がヒット）

Robin Bachman　ロビン・バックマン
1953 年　カナダ・マニトバ州ウィニペグ出身／ Bachman-Turner Overdrive（バックマン・ターナー・オーヴァードライヴ）／ Ds

Derek Pellicci　デレク・ペリッシ
1953 年　UK イングランド・ロンドン出身／ Little River Band（リトル・リヴァー・バンド）／ Ds

Gar Samuelson　ガー・サミュエルソン
1958 年　US ニューヨーク州ダンカーク出身／ Megadeth（メガデス）／ Ds ／ 1984 年　デビュー　✗ 1999 年 7 月 22 日　享年 41 才（肝不全）

18

✗ Bob Stinson ボブ・スティンスン
1995 年 享年 35 才（ドラッグ使用による臓器不全）／ The Replacements（ザ・リプレイスメンツ）／ G

✗ Kevin Ayers ケヴィン・エアーズ
2013 年 享年 68 才／ Soft Machine（ソフト・マシーン）／ Vo.B

✗ Damon Harris デーモン・ハリス
2013 年 享年 63 才（前立腺癌）／ The Temptations（ザ・テンプテーションズ）

社会史

⊙ 1981 年　US レーガン大統領銃襲撃事件発生（ワシントン D.C. 路上で銃撃され重体）／レーガン氏は、70 歳としては驚異的なスピードで回復し、事件から約 10 日後に退院。在職中に銃撃され、銃弾が命中しながら死を免れた最初の大統領となった

19

Smokey Robinson スモーキー・ロビンソン
1940 年　US ミシガン州デトロイト出身／本名：William Robinson（ウィリアム・ロビンソン）／ R&B シンガー＆ソングライター、プロデューサー ▶ 1981 年　アルバム『Being with You』

Lou Christie ルー・クリスティ
1943 年　US ペンシルベニア州グレンウィラード出身／シンガー ▶ 1963 年　シングル「Two Faces Have I（悲しき笑顔）」

Paul Dean ポール・ディーン
1946 年　カナダ・カルガリー出身／ Loverboy（ラヴァーボーイ）／ G ／ 1980 年　デビュー

Tony Iommi トニー・アイオミ
1948 年　UK イングランド・ウェストミッドランズ州バーミンガム・アストン出身／ギタリスト／ Black Sabbath（ブラック・サバス）／ G ／ Ozzy Osborne（オジー・オジボーン）Vo と共にハード・メタルの大先輩バンドとして活躍

Simon Jeffes サイモン・ジェフズ
1949 年　UK イングランド・サセックス州クローリー出身／ Penguin Cafe Orchestra（ペンギン・カフェ・オーケストラ）／ 1976 年　デビュー ▶ 1976 年　アルバム『Music from the Penguin Cafe』 ✗ 1997 年 12 月 11 日　享年 48 才（脳腫瘍）

Andy Powell アンディ・パウエル
1950 年　UK イングランド・ロンドン出身／ Wishbone Ash（ウィッシュボーン・アッシュ）／ G.Vo

Falco ファルコ

1957 年　オーストリア・ウィーン出身　▶ 1985 年　アルバム『Rock Me Amadeus』
🕱 1998 年 2 月 6 日　享年 40 才（交通事故）

Jean-Paul Maunick　ジャン・ポール・モーニック
1957 年　モーリシャス出身／ Incognito（インコグニート）／ G

Seal　シール
1963 年　UK イングランド・ロンドン出身／本名：Seal Henry Olusegun Olumide Adeola
Samuel（シール・ヘンリー・オルセガン・オルミデ・アデオラ・サムエル）／ R&B シ
ンガー　▶ 1991 年　デビューアルバム『Seal』

Jonathan Fishman　ジョナサン・フィッシュマン
1965 年　US ペンシルベニア州フィラデルフィア出身／ Phish（フィッシュ）／ Ds ／
1988 年 デビュー

🕱 Bon Scott　ボン・スコット
1980 年　享年 33 才（急性アルコール中毒）／ AC/DC（エーシー・ディーシー）／ Vo

🕱 Gary Brooker　ゲイリー・ブルッカー
2022 年　享年 76 才（癌）／ Procol Harum（プロコル・ハルム）／ Vo.Kb

20

Lew Soloff　ルー・ソロフ
1944 年　US ニューヨーク州ニューヨークシティ出身／ Blood, Sweat & Tears（ブラッ
ド・スウェット＆ティアーズ）／ Tp

Jerome Geils　ジェローム・ガイルズ
1946 年　US ニューヨーク州ニューヨークシティ出身／本名：John Warren Geils
Jr.（ジョン・ウォレン・ガイルズ・ジュニア）／ The J. Geils Band（ザ・J・ガイルズ・
バンド）／ G 🕱 2017 年 4 月 11 日　享年 71 才

Walter Becker　ウォルター・ベッカー
1950 年　US ニューヨーク州ニューヨークシティ・クイーンズ出身／ギタリスト／
1972 年　Donald Fagen（ドナルド・フェイゲン）Kb.Vo と Steely Dan（スティーリー・
ダン）を結成／ Vo.G.B　▶ 1972 年　アルバム『Can't Buy a Thrill』／ 1980 年　バン
ド活動停止後、ソロ活動 🕱 2017 年 9 月 3 日　享年 67 才（食道癌）

Jon Brant　ジョン・ブラント
1955 年　US イリノイ州シカゴ出身／ Cheap Trick（チープ・トリック）／ B

Ian Brown　イアン・ブラウン
1963 年　UK イングランド・チェシャー州ウォリントン出身／ 1985 年　The Stone
Roses（ザ・ストーン・ローゼズ）／ Vo　▶ 1989 年　デビューアルバム『The Stone
Roses』

Feb
Mar
Apr
May
Jun
Jul
Aug
Sep
Oct
Nov
Dec

Universal Music

Kurt Cobain　カート・コバーン
1967 年　US ワシントン州アバディーン出身／ 1987 年　Nirvana（ニルヴァーナ）結成／ Vo.G　▶ 1989 年　デビューアルバム『Bleach』　✗ 1994 年 4 月 5 日　享年 27 才（自殺）

Neil Primrose　ニール・プリムローズ
1972 年　UK スコットランド・グラスゴー出身／ Travis（トラヴィス）／ Ds ／ 1997 年　デビュー

Brian Littrell　ブライアン・リトレル
1975 年　US ケンタッキー州キシントン出身／ Backstreet Boys（バックストリート・ボーイズ）

Rihanna　リアーナ
1988 年　バルバドス、セント・マイケル出身／本名：Robyn Rihanna Fenty（ロビン・リアーナ・フェンティ）／ヒップホップ・シンガー　▶ 2005 年　デビューアルバム『Music of the Sun』

✗ Kelly Groucutt　ケリー・グロウカット
2009 年　享年 64 才（心臓発作）／ Electric Light Orchestra（ELO：エレクトリック・ライト・オーケストラ）／ B

ロック史
⊙ 1978 年　ボブ・ディラン初来日公演（日本武道館）

21

Jerry Harrison　ジェリー・ハリソン
1949 年　US ウィスコンシン州ミルウォーキー出身／ Talking Heads（トーキング・ヘッズ）／ G.Kb

Vince Welnick　ヴィンス・ウェルニック
1951 年　US アリゾナ州フェニックス出身／ Grateful Dead（グレイトフル・デッド）／ Kb.Vo　✗ 2006 年 6 月 2 日　享年 55 才（自殺）

Jean-Jacques Burnel　ジャン＝ジャック・バーネル
1952 年　UK イングランド・ロンドン出身／ The Stranglers（ザ・ストラングラーズ）／ B

Mark Arm　マーク・アーム
1962 年　US ワシントン州シアトル出身／ Mudhoney（マッドハニー）／ Vo.G ／ 1989 年　デビュー

Michael Ward　マイケル・ワード
1967 年　US ミネソタ州ミネアポリス出身／ The Wallflowers（ザ・ウォールフラワー

ズ）／ G

James Dean Bradfield　ジェイムズ・ディーン・ブラッドフィールド
1969 年　UK ウェールズ・ポンティプール出身／ Manic Street Preachers（マニック・ストリート・プリーチャーズ）／ Vo.G　▶ 1998 年　アルバム『This Is My Truth Tell Me Yours』

Tad Kinchla　タッド・キンチュラ
1973 年　US ニュージャージー州プリンストン出身／ Blues Traveler（ブルース・トラヴェラー）／ B ／ 1990 年　デビュー

✵ Cleotha Staples　クレオサ・ステイプルズ
2013 年　享年 78 才（アルツハイマー病）／ The Staple Singers（ザ・ステイプル・シンガーズ）

✵ Peter Tork　ピーター・トーク
2019 年　享年 77 才（腺様嚢胞癌）／ The Monkees（ザ・モンキーズ）／ Vo.B

社会史
- 1965 年　マルコム X、ニューヨークで暗殺される
- 1972 年　ニクソン大統領訪中（アメリカ大統領としては史上初）

22

James Blunt　ジェイムズ・ブラント
1974 年　UK イングランド・ウィルトシャー州ティドワース出身／シンガーソングライター　▶ 2004 年　デビューアルバム『Back to Bedlam』

✵ Ian Wallace　イアン・ウォーレス
2007 年　享年 60 才（食道癌）／ King Crimson（キング・クリムゾン）／ Ds

23

Johnny Winter　ジョニー・ウィンター
1944 年　US テキサス州ボーモント出身／ブルース・ロックシンガー／ギタリスト　▶ 1969 年　デビューアルバム『Johnny Winter』／ G ／弟エドガー・ウィンターとリック・デリンジャーを加え、ブルース・ロックバンドとして活躍　✵ 2014 年 7 月 16 日　享年 70 才

Rusty Young　ラスティ・ヤング
1946 年　US カリフォルニア州ロングビーチ出身／ Poco（ポコ）／ G.Vo　▶ 1978 年　アルバム『Legend』　✵ 2021 年 4 月 14 日　享年 75 才（心臓発作）

Steve Priest　スティーヴ・プリースト
1948 年　UK イングランド・ヘイエス出身／ The Sweet（ザ・スウィート）／ B ／ 1971 年 デビュー　✵ 2020 年 6 月 4 日　享年 72 才

23

Brad Whitford　ブラッド・ウィットフォード
1952 年　US マサチューセッツ州ウィンチェスター出身／Aerosmith（エアロスミス）／G

Howard Jones　ハワード・ジョーンズ
1955 年　UK イングランド・ハンプシャー州サウサンプトン出身　▶1984 年　デビューアルバム『Human's Lib』／シングル「What Is Love」がヒット

David Sylvian　デヴィッド・シルヴィアン
1958 年　UK イングランド・ケント州ベッケンハイム出身／Japan（ジャパン）／Vo.G　▶1981 年　アルバム『Tin Drum』

Michael Wilton　マイケル・ウィルトン
1962 年　US ワシントン州ベルヴュー出身／Queensryche（クイーンズライク）／G

Rob Collins　ロブ・コリンズ
1963 年　UK イングランド・スタッフォードシャー州ローリーレジス出身／The Charlatans（ザ・シャーラタンズ）／Kb／1990 年 デビュー　✘1996 年 7 月 22 日　享年 33 才（交通事故）

John Norum　ジョン・ノーラム
1964 年　ノルウェイ・フィンマルク県ヴァードー出身／Europe（ヨーロッパ）／G

✘ Howie Epstein　ハウイー・エプスタイン
2003 年　享年 47 才（薬物中毒）／Tom Petty & The Heartbreakers（トム・ペティ＆ザ・ハートブレイカーズ）／B

24

Paul Jones　ポール・ジョーンズ
1942 年　UK イングランド・ハンプシャー州ポーツマス出身／Manfred Mann（マンフレッド・マン）／Vo.Hrp

Nicky Hopkins　ニッキー・ホプキンス
1944 年　UK イングランド・ロンドン出身／キーボード奏者／キーボード・セッションマンとして、ザ・ローリング・ストーンズ、ジョージ・ハリスン、ジョン・レノン等のアルバムに参加　▶1973 年　ソロアルバム『The Tin Man Was a Dreamer』✘1994 年 9 月 6 日　享年 50 才（腸手術後の併発症）

Rupert Holmes　ルパート・ホルムズ
1947 年　UK イングランド・チェシャー州ノースウィッチ出身／シンガーソングライター　▶1979 年　シングル「Escape」がヒット

Lonnie Turner　ロニー・ターナー
1947 年　US カリフォルニア州バークレー出身／Steve Miller Band（スティーヴ・ミ

ラー・バンド）／B　✂ 2013 年 4 月 28 日　享年 66 才

Steve Dawson　スティーヴ・ドーソン
1952 年　UK イングランド・サウスヨークシャー州シェフィールド出身／ Saxon（サクソン）／ B　▶ 1979 年　デビューアルバム『Saxon』

Chris Fehn　クリス・フェーン
1973 年　US アイオワ州デス・モイネス出身／ Slipknot（スリップノット）

ロック史
⊙ 1998 年　エルトン・ジョン、英国王室よりナイトの称号を授与される

社会史
⊙ 2022 年　ロシア軍が突然、隣国ウクライナに軍事侵攻開始。ウクライナ東部・南部のあらゆる都市および原発が激しく破壊され、国外への避難民は 1,300 万人以上に上る（執筆時、以下同）。ウクライナ領地の侵略戦争を指示するロシアのプーチン大統領は、世界中から大きな批判を浴び、経済的な制裁を受けている。ウクライナ側は欧米の軍事支援を受け抵抗を続けているが、戦況は膠着状態にある。9 月に入り、ウクライナ側は破壊された都市の奪還を始めているが、9 月 30 日にプーチン大統領はウクライナ東南部 4 州をロシアに強制併合すると宣言。その後もロシアからの攻撃は激しさを増すが、ウクライナ国民は土地を離れることなく、祖国を守るため厳しい冬を現地で迎えようとしている。この戦争の悪影響はエネルギーや食糧問題として世界中に拡大している

25

George Harrison　ジョージ・ハリスン
1943 年　UK イングランド・マージーサイド州リヴァプール出身／名前は国王ジョージ 6 世にちなんで命名／ The Beatles（ザ・ビートルズ）／ G.Vo　▶ 1970 年　ソロアルバム『All Things Must Pass』　▶ 1988 年　Traveling Wilburys（トラヴェリング・ウィルベリーズ）結成／メンバー：ジョージ・ハリスン（Nelson Wilbury）、ジェフ・リン（Otis Wilbury）、ボブ・ディラン（Lucky Wilbury）、トム・ペティ（Charlie T. Wilbury）、ロイ・オービソン（Lefty Wilbury）。所属レコード会社が異なる 5 人の仲良しミュージシャン全員が「Wilbury ／ウィルベリー姓の兄弟」の覆面バンド（サングラス着用）というコンセプトで結成された。ロイの急死で活動は停止する　✂ 2001 年 11 月 29 日　享年 58 才（肺癌）

Dennis Diken　デニス・ダイケン
1957 年　US ニュージャージー州ベルヴィル出身／ The Smithereens（ザ・スミザリーンズ）／ Ds.Vo

Stuart Wood　スチュアート・ウッド
1957 年　UK スコットランド・エディンバラ出身／ Bay City Rollers（ベイ・シティ・ローラーズ）／ G.Kb

Mike Peters　マイク・ピーターズ

25

1959 年　UK ウェールズ・プレスタティン出身／ Alarm（アラーム）／ Vo.G ／ 1978
年　デビュー

Daniel Powter　ダニエル・パウター
1971 年　カナダ、ブリティッシュ・コロンビア州出身／シンガーソングライター　▶
2005 年　シングル「Bad Day」

Tunde Adebimpe　トゥンデ・アデビンペ
1975 年　US ミズーリ州セント・ルイス出身／ TV On The Radio（TV オン・ザ・レディ
オ）／ Vo ／ 2004 年　デビュー　▶ 2008 年　アルバム『Dear Science』

✗ Toy Caldwell　トイ・コールドウェル
1993 年　享年 45 才（コカイン過剰摂取）／ The Marshall Tucker Band（ザ・マーシャ
ル・タッカー・バンド）／ G

✗ Mark Hollis　マーク・ホリス
2019 年　享年 64 才／ Talk Talk（トーク・トーク）／ Vo.G

社会史
⊙ 1986 年　ソビエト連邦・ゴルバチョフ政権、〝ペレストロイカ〞を開始。共産党
による一党独裁制が 60 年以上も続き、硬直した政府を立て直すため、1985 年に共
産党書記長に就任したミハイル・ゴルバチョフが提唱・実践した戦略。ソビエト連
邦の政治を民主的な方向に再構築・改良していった

26

Fats Domino　ファッツ・ドミノ
1928 年　US ルイジアナ州ニューオーリンズ出身／ R&B シンガー　▶ 1956 年　シン
グル「Blueberry Hill」 ✗ 2017 年 10 月 24 日　享年 89 才

Sony Music Japan

Johnny Cash　ジョニー・キャッシュ
1932 年　US アーカンソー州キングスランド出身／カントリー・シンガー　▶ 1968 年
アルバム『At Folsom Prison』 ✗ 2003 年 9 月 12 日　享年 71 才（糖尿病合併症）

Bob Hite　ボブ・ハイト
1943 年　US カリフォルニア州トランス出身／ Canned Heat（キャンド・ヒート）／
Vo ✗ 1981 年 4 月 6 日　享年 38 才（ドラッグ中毒）

Paul Cotton　ポール・コットン
1943 年　US アラバマ州フォート・ルッカー出身／ Poco（ポコ）／ Vo.G ▶ 1978 年
アルバム『Legend』 ✗ 2021 年 8 月 1 日　享年 78 才

Mitch Ryder　ミッチ・ライダー
1945 年　US ミシガン州ハムトランク出身／本名：William Revise, Jr（ウィリアム・リー
ヴァイス・ジュニア）／ Mitch Ryder & The Detroit Wheels（ミッチ・ライダー＆ザ・

デトロイト・ホイールズ）結成　▶ 1966 年　シングル「Devil with a Blue Dress On & Good Golly Miss Molly（悪魔とモリー）」

Jonathan Cain　ジョナサン・ケイン
1950 年　US イリノイ州シカゴ出身／ Journey（ジャーニー）／ Kb

Michael Bolton　マイケル・ボルトン
1953 年　US コネティカット州ニューヘイヴン出身／シンガー　▶ 1983 年　アルバム『Michael Bolton（大いなる挑戦）』

Jeremy Coleman　ジェレミー・コールマン
1960 年　UK イングランド・ロンドン出身／ Killing Joke（キリング・ジョーク）／ Vo.Kb

Tim Commerford　ティム・コマーフォード
1968 年　US カリフォルニア州イルヴァイン出身／ Rage Against the Machine（レイジ・アゲインスト・ザ・マシーン）／ B

Erykah Badu　エリカ・バドゥ
1971 年　US テキサス州ダラス出身／シンガーソングライター　▶ 1997 年　デビューアルバム『Baduizm』

Johny Quinn　ジョニー・クイン
1972 年　UK スコットランド・グラスゴー出身／ Snow Patrol（スノウ・パトロール）／ Ds ／ 1994 年　デビュー

Corinne Bailey Rae　コリーヌ・ベイリー・レイ
1979 年　UK イングランド・ウェストヨークシャー州リーズ出身／シンガーソングライター　▶ 2006 年　アルバム『Corinne Bailey Rae』

Nate Ruess　ネイト・ルイス
1982 年　US ニューヨーク州ニューヨークシティ出身／ Fun（ファン）／ Vo　▶ 2011 年　シングル「We Are Young」全米 6 週間 1 位

✗ Buddy Miles　バディ・マイルス
2008 年　享年 60 才（心臓病）／ジミ・ヘンドリックスの Band of Gypsys（バンド・オブ・ジプシーズ）／ Ds で活動

27

Sony Music Japan

Neal Schon　ニール・ショーン
1954 年　US オクラホマ州ティンカー空軍基地出身／ Santana（サンタナ）に見出され、アルバム『Santana（サンタナⅢ）』に参加／ 1973 年　サンフランシスコで Journey（ジャーニー）結成／ Vo.G ／ 1977 年　ジャーニーに Steve Perry（スティーヴ・ペリー）Vo が加入　▶ 1981 年　アルバム『Escape』全米 1 位

27

Adrian Smith　エイドリアン・スミス
1957年　UK イングランド・ロンドン出身／Iron Maiden（アイアン・メイデン）／G

Paul Humphreys　ポール・ハンフリーズ
1960年　UK イングランド・ロンドン出身／Orchestral Manoeuvres in the Dark（OMD：オーケストラル・マヌーヴァーズ・イン・ザ・ダーク）／K　▶1985年　アルバム『Crush』

Ewen Vernal　ユウェン・ヴァーナル
1964年　UK スコットランド・グラスゴー出身／Deacon Blue（ディーコン・ブルー）／B／1987年　デビュー

Chilli　チリ
1971年　US ジョージア州コロンバス出身／本名：Rozonda “Chilli” Thomas（ロゾンダ・“チリ”・トーマス）／TLC（ティー・エル・シー）／女性トリオ

Ali Tabatabaee　アリ・タバタビイ
1973年　US カリフォルニア州ラ・ハーブラ出身／Zebrahead（ゼブラヘッド）／Rap

Kyp Malone　キップ・マローン
1973年　US ニューヨーク州ニューヨークシティ・ブルックリン出身／TV On The Radio（TV オン・ザ・レディオ）／G／2004年　デビュー

Josh Groban　ジョシュ・グローバン
1981年　US カリフォルニア州ロスアンゼルス出身／シンガー　▶2003年　アルバム『Closer』

🎗 Richard Street　リチャード・ストリート
2013年　享年70才（肺血栓症）／The Temptations（ザ・テンプテーションズ）

28

Joe South　ジョー・サウス
1940年　US ジョージア州アトランタ出身／シンガーソングライター　▶1968年　シングル「Games People Play」　🎗2012年9月5日　享年72才（心不全）

Brian Jones　ブライアン・ジョーンズ
1942年　UK イングランド・グロスター州チェストナム出身／1962年　The Rolling Stones（ザ・ローリング・ストーンズ）加入／G　🎗1969年7月3日　享年27才（自宅プールで水死）

Ian Stanley　イアン・スタンレー
1957年　UK イングランド・バッキンガムシャー州ハイウィカム出身／Tears for Fears（ティアーズ・フォー・フィアーズ）／Kb

Cindy Wilson シンディ・ウィルソン
1957 年　US ジョージア州アセンズ出身／The B-52's（ザ・ビー・フィフティ・トゥーズ）／G.Vo

Pat Monahan パット・モナハン
1969 年　US ペンシルベニア州エリー出身／Train（トレイン）／Vo　▶ 1998 年　アルバム『Train』

Sony Music Japan

Nigel Godrich ナイジェル・ゴッドリッチ
1971 年　UK イングランド・ロンドン出身／プロデューサー（レディオヘッド、ベック、R.E.M.、ポール・マッカートニー他）

Jake Bugg ジェイク・バグ
1994 年　UK イングランド・ノッティンガムシャー州ノッティンガム出身／シンガーソングライター　▶ 2012 年　アルバム『Jake Bugg』

✗ David Byron デヴィッド・バイロン
1985 年　享年 38 才（ドラッグとアルコールによる心臓発作）／Uriah Heep（ユーライア・ヒープ）／Vo

✗ Chris Curtis クリス・カーティス
2005 年　享年 63 才／The Searchers（ザ・サーチャーズ）／Ds

✗ Mike Smith マイク・スミス
2008 年　享年 64 才（肺炎）／The Dave Clark Five（ザ・デイヴ・クラーク・ファイヴ）／Kb

29

Ja Rule ジャ・ルール
1976 年　US ニューヨーク州ニューヨークシティ・クイーンズ・ホリーズ出身／ラッパー　▶ 1999 年　デビューアルバム『Venni Vetti Vecci』

✗ Davy Jones デイヴィ・ジョーンズ
2012 年　享年 66 才（心臓発作）／The Monkees（ザ・モンキーズ）／Vo.Per

March

The
Rock
Musicians'
Birthday
Encyclopedia

March

ERIC CLAPTON　エリック・クラプトン
1945 年 3 月 30 日
UK イングランド・サリー州リプリー出身

　16 才の母親と既婚のカナダ軍兵士の間に私生児として生まれるが、母親は別の男性と結婚。母親の祖父母に育てられる。この複雑な家庭環境が長い間彼の心に暗い影を落とすことになる。その後ジャズを好んだ叔父の影響で音楽に興味を持つように。10 代でスキッフルやロックンロールに夢中になり、エルヴィスやバディ・ホリーの音楽に惹かれていく。ロバート・ジョンソンらを聴いた時には「ポップス、ロック

1

STEVEN TYLER　スティーヴン・タイラー
1948 年 3 月 26 日
US ニューヨーク州ヨンカーズ出身

　本名：Steven Victor Tallarico（スティーヴン・ヴィクター・タラリーコ）。血筋は複雑で、イタリア系とウクライナ系ユダヤ人とインディアン（チェロキー族）の血が流れている。分厚い唇を理由に「ニガーリップ」のあだ名をつけられた。父親がジュリアード音楽院出身のピアニストという恵まれた

2

CHRIS MARTIN　クリス・マーティン
1977 年 3 月 2 日
UK イングランド・デヴォン州エクセター出身

　父は公認会計士、母は音楽教師で、5 人兄弟の長男として育つ。少年時代はザ・ビートルズからボブ・ディラン、R.E.M. まで幅広く音楽を聴いて育つ。7 才の時にギターをプレゼントされるがあまり弾かず、家にあった 2 台のピア

3

のルーツはここから生まれている！」と確信したという。ブルースへの興味は深まるばかりで、アート・カレッジ入学後にはギター演奏にのめり込みすぎて数か月で学校を退学。しかし、その派手な衣装とギターの腕が評判となり、最初のバンド「ロード・アイランド・レッド＆ザ・ルースターズ」に加入。1963年、ヤードバーズに迎えられるが、バンドがポップス指向になり脱退。1965年には「ジョン・メイオール・ブルース・ブレイカーズ」に参加。翌年には「クリーム」を結成するが、人間関係の悪化により解散。その後は「ブラインド・フェイス」「デレク＆ドノス」とバンドを変遷する。そしてヘロイン中毒、アルコール依存症になるが、何とか更生してカムバックを果たす。ヤードバーズ、クリーム、ソロ時代と3度も「ロックの殿堂」入りを果たしている。

環境で育ったものの、10代からドラッグに手を出す不良少年で、両親の目の前で逮捕されることもあった。12才の時、チェビー・チェッカーの「Twist」でロックンロールの洗礼を受け、その後父親の所属するスウィング・バンドでドラマーとしてプレイし始める。16才で初めてのバンド「ストレンジャーズ」を結成するが売れなかった。1970年20才の時、ジョー・ペリーたちと出会い、「エアロスミス」を結成。ボストンで共同生活をしながら、75年にブレイクするまで10年間の下積み時代があった。

ノを調律がおかしくなるまで熱心に弾き続けた。15才の時、バンドに誘われて活動を始める。1996年、ユニバーシティ・カレッジ・ロンドンで現在のメンバーと出会い、「コールドプレイ」を結成、2年後にデビュー。酒も飲まずたばこも吸わない、品行方正で正義感の強いロック・スターである。

1

Michael Giles　マイケル・ジャイルズ
1942 年　UK イングランド・ドーセット州ボーンマス出身／ King Crimson（キング・クリムゾン）／ Ds

Jerry Fisher　ジェリー・フィッシャー
1942 年　US テキサス州デカルブ出身／ Blood, Sweat & Tears（ブラッド・スウェット & ティアーズ）／ Vo

Roger Daltrey　ロジャー・ダルトリー
1944 年　UK イングランド・ロンドン出身／ 1965 年　The Who（ザ・フー）／ Vo ／ 1965 年　デビューアルバム『My Generation』　▶ 1971 年　アルバム『Who's Next』

Mike D'Abo　マイク・ダボ
1944 年　UK イングランド・サリー州ベッチワース出身／ Manfred Mann（マンフレッド・マン）／ Vo

Nik Kershaw　ニック・カーショウ
1958 年　UK イングランド・ブリストル出身／ポップ・シンガーソングライター　▶ 1984 年　シングル「The Riddle」

Anthony Critchlow　アンソニー・クリッチロウ
1960 年　US カリフォルニア州サンフランシスコ出身／ Living In a Box（リビング・イン・ア・ボックス）／ Ds

Bill Leen　ビル・リーン
1962 年　US アリゾナ州テンプ出身／ Gin Blossoms（ジン・ブロッサムズ）／ B ／ 1987 年　デビュー

Ryan Peake　ライアン・ピーク
1973 年　カナダ・ブリティッシュコロンビア州バンクーバー出身／ Nickelback（ニッケルバック）／ G

Kesha　ケシャ
1987 年　US カリフォルニア州ロスアンゼルス出身／ポップ・シンガーソングライター　▶ 2010 年　デビューアルバム『Animal』

Justin Bieber　ジャスティン・ビーバー
1994 年　カナダ・オンタリオ州ストラドフォード出身／ポップ・シンガー　▶ 2009 年　デビュー EP『My World』

社会史

⦿ 1954 年　アメリカ、ビキニ環礁で水爆実験実施

Sony Music Japan

Lou Reed　ルー・リード

1942 年　US ニューヨーク州ロングアイランド出身／The Velvet Underground（ザ・ヴェルヴェット・アンダーグラウンド）結成　▶ 1967 年 デビューアルバム『Velvet Underground and Nico』（アンディ・ウォーホルのプロデュース）　▶ 1972 年　ソロアルバム『Lou Reed』発表　▶ 1973 年　アルバム『Berlin』発表　✄ 2013 年 10 月 27 日　享年 71 才（肝臓疾患）

Rory Gallagher　ロリー・ギャラガー

1948 年　UK 北アイルランド・ブリーシャノン出身／ロック・ギタリスト　✄ 1995 年 6 月 14 日　享年 47 才（肝臓手術後合併症）

Karen Carpenter　カレン・カーペンター

1950 年　US コネティカット州ニューヘイヴン出身／ 1969 年　兄 Richard（リチャード）と Carpenters（カーペンターズ）を結成し、レコード会社と契約　▶同年　デビューシングル「Ticket to Ride」　▶ 1970 年　シングル「Close to You」全米 1 位　✄ 1983 年 2 月 4 日　享年 32 才（摂食障害、急性心不全）

Dale Bozzio　デイル・ボジオ

1955 年　US マサチューセッツ州メッドフォード出身／ Missing Persons（ミッシング・パーソンズ）／ Vo ／ 1981 年　デビュー

Mark Evans　マーク・エヴァンス

1956 年　オーストラリア・ヴィクトリア州メルボルン出身／ AC/DC（エーシー・ディーシー）／ B

Jon Bon Jovi　ジョン・ボン・ジョヴィ

1962 年　US ニュージャージー州セイアヴィル出身／ 1983 年　Bon Jovi（ボン・ジョヴィ）結成　▶ 1984 年　デビューアルバム『Bon Jovi』　▶ 1986 年　アルバム『Slippery When Wet』全米 1 位

Warner Music Japan

Chris Martin　クリス・マーティン

1977 年　UK イングランド・デヴォン州エクセター出身／ Coldplay（コールドプレイ）／ Vo　▶ 2008 年　アルバム『Viva La Vida or Death and all His Friends』

Luke Pritchard　ルーク・プリチャード

1985 年　UK イングランド・イーストサセックス州ブライトン出身／ The Kooks（ザ・クークス）／ Vo.G　▶ 2006 年　アルバムデビュー『Inside In / Inside Out』

✄ Dusty Springfield　ダスティ・スプリングフィールド

1999 年　享年 59 才（乳癌）／シンガー

Mike Pender　マイク・ペンダー

3

1942 年　UK イングランド・マージーサイド州リヴァプール・カークデイル出身／ The Searchers（ザ・サーチャーズ）／ G

Jennifer Warnes　ジェニファー・ウォーンズ
1947 年　US ワシントン州シアトル出身／シンガー　▶ 1982 年　シングル「Up Where We Belong」（ジョー・コッカーとの共作）

Snowy White　スノーウィ・ホワイト
1948 年　UK イングランド・デヴォン州バーンスタブル出身／ Thin Lizzy（シン・リジィ）／ G

Bruce Conte　ブルース・コンテ
1950 年　US カリフォルニア州サンガー出身／ Tower of Power（タワー・オブ・パワー）／ G　✘ 2021 年 8 月 1 日　享年 71 才（白血病）

Robyn Hitchcock　ロビン・ヒッチコック
1953 年　UK イングランド・ロンドン出身／ The Soft Boys（ザ・ソフト・ボーイズ）／ G

John Lilley　ジョン・リレイ
1954 年　US ペンシルベニア州フィラデルフィア出身／ The Hooters（ザ・フーターズ）／ G ／ 1985 年　デビュー

John Bigham　ジョン・ビッグハム
1969 年　US カリフォルニア州ロスアンゼルス出身／ Fishbone（フィッシュボーン）／ G ／ 1986 年　デビュー

Camila Cabello　カミラ・カベロ
1997 年　キューバ・ハバナ出身／ポップ・シンガーソングライター　▶ 2018 年　アルバム『Camila』

✘ Ronnie Montrose　ロニー・モントローズ
2012 年　享年 64 才（自殺）／ Montrose（モンローズ）の中心メンバー

✘ Tommy Page　トミー・ペイジ
2017 年　享年 46 才（自殺）／シンガーソングライター

ロック史
⊙ 1990 年　ポール・マッカートニー、ソロ初来日公演（東京ドーム）。13 年ぶりの 4 大陸ワールド・ツアー

4

Bobby Womack　ボビー・ウーマック
1944 年　US オハイオ州クリーヴランド出身／ R&B シンガー　▶ 1972 年　アルバム

『Across 110th Street』

Chris Squire　クリス・スクワイア
1948 年　UK イングランド・ロンドン出身／1968 年　Yes（イエス）結成（UK バーミンガム）／Vo　✗ 2015 年 6 月 27 日　享年 67 才（急性骨髄性白血病）

Chris Rea　クリス・レア
1951 年　UK イングランド・ノースヨークシャー州ミドルズブラ出身／シンガーソングライター　▶ 1987 年　アルバム『On the Beach』がヒット

Emilio Estefan　エミリオ・エステファン
1953 年　キューバ、サンティアゴ・デ・キューバ出身／Miami Sound Machine（マイアミ・サウンド・マシーン）／グロリア・エステファンの夫

Ronn Moss　ロン・モス
1952 年　US カリフォルニア州ロスアンゼルス出身／Player（プレイヤー）／B　▶
1978 年　シングル「Baby Come Back」全米 1 位

Jason Newsted　ジェイソン・ニューステッド
1963 年　US ミシガン州バトルクリーク出身／Metallica（メタリカ）／B

Evan Dando　エヴァン・ダンドゥ
1967 年　US マサチューセッツ州エセックス出身／The Lemonheads（ザ・レモンヘッズ）／Vo.G　▶ 1992 年　アルバム『It's a Shame About Ray』

Fergal Lawler　ファーガル・ロウラー
1971 年　アイルランド・リムリック出身／The Cranberries（ザ・クランベリーズ）／Ds

Jeremiah Green　ジェレマイア・グリーン
1977 年　US ワシントン州イサカー出身／Modest Mouse（モデスト・マウス）／Ds／1996 年　デビュー

Jon Fratelli　ジョン・フラテリ
1979 年　UK スコットランド・グラスゴー出身／The Fratellis（ザ・フラテリス）／Vo.G／2006 年　デビュー

✗ Richard Manuel　リチャード・マニュエル
1986 年　享年 42 才（自殺）／The Band（ザ・バンド）／Kb.Vo

✗ Keith Flint　キース・フリント
2019 年　享年 49 才（自殺）／The Prodigy（ザ・プロディジー）／Vo

4 ロック史

⊙ 1966 年　ジョン・レノンの「ビートルズはキリストより人気がある」という発言が、アメリカで大騒動を起こす。ビートルズ最後のアメリカ公演が行われる数か月前のこの日、イギリス人ジャーナリストによるインタビュー記事がロンドン・イブニング・スタンダード紙に掲載された。イギリス国内や NY タイムズ紙、世界中の出版社では、"いつものジョンの毒舌"程度に受け止められていたが、アメリカのティーン誌やラジオ局で大きく波紋を呼び、若者たちがビートルズのレコードを焼いたり、殺害予告まで出てしまう。コンサートのため訪れたシカゴでジョンが釈明会見を開き、発言の真意を説明して謝罪の意を表明。当初、彼は会見するのを拒否したが、メンバー全員の命も危機的状況という事態に直面したため決断した

5

Alan Clark　アラン・クラーク
1952 年　UK イングランド・ダラム州グレートラムリー出身／ Dire Straits（ダイアー・ストレイツ）／ Kb

Teena Marie　ティーナ・マリー
1956 年　US カリフォルニア州サンタモニカ出身／ R&B シンガーソングライター（ブルー・アイド・ソウル）　▶ 1986 年　アルバム『Emerald City』　✗ 2010 年 12 月 26 日　享年 54 才

Mark E Smith　マーク・E・スミス
1957 年　UK イングランド・グレーターマンチェスター州サルフォード・ブロートン出身／ The Fall（ザ・フォール）／ Vo.G ／ 1978 年　デビュー

Andy Gibb　アンディ・ギブ
1958 年　UK イングランド・グレーターマンチェスター州マンチェスター出身／ヴォーカリスト／ザ・ビージーズの末弟　▶ 1977 年　デビューシングル「I Just Want to Be Your Everything」（『Flowing Rivers』収録）　▶ 1978 年　アルバム『Shadow Dancing』がヒット　✗ 1988 年 3 月 10 日　享年 30 才（心筋炎）

Warner Music Japan

John Frusciante　ジョン・フルシアンテ
1970 年　US ニューヨーク州ニューヨークシティ出身／ Red Hot Chili Peppers（レッド・ホット・チリペッパーズ）／ G　▶ 1991 年　アルバム『Blood Sugar Sex Magik』

6

Hugh Grundy　ヒュー・グランディ
1945 年　UK イングランド・ハンプシャー州ウィンチェスター出身／ The Zombies（ザ・ゾンビーズ）／ Ds

David Gilmour　デヴィッド・ギルモア
1946 年　UK イングランド・ケンブリッジシャー州ケンブリッジ出身／ G ／ 1967 年 Pink Floyd（ピンク・フロイド）にギタリストとして加入　▶ 1970 年　アルバム『Atomic Heart Mother（原子心母）』　▶ 1978 年　ソロアルバム『David Gilmour』

Kiki Dee　キキ・ディー
1947 年　UK イングランド・ウェストヨークシャー州ブラッドフォード出身／本名：ポーリン・マシューズ／シンガー　▶ 1976 年　シングル「Don't Go Breaking My Heart（恋のデュエット）」（エルトン・ジョンとのデュエット・ヒット）

Owsley　オウズリー
1966 年　US アラバマ州アニストン出身／シンガー、コンポーザー　▶ 1999 年　アルバム『Owsley』　✗ 2010 年 4 月 30 日　享年 44 才（自殺）

Chris Tomson　クリス・トムソン
1984 年　US ニュージャージー州アッパーフリーホールドタウンシップ出身／Vampire Weekend（ヴァンパイア・ウィークエンド）／ Ds ／ 2008 年　デビュー

✗ Alvin Lee　アルヴィン・リー
2013 年　享年 68 才（心房細動）／ Ten Years After（テン・イヤーズ・アフター）／ G

Sony Music Japan

7

Larry Lee　ラリー・リー
1943 年　US テネシー州メンフィス出身／ AOR シンガーソングライター　▶ 1982 年アルバム『Marooned』

Chris White　クリス・ホワイト
1943 年　UK イングランド・ハートフォードシャー州バーネット出身／ The Zombies（ザ・ゾンビーズ）／ B

Arthur Lee　アーサー・リー
1945 年　US テネシー州メンフィス出身／ Love（ラヴ）／ Vo.G ／ 1966 年　デビュー

Peter Wolf　ピーター・ウルフ
1946 年　US マサチューセッツ州ボストン出身／ The J. Geils Band（ザ・J・ガイルズ・バンド）／ Vo　▶ 1972 年　アルバム『"Live" Full House』

Matthew Fisher　マシュー・フィッシャー
1946 年　UK イングランド・サリー州出身／ Procol Harum（プロコル・ハルム）／ Kb

Ernie Isley　アーニー・アイズレー
1952 年　US オハイオ州シンシナティ出身／ The Isley Brothers（ザ・アイズレー・ブラザーズ）／ G

Matt Frenette　マット・フレネット
1954 年　カナダ・カルガリー出身／ Loverboy（ラヴァーボーイ）／ Ds ／ 1980 年デビュー

Taylor Dayne　テイラー・デイン

1962 年　US ニューヨーク州ボールドウィン出身／本名：Leslie Wunderman（レスリー・ワンダーマン）／ヴォーカリスト　▶ 1989 年　アルバム『Can't Fight Fate』

Paul Davis　ポール・デイヴィス
1966 年　UK イングランド・グレーターマンチェスター州マンチェスター出身／Happy Mondays（ハッピー・マンデーズ）／Kb ／ 1987 年　デビュー

Randy Guss　ランディ・ガス
1967 年　US カリフォルニア州出身／Toad the Wet Sprocket（トード・ザ・ウェット・スプロケット）／Ds

✗ Divine　ディヴァイン
1988 年　享年 42 才（心臓発作）／俳優・シンガー

ロック史
- ⊙ 1952 年　イギリスの音楽雑誌「NME」が創刊（「New Musical Express」／週刊音楽雑誌）
- ⊙ 1985 年　アフリカ飢餓救済チャリティ・プロジェクト「USA for Africa」のチャリティ・ソング「We Are the World」発表

Micky Dolenz　ミッキー・ドレンツ
1945 年　US カルフォルニア州ロスアンゼルス出身／ 1965 年　The Monkees（ザ・モンキーズ）結成／Ds ／ 1966 年　デビューアルバム『The Monkees』／オーディションで集めたメンバーで一躍全米規模のアイドルグループに

Sony Music Japan

Randy Meisner　ランディ・マイズナー
1946 年　US ネブラスカ州スコッツブラフ出身／ 1968 年　Poco（ポコ）／ 1971 年　The Eagles（ザ・イーグルス）結成／Vo.B ／ 1977 年　脱退　▶ 1980 年　ソロ 2 作目『One More Song』

Carole Bayer Sager　キャロル・ベイヤー・セイガー
1947 年　US ニューヨーク州ニューヨークシティ出身／作詞家　▶ 1977 年　シンガーとしてアルバム『Carole Bayer Sager』発表／ 1981 年　Burt Bachrach（バート・バカラック）と結婚／ 1991 年　離婚

Michael Allsup　マイケル・オールサップ
1947 年　US カリフォルニア州オークデイル出身／ Three Dog Night（スリー・ドッグ・ナイト）／G

Little Peggy March　リトル・ペギー・マーチ
1948 年　US ペンシルベニア州ランスデル出身／本名：Margaret Annemarie Battavio（マーガレット・アンマリー・バッタヴィオ）　▶ 1963 年　シングル「I Will Follow Him」

Mel Galley　メル・ギャレー
1948年　UKイングランド・スタッフォードシャー州キャノック出身／Whitesnake（ホワイトスネイク）／G　✂2008年7月1日　享年60才（食道癌）

Gary Numan　ゲイリー・ニューマン
1958年　UKイングランド・ロンドン出身／本名：Gary Anthony James Webb（ゲイリー・アンソニー・ジェイムズ・ウェブ）／シンガーソングライター（Vo.G.Kb）／1976年 Tubeway Army（チューブウェイ・アーミー）結成　▶ 1978年　アルバム『Tubeway Army』／1979年　バンド解散　▶ 1979年　ソロアルバム『The Pleasure Principle』がヒット

Richard Darbyshire　リチャード・ダービーシャー
1960年　UKイングランド・グレーターマンチェスター州ストックポート出身／Living In a Box（リヴィング・イン・ア・ボックス）／Vo.G

Peter Gill　ピーター・ギル
1964年　UKイングランド・マージーサイド州リヴァプール出身／Frankie Goes to Hollywood（フランキー・ゴーズ・トゥ・ハリウッド）／Ds

Tom Chaplin　トム・チャップリン
1979年　UKイングランド・イーストサセックス州ヘイスティング出身／Keane（キーン）／Vo.Kb　▶ 2004年　デビューアルバム『Hopes and Fears』全米1位

✂ Ron McKernan　ロン・マッカーナン
1973年　享年27才（胃腸出血）／Grateful Dead（グレイトフル・デッド）／Org

✂ Mike Starr　マイク・スター
2011年　享年44才（薬物中毒）／Alice In Chains（アリス・イン・チェインズ）

✂ Peter Banks　ピーター・バンクス
2013年　享年65才（心臓疾患）／Yes（イエス）／G

✂ George Martin　ジョージ・マーティン
2016年　享年90才／ザ・ビートルズのプロデューサー

ロック史
⦿ 1968年　ビル・グレアムが米NYにライヴハウス「Fillmore East」を開店。サンフランシスコの「Fillmore（West）」の東の拠点として、たちまち「The Church of Rock and Roll（ロックンロールの教会）」と称されるようになった。ジミ・ヘンドリックスやジョン・レノン、ザ・オールマン・ブラザーズ・バンド等の有名なライヴが次々と開催された。1971年閉店

社会史
⦿ 1988年　東京ドームが開場。外国人アーティスト初のコンサートはミック・ジャ

8

ガーであった。「Mick Jagger in Japan」公演として、3月22・23日の2日間にわたって開催された

9

Gary Walker　ゲイリー・ウォーカー
1942年　US カリフォルニア州ロスアンゼルス郡グレンデール出身／本名：Gary Leeds（ゲイリー・リーズ）／ The Walker Brothers（ザ・ウォーカー・ブラザーズ）

Mark Lindsay　マーク・リンゼイ
1942年　US オレゴン州ユージーン出身／ Paul Revere & The Raiders（ポール・リヴィア＆ザ・レイダーズ）／ Vo.Sax

John Cale　ジョン・ケイル
1942年　UK ウェールズ・カーマンゼンシャー出身／ The Velvet Underground（ザ・ヴェルヴェット・アンダーグラウンド）／ Vo.Kb

Robin Trower　ロビン・トロワー
1945年　UK イングランド・ロンドン出身／ 1967年　Procol Harum（プロコル・ハルム）結成に参加／ G ／ 1971年　脱退　▶ 1973年　ソロアルバム『Twice Removed from Yesterday』発表

Jeffrey Osborne　ジェフリー・オズボーン
1948年　US ロードアイランド州プロヴィデンス出身／ R&B シンガー　▶ 1987年　シングル「Love Power」（ディオンヌ・ワーウィックとの共作）

Martin Fry　マーティン・フライ
1958年　UK イングランド・グレーターマンチェスター州ストックポート出身／ ABC（エービーシー）／ Vo

Paul Heaton　ポール・ヒートン
1962年　UK イングランド・マージーサイド州ブロムボロー出身／ The Beautiful South（ザ・ビューティフル・サウス）／ Vo ／ 1989年　デビュー

Robert Sledge　ロバート・スレッジ
1968年　US ノースキャロライナ州チャペルヒル出身／ Ben Folds Five（ベン・フォールズ・ファイヴ）／ B ／ 1995年　デビュー

✗ Brad Delp　ブラッド・デルプ
2007年　享年55才（自殺）／ Boston（ボストン）／ Vo

10

Dean Torrence　ディーン・トーレンス
1940年　US カリフォルニア州ロスアンゼルス出身／ Jan & Dean（ジャン＆ディーン）／サーフ・ミュージック　▶ 1963年　アルバム『Surf City』

Sony Music Japan

Tom Scholz　トム・ショルツ
1947 年　US マサチューセッツ州ボストン出身／ Boston（ボストン）／ G.Kb　▶
1976 年　アルバム『Boston（幻想旅行）』

Gary Louris　ゲイリー・ローリス
1955 年　US オハイオ州トレド出身／ The Jayhawks（ザ・ジェイホークス）／ Vo.G

Jeff Ament　ジェフ・アメント
1963 年　US ワシントン州シアトル出身／ Pearl Jam（パール・ジャム）／ B

Rick Rubin　リック・ルービン
1963 年　US ニューヨーク州ロングアイランド出身／プロデューサー／デフジャム・
レコード設立／ 2011 年　アデル『21』をプロデュース

Edie Brickell　エディ・ブリッケル
1966 年　US テキサス州オーク・クリフ出身／シンガーソングライター／ポール・サ
イモンの妻／ Eddie Brickell & New Bohemians（エディ・ブリッケル・アンド・ニュー・
ボヘミアンズ）／ Vo.G　▶ 1988 年　アルバム『Shooting Rubberbands at the Star』

Timbaland　ティンバランド
1972 年　US ヴァージニア州ノーフォーク出身／本名：Timothy Z. Mosley（ティモシー・
Z・モズレー）／ヒップホップ・プロデューサー、ラッパー　▶ 2007 年　セカンドア
ルバム『Timbaland Presents Shock Value』

John Lecompt　ジョン・ルコンプ
1973 年　US アーカンソー州リトルロック出身／ Evanescence（エヴァネッセンス）
／ G

Robin Thicke　ロビン・シック
1977 年　US カリフォルニア州ロスアンゼルス出身／シンガーソングライター、プロ
デューサー　▶ 2013 年　アルバム『Blurred Lines』

✘ Andy Gibb　アンディ・ギブ
1988 年　享年 30 才（心筋炎）／ザ・ビージーズの兄弟

✘ Keith Emerson　キース・エマーソン
2016 年　享年 71 才（自殺）／ ELP（エマーソン・レイク・アンド・パーマー）／ Kb

ロック史

- ⊙ 2003 年　ディクシー・チックスのナタリー・メインズがロンドン公演中に、ブッ
  シュ大統領のイラク戦争開戦を批判。アメリカでメンバーを巻き込んだ大論争やボ
  イコット事件にまで発展してしまう。しかし同年メンバーは反対運動を予想しなが
  らもワールドツアーを敢行し、観衆から大きな励ましの声援を受けることになる

Mark Stein　マーク・スタイン
1947 年 US ニュージャージー州ベイオン出身／ Vanilla Fudge（ヴァニラ・ファッジ）／ Vo.Kb

Nina Hagen　ニナ・ハーゲン
1955 年　ドイツ・ベルリン出身／ロック・シンガー　▶ 1978 年　デビューアルバム『Nina Hagen Band』

Marlon Jackson　マーロン・ジャクソン
1957 年　US インディアナ州ゲーリー出身／ The Jackson 5（ザ・ジャクソン 5）／ 1962 年　デビュー

Cheryl Lynn　シェリル・リン
1957 年　US カリフォルニア州ロスアンゼルス出身／シンガー　▶ 1981 年　アルバム『In the Night』

Bruce Watson　ブルース・ワトソン
1961 年　UK スコットランド・ダンファームライン出身／ Big Country（ビッグ・カントリー）／ G

Mike Percy　マイク・パーシー
1961 年　UK イングランド・マージーサイド州リヴァプール出身／ Dead or Alive（デッド・オア・アライヴ）／ B ／ 1984 年　デビュー

Vinnie Paul　ヴィニー・ポール
1964 年　US テキサス州ダラス出身／ Pantera（パンテラ）／ Ds ／ 1983 年 デビュー ✗ 2018 年 6 月 22 日　享年 54 才（心筋症）

Andy Sturmer　アンディ・スターマー
1965 年　US カリフォルニア州サンフランシスコ出身／ Jellyfish（ジェリーフィッシュ）／ Vo.Ds　▶ 1993 年　アルバム『Spilt Milk』

Lisa Loeb　リサ・ローブ
1968 年　US テキサス州ダラス出身／シンガーソングライター／ Lisa Loeb & Nine Stories（リサ・ローブ＆ナイン・ストーリーズ）　▶ 1995 年　デビューアルバム『Tails』

Rami Jaffee　ラミ・ジャフェ
1969 年　US カリフォルニア州ロスアンゼルス出身／ The Wallflowers（ザ・ウォールフラワーズ）／ Kb

Joel & Benji Madden（The Madden Brothers）
ジョエル＆ベンジー・マッデン（ザ・マッデン・ブラザーズ）
1979 年　US メリーランド州ウォルドルフ出身（双子）／ Good Charlotte（グッド・シャー

ロット）／Vo.G

Letoya Luckett　ラトーヤ・ラケット
1981 年　US テキサス州ヒューストン出身／ Destiny's Child（デスティニーズ・チャイルド）／ 1998 年　デビュー

Russell Lissack　ラッセル・リサック
1981 年　UK イングランド・ロンドン出身／ Bloc Party（ブロック・パーティ）／ G ／ 2004 年　デビュー

✗ Hal Blaine　ハル・ブレイン
2019 年　享年 90 才／セッション・ドラマー

ロック史
- ⊙ 1996 年　ポール・マッカートニーが英国王室よりナイト爵位を授与され、「Sir（サー）」の称号が与えられる

社会史
- ⊙ 1985 年　ソビエト連邦共産党書記長にゴルバチョフ氏が就任
- ⊙ 2011 年　東日本大震災（M9.0）発生

12

Sony Music Japan

James Taylor　ジェイムス・テイラー
1948 年　US マサチューセッツ州ボストン出身／シンガーソングライター　▶ 1968 年 デビューアルバム『James Taylor』／ Peter Asher（ピーター・アッシャー）のプロデュースにより、アップル・レコードから発売　▶ 1970 年　シングル「Fire and Rain」がヒット　▶ 1971 年　シングル「You've Got Friend」　▶ 1977 年　アルバム『JT』

Les Holroyd　レス・ホルロイド
1948 年　UK イングランド・グレーターマンチェスター州オールダム出身／ Barclay James Harvest（バークレイ・ジェイムス・ハーヴェスト）／ B

Bill Payne　ビル・ペイン
1949 年　US テキサス州マクレナン郡ウェーコ出身／ Little Feat（リトル・フィート）／ Kb ／ 1971 年　デビュー

Mike Gibbins　マイク・ギビンズ
1949 年　UK サウスウェールズ州スウォンジー出身／ Badfinger（バッドフィンガー）／ Ds ✗ 2005 年 10 月 4 日　享年 56 才（脳動脈瘤）

Steve Harris　スティーヴ・ハリス
1956 年　UK イングランド・ロンドン出身／ Iron Maiden（アイアン・メイデン）／ B（結成時の中心人物）

12

Graham Coxon **グレアム・コクソン**
1969年　UK イングランド・ロンドン出身／Blur（ブラー）／G.Vo

Pete Doherty **ピート・ドハーティ**
1979年　UK イングランド・ノーサンバーランド州出身／The Libertines（ザ・リバティーンズ）／Vo.G　▶ 2002年　アルバム『Up the Bracket』

✗ **Michael Hossack** **マイケル・ホサック**
2012年　享年65才（癌）／The Doobie Brothers（ザ・ドゥービー・ブラザーズ）／Ds

✗ **Clive Burr** **クライヴ・バー**
2013年　享年56才（多発性硬化症）／Iron Maiden（アイアン・メイデン）／Ds

✗ **Nokie Edwards** **ノーキー・エドワーズ**
2018年　享年82才（感染症）／The Ventures（ザ・ヴェンチャーズ）／G

✗ **Barry Bailey** **バリー・ベイリー**
2022年　享年73才（多発性硬化症）／Atlanta Rhythm Section（アトランタ・リズム・セクション）／G

13

Neil Sedaka **ニール・セダカ**
1939年　US ニューヨーク州ニューヨークシティ・ブルックリン出身／シンガー＆コンポーザー　▶ 1959年　シングル「The Diary（恋の日記）」　▶ 1959年　シングル「One Way Ticket（恋の片道切符）」　▶ 1960年　シングル「Calender Girl」　▶ 1974年　シングル「Laughter in the Rain（雨に微笑みを）」全米1位

Scatman John **スキャットマン・ジョン**
1942年　US カリフォルニア州エルモンテ出身／本名：John Paul Larkin（ジョン・ポール・ラーキン）　▶ 1995年　アルバム『Scatman's World』　✗ 1999年12月3日　享年57才（喉頭癌）

Greg Norton **グレッグ・ノートン**
1959年　US イリノイ州ロックアイランド出身／Husker Du（ハスカー・ドゥ）／B／1981年　デビュー

Adam Clayton **アダム・クレイトン**
1960年　アイルランド・ダブリン出身／U2／B

14

Quincy Jones **クインシー・ジョーンズ**
1933年　US イリノイ州シカゴ出身／プロデューサー　▶ 1981年　シングル「Ai No Corrida（愛のコリーダ）」（『The Dude』収録）　▶ 1985年　チャリティ曲「We Are

the World」プロデュース

Jim Pons　ジム・ポンズ
1943 年　US カリフォルニア州サンタモニカ出身／ The Turtles（ザ・タートルズ）／ B

Walter Parazaider　ウォルター・パラゼイダー
1945 年　US イリノイ州シカゴ出身／ Chicago（シカゴ）／ Sax

Raul Midon　ラウル・ミドン
1966 年　US ニューメキシコ州出身／盲目のシンガー／ギタリスト　▶ 2005 年　アルバム『State of Mind』　▶ 2010 年　アルバム『Synthesis』

Michael Bland　マイケル・ブランド
1969 年　US ミネソタ州ミネアポリス出身／ Soul Asylum（ソウル・アサイラム）／ Ds ／ 1984 年　デビュー

✗ Ronnie Hammond　ロニー・ハモンド
2011 年　享年 60 才（心不全）／ Atlanta Rhythm Section（アトランタ・リズム・セクション）／ Vo

15

Phil Lesh　フィル・レッシュ
1940 年　US カリフォルニア州バークレー出身／ Grateful Dead（グレイトフル・デッド）／ B　▶ 1987 年　アルバム『In the Dark』

Mike Love　マイク・ラヴ
1941 年　US カリフォルニア州ロスアンゼルス出身／ The Beach Boys（ザ・ビーチ・ボーイズ）／ Vo　▶ 1963 年　アルバム『Surfin' U.S.A』

Sony Music Japan

Sly Stone　スライ・ストーン
1943 年　US テキサス州デントン出身／ 1967 年　Sly & The Family Stone（スライ & ザ・ファミリー・ストーン）結成　▶デビューアルバム『A Whole New Thing』　▶ 1968 年シングル「Everyday People」全米 1 位／ 1969 年　ウッドストック・フェスティバルで脚光を浴びる　▶ 1971 年　アルバム『There's a Riot Goin' On』／ 1975 年　グループ解散

Howard Scott　ハワード・スコット
1946 年　US カリフォルニア州ロスアンゼルス・サンペドロ出身／ War（ウォー）／ G.Vo

Ry Cooder　ライ・クーダー
1947 年　US カリフォルニア州ロサンゼルス出身／ギタリスト　▶ 1970 年　ファーストアルバム『Ry Cooder』／スライドギターの名手　▶ 1978 年　アルバム『Jazz』／ルーツミュージック、ワールドミュージック等　▶ 1994 年　アルバム『Talking Timbuktu』（アフリカで国際的に最も知られたミュージシャン、Ali Ibrahim "Farka" Touré［アリ・

15

イブラヒム・"ファルカ"・トゥーレ］との共作／グラミー賞「最優秀ワールド・ミュージック賞」授賞）

Terence Trent D'arby　テレンス・トレント・ダービー
1962 年　US ニューヨーク州ニューヨークシティ・マンハッタン出身／シンガー　▶
1987 年　デビューシングル「If You Let Me Stay」／ 2001 年 10 月　神のお告げを受け、名前を Sananda Maitreya（サナンダ・マイトレイヤ）に改名（Sananda ＝自分）

Steve Coy　スティーヴ・コイ
1962 年　UK イングランド・マージーサイド州リヴァプール出身／ Dead or Alive（デッド・オア・アライヴ）／ Ds　✂ 2018 年 5 月 4 日　享年 56 才

Rockwell　ロックウェル
1964 年　US ミシガン州デトロイト出身／本名：Kennedy William Gordy（ケネディ・ウィリアム・ゴーディ）／ R&B シンガー　▶ 1984 年　シングル「Somebody's Watching Me」

Mark McGrath　マーク・マッグラス
1968 年　US コネチカット州ハートフォード出身／ Sugar Ray（シュガー・レイ）／ Vo ／ 1995 年　デビュー　▶ 1997 年　アルバム『Floored』

will.i.am　ウィル・アイ・アム
1975 年　US カリフォルニア州ロスアンゼルス出身／本名：William James Adams, Jr.（ウィリアム・ジェイムス・アダムス・ジュニア）／ Black Eyed Peas（ブラック・アイド・ピーズ）

Joe Hahn　ジョー・ハーン
1977 年　US テキサス州ダラス出身（韓国系アメリカ人）／ Linkin Park（リンキン・パーク）／ DJ

✂ Mike Porcaro　マイク・ポーカロ
2015 年　享年 59 才（ALS）／ TOTO（トト）／ B

> **社会史**
> ◉ 1970 年　日本で万国博覧会開催（大阪）

16

Fred Neil　フレッド・ニール
1936 年　US オハイオ州クリーヴランド出身／ブルース＆フォーク・シンガーソングライター　▶ 1966 年　アルバム『Fred Neil』　✂ 2001 年 7 月 7 日　享年 65 才（皮膚癌）

Jerry Jeff Walker　ジェリー・ジェフ・ウォーカー
1942 年　US ニューヨーク州ワンオンタ出身／カントリー・シンガーソングライター　▶ 1968 年　アルバム『Mr. Bojangles』　✂ 2020 年 10 月 23 日　享年 78 才（喉頭癌）

Nancy Wilson ナンシー・ウィルソン
1954 年　US カリフォルニア州サンフランシスコ出身／Heart（ハート）／Vo.G ／アン・ウィルソンの妹　▶ 1987 年　アルバム『Bad Animals』

Flavor Flav フレイヴァー・フレイヴ
1959 年　US ニューヨーク州ルーズベルト出身／Public Enemy（パブリック・エネミー）／Rap. 作詞　▶ 1988 年　アルバム『It Takes a Nation of Millions to Hold Us Back』

Steve Marker スティーヴ・マーカー
1959 年　US ニューヨーク州ママロネック出身／Garbage（ガービッジ）／G

Andy Dunlop アンディ・ダンロップ
1972 年　UK スコットランド・グラスゴー出身／Travis（トラヴィス）／G ／ 1997 年デビュー　▶ 1999 年　アルバム『The Man Who』

Richard Swift リチャード・スウィフト
1977 年　US カリフォルニア州出身／The Shins（ザ・シンズ）／Kb

Wolfgang Van Halen ウルフギャング・ヴァン・ヘイレン
1991 年　US カリフォルニア州パサデナ出身／エドワード・ヴァン・ヘイレンの息子／Van Halen（ヴァン・ヘイレン）／B

✘ Tammi Terrell タミー・テレル
1970 年 享年 24 才（脳腫瘍）／R&B シンガー／Marvin Gaye（マーヴィン・ゲイ）とのデュエット・ヒット

✘ T-Bone Walker T・ボーン・ウォーカー
1975 年　享年 64 才（脳卒中）／ブルース・シンガー、ギタリスト

✘ Andy Fraser アンディ・フレイザー
2015 年　享年 62 才（癌、エイズ）／Free（フリー）／B

✘ James Cotton ジェイムズ・コットン
2017 年　享年 81 才（肺炎）／ブルース・ハーモニカ奏者

17

Nat King Cole ナット・キング・コール
1919 年　US アラバマ州モンゴメリー出身／本名：Nathaniel Adams Coles（ナサニエル・アダムズ・コールズ）／愛称：キング／ジャズ・ピアニスト、シンガー　✘ 1965 年 2 月 15 日　享年 45 才（肺癌）

Sony Music Japan

Paul Kantner ポール・カントナー
1941 年　US カリフォルニア州サンフランシスコ出身／Jefferson Airplane（ジェファーソン・エアプレイン）／G　▶ 1966 年　アルバム『Jefferson Airplane Take Off』　▶

1967 年　アルバム『Surrealistic Pillow』　✗ 2016 年 1 月 28 日　享年 74 才（多臓器不全）

John Sebastian　ジョン・セバスチャン
1944 年　US ニューヨーク州ニューヨークシティ・グリニッジビレッジ出身／ The Lovin' Spoonful（ザ・ラヴィン・スプーンフル）／ Vo.G　▶ 1966 年　アルバム『Summer in the City』　▶ 1976 年　ソロアルバム『Welcome Back』

Harold Brown　ハロルド・ブラウン
1946 年　US カリフォルニア州ロングビーチ出身／ War（ウォー）／ Ds

Scott Gorham　スコット・ゴーハム
1951 年　US カリフォルニア州グレンデール出身／ Thin Lizzy（シン・リジィ）／ G

Michael Ivins　マイケル・アイヴィンス
1963 年　US オクラホマ州オクラホマシティ出身／ The Flaming Lips（ザ・フレイミング・リップス）／ B ／ 1985 年　デビュー

Billy Corgan　ビリー・コーガン
1967 年　US イリノイ州エルク・グローヴ・ヴィレッジ出身／ 1988 年　Smashing Pumpkins（スマッシング・パンプキンズ）／ Vo.G 結成　▶ 1991 年　デビューアルバム『Gish』

Caroline Corr　キャロライン・コアー
1973 年　アイルランド・カウンティルース・ダンダルク出身／ The Corrs（ザ・コアーズ）／ Vo.Dr

Justin Hawkins　ジャスティン・ホーキンス
1975 年　UK イングランド・サフォーク州ローストフト出身／ The Darkness（ザ・ダークネス）／ Vo.G.Kb　▶ 2003 年　アルバム『Permission to Land』

✗ Rick Grech　リック・グレッチ
1990 年　享年 43 才（腎臓疾患）／ Blind Face（ブラインド・フェイス）／ B

18

Wilson Pickett　ウィルソン・ピケット
1941 年　US アラバマ州ブラッドヴィル出身／ R&B シンガー　✗ 2006 年 1 月 19 日　享年 64 才（心臓発作）

Eric Woolfson　エリック・ウルフソン
1945 年　UK スコットランド・グラスゴー・チャリングクロス出身／ Alan Persons Project（アラン・パーソンズ・プロジェクト）／ Kb.Vo　▶ 1982 年　アルバム『Eye in the Sky』

B.J. Wilson　B.J. ウィルソン

1947 年　UK イングランド・ロンドン出身／ Procol Harum（プロコル・ハルム）／ Ds
✗ 1990 年 10 月 8 日　享年 43 才（肺炎）

Bobby Whitlock　ボビー・ウィットロック
1948 年　US テネシー州メンフィス出身／ Derek & The Dominos（デレク & ザ・ドミノス）／ Kb ／ 1970 年　デビュー

John Hartman　ジョン・ハートマン
1950 年　US ヴァージニア州フォールズチャーチ出身／ The Doobie Brothers（ザ・ドゥービー・ブラザーズ）／ Ds ✗ 2021 年 12 月 29 日　享年 71 才

Irene Cara　アイリーン・キャラ
1959 年　US ニューヨーク州ニューヨークシティ・ブロンクス出身／シンガー　▶
1980 年　シングル「Fame」　▶ 1983 年　シングル「Flash Dance... What a Feeling」

Grant Hart　グラント・ハート
1961 年　US ミネソタ州サウスセントポール出身／ Huster Du（ハスカー・ドゥ）／
Ds.Vo ／ 1981 年　デビュー

Vanessa Williams　ヴァネッサ・ウィリアムズ
1963 年　US ニューヨーク州タリータウン出身／シンガー　▶ 1991 年　アルバム『The Comfort Zone』

Jerry Cantrell　ジェリー・カントレル
1966 年　US ワシントン州タコマ出身／ Alice In Chains（アリス・イン・チェインズ）／ G.Vo

Adam Levine　アダム・レヴィーン
1979 年　US カリフォルニア州ロスアンゼルス出身／ Maroon 5（マルーン 5）／ Vo.G ／ 1999 年 デビュー　▶ 2003 年　アルバム『Songs About Jane』

✗ John Phillips　ジョン・フィリップス
2001 年　享年 65 才（心臓疾患）／ The Mama's & The Papa's（ザ・ママス & ザ・パパス）

✗ Jet Harris　ジェット・ハリス
2011 年　享年 71 才（癌）／ The Shadows（ザ・シャドウズ）／ B

✗ Chuck Berry　チャック・ベリー
2017 年　享年 90 才（自然死）／ロックンロールの創始者／ギター

社会史
⊙ 2011 年　シリア内戦が本格化
⊙ 2004 年　ロシアがクリミア併合を宣言

19

Paul Atkinson　ポール・アトキンソン
1946 年　UK イングランド・ハートフォードシャー州カフリー出身／ The Zombies（ザ・ゾンビーズ）／ G

Derek Longmuir　デレク・ロングミュアー
1951 年　UK スコットランド・エディンバラ出身／ Bay City Rollers（ベイ・シティ・ローラーズ）／ Ds

Billy Sheehan　ビリー・シーン
1953 年　US ニューヨーク州バッファロー出身／ Mr. Big（ミスター・ビッグ）／ B

Ricky Wilson　リッキー・ウィルソン
1953 年　US ジョージア州アセンズ出身／ The B-52's（ザ・ビー・フィフティ・トゥーズ）／ G ／ 1979 年 デビュー　✗ 1985 年 10 月 12 日　享年 32 才（エイズ）

Terry Hall　テリー・ホール
1959 年　UK イングランド・ウェストミッドランズ州コベントリー出身／ The Specials（ザ・スペシャルズ）／ Vo　▶ 1979 年　アルバム『The Specials』

Mason Jennings　メイソン・ジェニングス
1975 年　US ハワイ州ホノルル出身／シンガーソングライター／フォーク・ロック、ポップ　▶ 1997 年　デビューアルバム『Mason Jennings』　▶ 2008 年　アルバム『In the Ever』

✗ Gary Thain　ゲイリー・セイン
1975 年　享年 27 才（ヘロイン中毒）／ Uriah Heep（ユーライア・ヒープ）／ B

✗ Paul Kossoff　ポール・コゾフ
1976 年　享年 25 才（心臓病）／ Free（フリー）／ G

✗ Randy Rhoads　ランディ・ローズ
1982 年　享年 25 才（飛行機墜落事故）／ Quiet Riot（クワイエット・ライオット）／ G

✗ Michael Brown　マイケル・ブラウン
2015 年　享年 65 才（心臓病）／ The Left Banke（ザ・レフト・バンク）

ロック史
⊙ 1962 年　ボブ・ディランがデビューアルバム『Bob Dylan』を発表

20

Carl Palmer　カール・パーマー
1950 年　UK イングランド・ウェストミッドランズ州バーミンガム・ハンズワース出身／ 1970 年　Atomic Rooster（アトミック・ルースター）脱退〜 Emerson, Lake &

Palmer（エマーソン・レイク＆パーマー）結成　▶同年　デビューアルバム『Emerson, Lake & Palmer』／Ds（1979年　解散）／UKプログレ・バンドの雄／1981年　Asia（エイジア）結成に加入　▶アルバム『Asia』

Jimmy Vaughan　ジミー・ヴォーン
1951年　USテキサス州オースティン出身／The Fabulous Thunderbirds（ファビュラス・サンダーバーズ）／G／1979年　デビュー

Phil Judd　フィル・ジャッド
1953年　ニュージーランド・ヘイスティングス出身／Split Enz（スプリット・エンズ）／G／1974年　デビュー

Slim Jim Phantom　スリム・ジム・ファントム
1961年　USニューヨーク州ニューヨークシティ・ブルックリン出身／Stray Cats（ストレイ・キャッツ）／Ds／1981年　デビュー（UK）

Alex Kapranos　アレックス・カプラノス
1972年　UKイングランド・グロウスターシャー州アーモンズベリー出身／Franz Ferdinand（フランツ・フェルディナンド）／Vo.G

Chester Bennington　チェスター・ベニントン
1976年　USアリゾナ州フェニックス出身／Linkin Park（リンキン・パーク）／Vo
🎗2017年7月20日　享年41才（自殺）

🎗 **Kenny Rogers**　ケニー・ロジャース
2020年　享年81才（老衰）／カントリー・シンガーソングライター

社会史

- 1995年　地下鉄サリン事件発生。宗教団体のオウム真理教によって、東京メトロ地下鉄車両内で神経ガス「サリン」が散布され、乗客および乗務員、係員、被害者の救助にあたった人々にも死者を含む多数の被害者が出た。当時としては、大都市において無差別に化学兵器が使用されるという世界にも類例のないテロリズムであったため、世界的に大きな衝撃を与えた
- 2003年　イラク戦争開戦。アメリカ、イギリス両国がイラクの武装解除とフセイン政権打倒を目的として、武力行使をした戦争。多くの国が戦争反対の立場をとり、反戦デモが広がる国際世論を押し切る形で行われた。24年間続いたフセイン体制は崩壊し、同年12月にはアメリカ軍がフセインを拘束。2011年12月14日、米軍の完全撤収によってオバマ大統領が戦争の終結を正式に宣言した

21

David Lindley　デイヴィッド・リンドレー
1944年　USカリフォルニア州ロスアンゼルス出身／ギタリスト／セッションマン
▶1981年　アルバム『El Rayo-X』

Rosemary Stone　ローズマリー・ストーン
1945 年　US カリフォルニア州サンフランシスコ出身／ Sly & The Family Stone（スライ & ザ・ファミリー・ストーン）

Eddie Money　エディ・マネー
1949 年　US ニューヨーク州ニューヨークシティ・ブルックリン出身／ロック・シンガー
▶ 1986 年　シングル「Take Me Home Tonight」全米 4 位　✗ 2019 年 9 月 13 日　享年 70 才（心臓病手術後の合併症）

Roger Hodgson　ロジャー・ホジソン
1950 年　UK イングランド・ハンプシャー州ポーツマス出身／ Supertramp（スーパートランプ）／ Vo.G　▶ 1979 年　アルバム『Breakfast in America』がヒット

Conrad Lozano　コンラッド・ロサーノ
1951 年　US カリフォルニア州ロスアンゼルス出身／ Los Lobos（ロス・ロボス）／ B.Vo

Maxim Reality　マキシム・リアリティ
1967 年　UK イングランド・エセックス州ブレインツリー出身／ The Prodigy（ザ・プロディジー）／ MC

Jonas Berggren　ヨーナス・バーグレン
1967 年　スウェーデン・ゴーセンブルグ出身／ Ace of Bace（エイス・オブ・ベイス）／ Vo.G

Mark Hamilton　マーク・ハミルトン
1977 年　UK 北アイルランド・カウンティダウン出身／ Ash（アッシュ）／ B

Nick "Peanut" Baines　ニック・"ピーナッツ"・ベインズ
1978 年　UK イングランド・ウェストヨークシャー州リーズ出身／ Kaiser Chiefs（カイザー・チーフス）／ Kb

Deryck Whibley　デリック・ウィブリー
1980 年　カナダ・オンタリオ・スカボロー出身／ Sum 41（サム 41）／ Vo.G　▶ 2001 年　アルバム『A Killer No Filler』

ロック史

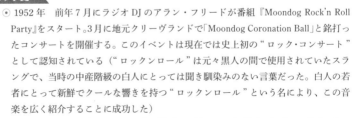

⊙ 1952 年　前年 7 月にラジオ DJ のアラン・フリードが番組『Moondog Rock'n Roll Party』をスタート。3 月に地元クリーヴランドで「Moondog Coronation Ball」と銘打ったコンサートを開催する。このイベントは現在では史上初の "ロック・コンサート" として認知されている（"ロックンロール" は元々黒人の間で使用されていたスラングで、当時の中産階級の白人にとっては聞き馴染みのない言葉だった。白人の若者にとって新鮮でクールな響きを持つ "ロックンロール" という名により、この音楽を広く紹介することに成功した）
※このコンサートは白人と黒人の客が混ざって踊ることを意図したダンス形式のもの

で、人種差別が根強く公然化していた当時のアメリカ社会では異例だった。収容人数1万人のアリーナ会場には2万人を超える若者たちが押し寄せた。異例の事態に直面した州当局はこのイベントを急遽中止させたが、これに不満を持った若者たちはゲートを押し破るなど暴徒化した

22

Keith Relf　キース・レルフ
1943年　UK イングランド・ロンドン出身／The Yardbirds（ザ・ヤードバーズ）／Vo.Hrp／Renaissance（ルネサンス）／Vo　✗ 1976年5月14日　享年33才（ギター演奏中の感電死）

John Otto　ジョン・オットー
1977年　US フロリダ州ジャクソンヴィル出身／Limp Bizkit（リンプ・ビズキット）／Ds／1997年　デビュー

✗ Don Murray　ドン・マレー
1996年　享年50才（胃潰瘍手術後の合併症）／The Turtles（ザ・タートルズ）／Ds

✗ Scott Walke　スコット・ウォーカー
2019年　享年76才／The Waker Brothers（ザ・ウォーカー・ブラザーズ）

ロック史
⊙ 1963年　ザ・ビートルズ、ファーストアルバム『Please Please Me』をリリース

23

Ric Ocasek　リック・オケイセック
1944年　US メリーランド州ボルチモア出身／The Cars（ザ・カーズ）／Vo.G ▶ 1978年　アルバム『The Cars』 ▶ 1982年　ソロアルバム『Beatitude』／Weezer（ウィーザー）など多数のバンドのプロデューサーとして活動　✗ 2019年9月15日　享年75才（肺気腫／心臓疾患）

Chaka Khan　チャカ・カーン
1953年　US イリノイ州グレイトレイクス出身／本名：Yvette Marie Stevens（イヴェット・マリー・スティーヴンス）／ファンク・バンド Rufus（ルーファス）のヴォーカル／その後 R&B ソロ・ヴォーカリスト ▶ 1975年　アルバム『Rufus Featuring Chaka Khan』 ▶ 1984年　ソロシングル「I Feel for You」

Marti Pellow　マーティ・ペロウ
1965年　UK スコットランド・クリドバンク出身／Wet Wet Wet（ウェット・ウェット・ウェット）／Vo

Damon Albarn　デイモン・アルバーン
1968年　UK イングランド・ロンドン出身／1989年　Blur（ブラー）結成／Vo ▶ 1991年　デビューアルバム『Leisure』／1998年　Gorillaz（ゴリラズ）／バーチャル・

23

プロジェクト ▶ 2001 年　アルバム『Gorillaz』

George Daniel　ジョージ・ダニエル
1990 年　ベルギー・ブリュッセル出身／The 1975（ザ・ナインティーン・セヴンティ・ファイヴ）／Ds

✗ **Neil Aspinall**　ニール・アスピノール
2008 年　享年 66 才（肺癌）／ザ・ビートルズのロードマネージャー／彼らが設立した「アップル」を運営し "5 人目のビートルズ" と称されることもあった

24

Holger Czukay　ホルガー・シューカイ
1938 年　ポーランド・グダニスク出身／Can（カン）／B

Klaus Dinger　クラウス・ディンガー
1946 年　ドイツ・ウェストファリア出身／Kraftwerk（クラフトワーク）／Ds ✗
2008 年 3 月 21 日　享年 61 才（心臓疾患）

Mike Kellie　マイク・ケリー
1947 年　UK イングランド・ウェストミッドランズ州バーミンガム出身／Spooky Tooth（スプーキー・トゥース）／Ds ／ 1968 年　デビュー ✗ 2017 年 1 月 18 日 享年 69 才

Lee Oskar　リー・オスカー
1948 年　デンマーク・コペンハーゲン市コペンハーゲン出身／War（ウォー）／Harm
▶ 1972 年　アルバム『The World Is a Ghetto』 ▶ 1976 年　ソロアルバム『Lee Oskar』

Nick Lowe　ニック・ロウ
1949 年　UK イングランド・サリー州ウォルトン・オン・テムズ出身／ロック・ミュージシャン／ベーシスト／プロデューサー／Brinsley Schwarz（ブリンズリー・シュウォーツ）／B.Vo ／ 1970 年　デビュー／ 1991 年　Little Village（リトル・ヴィレッジ）結成 ▶ 1992 年　アルバム『Little Village』

Dougie Thomson　ダギー・トムソン
1951 年　UK スコットランド・グラスゴー出身／Supertramp（スーパートランプ）／B ／ 1970 年　デビュー

Nena　ネーナ
1960 年　ドイツ・ベルリン出身／本名：Gabriele Susanne Kerner（ガブリエル・スザンヌ・ケルナー）／シンガー ▶ 1983 年　シングル「99 Luftballons」がヒット

Sharon Corr　シャロン・コアー
1970 年　アイルランド・ラウス県ダンドーク出身／The Corrs（ザ・コアーズ）／Vo.Vio

✗ Bill Rieflin　ビル・リーフリン
2020 年　享年 59 才（癌）／マルチプレイヤー、King Crimson（キング・クリムゾン）

ロック史
- ⊙ 1958 年　27 才のエルヴィス・プレスリーが徴兵によりアメリカ陸軍に入隊（2 年間）。同年 8 月に最愛の母グラディスが病気で他界する（享年 46 才）。彼は除隊後に大好きな音楽活動は再開できたが、最も大切な人を失ってしまった
- ⊙ 1977 年　KISS（キッス）初来日（5 地区で 7 公演／東京：日本武道館 3 回）

25

Aretha Franklin　アレサ・フランクリン
1942 年　US テネシー州メンフィス出身／ソウル・シンガー　▶ 1967 年　シングル「Respect」✗ 2017 年 8 月 16 日　享年 76 才（膵臓癌）

Stephen Kupka　スティーヴン・クプカ
1946 年　US カリフォルニア州オークランド出身／Tower of Power（タワー・オブ・パワー）／Sax.Vo ／ 1970 年　デビュー

Elton John　エルトン・ジョン
1947 年　UK イングランド・ミドルセックス州ピナー出身／本名：Reginald Kenneth Dwight（レジナルド・ケネス・ドワイト）　▶ 1968 年　デビューアルバム『Empty Sky』　▶ 1970 年　2 作目『Elton John』からのシングル「Your Song」がヒット／ 1997 年　英ダイアナ元妃葬儀の際、「Candle in the Wind」を演奏／その後チャリティ・シングルとして再リリースされ、3,500 万枚以上の売上げを記録する

Brinsley Schwarz　ブリンズリー・シュウォーツ
1947 年　UK イングランド・サフォーク州ウッドブリッジ出身／Brinsley Schwarz（ブリンズリー・シュウォーツ）／ G.Vo ／ 1970 年　デビュー

Steve Norman　スティーヴ・ノーマン
1960 年　UK イングランド・ロンドン出身／Spandau Ballet（スパンダー・バレエ）／ G.Sax

✗ Dan Seals　ダン・シールズ
2009 年　享年 61 才（悪性リンパ腫）／ England Dan & John Ford Coley（イングランド・ダン＆ジョン・フォード・コーリー）

✗ Taylor Hawkins　テイラー・ホーキンス
2022 年　享年 50 才（10 種類の薬物依存症）／ Foo Fighter（フー・ファイターズ）／ Ds

ロック史
- ⊙ 2011 年　東日本大震災被災者救援アルバム『ソング・フォー・ジャパン』（世界 38 組のミュージシャン参加）が配信される

25	社会史

⦿ 2020 年　第 5 世代移動通信システム（5G）サービス開始（NTT ドコモ）

26	

Diana Ross　ダイアナ・ロス
1944 年　US ミシガン州デトロイト出身／本名：Diane Ernestine Earle Ross（ダイアン・アーネスティン・アール・ロス）／R&B シンガー／The Supremes（ザ・シュープリームス）／Vo ／ 1970 年　ソロ活動開始　▶シングル「Ain't No Mountain High Enough」

Fran Sheehan　フラン・シーハン
1949 年　US マサチューセッツ州スワンプスコット出身／Boston（ボストン）／B

Sony Music Japan

Steven Tyler　スティーヴン・タイラー
1948 年　US ニューヨーク州ヨンカーズ出身／本名：Steven Victor Tallarico（スティーヴン・ヴィクター・タラリーコ）／ 1970 年　Joe Perry（ジョー・ペリー、G）と Aerosmith（エアロスミス）結成／Vo ／ 1973 年　デビューアルバム『Aerosmith』／メンバーの不仲もありながらヒットを連発し、ハードロック界のモンスターバンドに

Richard Tandy　リチャード・タンディ
1948 年　UK イングランド・ウェストミッドランズ州バーミンガム出身／Electric Light Orchestra（ELO：エレクトリック・ライト・オーケストラ）／Kb　▶ 1976 年　アルバム『A New World Record』　▶ 1977 年　アルバム『Out of the Blue』

Sony Music Japan

Ned Doheny　ネッド・ドヒニー
1948 年　US カリフォルニア州ロスアンゼルス出身／シンガーソングライター　▶ 1973 年　デビューアルバム『Ned Doheny』　▶ 1976 年　アルバム『Hard Candy』

Teddy Pendergrass　テディ・ベンダーグラス
1950 年　US ペンシルベニア州フィラデルフィア出身／R&B シンガー　▶ 1977 年　アルバム『Teddy Pendergrass』

Bill Lyall　ビリー・ライオール
1953 年　UK スコットランド・エディンバラ出身／Pilot（パイロット）／Kb ／ 1974 年　デビュー　✗ 1989 年 12 月 1 日　享年 36 才（エイズ）

James Iha　ジェイムズ・イハ
1968 年　US イリノイ州シカゴ出身／Smashing Pumpkins（スマッシング・パンプキンズ）／G　▶ 1998 年　ソロアルバム『Let It Come Down』

Brian Weitz　ブライアン・ウェイツ
1979 年　US メリーランド州ボルチモア出身／Animal Collective（アニマル・コレクティヴ）／Kb ／ 2000 年　デビュー

✗ John Poulos　ジョン・ポウロス

1980 年　享年 32 才（悪性腫瘍）／ The Buckinghams（ザ・バッキンガムズ）／ Ds

✗ Randy Castillo　ランディ・カスティロ
2002 年　享年 51 才（悪性腫瘍）／ Motley Crue（モトリー・クルー）／ Ds

✗ Jan Berry　ジャン・ベリー
2004 年　享年 62 才（急性発作）／ Jan & Dean（ジャン＆ディーン）

✗ Paul Hester　ポール・ヘスター
2005 年　享年 46 才（自殺）／ Clowded House（クラウデッド・ハウス）／ Ds

27

Andy Bown　アンディ・ボーン
1946 年　UK イングランド・ロンドン出身／ Status Quo（ステイタス・クォー）／ Kb
／ 1968 年　デビュー

Tony Banks　トニー・バンクス
1950 年　UK イングランド・イーストサセックス州イースト・ホースリー出身／
Genesis（ジェネシス）／ Kb　▶ 1976 年　アルバム『A Trick of the Tail』

Andrew Farriss　アンドリュー・ファリス
1959 年　オーストラリア・パース出身／ INXS（インエクセス）／ Kb

Mariah Carey　マライア・キャリー
1970 年　US ニューヨーク州ロングアイランド出身／シンガー　▶ 1990 年　シングル
「Vision of Love」発表

Brendan Hill　ブレンダン・ヒル
1970 年　UK イングランド・ロンドン出身／ Blues Traveler（ブルース・トラヴェラー）
／ Ds

Fergie　ファーギー
1975 年　US カリフォルニア州ハシエンダ・ハウス出身／本名：Stacy Ann Ferguson（ス
テイシー・アン・ファーガソン）／ Black Eyed Peas（ブラック・アイド・ピーズ）／
Vo　▶ 2006 年　ソロアルバム『The Dutchess』

✗ Ian Dury　イアン・デューリー
2000 年　享年 57 才（大腸癌）／ Ian Dury & Blockheads（イアン・デューリー＆ブロッ
クヘッズ）／ Vo

28

Chuck Portz　チャック・ポーツ
1945 年　US カリフォルニア州サンタモニカ出身／ The Turtles（ザ・タートルズ）／ B

28

John Evans　ジョン・エヴァンス
1948 年　UK イングランド・ランカシャー州ブラックプール出身／ Jehtro Tull（ジェス ロ・タル）／ Kb

Steve Turner　スティーヴ・ターナー
1965 年　US ワシントン州シアトル出身／ Mudhoney（マッドハニー）／ G.Vo ／ 1989 年　デビュー

David Keuning　デイヴィッド・キューニング
1976 年　US アイオワ州ペラ出身／ The Killers（ザ・キラーズ）／ G ／ 2003 年　デビュー（UK）

Lady Gaga　レディ・ガガ
1986 年　US ニューヨーク州ニューヨークシティ・マンハッタン出身／本名：Stefani Joanne Angelina Germanotta（ステファニー・ジョアン・アンジェリーナ・ジャーマ ノッタ）　▶ 2008 年　デビューアルバム『The Fame』　▶ 2010 年　シングル「Poker Face」、アルバム『The Fame』でグラミー賞授賞

> **社会史**
> ⊙ 1979 年　米スリーマイル島原子力発電所で放射能漏れ事故発生。同年 9 月に原発 反対コンサート「No Nukes」がニューヨークで開催される（マジソン・スクエア・ ガーデン）
> ⊙ 2005 年　スマトラ島沖地震発生（マグニチュード 8.7 ／ 1,000 人以上死亡）

29

Chad Allan　チャド・アラン
1943 年　カナダ・ウィニペグ出身／ The Guess Who（ザ・ゲス・フー）／ Vo.G

Vangelis　ヴァンゲリス
1943 年　ギリシャ・ホロス出身／本名：Evángelos Odysséas Papathanassíou（エヴァ ンゲロス・オディセアス・パパサナスィウ）　▶ 1981 年　アルバム『Chariots of Fire（炎 のランナー)』　✗ 2022 年 5 月 17 日　享年 79 才（新型コロナウイルス感染症）

Bobby Kimball　ボビー・キンボール
1947 年　US テキサス州オレンジ郡出身／ TOTO（トト）／ Vo　▶ 1978 年　デビュー アルバム『TOTO』

Dave Greenfield　デイヴ・グリーンフィールド
1949 年　UK イングランド・サリー州出身／ The Stranglers（ザ・ストラングラーズ）／ Kb ／ 1977 年　デビュー　✗ 2020 年 5 月 3 日　享年 71 才（新型コロナウイルス感染症）

Perry Farrell　ペリー・ファレル
1959 年　US ニューヨーク州ニューヨークシティ・クイーンズ出身／ Porno for Pyros（ポ ルノ・フォー・パイロス）／ Vo ／元ジェーンズ・アディクション

John Popper　ジョン・ポッパー
1967 年　US オハイオ州シャルドン出身／Blues Traveler（ブルース・トラヴェラー）
／Vo

社会史
- 1973 年　アメリカ軍、ベトナムから撤退（ベトナム戦争）

30

Graeme Edge　グレアム・エッジ
1941 年　UK イングランド・スタッフォードシャー州ロチェスター出身／The Moody
Blues（ムーディ・ブルース）／Ds

Eric Clapton　エリック・クラプトン
1945 年　UK イングランド・サリー州リプリー出身／ギタリスト、シンガー／1963 年
The Yardbirds（ザ・ヤードバーズ）／1965 年　Blues Breakers（ブルース・ブレイカー
ズ）／1966 年　Cream（クリーム）／1969 年　Blind Face（ブラインド・フェイス）
／Derek & The Dominos（デレク・アンド・ザ・ドミノス）で活動　▶ 1970 年　ソロ
アルバム『Eric Clapton』 発表

Dave Ball　デイヴ・ボール
1950 年　UK イングランド・ウェストミッドランズ州バーミンガム・ハンズワース出
身／Procol Harum（プロコル・ハルム）／Kb／Soft Cell（ソフト・セル）／Kb

Randy Vanwarmer　ランディ・ヴァンウォーマー
1955 年　US コロラド州インディアンヒルズ出身／シンガーソングライター（AOR）
▶ 1979 年　シングル「Just When I Needed You Most（アメリカン・モーニング）」 ✘
2004 年 1 月 12 日　他界 48 才（白血病）

MC Hammer　MC ハマー
1962 年　US カリフォルニア州オークランド出身／本名：Stanley Kirk Burrell（スタン
リー・カーク・バレル）　▶ 1990 年　シングル「U Can't Touch This」

Tracy Chapman　トレイシー・チャップマン
1964 年　US オハイオ州クリーヴランド出身／シンガーソングライター　▶ 1988 年　デ
ビューアルバム『Tracy Chapman』全米 2 位　▶シングル「Fast Car」グラミー賞受賞

Sony Music Japan

Celine Dion　セリーヌ・ディオン
1968 年　カナダ・ケベック州出身／シンガー　▶ 1997 年　シングル「My Heart Will
Go On」（映画『タイタニック』主題歌）

Mark McClelland　マーク・マクレランド
1976 年　UK スコットランド・グラスゴー出身／Snow Patrol（スノウ・パトロール）
／B／1994 年　デビュー

30

Norah Jones ノラ・ジョーンズ
1979 年 US ニューヨーク州ニューヨークシティ・マンハッタン出身／シンガー　▶
2002 年 デビューアルバム『Come Away with Me』　▶同年 シングル「Don't Know Why」がヒット

✗ Phil Ramone フィル・ラモーン
2013 年　享年 79 才（大動脈瘤疾患）／プロデューサー、エンジニア

✗ Bill Withers ビル・ウィザース
2020 年　享年 81 才（心臓病）／シンガーソングライター

ロック史

⊙ 1976 年　セックス・ピストルズがロンドンの伝説的なライヴハウス「100 クラブ」で開催されたパンク・ロック・フェスティバルで初ライヴを披露。クラッシュやスージー＆ザ・バンシーズらが出演。このフェスティバルによってパンクは一気にメジャーになっていった

31

Herb Alpert ハーブ・アルバート
1935 年　US カリフォルニア州ロスアンゼルス出身／トランペット奏者、A&M レコードの創始者　▶ 1979 年　アルバム『Rise』

Mick Ralphs ミック・ラルフス
1944 年　UK イングランド・ウェストミッドランズ州ヘレフォードシャー出身／ Mott the Hoople（モット・ザ・フープル）／ Vo.G ／ Bad Company（バッド・カンパニー）

Al Nichol アル・ニコル
1946 年　US カリフォルニア州ロスアンゼルス出身／ The Turtles（ザ・タートルズ）／ G

John Poulos ジョン・ポウロス
1947 年　US イリノイ州シカゴ出身／ The Buckinghams（ザ・バッキンガムズ）／ Ds ／ 1967 年 デビュー　✗ 1980 年 3 月 26 日　享年 32 才

Thijs Van Leer タイス・ファン・レール
1948 年　オランダ・アムステルダム出身／ Focus（フォーカス）／ Kb.Vo.Tl ／ 1970 年　デビュー

Sean Hopper ショーン・ホッパー
1953 年　US カリフォルニア州サンフランシスコ出身／ Huey Lewis & The News（ヒューイ・ルイス・アンド・ザ・ニュース）／ Kb.Vo

Dave Bickler デイヴ・ビックラー
1953 年　US イリノイ州シカゴ出身／ Survivor（サヴァイヴァー）／ Vo　▶ 1982 年

アルバム『Eye of the Tiger』

Angus Young　アンガス・ヤング

1955 年　UK スコットランド・グラスゴー出身（1963 年　オーストラリア・シドニーに移住）／ 1973 年　兄マルコムと一緒に AC/DC（エーシー・ディーシー）を結成／ G　▶ 1975 年　デビューアルバム『High Voltage』（オーストラリア 1 位）、その後アメリカ・イギリスでデビューするが、80 年、ボン・スコット（Vo. 作詞）が事故死　▶ 追悼アルバム『Back in Black』が大ヒット

Paul Ferguson　ポール・ファーガソン

1958 年　UK イングランド出身／ Killing Joke（キリング・ジョーク）／ Ds

Pat McGlynn　パット・マッグリン

1958 年　UK スコットランド・エディンバラ出身／ Bay City Rollers（ベイ・シティ・ローラーズ）／ G

Jack Antonoff　ジャック・アントノフ

1984 年　US ニュージャージー州バーゲンフィールド出身／ Fun（ファン）／ G.B.Kb ／ 2008 年デビュー　▶ 2012 年　アルバム『Some Nights』がヒット

✄ Kelly Isley　ケリー・アイズレー

1986 年　享年 48 才（心臓発作）／ The Isley Brothers（ザ・アイズレー・ブラザーズ）

Jan
Feb
Mar
Apr
May
Jun
Jul
Aug
Sep
Oct
Nov
Dec

Column 2

「27 CLUB」──27才で他界したミュージシャンたちの謎

「27 CLUB」とは、音楽雑誌・新聞等で繰り返し引用された、"27才で他界したミュージシャン"の呼称。ロックの歴史で最も謎めく、同い年の偶然（？）の悲劇的逸話として有名。

1969〜71年

この3年間に4人のカリスマ・ミュージシャンたち（ブライアン・ジョーンズ、ジミ・ヘンドリックス、ジャニス・ジョップリン、ジム・モリソン）が27才で立て続けに亡くなったことで、「27 CLUB」の逸話がファンの間でささやかれるようになる。1975年にも**バッドフィンガーのピート・ハム**が27才で亡くなっている。

1994年

ニルヴァーナのカート・コバーンがこの年に27才で亡くなった時に、同じ年齢で亡くなった有名ミュージシャンと再度結びつけるようになり、この呼称が広く知られていった。死因は様々だが、いずれも心を病んだり、自暴自棄になったり、疑惑が多い死であることが共通点。薬物過剰摂取、アルコール依存症、交通事故、自殺等、ミュージシャン特有ともいえる原因でこの世を去ってしまっていることが多い。

2011年

エイミー・ワインハウスが過剰なアルコール摂取により呼吸停止に陥り、27才で急逝する。再びメディアの注目がこの年齢に集まるきっかけとなった。亡くなる3年前、彼女はその年齢で死ぬことへの恐れを表明していたといわれている。その他にも世界中で40名以上のミュージシャンが、なぜか27才で不慮の死を遂げている。

2020年

エルヴィス・プレスリーの孫**ベンジャミン・キーオ**（エルヴィスの愛娘リサ・マリー・プレスリーの子供）がショットガンを口にくわえて自殺を図り、他界する。2009年からミュージシャンとして活動していたが売れず、またエルヴィスにそっくりという重圧にも耐えきれずにアルコール・薬物依存に苦しみ、リハビリ施設に通っていたという。

《27才死亡説の客観的研究の結果は？》

英国では科学的および統計的研究も実施されたが、2011年に英医学誌「ブリティッシュ・メディカル・ジャーナル」に発表された調査では、**「27才でミュージシャンの死亡リスクが増加するという説に根拠はない」**という結論に達したという。しかしロックファンの間では依然、"有名ミュージシャンの突然死はこの年齢でよく起こる"という伝説が語り継がれている。

27才で亡くなった主な有名ミュージシャンたち

● **ブライアン・ジョーンズ（1942-69）**
アルコールとドラッグを併用し、自宅プールで水死

● **ジミ・ヘンドリックス（1942-70）**
強い鎮静睡眠薬とアルコールの過剰摂取で窒息死

● **ジャニス・ジョップリン（1943-70）**
ドラッグ過剰摂取

● **ジム・モリソン（1943-71）**
心臓発作（恋人も27才で他界）

● **アラン・ウィルソン（1943-70）**
睡眠薬過剰摂取（自殺ともいわれる）

● **ピート・ハム（1947-75）**
自殺（自宅ガレージで首吊り）

● **カート・コバーン（1967-94）**
自殺（薬物中毒）

● **エイミー・ワインハウス（1983-2011）**
ドラッグ過剰摂取

April

The
Rock
Musicians'
Birthday
Encyclopedia

April

Sony Music Japan

ROY ORBISON　ロイ・オービソン

1936 年 4 月 23 日
US テキサス州ヴァーノン出身

少年時代からカントリー・ミュージックやブルースを聴いて
育つ。6 才の誕生日プレゼントに父親からギターをもらい、
熱心に練習を始めた。10 才の時、ラジオのタレントコンテ
ストで歌を披露し優勝、地元のテレビやラジオ番組にも出演。
高校時代に結成したバンドの活動を知ったノーマン・ペティ
（バディ・ホリーのプロデューサー）に見出され、19 才の時
にシングル「Ooby Dooby」でデビューするが、ヒットには

1

JEFF PORCARO　ジェフ・ポーカロ

1954 年 4 月 1 日
US コネチカット州ハートフォード出身

　イタリア系アメリカ人。父はジャズ・ドラマーとして有名
なジョー・ポーカロ。7 才の頃、父からドラムを教えてもらい、
10 代ですでにセッション・ミュージシャンとして活動して
いる。16 才でソニー＆シェールのバックバンドに参加する
チャンスが訪れ、高校を中退してプロのミュージシャンとし
ての道を歩みだす。初期にはスティーリン・ダンのツアー、

2

The Freddie Mercury Tribute Concert
フレディ・マーキュリー追悼コンサート

1992 年 4 月 20 日
ウェンブリー・スタジアム

　クイーンのフレディ・マーキュリーはエイズによるカリン
肺炎で 1991 年 11 月 24 日に他界する。追悼盤『Bohemian
Rhapsody』がリリースされ、英国で 5 週間 1 位を記録す
る。収益はエイズ患者救済のために寄付された。92 年 4 月

3

恵まれなかった。23 才でのモニュメント・レコードへの移籍から運気が開け、一転してヒット曲を連発する。1964 年発表の「Oh, Pretty Woman」は全米・全英チャートで 1 位を獲得し、400 万枚のセールスを記録。映画『プリティ・ウーマン』の主題歌としても大ヒットし、彼の最も有名な作品となる。1963 年にはビートルズとの英国ジョイント・ツアーを成功させ、本国アメリカ以上に大きな人気を集める。しかし 66 年に妻がオートバイ事故で死去。2 年後には息子 2 人を火事で失うなど大きな悲劇に見舞われ、以降の活動は不調が続いた。88 年にはジョージ・ハリスンやボブ・ディランなどと「トラヴェリング・ウィルベリーズ」に参加するが、同年 12 月に心臓マヒのため急死。突然の訃報は多くのミュージシャンに大きな衝撃を与えた。生涯で 18 曲の全米トップ 30 ヒットを発表した。

レコーディングに参加して注目される。1976 年に参加したボズ・スキャッグスのアルバム『Silk Degrees』のヒットにより名声は大いに高まり、セッション・ミュージシャンとしての依頼が多く舞い込むようになる。77 年 23 才で、スティーヴ・ルカサー、デヴィッド・ペイジ、弟のスティーヴと「TOTO」を結成する。「ハーフタイム・シャッフル」と呼ばれるリズムパターンが有名で、TOTO の「Rosanna」で聴くことができる。しかし、92 年 8 月 5 日、心臓発作で急死する。享年 38 才。死因は自宅の庭で撒いていた殺虫剤のアレルギーで心臓マヒを起こしたと発表される。検死において血中にコカインが検出されたため、ドラッグによる死亡という説もある。

にはロンドンで 7 万人以上を集めてフレディの追悼コンサートが開催された。出演者はクイーンのメンバー 3 人とエルトン・ジョン、デヴィッド・ボウイ他多数。95 年 11 月、フレディのヴォーカルテイクに残った 3 人がサウンドを重ね、ラストアルバム『Made in Heaven』を発表。フレディのいるクイーンはこのアルバムで最後を迎える。多くのファン、ミュージシャンに愛され、今もその人気は衰えることがない。

Rudolph Isley　ルドルフ・アイズレー
1939 年　US オハイオ州シンシナティ出身／The Isley Brothers（ザ・アイズレー・ブラザーズ）

John Barbata　ジョン・バーベイタ
1945 年　US ニュージャージー州パッセーク出身／Jefferson Starship（ジェファーソン・スターシップ）／Ds

Ronnie Lane　ロニー・レーン
1946 年　UK イングランド・ロンドン出身／Small Faces（スモール・フェイセス）、Faces（フェイセズ）加入／B／1973 年 脱退／1974 年　Ronnie Lane & Slim Chance（ロニー・レーン＆スリム・チャンス）を結成　▶同年　アルバム『Anymore for Anymore』　▶1979 年　ソロアルバム『See Me』発表後、病気のため活動停止　✗ 1997 年 6 月 4 日　享年 51 才（多発性脳脊骨髄硬化症）

Jimmy Cliff　ジミー・クリフ
1948 年　ジャマイカ、セント・キャサリン教区出身／本名：James Chambers（ジェイムズ・チャンバース）／レゲエ・シンガー　▶1985 年　アルバム『Cliff Hanger』

Billy Currie　ビリー・カリー
1950 年　UK イングランド・ウェストヨークシャー州ハダースフィールド出身／Ultravox（ウルトラボックス）／Kb

Jeff Porcaro　ジェフ・ポーカロ
1954 年　US コネチカット州ハートフォード出身／ドラマー／Boz Scaggs（ボズ・スキャッグス）、Steely Dan（スティーリー・ダン）など数々のアーティストのセッション・ドラマーとしてスタート／卓越した感性とテクニックで魅了／1978 年　TOTO（トト）結成　▶アルバム『TOTO』　✗ 1992 年 8 月 5 日　享年 38 才（心臓発作）

Susan Boyle　スーザン・ボイル
1961 年　UK スコットランド・ウェストロージアン州ブラックバーン出身／シンガー／2009 年　イギリス素人オーディション番組『ブリテンズ・ゴット・タレント』で見出され、YouTube 等で話題になる　▶デビューアルバム『I Dreamed a Dream』

Mark White　マーク・ホワイト
1961 年　UK イングランド・サウスヨークシャー州シェフィールド出身／ABC（エービーシー）／G.Kb

Hillary Scott　ヒラリー・スコット
1986 年　US テネシー州ナッシュビル出身／Lady Antebellum（レディ・アンテベラム）／カントリー・グループ／Vo

✗ Marvin Gaye　マーヴィン・ゲイ

1984 年　享年 44 才（父の発砲により射殺）／ R&B シンガー

✗ Nigel Preston　ナイジェル・プレストン
1992 年　享年 32 才（薬物中毒）／ The Cult（ザ・カルト）／ Ds

✗ Paul Atkinson　ポール・アトキンソン
2004 年　享年 58 才（腎臓疾患）／ The Zombies（ザ・ゾンビーズ）／ G

✗ Adam Schlesinger　アダム・シュレシンジャー
2020 年　享年 52 才（新型コロナウイルス感染症）／ Fountains of Wayne（ファウン
テインズ・オブ・ウェイン）／ B

- 1968 年　チェコスロバキアのドプチェク第一書記が「プラハの春」を宣言
- 1987 年　国鉄民営化により、「JR」が発足
- 1976 年　Apple Computer, Inc 創業（米カリフォルニア州クパチーノでスティーブ・
  ジョブズら 3 人）

2

Marvin Gaye　マーウィン・ゲイ
1939 年　US ワシントン D.C. 出身／ R&B シンガー　▶ 1971 年　アルバム『What's
Going On』（ベトナム戦争反戦や公民権運動など社会問題に対する想いを訴えた、70
年代を代表する画期的なアルバム）　✗ 1984 年 4 月 1 日　享年 44 才（父の発砲により
射殺）

Leon Russell　レオン・ラッセル
1942 年　US オクラホマ州ロートン出身／ 1970 年　ソロ・デビューアルバム『Leon
Russell』　▶ 1972 年　アルバム『Carney』／カーペンターズの「A Song for You」は
彼の楽曲　✗ 2016 年 11 月 13 日　享年 74 才

Emmylou Harris　エミルー・ハリス
1947 年　US アラバマ州バーミンガム出身／シンガーソングライター　▶ 1975 年　ア
ルバム『Elite Hotel』でグラミー賞「女性カントリー・ヴォーカル・パフォーマンス賞」
受賞　▶ 1995 年　アルバム『Wrecking Ball』（6 度目のグラミー賞受賞）

David Robinson　デヴィッド・ロビンソン
1949 年　US マサチューセッツ州モールデン出身／ The Cars（ザ・カーズ）／ Ds

Leon Wilkeson　レオン・ウィルクソン
1952 年　US ロードアイランド州ニューポートロード出身／ Lynyrd Skynyrd（レーナー
ド・スキナード）／ B

Keren Jane Woodward　ケレン・ジェーン・ウッドワード
1961 年　UK イングランド・ブリストル／ Bananarama（バナナラマ）

Greg Camp　グレッグ・キャンプ
1967 年　US カリフォルニア州ウェスト・コヴィナ出身／ Smash Mouth（スマッシュ・マウス）／ G ／ 1994 年　デビュー

Jesse Carmichael　ジェシー・カーマイケル
1979 年　US コロラド州ボールダー出身／ Maroon 5（マルーン 5）／ Vo.Kb ／ 1999 年　デビュー

✘ Edwin Starr　エドウィン・スター
2003 年　享年 61 才（心臓発作）／ソウル・シンガー

✘ B.B. Dickerson　B.B. ディッカーソン
2021 年　享年 71 才／ War（ウォー）／ B.Vo

> **社会史**
> ⊙ 1982 年　フォークランド紛争勃発（アルゼンチン vs. イギリス領地）
> ⊙ 2001 年　MLB シアトル・マリナーズのイチロー選手がメジャーデビュー
> ⊙ 2005 年　ローマ教皇ヨハネ・パウロ 2 世死去

3

Jan Berry　ジャン・ベリー
1941 年　US カリフォルニア州ロスアンゼルス出身／ Jan & Dean（ジャン＆ディーン）／ 1958 年結成／サーフミュージック　▶ 1963 年　アルバム『Drag City』　✘ 2004 年 3 月 26 日　享年 62 才（急性発作）

Richard Manuel　リチャード・マニュエル
1943 年　カナダ・オンタリオ州ストラスフォード出身／ The Band（ザ・バンド）／ Vo.P　✘ 1986 年 3 月 4 日　享年 42 才（自殺）

Richard Thompson　リチャード・トンプソン
1949 年　UK イングランド・ロンドン出身／コンポーザー／ Fairport Convention（フェアポート・コンヴェンション）／ G ／ 1968 年　デビュー

Sebastian Bach　セバスチャン・バック
1968 年　バハマ・グランドバハマ島フリーポート出身／ Skid Row（スキッド・ロウ）／ Vo ／ 1989 年　デビュー

Leona Lewis　レオナ・ルイス
1985 年　UK イングランド・ロンドン出身／シンガー　▶ 2007 年　デビューアルバム『Spirit』

✘ Bob Burns　ボブ・バーンズ
2015 年　他界 64 才（交通事故）／ Lynyrd Skynyrd（レーナード・スキナード）／ Ds

Muddy Waters　マディ・ウォーターズ

1913 年　US ミシシッピ州ローリング・フォーク出身／シカゴ・ブルースの父と称されるブルース・シンガー、ギタリスト　▶ 1958 年　アルバム『The Best of Muddy Waters』　✗ 1983 年 4 月 30 日　享年 68 才（心不全）

Dave Hill　デイヴ・ヒル

1946 年　UK イングランド・デヴォン州ホルベトン出身／ Slade（スレイド）／ G ／ 1970 年デビュー（グラムロック）

Pick Withers　ピック・ウィザース

1948 年　UK イングランド・レスターシャー州出身／ Dire Straits（ダイアー・ストレイツ）／ Ds

Berry Oakley　ベリー・オークリー

1948 年　US イリノイ州シカゴ出身／ The Allman Brothers Band（ザ・オールマン・ブラザーズ・バンド）／ B ✗ 1972 年 11 月 11 日　享年 24 才（交通事故による外傷性脳挫傷）

Billie Hughes　ビリー・ヒューズ

1948 年　US テキサス州グラハム出身／ AOR ソングライター　▶ 1978 年　ソロアルバム『Dream Master』　✗ 1998 年 7 月 3 日　享年 50 才（心臓発作）

Gary Moore　ゲイリー・ムーア

1952 年　UK 北アイルランド・ベルファスト出身／ギタリスト／ Skid Row（スキッド・ロウ）、Thin Lizzy（シン・リジィ）　▶ 1979 年　シングル「Parisienne Walkways（パリの散歩道）」　▶ 1990 年　アルバム『Still Got the Blues』　✗ 2011 年 2 月 6 日　享年 58 才（心臓発作）

Graeme Kelling　グレアム・ケリング

1957 年　UK スコットランド・グラスゴー出身／ Deacon Blue（ディーコン・ブルー）／ G ／ 1987 年デビュー　✗ 2004 年 6 月 10 日　享年 46 才（膵臓癌）

Nigel Preston　ナイジェル・プレストン

1963 年　UK イングランド・ウェストミッドランズ州バーミンガム出身／ The Cult（ザ・カルト）／ Ds ✗ 1992 年 4 月 1 日　享年 32 才（薬物中毒）

Mike Starr　マイク・スター

1966 年　US ハワイ州ホノルル出身／ Alice In Chains（アリス・イン・チェインズ）／ B ✗ 2011 年 3 月 8 日　享年 44 才（薬物中毒）

Jill Scott　ジル・スコット

1972 年　US ペンシルベニア州フィラデルフィア出身／ R&B・ソウル・シンガー　▶ 2000 年　デビューアルバム『Who Is Jill Scott?』

4

Johnny Borrell ジョニー・ボーレル

1980 年　UK イングランド・サリー州サットン出身／ Razorlight（レイザーライト）／
Vo.G　▶ 2006 年　アルバム『Razorlight』

ロック史

- ・1964 年　ザ・ビートルズが米ビルボード誌の 1 〜 5 位まで独占。TOP100 内に 12
曲もノミネートされた前代未聞の記録

社会史

- ◉ 1968 年　マーティン・ルーサー・キング牧師暗殺（享年 39 才）。"マーティン・ルー
サー・キング牧師に捧げる曲"が次々とリリースされる
1968 年　ディオン「Abraham, Martin and John」（鎮魂歌）
1968 年　ラスカルズ「People Got to Be Free（自由への讃歌）」「A Ray of Hope（希
望の光）」
1968 年　ニーナ・シモン「Why? (The King of Love Is Dead)」
1976 年　ポール・マッカートニー＆ウイングス「Let 'em In（幸せのノック）」
1980 年　スティーヴィー・ワンダー「Happy Birthday」（「キングの誕生日を祝日
にしよう」という運動に捧げた曲）
1984 年　U2「MLK」「Pride」
1987 年　マイケル・ジャクソン「Man in the Mirror」
1995 年　マイケル・ジャクソン「History/Ghosts」（演説「I Have a Dream」を使用）
2001 年　プリンス「Family Name」（演説の最後の部分 "Free at last" の肉声を収録）
2010 年　リンキン・パーク「Wisdom, Justice, and Love」
- ◉ 1973 年　米ワールド・トレード・センタービルがグランドオープン
- ◉ 1975 年　米マイクロソフト社創業（ビル・ゲイツ＆ポール・アレン）

5

Allan Clarke アラン・クラーク

1942 年　UK イングランド・グレーターマンチェスター州サルフォード出身／ The
Hollies（ザ・ホリーズ）／ Vo

Agnetha アグネッタ

1950 年　スウェーデン・ヨンショーピング出身／ ABBA（アバ）／ Vo ／スウェーデン
のポップ・グループ　※メンバーのビヨルンとは夫婦（1979 年離婚）　▶ 1977 年　ア
ルバム『Arrival』／ 1974 年から 82 年まで世界中の音楽チャートを席巻　▶ 2021 年
11 月 5 日　40 年ぶりのニューアルバム『Voyage』で再結成

Mike McCready マイク・マクレディ

1966 年　US フロリダ州ペンサコーラ出身／ Pearl Jam（パール・ジャム）／ G

Paula Cole ポーラ・コール

1968 年　US マサチューセッツ州ロックポート出身／シンガーソングライター　▶
1996 年　アルバム『This Fire』

Pharrell Williams　ファレル・ウィリアムス

1973 年　US ヴァージニア州ヴァージニアビーチ出身／The Neptunes（ザ・ネプチューンズ／プロデュース・チーム）／N.E.R.D（No One Ever Really Dies：エヌ・イー・アール・ディー）／Vo.Kb　　2014 年　ソロアルバム『Girl』／シングル「Happy」

✗ Kurt Cobain　カート・コバーン

1994 年　享年 27 才（ピストル自殺）／Nirvana（ニルヴァーナ）／Vo.G

✗ Cozy Powell　コージー・パウエル

1998 年　享年 50 才（高速道路衝突事故）／Rainbow（レインボー）／Ds

✗ Bobby Rydell　ボビー・ライデル

2022 年　享年 79 才（肺炎合併症／2012 年に腎臓・肝臓の二重臓器移植）／シンガー

社会史

⊙ 1976 年　四五天安門事件（第一次）。同年 1 月 8 日に死去した周恩来追悼のために捧げられた花輪が北京市当局に撤去されたことに激昂した民衆が軍や警察と衝突し、政府に暴力的に鎮圧された事件。89 年 6 月 4 日に起きた六四天安門事件（第二次）と区別するため、第一次天安門事件ともいう

Peter Van Hooke　ピーター・ヴァン・フック

1950 年　UK イングランド・ミドルセックス州スタンモア出身／Mike + The Mechanics（マイク＆ザ・メカニックス）／Ds／1985 年　デビュー

Black Francis　ブラック・フランシス

1965 年　US マサチューセッツ州ボストン出身／Pixies（ピクシーズ）／Vo.G／1993 年　ソロ転向時に Frank Black（フランク・ブラック）に改名

Georg Holm　ゲオルク・ホルム

1976 年　アイスランド出身／Sigur Ros（シガー・ロス）／B／1997 年　デビュー
▶ 1999 年　アルバム『Ágætis byrjun』

✗ Bob Hite　ボブ・ハイト

1981 年　享年 38 才（薬物中毒）／Canned Heat（キャンド・ヒート）／Vo

社会史

⊙ 1992 年　ボスニア・ヘルツェゴビナ紛争勃発

Billy Holiday　ビリー・ホリデイ

1915 年　US メリーランド州ボルチモア出身／ジャズ・シンガー　▶ 1939 年　シングル「Strange Fruit（奇妙な果実）」✗ 1959 年 7 月 17 日　享年 44 才（麻薬常習・肝硬変・腎不全）

7

Ravi Shankar　ラヴィ・シャンカル
1920 年　インド・ヴァーラーナシー出身／シタール奏者／ジョージ・ハリスンのシタールの師／ノラ・ジョーンズの父親　✗ 2012 年 12 月 11 日　享年 92 才（心不全）

Mick Abraham　ミック・エイブラハム
1943 年　UK イングランド・ベッドフォードシャー州ルートン出身／ Jethro Tull（ジェスロ・タル）／ G.Vo

Florian Schneider　フローリアン・シュナイダー
1947 年　ドイツ、ノルトライン・ヴェストファーレン州デュッセルドルフ出身／ Kraftwerk（クラフトワーク）／ Vo.Fl 創設者　✗ 2020 年 4 月 21 日　享年 73 才（癌）

John Oates　ジョン・オーツ
1948 年　US ニューヨーク州ニューヨークシティ出身／ Daryl Hall & John Oates（ダリル・ホール＆ジョン・オーツ）　▶ 1975 年　シングル「Sara Smile」（全米 4 位）／ 1976 年　アルバム『Bigger Than Both of Us』　▶ 1981 年　アルバム『Private Eyes』

Bruce Gary　ブルース・ゲイリー
1951 年　US カリフォルニア州バーバンク出身／ The Knack（ザ・ナック）／ Ds

Janis Ian　ジャニス・イアン
1951 年　US ニューヨーク州ニューヨークシティ出身／シンガーソングライター　▶ 1976 年　シングル「Love Is Blind」がヒット

Sony Music Japan

Ben McKee　ベン・マッキー
1985 年　US カリフォルニア州フォレストビル出身／ Imagine Dragons（イマジン・ドラゴンズ）／ B

✗ Lee Brilleaux　リー・ブリロー
1994 年　享年 41 才（悪性リンパ腫）／ Dr. Feelgood（ドクター・フィールグッド）／ Vo.Hrp

8

Steve Howe　スティーヴ・ハウ
1947 年　UK イングランド・ロンドン出身／ 1970 年　Yes（イエス）加入／ G　▶ 1975 年　ソロアルバム『Beginnings』／ Asia（エイジア）、GTR に参加／卓越した美しいギターテクニック

Mel Schacher　メル・サッチャー
1951 年　US ミシガン州フリント出身／ Grand Funk Railroad（グランド・ファンク・レイルロード）／ B

Izzy Stradlin　イジー・ストラドリン
1962 年　US インディアナ州ラファイエット出身／本名：Jeffrey Dean Isbell（ジェフ

リー・ディーン・イスベル）／ Guns N' Roses（ガンズ・アンド・ローゼズ）／ G

Julian Lennon　ジュリアン・レノン
1963 年　UK イングランド・マージーサイド州リヴァプール出身／本名：John Charles Julian Lennon（ジョン・レノンとシンシアとの息子）／シンガーソングライター　▶
1984 年　デビューアルバム『Valotte』

Darren Jessee　ダレン・ジェシー
1971 年　US ノースキャロライナ州チャペルヒル出身／ Ben Folds Five（ベン・フォールズ・ファイヴ）／ Ds ／ 1995 年　デビュー

Ezra Koenig　エズラ・クーニグ
1984 年　US ニューヨーク州出身／ Vampire Weekend（ヴァンパイア・ウィークエンド）／ Vo.G

Matthew Healy　マシュー・ヒーリー
1989 年　UK イングランド・ロンドン出身／ The 1975（ザ・ナインティーン・セヴンティ・ファイヴ）／ Vo.G

✂ Laura Nyro　ローラ・ニーロ
1997 年　享年 49 才（卵巣癌）／ US シンガーソングライター

9

Carl Perkins　カール・パーキンス
1932 年　US テネシー州ティプトンヴィル出身／ロカビリー・シンガー　▶ 1956 年シングル「Blue Suede Shoes」がヒット　✂ 1998 年 1 月 19 日　享年 65 才（咽頭癌）

Steve Gadd　スティーヴ・ガッド
1945 年　US ニューヨーク州モンロー郡ロチェスター出身／セッション・ドラマー／
1970 年　チック・コリアの Return to Forever（リターン・トゥ・フォーエヴァー）に参加。以降、スタッフ、スティーリー・ダン、エリック・クラプトン他数々のアーティストのレコーディングやコンサートに参加

Gerard Way　ジェラルド・ウェイ
1977 年　US ニュージャージー州ベルヴィル出身／ My Chemical Romance（マイ・ケミカル・ロマンス）／ Vo

Albert Hammond Jr.　アルバート・ハモンド・ジュニア
1980 年　US カリフォルニア州ロスアンゼルス出身／ The Strokes（ザ・ストロークス）／ G　▶ 2001 年　アルバム『Is This It』

Sony Music Japan

Jesse McCartney　ジェシー・マッカートニー
1987 年　US ニューヨーク州アーズレー出身／ポップ・シンガーソングライター　▶
2004 年　デビューアルバム『Beautiful Soul』

9

✘ Dave Prater デイヴ・プレイター
1988 年　享年 50 才（交通事故）／ Sam & Dave（サム＆デイヴ）

10

Fred Smith フレッド・スミス
1948 年　US ニューヨーク州ニューヨークシティ出身／ Television（テレヴィジョン）
／ B ／ 1975 年　デビュー

Eddie Hazel エディ・ヘイゼル
1950 年　US ミシガン州デトロイト出身／ Funkadelic（ファンカデリック）／ G ／
1970 年　デビュー　✘ 1992 年 12 月 23 日　享年 42 才（肝不全）

Steve Gustafson スティーヴ・グスタフソン
1957 年　スペイン・アンダルシア州セーヴィル出身／ 10,000 Maniacs（10,000 マニアックス）／ B

Sony Music Japan

Brian Setzer ブライアン・セッツァー
1959 年　US ニューヨーク州ナッソー郡マサペクア出身／ Stray Cats（ストレイ・キャッツ）／ Vo.G　▶ 1981 年　アルバム『Stray Cats』

Babyface ベイビーフェイス
1959 年　US インディアナ州インディアナポリス出身／本名：Kenneth Brian Edmonds
（ケネス・ブライアン・エドモンズ）／ 1989 年　L.A. リードと「ラ・フェイス・レコード」設立　▶同年　アルバム『Tender Lover』

Katrina Leskanich カトリーナ・レスカニック
1960 年　US カンザス州トペカ出身／ Katrina & The Waves（カトリーナ＆ザ・ウェイヴス）／ Vo.G　▶ 1985 年　シングル「Walking on Sunshine」

Mark Oliver Everett マーク・オリヴァー・エヴェレット
1963 年　US ヴァージニア州出身／ Eels（イールズ）／ G.Kb　▶ 1996 年　アルバム
『Beautiful Freak』

Warren DeMartini ウォーレン・デ・マルティーニ
1963 年　US イリノイ州シカゴ出身／ Ratt（ラット）／ G ／ 1984 年　デビュー

Reni レニ
1964 年　UK イングランド・グレーターマンチェスター州マンチェスター出身／本名：
Alan John Wren（アラン・ジョン・レン）／ The Stone Roses（ザ・ストーン・ローゼズ）／ Ds

Bryce Soderberg ブライス・ソダーバーグ
1980 年　カナダ・ブリティッシュコロンビア州ヴィクトリア出身／ Lifehouse（ライフハウス）／ B

Andrew Dost
1983 年 US ミシガン州キャス・シティ出身／ Fun（ファン）／ G ／ 2008 年 デビュー

✗ Stuart Sutcliffe スチュアート・サトクリフ
1962 年 享年 21 才（脳出血）／ The Beatles（ザ・ビートルズ）／ B

ロック史
・ 1970 年 ポール・マッカートニーがザ・ビートルズ脱退を発表

11

Stuart Adamson スチュアート・アダムソン
1958 年 UK イングランド・グレーターマンチェスター州マンチェスター出身／ Big Country（ビッグ・カントリー）／ Vo.G ▶ 1983 年 アルバム『In a Big Country』
✗ 2001 年 12 月 16 日 享年 43 才（自殺）

Doug Hopkins ダグ・ホプキンス
1961 年 US ワシントン州シアトル出身／ Gin Blossoms（ジン・ブロッサムズ）／ G ／ 1987 年 デビュー ✗ 1993 年 12 月 5 日 享年 32 才（自殺）

Lisa Stansfield リサ・スタンスフィールド
1966 年 UK イングランド・グレーターマンチェスター州マンチェスター・バーネイジ出身／シンガー ▶ 1989 年 シングル「All Around the World」

Cerys Matthews ケリス・マシューズ
1969 年 UK ウェールズ・カーディフ出身／ Catatonia（カタトニア）／ Vo

Joss Stone ジョス・ストーン
1987 年 UK イングランド・ケント州ドーヴァー出身／本名:Joscelyn Eve Stoker（ジョセリン・イヴ・ストーカー）／ソウル・シンガー ▶ 2004 年 デビューシングル「You Had Me」

✗ Jerome Geils ジェローム・ガイルズ
2017 年 享年 71 才／ The J. Geils Band（ザ・J・ガイルズ・バンド）／ G

John Kay ジョン・ケイ
1944 年 ロシア・カリーニングラード州ソヴィェツク（旧ナチス・ドイツ、イーストプルーシャ・ティルシット）出身／ Steppenwolf（ステッペンウルフ）／ Vo.G ▶ 1968 年 シングル「Born to Be Wild」

David Cassidy デイヴィッド・キャシディ
1950 年 US ニューヨーク州ニューヨークシティ出身／俳優・シンガー／ 1970 年から出演したドラマ・シリーズ『パートリッジ・ファミリー』で一躍認知度がアップし人気者に ▶ 1973 年 シングル「Daydreamer」全英 3 週連続 1 位 ✗ 2017 年 11 月 21 日

12

享年 67 才（肝不全）

Vince Gill　ヴィンス・ギル
1957 年　US オクラホマ州ノーマン出身／ Pure Prairie League（ピュア・プレイリー・リーグ）／ Vo

Will Sergeant　ウィル・サージェント
1958 年　UK イングランド・マージーサイド州リヴァプール出身／ Echo & The Bunnymen（エコー＆ザ・バニーメン）／ G

Sony Music Japan

Amy Ray　エイミー・レイ
1964 年　US ジョージア州ディケーター出身／ Indigo Girls（インディゴ・ガールズ）／ Vo.G ▶ 1994 年　アルバム『Swamp Ophelia』

Guy Berryman　ガイ・ベリーマン
1978 年　UK スコットランド・カーコーディ出身／ Coldplay（コールドプレイ）／ B

Brendon Urie　ブレンドン・ユーリー
1987 年　US ユタ州セントジョージ出身／ Panic! at the Disco（パニック・アット・ザ・ディスコ）／ Vo.G ▶ 2005 年　デビューアルバム『A Fever You Can't Sweat Out』

社会史
⦿ 1981 年　米スペースシャトル・コロンビア号初打ち上げ成功

13

Jack Cassady　ジャック・キャサディ
1944 年　US ワシントン D.C. 出身／ Jefferson Airplane（ジェファーソン・エアプレイン）／ B

Lowell George　ローウェル・ジョージ
1945 年　US カリフォルニア州ハリウッド出身／スライドギターの名手／ 1969 年 Little Feet（リトル・フィート）結成／ G.Vo ／ 1978 年　解散 ▶ 1979 年　ソロアルバム『Thanks I'll Eat It Here』 ✗ 1979 年 6 月 29 日　享年 34 才（薬物過剰摂取）

Al Green　アル・グリーン
1946 年　US アーカンソー州フォレストシティ出身／ R&B シンガー ▶ 1972 年　アルバム『Let's Stay Together』

Sony Music Japan

Dick St. Nicklaus　ディック・セント・ニクラウス
1946 年　US ワシントン州ヤキモー出身／シンガーソングライター、AOR ▶ 1979 年　アルバム『Magic』／ 1980 年　シングル「Magic」が大阪から火がつき大ヒットするが、日本だけで終わる

Peabo Bryson　ピーボ・ブライソン

1951 年　US サウスカロライナ州グリーンヴィル出身／R&B シンガー　▷　1983 年
シングル「Tonight, I Celebrate My Love」（ロバータ・フラックとの共作）

Max Weinberg　マックス・ウェインバーグ
1951 年　US ニュージャージー州ニューアーク出身／Bruce Springsteen & The E
Street Band（ブルース・スプリングスティーン＆ザ・E ストリート・バンド）／Ds

Jimmy Destri　ジミー・デストリ
1954 年　US ニューヨーク州ニューヨークシティ・ブルックリン出身／Blondie（ブロ
ンディ）／Kb

Louis Johnson　ルイス・ジョンソン
1955 年　US カリフォルニア州ロスアンゼルス出身／The Brothers Johnson（ザ・ブ
ラザーズ・ジョンソン）／B／元祖スラップベース奏法／1976 年　デビュー　▷
1981 年　ソロアルバム『Passage』

Hiro Yamamoto　ヒロ・ヤマモト
1961 年　US ワシントン州シアトル出身／Soundgarden（サウンドガーデン）／B／
1988 年　デビュー

Hillel Slovak　ヒレル・スロヴァク
1962 年　イスラエル・ハイファ出身／Red Hot Chili Peppers（レッド・ホット・チリ・
ペッパーズ）／G　✂ 1988 年 6 月 25 日　享年 26 才（薬物中毒）

Marc Ford　マーク・フォード
1966 年　US カリフォルニア州ロスアンゼルス出身／The Black Crowes（ザ・ブラック・
クロウズ）／G

14

Ritchie Blackmore　リッチー・ブラックモア
1945 年　UK イングランド・サマセット州ウェストン・スーパー・メア出身／ギタリ
スト／ハードロック界のギターの神様／1968 年　Deep Purple（ディープ・パープル）
結成／1975 年　脱退／Rainbow（レインボー）結成　▷　1972 年　アルバム『Machine
Head』

Jonathan Lind　ジョナサン・リンド
1948 年　US ニューヨーク州ニューヨークシティ・ブルックリン出身／ソングライター
／The Fifth Avenue Band（ザ・フィフス・アヴェニュー・バンド）／G.Vo　✂ 2022
年 1 月 15 日　享年 73 才

Simon Crowe　サイモン・クロウ
1955 年　アイルランド・ダブリン出身／The Boomtown Rats（ザ・ブームタウン・ラッ
ツ）／Ds／1977 年　デビュー

Vinnie Moore ヴィニー・ムーア

1964 年　US デラウェア州ニューカッスル出身／ UFO（ユー・エフ・オー）／ G ／ 1971 年　デビュー

Martyn LeNoble マーティン・ルノーブル

1969 年　オランダ・ブラーディンゲン出身／ Porno for Pyros（ポルノ・フォー・パイロス）／ B.G

Win Butler ウィン・バトラー

1980 年　US カリフォルニア州トラッキー出身／ Arcade Fire（アーケイド・ファイア）／ Vo.G　▶ 2008 年　アルバム『Funeral』

✗ Pete Farndon ピート・ファーンドン

1983 年　享年 30 才（ヘロイン過剰摂取）／ The Pretenders（ザ・プリテンダーズ）／ B

✗ Chi Cheng チ・チェン

2013 年　享年 42 才（心停止）／ Deftones（デフトーンズ）／ B

✗ Percy Sledge パーシー・スレッジ

2015 年　享年 73 才（肝臓癌）／ R&B シンガー

✗ Rusty Young ラスティ・ヤング

2021 年　享年 75 才（心臓発作）／ Poco（ポコ）／ Vo.G

Dave Edmunds デイヴ・エドモンズ

1944 年　UK ウェールズ・カーディフ出身／ギタリスト、コンポーザー、プロデューサー／ 1967 年　The Human Beans（ザ・ヒューマン・ビーンズ）結成／ 1968 年　Love Sculpture（ラヴ・スカルプチャー）結成　▶ 1970 年　ソロシングル「I Hear You Knocking」

Stuart "Woolly" Wolstenholme

ステュアート・ウーリィー・ウォルステンホルム

1947 年　UK イングランド・ランカシャー州チャダートン出身／ Barclay James Harvest（バークレイ・ジェイムズ・ハ - ヴェスト）／ Kb ／ 1970 年　デビュー　✗ 2010 年 12 月 13 日　享年 63 才（自殺）

Phil Mogg フィル・モグ

1948 年　UK イングランド・ロンドン出身／ UFO（ユー・エフ・オー）／ Vo ／ 1971 年　デビュー

Nick Kamen ニック・ケイメン

1962 年　UK イングランド・エセックス州ハーロウ出身／シンガー　▶ 1986 年　シン

グル「Each Time You Break My Heart」（マドンナとの共作）　✂ 2021 年 5 月 5 日　享年 59 才（造血リンパ組織腫瘍）

Graeme Clarke　グレアム・クラーク
1965 年　UK スコットランド・グラスゴー出身／Wet Wet Wet（ウェット・ウェット・ウェット）／B

Samantha Fox　サマンサ・フォックス
1966 年　UK イングランド・ロンドン出身／シンガー　▶ 1986 年　アルバム『Touch Me』

Ed O'Brien　エド・オブライエン
1968 年　UK イングランド・オックスフォードシャー州オックスフォード出身／Radiohead（レディオヘッド）／G.Vo

✂ Joey Ramone　ジョーイ・ラモーン
2001 年　享年 49 才（リンパ腺癌）／The Ramones（ザ・ラモーンズ）

社会史
- ⊙ 1989 年　中国・六四天安門事件へ至る学生の抗議デモ開始。学生たちが政治的・経済的自由を求め、民主化に理解を示した胡耀邦・元総書記の死を追悼する自然発生的なデモが天安門広場で始まった。当時の政府決定により北京市に戒厳令が布告され、武力介入の可能性が高まる。首都機能は麻痺に陥り、「六四天安門事件」に発展する

16

Bobby Vinton　ボビー・ヴィントン
1935 年　US ペンシルベニア州キャノンスバーグ出身／シンガー　▶ 1964 年　シングル「Mr. Lonely」

Dusty Springfield　ダスティ・スプリングフィールド
1939 年　UK イングランド・ロンドン出身／本名：Mary Isobel Catherine Bernadette O'Brien（メアリー・イザベル・キャサリン・バーナデット・オブライエン）／シンガー　▶ 1966 年　シングル「You Don't Have to Say You Love Me」　✂ 1999 年 3 月 2 日　享年 59 才（乳癌）

Lonesome Dave　ロンサム・デイヴ
1943 年　UK イングランド・ロンドン出身／本名：David Jack Peverett（デヴィッド・ジャック・ペヴァレット）／Foghat（フォガット）／G.Vo　✂ 2000 年 2 月 7 日　享年 56 才（腎臓癌）

Gerry Rafferty　ジェリー・ラファティ
1947 年　UK スコットランド・ベイズリー出身／シンガーソングライター／The Humblebums（ザ・ハンブルバムズ）／Vo.G／Stealers Wheel（スティーラーズ・ホイー

ル）／ Vo.G ▶ 1978 年　ソロアルバム『City to City』 ▶ 1978 年　シングル「Baker Street」ヒット　✘ 2011 年 1 月 4 日　享年 64 才（肝臓疾患）

Peter Garrett　ピーター・ギャレット
1953 年　オーストラリア・ニューサウスウェールズ州シドニー出身／ Midnight Oil（ミッドナイト・オイル）／ Vo　✘ 1987 年　アルバム『Diesel and Dust』

Paul Buchanan　ポール・ブキャナン
1956 年　UK スコットランド・グラスゴー出身／ Blue Nile（ブルー・ナイル）／ Vo.G.Kb ／ 1984 年　デビュー ▶ 1989 年　アルバム『Hats』

David Pirner　デイヴィッド・バーナー
1964 年　US ウィスコンシン州グリーンベイ出身／ Soul Asylum（ソウル・アサイラム）／ Vo.G ▶ 1992 年　アルバム『Grave Dancers Union』

✘ Alex Skip Spence　アレックス・スキップ・スペンス
1999 年 4 月 16 日　享年 52 才（肺癌）／ Jefferson Airplane（ジェファーソン・エアプレイン）Ds ／ Quicksilver Messenger Service（クイックシルバー・メッセンジャー・サーヴィス）、Moby Grape（モビー・グレイプ）G.Vo

✘ Allan Holdsworth　アラン・ホールズワース
2017 年　享年 70 才（心不全）／ Soft Machine（ソフト・マシーン）／ G

社会史
⦿ 1964 年　ザ・ローリング・ストーンズがファーストアルバム『The Rolling Stones』をリリース

Roy Estrada　ロイ・エストラーダ
1943 年　US カリフォルニア州サンタアナ出身／ 1966 年　The Mothers of Invention（ザ・マザーズ・オブ・インヴェンション）／ B.Vo ／ Little Feat（リトル・フィート）／ B ／ 1971 年　デビュー

Jan Hammer　ジャン・ハマー
1948 年　チェコスロバキア・プラハ出身／キーボード奏者 ▶ 1979 年　ソロアルバム『Black Sheep』

Michael Sembello　マイケル・センベロ
1954 年　US ペンシルベニア州フィラデルフィア出身／シンガーソングライター ▶ 1983 年　シングル「Maniac」

Pete Shelley　ピート・シェリー
1955 年　UK イングランド・ランカシャー州レイ出身／ Buzzcocks（バズコックス）／ Vo.G ／ 1981 年　デビュー　✘ 2018 年 11 月 6 日　享年 63 才（心臓発作）

Steve Singleton スティーヴ・シングルトン

1959 年 UK イングランド・サウスヨークシャー州シェフィールド出身／ ABC（エービーシー）／ Sax

Maynard James Keenan メイナード・ジェイムス・キーナン

1964 年 US オハイオ州ラヴェンナ出身／ロック・シンガー、作曲家、プロデューサー、俳優／ Tool（トゥール）Vo ／ A Perfect Circle（ア・パーフェクト・サークル）Vo

Liz Phair リズ・フェアー

1967 年 US コネチカット州ニューヘヴン出身／シンガーソングライター ▶ 1993 年 デビューアルバム『Exile in Guyville』

Victoria Adams ヴィクトリア・アダムス

1974 年 UK イングランド・ハートフォードシャー州出身／本名：Victoria Caroline Beckham（ヴィクトリア・キャロライン・ベッカム）／ Spice Girls（スパイス・ガールズ）

✗ Eddie Cochran エディ・コクラン

1960 年 享年 21 才 (交通事故）／ロカビリー奏者

✗ Felix Pappalardi フェリックス・パパラルディ

1983 年 享年 43 才（妻により射殺）／ Mountain（マウンテン）／ Vo.B

✗ Linda McCartney リンダ・マッカートニー

1998 年 享年 56 才（乳癌）／ Wings（ウイングス）／ Kb ／ポール・マッカ - トニーの妻（1969 〜 98 年）

✗ Danny Federici ダニー・フェデリチ

2008 年 享年 57 才（皮膚癌）／ Bruce Springsteen & The E Street Band（ブルース・スプリングスティーン＆ザ・E ストリート・バンド）／ Kb

✗ Matthew Seligman マシュー・セリグマン

2020 年 享年 64 才（新型コロナウイルス感染症）／ Thompson Twins（トンプソン・ツインズ）／ B

ロック史

・ 1969 年 ザ・バンドが初の単独公演をサンフランシスコで開催

社会史

⊙ 1971 年 東パキスタンがバングラデシュとして独立宣言をする

18

Mike Vickers マイク・ヴィッカーズ

1940 年 UK イングランド・ハンプシャー州サウサンプトン出身／ Manfred Mann（マンフレッド・マン）／ G

Alex Skip Spence アレックス・スキップ・スペンス

1946年　カナダ・オンタリオ州ウィンザー出身／Jefferson Airplane（ジェファーソン・エアプレイン）Ds／Quicksilver Messenger Service（クイックシルバー・メッセンジャー・サーヴィス）、Moby Grape（モビー・グレイプ）G.Vo ✘ 1999年4月16日　享年52才（肺癌）

Les Pattinson レス・パティンソン

1958年　UKイングランド・ランカシャー州オームスカーク出身／Echo & The Bunnymen（エコー＆ザ・バニーメン）／B

Bez ベズ

1964年　UKイングランド・グレーターマンチェスター州ボルトン出身／Happy Mondays（ハッピー・マンデーズ）／Per／1987年　デビュー

Oscar Harrison オスカー・ハリソン

1965年　UKイングランド・ウェストミッドランズ州バーミンガム出身／Ocean Colour Scene（オーシャン・カラー・シーン）／Ds

Alan Price アラン・プライス

1942年　UKイングランド・ダラム州ファッツフィールド出身／The Animals（ザ・アニマルズ）／Kb ▶ 1964年　アルバム『The Animals』

Mark Volman マーク・ヴォルマン

1947年　USカリフォルニア州ロスアンゼルス出身／The Turtles（ザ・タートルズ）／Vo.G ▶ 1966年　デビューアルバム『It Ain't Me Babe』 ▶ 1967年　アルバム『Happy Together』

✘ Levon Helm リヴォン・ヘルム

2012年　享年71才（癌）／The Band（ザ・バンド）／Ds

✘ Greg Ham グレッグ・ハム

2012年　享年59才（心臓マヒ）／Men At Work（メン・アット・ワーク）／Sax.Fl

ロック史

・1958年　ロンドンに伝説的クラブ「マーキー・クラブ」オープン。60年代カルチャーの発信地にしてブリティッシュ・ロック・シーンのスタート地点。ザ・ローリング・ストーンズ、ザ・ヤードバーズ、レッド・ツェッペリン、ザ・フー、キング・クリムゾン、イエス、スモール・フェイセス、ジミ・ヘンドリックス・エクスペリエンス、ピンク・フロイド、デヴィッド・ボウイ、ザ・クラッシュ、ザ・ポリス等、人気バンドが出演し、アーティストの登竜門となる。2008年閉店。創業者のハロルド・ペンドルトンが企画・運営した大型フェス「レディング・フェスティバル」は世界で最も古いポピュラー・ミュージック・フェスとなった
・1975年　クイーンが初来日公演をスタート（日本武道館）。羽田空港には彼らの

到着を待ちかまえる 3,000 人ものファンが押しかけ、騒然とした状態に。その頃はまだ珍しかった日本全国での公演を行なった彼らは、各地で熱烈な大歓迎を受けた。日本での盛り上がりがその後世界での大成功に繋がり、人気が不動のものとなる大きなきっかけとなった

20

Craig Frost　クレイグ・フロスト
1948 年　US ミシガン州フリント出身／ Grand Funk Railroad（グランド・ファンク・レイルロード）／ Kb

Luther Vandross　ルーサー・ヴァンドロス
1951 年　US ニューヨーク州ニューヨークシティ・マンハッタン出身／ R&B シンガーソングライター　　1991 年　アルバム『Power of Love』　✗ 2005 年　7 月 1 日　享年 54 才（心筋梗塞）

Mikey Welsh　マイキー・ウェルシュ
1971 年　US ニューヨーク州オノンダガ郡シラキュース出身／ Weezer（ウィーザー）／ B　✗ 2011 年 10 月 8 日　享年 40 才（心不全）

✗ Steve Marriott　スティーヴ・マリオット
1991 年　享年 44 才（焼死）／ Humble Pie（ハンブル・パイ）／ Vo.G

✗ Gerard Smith　ジェラルド・スミス
2011 年　享年 34 才（肺癌）／ TV On The Radio（TV・オン・ザ・レディオ）／ B.Kb

✗ Leslie McKeown　レスリー・マッコーエン
2021 年　享年 65 才（原因不明）／ Bay City Rollers（ベイ・シティ・ローラーズ）／ Vo

ロック年

・ 1992 年　フレディ・マーキュリーの追悼コンサート（エイズ撲滅のためのチャリティ・コンサート）が開催される（ロンドンのウェンブリー・スタジアムで 7 万人動員）。公演収益はエイズ研究所に寄付された

21

Iggy Pop　イギー・ポップ
1947 年　US ミシガン州マスキーゴン出身 ／ 本名：James Newell Osterberg Jr.（ジェームズ・ニューエル・オスターバーグ・ジュニア）／ 1967 年　The Stooges（ザ・ストゥージズ）結成　　1969 年　アルバム『The Stooges』発表　　1977 年　ソロアルバム『The Idiot』発表（デヴィッド・ボウイがプロデュース）

Sony Music Japan

Paul Davis　ポール・デイヴィス
1948 年　US ミシシッピ州メリディアン出身／シンガーソングライター　　1977 年　シングル「I Go Crazy」（ビルボード TOP100 に 40 週連続チャートインした大ヒット曲）　　1981 年　アルバム『Cool Night』　✗ 2008 年 4 月 22 日　享年 60 才（心臓発作）

Sony Music Japan

Mike Barson　マイク・バーソン
1958 年　UK イングランド・ロンドン出身／Madness（マッドネス）／Kb ／1979 年
デビュー

Robert Smith　ロバート・スミス
1959 年　UK イングランド・ウェストサセックス州クローリー出身／1976 年　The
Cure（ザ・キュアー）結成／Vo　▶ 1979 年　デビューアルバム『Three Imaginary
Boys』

Michael Timmins　マイケル・ティミンズ
1959 年　カナダ・トロント出身／Cowboy Junkies（カウボーイ・ジャンキーズ）／G

✄ Sandy Denny　サンディ・デニー
1978 年　享年 31 才（事故）／UK フォーク・シーンを代表するシンガー／コンポーザー

✄ Prince　プリンス
2016 年　享年 57 才（鎮痛剤中毒死）／シンガーソングライター

✄ Florian Schneider　フローリアン・シュナイダー
2020 年　享年 73 才（癌）／ドイツの電子音楽グループである Kraftwerk（クラフトワー
ク）の創設者のひとり

Glen Campbell　グレン・キャンベル
1936 年　US アーカンソー州ディライト出身／ポップ・カントリーシンガー　▶ 1967
年　シングル「By the Time I Get to Phoenix（恋はフェニックス）」 ✄ 2017 年 8 月 8 日
享年 81 才（アルツハイマー病）

Peter Frampton　ピーター・フランプトン
1950 年　UK イングランド・ケント州ベッケナム出身／ギタリスト、ヴォーカリスト、
コンポーザー／ 1968 年　Humble Pie（ハンブル・パイ）　▶ 1976 年　ソロアルバム
『Frampton Comes Alive』が世界中で驚異的大ヒット

Paul Carrack　ポール・キャラック
1951 年　UK イングランド・サウスヨークシャー州シェフィールド出身／シンガーソ
ングライター／ Squeeze（スクイーズ）／ G.Vo　▶ 1980 年　ソロ・デビューアルバ
ム『Nightbird』／ Mike + The Mechanics（マイク＆メカニックス）／ G.Vo

Shavo Odadjian　シャヴォ・オダジアン
1974 年　アルメニア・エレバン（旧アルメニア・ソビエト社会主義共和国）出身／
System of a Down（システム・オブ・ア・ダウン）／ B

✄ Paul Davis　ポール・デイヴィス
2008 年　享年 60 才（心臓発作）／シンガーソングライター

✗ Richie Havens　リッチー・ヘヴンス
2013 年　享年 72 才（心臓発作）／フォーク・シンガー、ギタリスト

ロック史

- 1969 年　カーペンターズ、A&M レコードと契約

23

Roy Orbison　ロイ・オービソン
1936 年　US テキサス州ヴァーノン出身／ロカビリー／ロッカ・バラードシンガー　▶
1964 年　シングル「Oh, Pretty Woman」　✗ 1988 年 12 月 6 日　享年 52 才（心筋梗塞）

Narada Michael Walden　ナラダ・マイケル・ウォルデン
1952 年　US ミシガン州カラマズー出身／プロデューサー、ドラマー

Rob Dean　ロブ・ディーン
1955 年　UK イングランド・ロンドン出身／ Japan（ジャパン）／ G.Vo ／ 1978 年
デビュー

Steve Clark　スティーヴ・クラーク
1960 年　UK イングランド・サウスヨークシャー州シェフィールド・ヒルズボロー出
身／ Def Leppard（デフ・レパード）／ G　✗ 1991 年 1 月 8 日　享年 30 才（呼吸器疾患）

Matt Freeman（マット・フリーマン）
1966 年　US カリフォルニア州バークレー出身／ Rancid（ランシド）／ B

Stan Frazier　スタン・フラッツァー
1968 年　US カリフォルニア州ニューポートビーチ出身／ Sugar Ray（シュガー・レイ）
／ Ds ／ 1995 年　デビュー

Jonsi Birgisson　ヨンシー・ビルギッソン
1975 年　アイスランド出身／ Sigur Ros（シガー・ロス）／ Vo.G

Barry Fratelli　バリー・フラッテリ
1979 年　UK スコットランド・グラスゴー出身／ The Frattellis（ザ・フラテリス）／ B
／ 2006 年　デビュー

✗ Johnny Thunders　ジョニー・サンダース
1991 年　享年 38 才（薬物中毒）／シンガー、ギタリスト

ロック史

- 1971 年　ザ・ローリング・ストーンズが、自身のレーベルからの第 1 弾アルバム
『Sticky Fingers』をリリース
- 2006 年　スウェーデンの音楽ストリーミング・サービス会社「スポティファイ」
設立（2008 年サービス開始）

Barbra Streisand　バーブラ・ストライサンド

1942 年　US ニューヨーク州ニューヨークシティ・ウィリアムズバーグ出身／US を代表するシンガー　▶ 1976 年　アルバム『A Star Is Born (Soundtrack)』　▶ 1980 年　シングル「Guilty」（ザ・ビー・ジーズのバリー・ギブとのデュエット）

Sony Music Japan

Doug Clifford　ダグ・クリフォード

1945 年　US カリフォルニア州パロアルト出身／Creedence Clearwater Revival（CCR：クリーデンス・クリアウォーター・リバイバル）／Ds

Glenn Cornick　グレン・コーニック

1947 年　UK イングランド・カンブリア州バロー・イン・ファーネス出身／Jethro Tull（ジェスロ・タル）／B　✗ 2014 年 8 月 28 日　享年 67 才（心不全）

Rob Hyman　ロブ・ハイマン

1950 年　US コネチカット州メリデン出身／The Hooters（ザ・フーターズ）／Vo.Kb　▶ 1985 年　デビューアルバム『Nervous Night』　▶ 1987 年　アルバム『One Way Home』

Sony Music Japan

Nigel Harrison　ナイジェル・ハリソン

1951 年　UK イングランド・グレーターマンチェスター州ストックポート出身／Blondie（ブロンディ）／B／1976 年　デビュー

Jack Blades　ジャック・ブレイズ

1954 年　US カリフォルニア州パームスプリングス出身／Night Ranger（ナイト・レンジャー）／Vo.B

David J　デイヴィッド・J

1957 年　UK イングランド・ノーサンプトンシャー州出身／Bauhaus（バウハウス）／G／1980 年　デビュー

Boris Williams　ボリス・ウィリアムス

1957 年　フランス・イヴリーヌ県ヴェルサイユ出身／The Cure（ザ・キュアー）／Ds

Billy Gould　ビリー・グールド

1963 年　US カリフォルニア州ロスアンゼルス出身／Faith No More（フェイス・ノー・モア）／B

Paul Ryder　ポール・ライダー

1964 年　UK イングランド・グレーターマンチェスター州マンチェスター出身／Happy Mondays（ハッピー・マンデーズ）／B／1987 年　デビュー　✗ 2022 年 7 月 15 日　享年 58 才

Aaron Comess　アーロン・コメス

1968 年　US アリゾナ州フェニックス出身／ Spin Doctors（スピン・ドクターズ）／ Ds

Avey Tare　エイヴィ・テア
1979 年　US メリーランド州ボルチモア出身／本名：David Portner（デイヴィッド・ポートナー）／ Animal Collective（アニマル・コレクティヴ）／ Vo.Pro ／ 2000 年　デビュー

Kelly Clarkson　ケリー・クラークソン
1982 年　US テキサス州フォートワース出身／シンガー（『アメリカン・アイドル』グランプリ）　▶ 2002 年　シングル「A Moment Like This」　▶ 2003 年　デビューアルバム『Thankful』

✗ Pete Ham　ピート・ハム
1975 年　享年 27 才（自殺）／ Badfinger（バッドフィンガー）／ Vo.G.Kb

✗ Bob Brozman　ボブ・ブロズマン
2013 年　享年 59 才（自殺）／ US ギタリスト

✗ Billy Paul　ビリー・ポール
2016 年　享年 81 才（膵臓癌）／ R&B シンガー

> **社会史**
> ⦿ 2009 年　WHO（世界保健機関）がアメリカとメキシコで新型インフルエンザ感染症を確認

25

Albert King　アルバート・キング
1923 年　US ミシシッピ州インディアノーラ出身／ブルース・ギタリスト、シンガー　✗ 1992 年 12 月 21 日　享年 69 才（心臓発作）

Bjorn Ulvaeus　ビョルン・ウルヴァース
1945 年　スウェーデン・ストックホルム県ストックホルム出身／ ABBA（アバ）／ G.Vo ／グループ名はメンバー 4 人の頭文字　※メンバーのアグネッタとは夫婦（1979 年離婚）　▶ 2021 年 11 月 5 日　40 年ぶりに再結成し、ニューアルバム『Voyage』を発表

Stu Cook　ステュー・クック
1945 年　US カリフォルニア州出身／ Creedence Clearwater Revival（CCR：クリーデンス・クリアウォーター・リバイバル）／ B

Michael Brown　マイケル・ブラウン
1949 年　US ニューヨーク州ニューヨークシティ・ブルックリン出身／ Stories（ストーリーズ）／ Kb ／ 1972 年　デビュー　✗ 2015 年 3 月 15 日　享年 65 才（心臓病）

Fish　フィッシュ
1958 年　UK スコットランド・ミッドローシアン・ダルキース出身／本名：Derek

William Dick（デレク・ウィリアム・ディック）／ Marillion（マリリオン）／ Vo ／
1983 年　デビュー

Andy Bell　アンディ・ベル
1964 年　UK イングランド・ケンブリッジシャー州ピーターボロー出身／ Erasure（イ
レイジャー）／ Vo

Eric Avery　エリック・アヴェリー
1965 年　US カリフォルニア州ロスアンゼルス出身／ Jane's Addiction（ジェーンズ・
アディクション）／ B

✗ Roger Troutman　ロジャー・トラウトマン
1999 年　享年 47 才（実弟に殺害される）／ファンク・ミュージシャン、ソングライター

Duane Eddy　デュアン・エディ
1938 年　US ニューヨーク州スチューベン郡コーニング出身／元祖インストゥルメン
タル・ロック・ギタリスト

Bobby Rydell　ボビー・ライデル
1942 年　US ペンシルベニア州フィラデルフィア出身／シンガー　▶ 1960 年　シング
ル「Volare」　✗ 2022 年 4 月 5 日　享年 79 才（肺炎合併症／ 2012 年に腎臓・肝臓の
二重臓器移植を受けている）

Gary Wright　ゲイリー・ライト
1943 年　US ニュージャージー州クレスキル出身／シンガーソングライター／ 1968 年
Spooky Tooth（スプーキー・トゥース）　▶ 1970 年　ソロアルバム『Extraction』　▶
1975 年　アルバム『The Dream Weaver』がヒット

John Corabi　ジョン・コラビ
1959 年　US ペンシルベニア州フィラデルフィア出身／ Motley Crue（モトリー・クルー）
／ Vo（1994 〜 96 年）

Roger Taylor　ロジャー・テイラー
1960 年　UK イングランド・ウェストミッドランズ州バーミンガム出身／ 1979 年
Duran Duran（デュラン・デュラン）加入／ Ds　▶ 1981 年　デビューシングル「Earth」

Chris Mars　クリス・マーズ
1961 年　US ミシガン州ミネアポリス出身／ The Replacements（ザ・リプレイスメンツ）
／ Ds ／ 1981 年　デビュー

Jimmy Stafford　ジミー・スタッフォード
1964 年　US イリノイ州モリス出身／ Train（トレイン）／ G　▶ 1998 年　アルバム
『Train』

Jan

Feb

Mar

Apr

May

Jun

Jul

Aug

Sep

Oct

Nov

Dec

T-Boz　T・ボズ
1970 年　US アイオワ州デイモン出身／本名：Tionne Tenese Watkins（ティオン・テニス・ワトキンス）／TLC（ティー・エル・シー）

Joey Jordison　ジョーイ・ジョーディソン
1975 年　US アイオワ州デス・モイネス出身／Slipknot（スリップノット）／Ds　✗ 2021 年 7 月 26 日　享年 46 才

Jose Pasillas　ホゼ・パシーヤス
1976 年　US カリフォルニア州カラバサス出身／Incubus（インキュバス）／Ds

✗ Phoebe Snow　フィービ・スノウ
2011 年　享年 60 才（脳出血合併症）／シンガーソングライター

✗ Charles Neville　チャールズ・ネヴィル
2018 年　享年 79 才（膵臓癌）／The Neville Brothers（ザ・ネヴィル・ブラザーズ）／Sax

ロック史
- ・ 1977 年　ニューヨークの伝説的ナイトクラブ「スタジオ 54」がオープン

社会史
- ⊙ 1986 年　ソビエト連邦・チェルノブイリ原子力発電所で大規模爆発が発生
- ⊙ 2001 年　小泉純一郎が第 87 代内閣総理大臣に就任

27

Pete Ham　ピート・ハム
1947 年　UK ウェールズ・スウォンジ出身／Badfinger（バッドフィンガー）／Vo.G.Kb　▶ 1971 年　シングル「Day After Day」　✗ 1975 年 4 月 24 日　享年 27 才（自殺）

Kate Pierson　ケイト・ピアソン
1948 年　US ニュージャージー州ウィーホウケン出身／The B-52's（ザ・ビー・フィフティ・トゥーズ）／Kb.G.Vo

Ace Frehley　エース・フレーリー
1951 年　US ニューヨーク州ニューヨークシティ・ブロンクス出身／KISS（キッス）／G／ 1982 年　脱退／脱退後はソロ活動を行なっていたが、1996 年にオリジナルメンバーでの再結成ツアーに参加、大成功を収める。2002 年の「Farewell Tour（お別れツアー）」終了と共に再結成キッスから脱退

Sheena Easton　シーナ・イーストン
1959 年　UK スコットランド・グラスゴー出身／シンガー　▶ 1981 年　デビューアルバム『Modern Girl』

Isobel Campbell　イザベル・キャンベル
1976 年 UK スコットランド・グラスゴー出身／ Belle and Sebastian（ベル・アンド・セバスチャン）／ Cello.Vo ／ 1996 年　デビュー

Jim James　ジム・ジェイムズ
1978 年　US ケンタッキー州ルイヴィル出身／ My Morning Jacket（マイ・モーニング・ジャケット）／ Vo.G ▶ 2001 年　アルバム『At Dawn』

Patrick Hallahan　パトリック・ハラハン
1978 年　US ケンタッキー州ルイヴィル出身／ My Morning Jacket（マイ・モーニング・ジャケット）／ Ds ／ 2003 年　デビュー

Patrick Stump　パトリック・スタンプ
1984 年　US イリノイ州シカゴ出身／ Fall Out Boy（フォール・アウト・ボーイ）／ Vo.G ／ 2001 年　デビュー

William J. Brown　ウィリアム・J・ブラウン
1985 年　UK イングランド・イーストサセックス州ブライトン出身／ The Ordinary Boys（ザ・オーディナリー・ボーイズ）／ G ／ 2004 年　デビュー

Kim Gordon　キム・ゴードン
1953 年　US ニューヨーク州モンロー郡ロチェスター出身／ 1980 年　Sonic Youth（ソニック・ユース）結成／ B.G ▶ 1982 年　デビュー EP『Sonic Youth』

Eddie Jobson　エディ・ジョブソン
1955 年　UK イングランド・ダラム州ビリンガム出身／ U.K.（ユー・ケー）／ Kb.Vi ／ 1978 年　デビュー

Howard Donald　ハワード・ドナルド
1968 年　UK イングランド・ランカシャー州ドロイスデン出身／ Take That（テイク・ザット）／ 1990 年 デビュー

✗ Tommy Caldwell　トミー・コールドウェル
1980 年　享年 30 才（自動車事故）／ The Marshall Tucker Band（ザ・マーシャル・タッカー・バンド）／ B

✗ Lonnie Turner　ロニー・ターナー
2013 年　享年 66 才／ Steve Miller Band（スティーヴ・ミラー・バンド）／ B

ロック史
- 1978 年　チープ・トリックが来日初公演を開催（日本武道館）。このライヴを収めたアルバム『Cheap Trick at Budokan』が大ヒットし、"日本武道館"の名を世界中に知らしめた

Lonnie Donegan　ロニー・ドネガン
1931 年　UK スコットランド・グラスゴー出身／スキッフル・シンガー（キング・オブ・スキッフル）　✗ 2002 年 11 月 3 日　享年 71 才（心臓発作）

Sony Music Japan

Willie Nelson　ウィリー・ネルソン
1933 年　US テキサス州フォートワース出身／カントリー・シンガー　▶ 1975 年　シングル「Blue Eyes Crying in the Rain」　▶ 1978 年　アルバム『Stardust』

Klaus Voormann　クラウス・フォアマン
1938 年　ドイツ・北ベルリン出身／ベーシスト、画家（ザ・ビートルズ『Revolver』のジャケット）　▶ 2009 年　アルバム『A Sideman's Journey』

Tammi Terrell　タミー・テレル
1945 年　US ペンシルベニア州フィラデルフィア出身／ R&B シンガー／マーヴィン・ゲイとのデュエットでヒット（マーヴィン・ゲイの最高のパートナー）　▶ 1968 年　アルバム『You're All I Need』　✗ 1970 年 3 月 16 日　享年 24 才（脳腫瘍）

Joel Larson　ジョエル・ラーソン
1947 年　US カリフォルニア州サンフランシスコ出身／ The Grass Roots（ザ・グラス・ルーツ）／ Ds

Michael Karoli　ミヒャエル・カローリ
1949 年　ドイツ・バイエルン州シュトラウビング出身／ Can（カン）／ G　✗ 2001 年 11 月 17 日　享年 53 才（癌）

Carnie Wilson　カーニー・ウィルソン
1968 年　US カリフォルニア州ベル・エア出身／ Wilson Phillips（ウィルソン・フィリップス）／ブライアン・ウィルソン（ザ・ビーチ・ボーイズ）の娘　▶ 1990 年　アルバム『Wilson Phillips』

Tamara Johnson　タマラ・ジョンソン
1971 年　US ニューヨーク州ニューヨークシティ・ブルックリン出身／ SWV（Sisters With Voices：エス・ダブリュ・ヴイ）／ R&B ヴォーカリスト　▶ 1992 年　アルバム『It's About Time』

Mike Hogan　マイク・ホーガン
1973 年　アイルランド・リムリック出身／ The Cranberries（ザ・クランベリーズ）／ Ds

Matt Tong　マット・トン
1979 年　UK イングランド・ドーセット州ボーンマス出身／ Bloc Party（ブロック・パーティ）／ Ds ／ 2004 年　デビュー

✘ **Mick Ronson** ミック・ロンソン

1993 年　享年 46 才（肝臓癌）／デヴィッド・ボウイのバンド・ギタリスト

Bobby Vee ボビー・ヴィー

1943 年　US ノースダコタ州ファーゴ出身／シンガー　▶ 1962 年　シングル「Rubber Ball」✘ 2016 年 10 月 24 日　享年 73 才（アルツハイマー病）

Wayne Kramer ウェイン・クレイマー

1948 年　US ミシガン州デトロイト出身／MC5（エム・シー・ファイヴ）／G

✘ **Muddy Waters** マディ・ウォーターズ

1983 年　享年 68 才／ブルース・シンガー

✘ **Darrell Sweet** ダレル・スウィート

1999 年　享年 51 才（心臓発作）／ Nazareth（ナザレス）／ Ds

✘ **Ben E. King** ベン・E・キング

2015 年　享年 76 才（自然死）／ R&B ヴォーカリスト

社会史

- ⊙ 1975 年　サイゴン陥落により、ベトナム戦争終結
- ⊙ 2019 年　天皇明仁が退位

5

The
Rock
Musicians'
Birthday
Encyclopedia

May

BOB DYLAN　ボブ・ディラン

1941 年 5 月 24 日
US ミネソタ州ドゥルース出身

　本名：Robert Allen Zimmerman（ロバート・アレン・ジマーマン）。ユダヤ系の裕福な家庭で育つ。5 才の時にラジオで覚えた曲を歌い、11 才で母親に詩をプレゼントする心優しい少年だった。初めてのアイドルはハンク・ウィリアムズ、ハイスクール時代にはロカビリーが全盛期を迎え、独学でギターをマスターし、エルヴィス・プレスリーに憧れてバ

1

BONO　ボノ

1960 年 5 月 10 日
アイルランド・ダブリン出身

　「ボノ」という名前の由来は少年時代の友人がつけたあだ名。ダブリン中心街にあった補聴器店の店名「Bonavox（ボナヴォックス）」から「Bono Vox of O'Connell Street（ボノ・ヴォックス・オブ・オコンネル・ストリート）」になり、さらにそれを縮めて「Bono（ボノ）」になった。アイルランド

2

TOM MORELLO　トム・モレロ

1964 年 5 月 30 日
US ニューヨーク州ニューヨークシティ・ハーレム出身

　父親はケニアをイギリスの植民地支配から解放した過激派社会運動組織「マウマウ団」の一員で、のちにケニア初の国連代表となる。母親は高校教師／公民権運動家で、叔父はケニア初代大統領ジョモ・ケニヤッタである。両親は離婚し、白人の母親とシカゴに移住。13 才でレッド・ツェッペリン

3

ンドを組む。ミネソタ大学でフォークソングに傾倒し、半年後には授業に出席しないようになり、ミネアポリスでフォーク・シンガーとして活動を開始。「ボブ・ディラン」と名乗るようになる。"ボブ"は本名ロバートの愛称「ボビー」、"ディラン"は詩人「ディラン・トーマス」から、あるいは叔父の名前からとったともいわれる。ウディ・ガスリーに憧れ大学を中退し、1961 年にニューヨークに移る。グリニッジ・ビレッジ周辺のクラブ等で活動し、1962 年にジョン・ハモンド（コロムビア・レコード）に見出され、『Bob Dylan』でデビューする。63 年、2 作目『The Free Wheelin' Bob Dylan』に収録された「Blown in the Wind」はアメリカを代表するフォークソングとなる。2016 年、ノーベル文学賞を受賞。

紛争など厳しい宗教的対立下のアイルランドにおいて、カトリックの父とプロテスタントの母という宗派を超えた両親の愛情で育まれたことが、宗教や人種を超えた理想主義者としての活動に繋がっていく。14 才の時母親が急死し、精神的に荒れた時期もあった。進学したマウント・テンプル高校でラリー・ミューレン（U2 のドラマー）が学校の掲示板に出したバンドメンバー募集の知らせに応募し、「U2」がスタート。1979 年 19 才の時にメジャーデビューする。妻アリソン・ヒューソンとはハイスクールの同級生で、82 年結婚。アリソンも慈善活動家で二男二女の子供がいる。

の影響から音楽に目覚めるが、金欠でエレキギターを買えず、技術も上達させられずに挫折。高校時代に本格的にギターを始め、バンドを結成。ヘヴィメタルとパンクの影響を受けて、自身の音楽性を形成した。ハーヴァード大学に進学して政治学を専攻し、首席で卒業する。議員秘書などを職業とするが政治思想の対立から解雇される。その後、音楽にはまり、活動を開始。1992 年、「レイジ・アゲインスト・ザ・マシーン」を結成する。

Judy Collins　ジュディ・コリンズ
1939 年　US ワシントン州シアトル出身／シンガーソングライター　▶ 1967 年　アルバム『Wildflowers』

Rita Coolidge　リタ・クーリッジ
1945 年　US テネシー州ラファイエット出身／シンガー　▶ 1971 年　デビューアルバム『Rita Coolidge』　▶ 1979 年　シングル「Don't Cry Out Loud（あなたしか見えない）」がヒット

Nick Fortuna　ニック・フォーチュナ
1946 年　US イリノイ州シカゴ出身／The Buckinghams（ザ・バッキンガムズ）／ B ／ 1967 年デビュー

Sony Music Japan

Ray Parker Jr.　レイ・パーカー Jr.
1954 年　US ミシガン州デトロイト出身／ソウル・ミュージシャン、ギタリスト／ Ray Parker Jr. & Raydio（レイ・パーカー Jr. & レイディオ）　▶ 1981 年　アルバム『A Woman Needs Love』がヒット／ 1982 年　ソロ活動

Steve Farris　スティーヴ・ファリス
1957 年　US ネブラスカ州フルモント出身／ Mr. Mister（Mr. ミスター）／ G ／ 1984 年　デビュー

Phil Smith　フィル・スミス
1959 年　UK イングランド・ケント州出身／ Haircut 100（ヘアカット 100）／ Sax ／ 1982 年　デビュー

D'arcy Wretzky　ダーシー・レッキー
1968 年　US ミシガン州出身／ Smashing Pumpkins（スマッシング・パンプキンズ）／ B

Johnny Colt　ジョニー・コルト
1968年　US ノースカロライナ州チェリーポイント出身／ The Black Crowes（ザ・ブラック・クロウズ）／ B

Sony Music Japan

Bernard Butler　バーナード・バトラー
1970 年　UK イングランド・ロンドン出身／ギタリスト／ Suede（スウェード）／ G.Kb　▶ 1993 年　アルバム『Suede』

✗ Chris Kelly　クリス・ケリー
2013 年　享年 34 才（ドラッグ過剰摂取）／ヒップホップ・デュオ Kris Cross（クリス・クロス）

⦿ 2019 年　徳仁天皇陛下が即位。元号が「平成」から「令和」に

2

Goldy McJohn　ゴルディ・マックジョン
1945 年　カナダ・トロント出身／Steppenwolf（ステッペンウルフ）／Kb

Lesley Gore　レスリー・ゴーア
1946 年　US ニューヨーク州ニューヨークシティ・ブルックリン出身／ポップ・シンガー
▶ 1963 年　シングル 「It's My Party（涙のバースデイ・パーディ）」 ✗ 2015 月 2 月
16 日　享年 68 才

Lou Gramm　ルー・グラム
1950 年　US ニューヨーク州モンロー郡ロチェスター出身／Foreigner（フォリナー）
／ Vo　▶ 1981 年　アルバム『4』

Jo Callis　ジョー・カリス
1951 年　UK イングランド・サウスヨークシャー州ロザラム出身／Human League
（ヒューマン・リーグ）／ G

Prescott Niles　プレスコット・ナイルズ
1954 年　US ニューヨーク州ニューヨークシティ出身／The Knack（ザ・ナック）／ B

Dr. Robert　ドクター・ロバート
1961 年　UK スコットランド出身／本名：Bruce Robert Howard（ブルース・ロバート・
ハワード）／ The Blow Monkeys（ザ・ブロウ・モンキーズ）／Vo.G.Kb

✗ Jeff Hanneman　ジェフ・ハンネマン
2013 年　享年 49 才（肝不全）／ Slayer（スレイヤー）／ G

⦿ 2011 年　イスラム過激派テロリストのウサマ・ビンラディンがパキスタンで米軍
特殊部隊により殺害される

3

Pete Seeger　ピート・シーガー
1919 年　US ニューヨーク州ニューヨークシティ・マンハッタン出身／伝説的フォーク・
シンガーソングライター　▶ 1956 年　シングル「Where Have All the Flowers Gone?（花
はどこへ行った）」　▶ 1963 年　シングル 「We Shall Overcome（勝利を我々に）」（原
曲は 1901 年発表のゴスペルソング）　✗ 2014 年 1 月 27 日　享年 94 才

James Brown　ジェイムズ・ブラウン
1933 年　US サウスカロライナ州バーンウェル出身／R&B シンガー　▶ 1963 年　ア
ルバム『Live at the Apollo』　▶ 1970 年　シングル「Sex Machine」　✗ 2006 年 12 月

3

25 日　享年 73 才（心不全）

Frankie Valli　フランキー・ヴァリ
1934 年　US ニュージャージー州ニューアーク出身／本名：Francesco Stephen Castelluccio（フランシスコ・スティーヴン・カステルッチオ）／The Four Seasons（ザ・フォー・シーズンズ）／Vo　▶ 1967 年　シングル「Can't Take My Eyes Off You（君の瞳に恋してる）」

Lenny Davidson　レニー・デヴィッドソン
1944 年　UK イングランド・ミドルセックス州エンフィールド出身／The Dave Clark Five（ザ・デイヴ・クラーク・ファイヴ）／G ／ 1962 年　デビュー

Mary Hopkin　メリー・ホプキン
1950 年　UK ウェールズ・ポンタードー出身／シンガー　▶ 1968 年 シングル「Those Were the Days（悲しき天使）」（ポール・マッカートニーのプロデュース、英米で 1 位）▶ 1969　アルバム『Post Card』

Christopher Cross　クリストファー・クロス
1951 年　US テキサス州サンアントニオ出身／AOR シンガーソングライター　▶ 1979 年　デビューアルバム『Christopher Cross（南から来た男）』　▶ 1980 年　シングル「Ride Like the Wind（風立ちぬ）」

Bruce Hall　ブルース・ホール
1953 年　US イリノイ州キャンペーン出身／REO Speedwagon（REO スピードワゴン）／B

Sterling Campbell　スターリン・キャンベル
1964 年　US ミネソタ州ミネアポリス出身／Soul Asylum（ソウル・アサイラム）／Ds ／ 1984 年　デビュー

Jay Darlington　ジェイ・ダーリントン
1968 年　UK イングランド・ケント州シドカップ出身／Kula Shaker（クーラ・シェイカー）／Kb

Paul Banks　ポール・バンクス
1978 年　UK イングランド・エセックス州クラクトン・オン・シー出身／Interpol（インターポール）／Vo ／ 2002 年デビュー　▶ 2004 年　アルバム『Antics』

4

Georg Wadenius　ゲオルグ・ワデニウス
1945 年　スウェーデン・ストックホルム県ストックホルム出身／Blood, Sweat & Tears（ブラッド・スウェット＆ティアーズ）／G

Jackie Jackson　ジャッキー・ジャクソン

1951 年　US インディアナ州ゲーリー出身／The Jackson 5（ザ・ジャクソン 5）／
1962 年　デビュー

Mick Mars　ミック・マーズ
1951 年　US インディアナ州テレホート出身／Motley Crue（モトリー・クルー）／
Vo.G

Mike Dirnt　マイク・ダーント
1972 年　US フロリダ州オーランド出身／Green Day（グリーン・デイ）／B

Lance Bass　ランス・バス
1979 年　US ミシシッピ州クリントン出身／N'Sync（イン・シンク）

✗ Paul Butterfield　ポール・バターフィールド
1987 年　享年 44 才（モルヒネ過剰摂取）／白人ブルース・ミュージシャンの第一人者

✗ Adam Yauch　アダム・ヤウク
2012 年　享年 47 才（唾液腺腫瘍）／Beastie Boys（ビースティ・ボーイズ）／Vo.B

✗ Steve Coy　スティーヴ・コイ
2018 年　享年 56 才／Dead or Alive（デッド・オア・アライヴ）／Ds

ロック史
⊙ 1959 年　第 1 回「グラミー賞」がロスアンゼルスとニューヨークで開催される。当初は「グラモフォン・アウォード（Gramophone Award）」と呼ばれていた。1971 年にテレビ放送が開始されるまで、複数の会場で開催されていた

社会史
⊙ 1979 年　英サッチャー内閣成立
⊙ 1994 年　パレスチナ暫定自治行政政府が発足

5

Bill Ward　ビル・ワード
1948 年　UK ウェストミッドランズ州バーミンガム・アストン出身／Black Sabbath（ブラック・サバス）／Ds

Ian McCulloch　イアン・マッカロク
1959 年　UK イングランド・マージーサイド州リヴァプール出身／シンガーソングライター／1978 年　Echo & The Bunnymen（エコー＆ザ・バニーメン）結成／Vo.G
▶ 1980 年　デビューアルバム『Crocodiles』

Steve Stevens　スティーヴ・スティーヴンス
1959 年　US ニューヨーク州ニューヨークシティ出身／ロック・ギタリスト／Billy Idol（ビリー・アイドル）のサポート・ギタリスト

5

Gary Daly　ゲイリー・デイリー
1962 年　UK イングランド・マージーサイド州カークビィ出身／China Crisis（チャイナ・クライシス）／Vo／1982 年　デビュー

Craig David　クレイグ・デイヴィッド
1981 年　UK イングランド・ハンプシャー州サウサンプトン出身／シンガーソングライター　▶ 2000 年　アルバムデビュー『Born to Do It』

Adele　アデル
1988 年　UK イングランド・ロンドン出身／シンガー（ブルーアイド・ソウル）　▶ 2011 年　セカンドアルバム『21』（19 か国で 1 位を獲得）／全世界での売上げが 3,000 万枚突破　▶ 2015 年　サードアルバム『25』は、アメリカとイギリス両国でこの年最も売れたアルバムとなる／2017 年のグラミー賞主要 3 部門（最優秀アルバム賞、最優秀楽曲賞、最優秀レコード賞）を受賞するという歴史的快挙を果たす　▶ 2021 年　4 枚目のアルバム『30』を発表。売上げトータルで 6,000 万枚以上を達成

Chris Brown　クリス・ブラウン
1989 年　US ヴァージニア州タッパハノック出身／R&B シンガー　▶ 2005 年　デビューアルバム『Chris Brown』　▶ シングル「Run It!」（ビルボード HOT100 で 1 位獲得）

✄ Nick Kamen　ニック・ケイメン
2021 年 5 月 5 日　享年 59 才（造血リンパ組織腫瘍）／シンガー

6

Bob Seger　ボブ・シーガー
1945 年　US ミシガン州デトロイト出身／本名：ロバート・クラーク・シーガー／Bob Seger & The Silver Bullet Band（ボブ・シーガー＆ザ・シルヴァー・ブレット・バンド）／Vo.G　▶ 1980 年　アルバム『Against the Wind』がヒット　▶『Night Moves』（76 年）から『Like a Rock』（86 年）まで、5 作品連続全米トップ 10 入りを達成

Robbie McIntosh　ロビー・マッキントッシュ
1950 年　UK スコットランド・ダンディー州ドライバーグ出身／The Average White Band（ザ・アヴェレージ・ホワイト・バンド）／Ds　✄ 1974 年 9 月 23 日　享年 24 才（ヘロイン過剰摂取）

Mark Bryan　マーク・ブライアン
1967 年　US メリーランド州シルバースプリング出身／Hootie and the Blowfish（フーティ・アンド・ザ・ブロウフィッシュ）／G

Laetitia Sadier　レティシア・サディエール
1968 年　フランス・ヴァル・ド・マルヌ県ヴァンセンヌ出身／Stereolab（ステレオラブ）／G.Kb.Vo　▶ 1992 年　デビューアルバム『Peng!』

Chris Shiflett クリス・シフレット
1971年 US カリフォルニア州サンタバーバラ出身／Foo Fighters（フー・ファイターズ）／G

✗ Ean Evans イアン・エヴァンス
2009年 享年49才（肺癌）／Lynyrd Skynyrd（レーナード・スキナード）／B

Bill Kreutzmann ビル・クルーツマン
1946年 US カリフォルニア州パロアルト出身／Grateful Dead（グレイトフル・デッド）／Ds

Jerry Nolan ジェリー・ノーラン
1946年 US ニューヨーク州ニューヨークシティ・ブルックリン出身／New York Dolls（ニューヨーク・ドールズ）／Ds／1973年 デビュー ✗ 1992年1月14日 享年45才（髄膜炎、肺炎）

Bernie Marsden バーニー・マースデン
1951年 UK イングランド・バッキンガムシャー州バッキンガム出身／UFO（ユー・エフ・オー）G／1971年 デビュー／Whitesnake（ホワイトスネイク）G（77年〜）

Anne Dudley アン・ダドリー
1956年 UK イングランド・ケント州ベッケンハム出身／Art of Noise（アート・オブ・ノイズ）／Kb

Eagle-Eye Cherry イーグル・アイ・チェリー
1968年 スウェーデン・ストックホルム県ストックホルム出身／ロック・ヴォーカリスト ▶ 1997年 デビューアルバム『Desireless』

Matt Helders マット・ヘルダース
1986年 UK イングランド・サウスヨークシャー州シェフィールド出身／Arctic Monkeys（アークティック・モンキーズ）／Ds

✗ John Walker ジョン・ウォーカー
2011年 享年67才（肝臓癌）／The Walker Brothers（ザ・ウォーカー・ブラザーズ）

社会史
⦿ 1975年 英国エリザベス2世夫妻が初来日

Robert Johnson ロバート・ジョンソン
1911年 US ミシシッピ州ヘイズルハースト出身／ブルース・シンガー ▶ 1961年 アルバム『The King of Delta Blues』 ✗ 1938年8月16日 享年27才

Ricky Nelson　リッキー・ネルソン 1940 年　US ニュージャージー州ティーネック出身／シンガー　▶ 1962 年　シングル「Young World」がヒット　✗ 1985 年 12 月 31 日　享年 45 才（飛行機事故）

Toni Tennille　トニー・テニール
1940 年　US アラバマ州モンゴメリー出身／Captain & Tennille（キャプテン＆テニール）
▶ 1975 年　シングル「Love Will Keep Us Together」グラミー賞「最優秀レコード賞」受賞

Paul Samwell-Smith　ポール・サミュエル・スミス
1943 年　UK イングランド・サリー州リッチモンド出身／The Yardbirds（ザ・ヤードバーズ）／ B

Philip Bailey　フィリップ・ベイリー
1951 年　US コロラド州デンバー出身／ Earth Wind & Fire（アース・ウィンド・アンド・ファイアー）／ Vo　▶ 1977 年 アルバム『All 'N All』　▶ 1984 年 シングル「Easy Lover」（フィル・コリンズとの共作）

Chris Frantz　クリス・フランツ
1951 年　US ケンタッキー州フォート・キャンベル出身／ Talking Heads（トーキング・ヘッズ）／ Ds

Alex Van Halen　アレックス・ヴァン・ヘイレン
1953 年　オランダ・アムステルダム出身／ Van Halen（ヴァン・ヘイレン）／ Ds ／ Edward Van Halen（エドワード・ヴァン・ヘイレン）の実弟　▶ 1984 年　アルバム『1984』

Dave Rowntree　デイヴ・ロウントゥリー
1964 年　UK イングランド・エセックス州コルチェスター出身／ Blur（ブラー）／ Ds

Darren Hayes　ダレン・ヘイズ
1972 年　オーストラリア・クイーンズランド州ブリスベン出身／ Savage Garden（サヴェージ・ガーデン）／ Vo

Matty Lewis　マティ・ルイス
1975 年　US ヴァージニア州ポーツマス出身／ Zebrahead（ゼブラヘッド）／ Vo

Enrique Iglesias　エンリケ・イグレシアス
1975 年　スペイン・マドリッド出身／ラテン・ポップスシンガー／ 1995 年　デビュー
▶ 2001 年　アルバム『Escape』

Bjorn Dixgard　ビョルン・ディクスクウォット
1981 年　スウェーデン・ストックホルム県ストックホルム出身／ Mando Diao（マンドゥ・ディアオ）／ Vo.G ／ 1995 年 デビュー　▶ 2002 年 アルバム『Bring 'Em In』

Jan
Feb
Mar
Apr
May
Jun
Jul
Aug
Sep
Oct
Nov
Dec

ロック史
⊙ 1970 年　ザ・ビートルズの最後のオリジナルアルバム『Let It Be』が発売

社会史
⊙ 2018 年　米ドナルド・トランプ大統領が「イラン核合意」（2015 年成立）から離脱宣言

9

Nokie Edwards　ノーキー・エドワーズ
1935 年　US オクラホマ州ラホマ出身／ The Ventures（ザ・ヴェンチャーズ）／ G　▶
1965 年　アルバム『Ventures in Japan』　✗ 2018 年 3 月 12 日　享年 82 才（手術後の合併症）

Dave Prater　デイヴ・プレイター
1937 年　US ジョージア州オシラ出身／ Sam & Dave（サム & デイヴ）／ 1962 年　デビュー　✗ 1988 年 4 月 9 日　享年 50 才（交通事故）

Sony Music Japan

Richie Furay　リッチー・フューレイ
1944 年　US オハイオ州イエロースプリングス出身／ The Buffalo Springfield（ザ・バッファロー・スプリングフィールド）／ Vo.G ／ Poco（ポコ）　▶ 1969 年　アルバム『Pickin' Up the Pieces』

Steve Katz　スティーヴ・カッツ
1945 年　US ニューヨーク州ニューヨークシティ・ブロンクス出身／ Blood, Sweat & Tears（ブラッド・スウェット & ティアーズ）／ G.Vo ／ 1968 年　デビュー

Sony Music Japan

Billy Joel　ビリー・ジョエル
1949 年　US ニューヨーク州ロングアイランド・ヒックスヴィル出身／本名：William Martin Joel（ウィリアム・マーティン・ジョエル）　▶ 1972 年　デビューアルバム『Cold Spring Harbor』　▶ 1973 年　アルバム『Piano Man』　▶ 1977 年　アルバム『The Stranger』（世界で 1 億 5,000 万枚以上の売上げ）

Tom Petersson　トム・ピーターソン
1950 年　US イリノイ州ロックフォード出身／ Cheap Trick（チープ・トリック）／ B

Dave Gahan　デイヴ・ガーン
1962 年　UK イングランド・エセックス州ノースウィールド出身／ Depeche Mode（デペッシュ・モード）／ Vo.Per

Paul McGuigan　ポール・マクギガン
1971 年　UK イングランド・グレーターマンチェスター州マンチェスター・バーネイジ出身／ Oasis（オアシス）／ B

Ryan "Nik" Vikedal　ライアン・"ニック"・ウィッケダール

9

1975 年　カナダ・アルバータ州ブルックス出身／ Nickelback（ニッケルバック）／ Ds

Andrew W.K.　アンドリュー・W.K.

1979 年　US カリフォルニア州パロアルト出身／ハードロック・シンガー　▶ 2001 年
デビューアルバム『I Get Wet（パーティー・一直線！）』がヒット

Pierre Bouvier　ピエール・ブーヴィエ

1979 年　カナダ・ケベック州モントリオール出身／ Simple Plan（シンプル・プラン）
／ Vo

ロック史

⊙ 1964 年　チャック・ベリーが黒人ロッカーとして初めてイギリスでライヴを実施

10

Dave Mason　デイヴ・メイソン

1946 年　UK イングランド・ウェストミッドランズ州ウスターシャー出身／ Traffic（ト
ラフィック）／ Delaney & Bonnie（デラニー＆ボニー）／ Fleetwood Mac（フリートウッ
ド・マック）／ G.Vo　▶ 1977 年　アルバム『Let It Flow』

Sony Music Japan

Donovan　ドノヴァン

1946 年　UK スコットランド・グラスゴー出身／本名：Donovan Philips Leitch（ドノヴァ
ン・フィリップス・レイチ）／シンガーソングライター　▶ 1965 年　UK デビューシ
ングル「Catch the Wind」　▶ 1966 年　アルバム『Sunshine Superman』英米で 1 位
▶ 1967 年　アルバム『Mellow Yellow』全米 2 位

Sony Music Japan

Graham Gouldman　グラハム・グールドマン

1946 年　UK イングランド・グレーターマンチェスター州サルフォード・ブロートン
出身／ 1968 年　Wayne Fontana and the Mindbenders（ウェイン・フォンタナ・マイ
ンドベンダーズ）加入／ 1972 年　10cc（テン・シーシー）結成／ Vo.B　▶ 1975 年
アルバム『Original Soundtrack』

Sly Dunbar　スライ・ダンバー

1952 年　ジャマイカ・キングストン出身／ Sly & Robbie（スライ＆ロビー）／ Ds

Lee Brilleaux　リー・ブリロー

1952 年　南アフリカ・クワズール・ナタール州ダーバン出身／ Dr. Feelgood（ドクター・
フィールグッド）／ Vo.Hrp ／ 1975 年　デビュー　✗ 1994 年 4 月 7 日　享年 41 才（悪
性リンパ腫）

Sid Vicious　シド・ヴィシャス

1957 年　UK イングランド・ロンドン出身／本名：John Simon Ritchie（ジョン・サイモン・
リッチー）／ 1977 年　Sex Pistols（セックス・ピストルズ）加入／ B　▶ 1977 年
シングル「God Save the Queen」　✗ 1979 年 2 月 2 日　享年 21 才（ヘロイン過剰摂取）

Karl Hyde　カール・ハイド
1957 年　UK イングランド・ウスターシャー州ビュードリー出身／Underworld（アンダーワールド）／Vo.G

Universal Music

Bono　ボノ
1960 年　アイルランド・ダブリン出身／本名：Paul David Hewson（ポール・デイヴィッド・ヒューソン）／1976 年　ダブリンで U2 結成／Vo　▶ 1980 年　デビューアルバム『Boy』　▶ 1983 年　アルバム『War』全英 1 位

Danny Carey　ダニー・ケアリー
1961 年　US カリフォルニア州ロスアンゼルス出身／Tool（トゥール）／Ds／1993 年　デビュー

Richard Patrick　リチャード・パトリック
1968 年　US マサチューセッツ州ニーダム出身／Filter（フィルター）／G.B.Vo.Pro.Ds　▶ 1995 年　デビューアルバム『Short Bus』

Stuart Braithwaite　スチュアート・ブレイスウェイト
1976 年　UK スコットランド・ラナークシャー州ダルサーフ出身／Mogwai（モグワイ）／G.Vo／1997 年　デビュー

Kieren Webster　キーレン・ウェブスター
1986 年　UK スコットランド・ダンディー州ドライバーグ出身／The View（ザ・ヴュー）／B.G.Vo　▶ 2007 年 デビューアルバム『Hats Off to the Buskers』

Charice　シャリース
1992 年　フィリピン・ラグナ州サンペドロ出身／本名：Charmaine Clarice Relucio Pempengco（カーマイン・クラリス・レルシオ・ペンペンコ）／シンガー　▶ 2008 年　デビューアルバム『Charice』（ビルボード 200 アルバムチャートで初登場 8 位）／アジア人アーティストとして初の同チャートトップ 10 入りを果たす。2017 年にトランスジェンダー男性であることを発表。芸名を "ジェイク・ザイラス" へと改名し、2022 年現在も活動中

✗ Moon Martin　ムーン・マーティン
2020 年　享年 69 才／シンガーソングライター

社会史
⊙ 1994 年　ネルソン・マンデラが黒人初の南アフリカ共和国大統領に就任

11

Eric Burdon　エリック・バードン
1941 年　UK イングランド、タイン・アンド・ウィア州ニューカッスルアポンタイン出身／The Animals（ザ・アニマルズ）／Vo ／バンド解散後、ソロ活動で War（ウォー）を結成　▶ 1966 年　アルバム『Animalisms』

11

Les Chadwick　レス・チャドウィック
1943 年　UK イングランド・マージーサイド州リヴァプール出身／ Gerry & The Pacemakers（ジェリー＆ザ・ペースメーカーズ）／ B ／ 1963 年　デビュー

Butch Trucks　ブッチ・トラックス
1947 年　US フロリダ州ジャクソンヴィル出身／ The Allman Brothers Band（ザ・オールマン・ブラザーズ・バンド）／ Ds　✗ 2017 年 1 月 24 日　享年 69 才（自殺）

Jonathan Jeczalik　ジョナサン・ジェクザリック
1955 年　UK イングランド・オックスフォードシャー州バンベリー出身／ Art of Noise（アート・オブ・ノイズ）／サンプリング

✗ Bob Marley　ボブ・マーリー
1981 年　享年 36 才（脳腫瘍）／ジャマイカ・レゲエ音楽の先駆者

✗ Ed Gagliardi　エド・ガリアルディ
2014 年　享年 62 才（癌）／ Foreigner（フォリナー）／ B

ロック史
⊙ 1963 年　ザ・ビートルズのファーストアルバム『Please Please Me』が UK チャート 1 位を獲得、以後 30 週にわたって首位に留まる

12

Burt Bacharach　バート・バカラック
1928 年　US ミズーリ州カンザスシティ出身／ソングライター、コンポーザー、メロディメーカー　▶ 1970 年　シングル「Raindrops Keep Fallin' on My Head（雨にぬれても）」がアカデミー主題歌賞

Jimmy Hastings　ジミー・ヘイスティングス
1938 年　UK スコットランド・アバディーン出身／ Caravan（キャラヴァン）／ Fl.Sax ／ 1968 年　デビュー

Ian Dury　イアン・デューリー
1942 年　UK イングランド・ロンドン出身／ロック・シンガー／ Ian Dury & Blockheads（イアン・デューリー＆ブロックヘッズ）／ Vo　✗ 2000 年 3 月 27 日　享年 57 才（大腸癌）

Ian McLagan　イアン・マクレガン
1945 年　UK イングランド・ミドルセックス州ハウンズロー出身／ Small Faces（スモール・フェイセス）／ Faces（フェイセズ）／ Kb　✗ 2014 年 12 月 3 日　享年 69 才（脳卒中合併症）

Steve Winwood　スティーヴ・ウィンウッド
1948 年　UK イングランド・ウェストミッドランズ州バーミンガム出身／ 1964 年

The Spencer Davis Group（ザ・スペンサー・デイヴィス・グループ）／Vo.G.Kb／
1967 年　Traffic（トラフィック）結成　▶ 1968 年　セカンドアルバム『Traffic』発表
／1969 年　トラフィック解散後、エリック・クラプトンと Blind Faith（ブラインド・フェ
イス）結成／1970 年　トラフィック再結成（75 年休止）　▶ 1977 年　ソロアルバム
『Steve Winwood』発表　▶ 1981 年　アルバム『Arc of a Diver』がヒット　▶ 1986 年
シングル「Higher Love」全米 1 位

Billy Squier　ビリー・スクワイア
1950 年　US マサチューセッツ州ウェルズリー出身／本名：William Haislip Squier（ウィ
リアム・ヘイスリップ・スクワイア）／ヴォーカリスト　▶ 1981 年　アルバム『Don't
Say No』

Scott Johnson　スコット・ジョンソン
1952 年　US ウィスコンシン州マディソン出身／Gin Blossoms（ジン・ブロッサムズ）
／G

Eric Singer　エリック・シンガー
1958 年　US オハイオ州クリーヴランド出身／KISS（キッス）／Ds

Billy Duffy　ビリー・ダフィ
1961 年　UK イングランド・グレーターマンチェスター州マンチェスター・ヒューム
出身／The Cult（ザ・カルト）／G

Brett Gurewitz　ブレット・ガーヴィッツ
1962 年　US カリフォルニア州ロスアンゼルス出身／Bad Religion（バッド・レリジョン）
／G

✗ Noel Redding　ノエル・レディング
2003 年　享年 57 才（肝硬変）／Jimi Hendrix Experience（ジミ・ヘンドリックス・
エクスペリエンス）／B

13

Ritchie Valens　リッチー・ヴァレンス
1941 年　US カリフォルニア州バコイマ出身／本名：Ricardo Esteban Valenzuela
Reyes（リカルド・エステバン・バレンスエラ・レジェス）／ロックン・シンガー　▶
1959 年　アルバム『Ritchie Valens』　▶ 1959 年 2 月 3 日　享年 17 才（ツアー後の飛
行機墜落事故／同乗していたバディ・ホリーも共に死亡）

Magic Dick Salwitz　マジック・ディック・サルウィッツ
1945 年　US コネチカット州ニューロンドン出身／The J. Geils Band（ザ・J・ガイル
ズ・バンド）／Hrp

Danny Klein　ダニー・クレイン
1946 年　US ニューヨーク州ニューヨークシティ・ブロンクス出身／The J. Geils

13

Band（ザ・J・ガイルズ・バンド）／ B

Overend Watz　オーヴァーレンド・ワッツ
1947 年　UK イングランド・ウェストミッドランズ州バーミンガム・ヤードリー出身
／ Mott the Hoople（モット・ザ・フープル）／ B

Stevie Wonder　スティーヴィー・ワンダー
1950 年　US ミシガン州サギノー出身／本名：Stevland Hardaway Judkins（ステヴラン
ド・ハードウェイ・ジャドキンズ）／シンガーソングライター、キーボード、ハーモ
ニカ　▶ 1973 年　アルバム『Innervisions』／ 30 曲以上の全米トップ 10、グラミー賞
22 部門受賞

Danny Kirwan　ダニー・カーワン
1950 年　UK イングランド・ロンドン出身／ Fleetwood Mac（フリートウッド・マック）
／ Vo.G　✗ 2018 年 6 月 8 日　享年 68 才（肺炎）

Paul Thompson　ポール・トンプソン
1951 年　UK イングランド、タイン・アンド・ウィア州ニューカッスルアポンタイン
出身／ Roxy Music（ロキシー・ミュージック）／ Ds ／ 1972 年　デビュー

Marlon Hargis　マーロン・ハーギス
1949 年　US ケンタッキー州リッチモンド出身／ Exile（エグザイル）／ Kb

Lorraine McIntosh　ロレイン・マッキントッシュ
1964 年　UK スコットランド・グラスゴー出身／ Deacon Blue（ディーコン・ブルー）
／ Vo　▶ 1987 年　デビューアルバム『Raintown』

Darius Rucker　ダリウス・ラッカー
1966 年　US サウスカロライナ州チャールストン出身／ Hootie and the Blowfish（フー
ティ・アンド・ザ・ブロウフィッシュ）／ Vo　▶ 1994 年 アルバム『Cracked Rear
View』

Mikey Madden　ミッキー・マデン
1979 年　US テキサス州オースティン出身／ Maroon5（マルーン 5）／ B ／ 1999 年
デビュー

✗ Donald "Duck" Dunn　ドナルド・ダック・ダン
2012 年　享年 70 才（東京公演後の宿泊先で死亡）／ Booker T. & The MG's（ブッカー・
T & ザ・MG's）／ B

14

Bobby Darin　ボビー・ダーリン
1936 年　US ニューヨーク州ニューヨークシティ・ウェストハーレム出身／本名：
Walden Robert Cassotto（ウォルデン・ロバート・カソット）　▶ 1959 年　シングル

「Dream Lover」「Mack the Knife」がヒット　▶ 1973 年 12 月 20 日　享年 37 才（心臓手術後の合併症）

Jack Bruce　ジャック・ブルース
1943 年　UK スコットランド・ラナークシャー郡ビショップブリッグス出身／ Cream（クリーム）／ B　▶ 1968 年　アルバム『Wheels of Fire（クリームの素晴らしき世界）』　▶ 1969 年　ソロ・デビューアルバム『Song for a Tailor』

Gene Cornish　ジーン・コーニッシュ
1944 年　カナダ・オンタリオ州オタワ出身／ Rascals（ラスカルズ）／ Vo.G　▶ 1966 年　アルバム『The Young Rascals』

David Byrne　デイヴィッド・バーン
1952 年　UK スコットランド・ダンバートン出身／ 1977 年　Talking Heads（トーキング・ヘッズ）でデビュー／ Vo.G　▶ 1984 年　『Stop Making Sense』

Ian Astbury　イアン・アストベリー
1962 年　UK イングランド・チェシャー州ヘズウォール出身／ The Cult（ザ・カルト）／ Vo

Mike Inez　マイク・アイネズ
1966 年　US カリフォルニア州サンフェルナンド出身／ Alice In Chains（アリス・イン・チェインズ）／ B

Danny Wood　ダニー・ウッド
1969 年　US マサチューセッツ州ボストン出身／ New Kids On the Block（ニュー・キッズ・オン・ザ・ブロック）

Dan Auerbach　ダン・オーバック
1979 年　US オハイオ州アクロン出身／ The Black Keys（ザ・ブラック・キーズ）／ Vo.G

✗ Keith Relf　キース・レルフ
1976 年　享年 33 才（ギター演奏中の感電死）／ The Yardbirds（ザ・ヤードバーズ）

✗ Frank Sinatra　フランク・シナトラ
1998 年　享年 82 才（心臓発作）／ポピュラー・ジャズシンガー、エンターテイナー

✗ Jorge Santana　ホルヘ・サンタナ
2020 年　享年 68 才（心臓マヒ）／ MALO（マロ）／ G ／ラテン・ロックの伝説的人気バンド

15

Graham Goble　グラハム・ゴーブル

15

1947 年　オーストラリア・ヴィクトリア州メルボルン出身／ Little River Band（リトル・リヴァー・バンド）／ G.Vo

Brian Eno　ブライアン・イーノ
1948 年　UK イングランド・サフォーク州ウッドブリッジ出身／ 1972 年　Roxy Music（ロクシー・ミュージック）のメンバーでデビュー　▶ 1974 年　ソロ・デビューアルバム『Here Come the Warm Jets』　▶ 1975 年　アルバム『Another Green World』　▶ 同年　ロバート・フリップとコラボ・アルバム『Evening Star』発表

Mike Oldfield　マイク・オールドフィールド
1953 年　UK イングランド・バークシャー州レディング出身／シンガーソングライター、ギタリスト（プログレ）　▶ 1973 年　アルバム『Tubular Bells』

✖ Clint Warwick　クリント・ワーウィック
2004 年　享年 63 才（肝炎）／ The Moody Blues（ザ・ムーディ・ブルース）／ B

社会史
⊙ 1972 年　沖縄がアメリカから日本へ返還される。第二次世界大戦後、1951 年に日米間で署名された「サンフランシスコ講和条約」により、沖縄はアメリカの施政権下に置かれていた

16

Robert Fripp　ロバート・フリップ
1946 年　UK イングランド・ドーセット州ウィンボーン・ミンスター出身／ 1969 年　King Crimson（キング・クリムゾン）結成／ G.Kb　▶ 1969 年　アルバム『In the Court of the Crimson King』　▶ 1979 年　ソロアルバム『Exposure』

Darrell Sweet　ダレル・スウィート
1947 年　UK イングランド・ドーセット州ボーンマス出身／ Nazareth（ナザレス）／ Ds ／ 1971 年 デビュー　✖ 1999 年 4 月 30 日　享年 51 才（心臓発作）

Jonathan Richman　ジョナサン・リッチマン
1951 年　US マサチューセッツ州ボストン出身／シンガーソングライター　▶ 1970 年　ガレージ・ロック・バンド The Modern Lovers（ザ・モダン・ラヴァーズ）結成／ 1989 年　解散

Richard Page　リチャード・ペイジ
1953 年　US アイオワ州ケオクック出身／ 1978 年 Pages（ペイジズ）結成／ Vo ／ 1984 年　Mr. Mister（Mr. ミスター）／ Vo.B　▶ 1985 年　アルバム『Welcome to the Real World』

Sony Music Japan

Andrew Innes　アンドリュー・イネス
1962 年　UK スコットランド・グラスゴー出身／ Primal Scream（プライマル・スクリーム）／ G ／ 1987 年　デビュー

Boyd Tinsley ボイド・ティンズリー
1964 年　US ヴァージニア州シャーロットヴィル出身／ Dave Matthews Band（デイヴ・マシューズ・バンド）／ Vi ／ 1993 年　デビュー

Krist Novoselic クリス・ノヴォセリック
1965 年　US カリフォルニア州コンプトン出身／ Nirvana（ニルヴァーナ）／ B ▶
1989 年　アルバム『Bleach』

Janet Jackson ジャネット・ジャクソン
1966 年　US インディアナ州ゲーリー出身／ Jackson Family（ジャクソン・ファミリー）／ 10 人兄妹の末っ子（兄 7 人、姉 2 人）▶ 1986 年　アルバム『Control』

Ralph Tresvant ラルフ・トレスヴァント
1968 年　US マサチューセッツ州ロックスベリー出身／ New Edition（ニュー・エディション）

Mince Fratellis ミンス・フラテリス
1983 年　UK スコットランド・グラスゴー出身／ The Fratellis（ザ・フラテリス）／ Ds ／ 2006 年　デビュー

Alex Pall アレックス・ポール
1985 年　US ニューヨーク州ニューヨークシティ出身／ The Chainsmokers（ザ・チェイン・スモーカーズ）／ DJ、プロデューサー ▶ 2017 年　アルバム『Memories...Do Not Open』

✗ Ronnie James Dio ロニー・ジェイムズ・ディオ
2010 年　享年 67 才（胃癌）／ Rainbow（レインボー）／ Vo

ロック史
・1966 年　ボブ・ディランがロック史上初の 2 枚組アルバム『Blonde on Blonde』発売。デビューして 4 年 2 か月で、半年をかけ録音した 14 曲を収録。発売直後の 7 月 29 日、ディランはバイク事故を起こし負傷。人前から姿を消している

17

Taj Mahal タジ・マハール
1942 年　US ニューヨーク州ニューヨークシティ・ハーレム出身／本名：Henry Saint Clair Fredericks（ヘンリー・セントクレア・フレデリックス）／ブルース・シンガー、ギター、キーボード他 ▶ 1997 年　アルバム『Senor Blues』

Bill Bruford ビル・ブルフォード
1949 年　UK イングランド・ケント州セブンオークス出身／ King Crimson（キング・クリムゾン）／ Yes（イエス）／ U.K.（ユー・ケー）／ Ds

Andrew Latimer アンドリュー・ラティマー

17

1949 年　UK イングランド・サリー州ギルドフォード出身／ Camel（キャメル）／ G（プログレ・バンド）

George Johnson　ジョージ・ジョンソン
1953 年　US カリフォルニア州ロスアンゼルス出身／ The Brothers Johnson（ザ・ブラザーズ・ジョンソン）／ G ／ 1976 年　デビュー　▶ 1980 年　アルバム『Light Up the Night』

Paul Di'Anno　ポール・ディアノ
1958 年　UK イングランド・ロンドン出身／ Iron Maiden（アイアン・メイデン）／ Vo

Enya　エンヤ
1961 年　アイルランド・ドニゴール州グウィドー出身／シンガー　▶ 1988 年　アルバム『Watermark』発表　▶ 同年　シングル「Orinoco Flow」がヒット

Dave Abbruzzese　デイヴ・アブラジーズ
1968 年　US コネチカット州スタンフォード出身／ Pearl Jam（パール・ジャム）／ Ds

Trent Reznor　トレント・レズナー
1965 年　US ペンシルベニア州マーサー出身／ 1989 年　ソロユニット Nine Inch Nails（ナイン・インチ・ネイルズ）　▶ 1989 年　デビューアルバム『Pretty Hate Machine』　▶ 1994 年　アルバム『The Downward Spiral』

Jordan Knight　ジョーダン・ナイト
1970 年　US マサチューセッツ州ウォースター出身／ New Kids On the Block（ニュー・キッズ・オン・ザ・ブロック）

Andrea Corr　アンドレア・コアー
1974 年　アイルランド・ラウス県ダンドーク出身／ The Corrs（ザ・コアーズ）／ Vo

✗ Donna Summer　ドナ・サマー
2012 年　享年 63 才（肺癌）／シンガーソングライター

✗ Chris Cornell　クリス・コーネル
2017 年　享年 52 才（自殺）／ Soundgarden（サウンドガーデン）／ Vo.G

✗ Vangelis　ヴァンゲリス
2022 年　享年 79 才（新型コロナウイルス感染症）／シンセサイザー奏者

18

Albert Hammond　アルバート・ハモンド
1944 年　UK イングランド・ロンドン出身／シンガーソングライター　▶ 1972 年　アルバム『It Never Rains in Southern California（カリフォルニアの青い空)』がヒット

Sony Music Japan

▶ 1981 年　アルバム『Your World and My World』

Rick Wakeman　リック・ウェイクマン
1949 年　UK イングランド・ロンドン出身／キーボード奏者／ 1971 年　Yes（イエス）加入　▶同年　ソロアルバム『Piano Vibrations』／以降、ソロ活動中心

Bill Wallace　ビル・ウォーレス
1949 年　カナダ・マニトバ州ウィニペグ出身／ The Guess Who（ザ・ゲス・フー）／ B

Mark Mothersbaugh　マーク・マザーズボー
1950 年　US オハイオ州アクロン出身／ Devo（ディーヴォ）／ Syn.G.Vo ／ 1977 年デビュー

Page Hamilton　ペイジ・ハミルトン
1960 年　US オレゴン州ポートランド出身／ Helmet（ヘルメット）／ G.Vo

Martin Duffy　マーティン・ダフィー
1967 年　UK スコットランド・グラスゴー出身／ Primal Scream（プライマル・スクリーム）／ Kb ／ 1987 年　デビュー　▶ 1991 年　アルバム『Screamadelica』

Jack Johnson　ジャック・ジョンソン
1975 年　US ハワイ・オアフ島ノースショア出身／シンガーソングライター／プロサーファー　▶ 2001 年　デビューアルバム『Brushfire Fairytales』　▶ 2005 年　シングル「Sitting, Waiting, Wishing」

✗ Ian Curtis　イアン・カーティス
1980 年　享年 23 才（自殺）／ New Order（ニュー・オーダー）／ Vo

19

Pete Townshend　ピート・タウンゼント
1945 年　UK イングランド・ロンドン出身／ 1964 年　The Who（ザ・フー）／ G でデビュー　▶ 1969 年　アルバム『Tommy』／ 1982 年　解散　▶ 1972 年　ソロアルバム『Who Came First』

Grace Jones　グレイス・ジョーンズ
1948 年　ジャマイカ・スパニッシュタウン出身／シンガー、モデル　▶ 1981 年　アルバム『Nightclubbing』がヒット

Dusty Hill　ダスティ・ヒル
1949 年　US テキサス州ダラス出身／ ZZ Top（ZZ トップ）／ B.Vo　✗ 2021 年 7 月28 日　享年 72 才（死因不明／睡眠中に死亡）

Joey Ramone　ジョーイ・ラモーン
1951 年　US ニューヨーク州ニューヨークシティ・クイーンズ・フォレストヒルズ出

Jan
Feb
Mar
Apr
May
Jun
Jul
Aug
Sep
Oct
Nov
Dec

身／本名：Jeffry Ross Hyman（ジェフリー・ロス・ハイマン）／ 1974 年　ニューヨー
ク・パンクバンド The Ramones（ザ・ラモーンズ）結成／ Vo.　▶ 1976 年　デビュー
アルバム『Ramones』／ 1996 年　解散 ✗ 2001 年 4 月 15 日　享年 49 才（リンパ腺癌）

Phil Rudd　フィル・ラッド
1954 年　オーストラリア・ヴィクトリア州メルボルン出身／ AC/DC（エーシー・ディー
シー）／ Ds

Martyn Ware　マーティン・ウェア
1956 年　UK イングランド・サウスヨークシャー州シェフィールド出身／ Human
League（ヒューマン・リーグ）／ 1979 年　デビュー

Iain Harvie　イアン・ハーヴィー
1962 年　UK スコットランド・グラスゴー出身／ Del Amitri（デル・アミトリ）／
Vo.G　▶ 1995 年　アルバム『Twisted』

Stuart Cable　スチュアート・ケーブル
1970 年　UK ウェールズ・アバデール出身／ Stereophonics（ステレオフォニックス）
／ Ds ／ 1997 年　デビュー ✗ 2010 年 6 月 7 日　享年 40 才（飲酒後の就寝中に窒息死）

Jenny Berggren　ジェニー・バーグレン
1972 年　スウェーデン・ゴーテンブルグ出身／ Ace of Base（エイス・オブ・ベイス）

Adam Nutter　アダム・ナッター
1983 年　UK イングランド・ウェストヨークシャー州キバックス出身／ The Music（ザ・
ミュージック）／ G

Sam Smith　サム・スミス
1992 年　UK イングランド・ロンドン出身／シンガーソングライター　▶ 2014 年　ア
ルバム『In the Lonely Hour』

✗ Freddie Garrity　フレディ・ギャリティ
2006 年　享年 65 才／ Freddie & The Dreamers（フレディ＆ザ・ドリーマーズ）／ Vo

ロック史

- 1967 年　ジミ・ヘンドリックスが最初のアルバム『Are You Experienced』をイギ
  リスで発売。全英年間チャート 2 位を達成。前年ニューヨークから渡英し、名前
  を Jimmy James（ジミー・ジェイムス）から Hendrix（ヘンドリックス）に変え、
  3 人組のバンド「ザ・ジミ・ヘンドリックス・エクスペリエンス」を結成。このア
  ルバムで天才ギタリストとしての人気が爆発する。英国を制したジミは、その後す
  ぐ母国に凱旋し、ロック音楽の世界を変えていく
- 1967 年　ポール・マッカートニーとリンダ・イーストマンの運命的再会から結婚
  へ。ブライアン・エプスタインの家で行われた『Sgt. Lonely Hearts Club Band』の
  完成披露パーティーにザ・ビートルズのメンバーと音楽ジャーナリストやラジオ

Jan

Feb

Mar

Apr

May

Jun

Jul

Aug

Sep

Oct

Nov

Dec

DJ たちが集まった。その中には NY ロック・シーンを撮影するアメリカ人写真家のリンダ・マッカートニーもいた。以前にも会ったことのあるリンダとポールは会場で再会し意気投合。2 年後に結婚することになるふたりの運命的再会となった

20

Joe Cocker　ジョー・コッカー
1944 年　UK イングランド・サウスヨークシャー州シェフィールド出身／シンガー
▶ 1969 年　デビューアルバム『With a Little Help from My Friends』　▶ 1982 年　シングル「Up Where We Belong」（映画『愛と青春の旅だち』の主題歌）／ジェニファー・ウォーンズとのデュエット曲（全米 1 位）✘ 2014 年 12 月 22 日　享年 70 才（肺癌）

Cher　シェール
1946 年　US カリフォルニア州エルセントロ出身／本名：Cherilyn Sarkisian La' Pie're（シェリリン・サーキシアン・ラ・ピエール）／プロデューサーの Sonny Bono（ソニー・ボノ）と Sonny & Cher（ソニー＆シェール）で活動　▶ 1965 年　シングル「I Got You Babe」／女優としても活躍／1987 年『月の輝く夜に』でアカデミー賞主演女優賞
▶ 1998 年　アルバム『Believe』（グラミー賞「最優秀ダンスレコーディング賞」受賞）

Warren Cann　ウォーレン・カン
1950 年　カナダ・ブリティッシュコロンビア州ヴィクトリア出身／Ultravox（ウルトラボックス）／Ds

Steve George　スティーヴ・ジョージ
1955 年　US イリノイ州ブルーミントン出身／1978 年　Pages（ペイジズ）／Kb.Vo／Mr. Mister（Mr. ミスター）／G／1984 年 デビュー　▶ 1985 年　アルバム『Welcome to the Real World』

Jane Wiedlin　ジェーン・ウィードリン
1958 年　US ウィスコンシン州オコノモウォック出身／The Go-Go's（ザ・ゴーゴーズ）／G

Nick Heyward　ニック・ヘイワード
1961 年　UK イングランド・ケント州ベックナム出身／1980 年　Haircut 100（ヘアカット 100）／Vo.G

Brian Nash　ブライアン・ナッシュ
1963 年　UK イングランド・マージーサイド州リヴァプール出身／Frankie Goes to Hollywood（フランキー・ゴーズ・トゥ・ハリウッド）／G

✘ Robin Gibb　ロビン・ギブ
2012 年　享年 62 才（結腸癌）／The Bee Gees（ザ・ビー・ジーズ）

✘ Ray Manzarek　レイ・マンザレク
2013 年　享年 74 才（肝外胆管癌）／The Doors（ザ・ドアーズ）／Kb

Tony Sheridan　トニー・シェリダン
1940 年　UK イングランド・ノーフォーク州ノリッジ出身／ロック・シンガー　▶
1964 年　シングル「My Bonnie」（ザ・ビートルズとの共作）　✗ 2013 年 2 月 16 日
享年 72 才（心臓手術後死亡）

Ronald Isley　ロナルド・アイズレー
1941 年　US オハイオ州シンシナティ出身／ The Isley Brothers（ザ・アイズレー・ブ
ラザーズ）／ Vo　▶ 1973 年　アルバム『3 + 3』

Hilton Valentine　ヒルトン・ヴァレンタイン
1943 年　UK イングランド・ノーサンバーランド州ノーサンバーランド出身／ The
Animals（ザ・アニマルズ）／ G　✗ 2021 年 1 月 29 日　享年 77 才

Bill Champlin　ビル・チャンプリン
1947 年　US カルフォルニア州オークランド出身／シンガーソングライター　▶ 1978
年　アルバム『Single』／ 1981 年　Chicago（シカゴ）加入　▶ 1988 年　アルバム
『Chicago 19』

Sony Music Japan

Leo Sayer　レオ・セイヤー
1948 年　UK イングランド・ウェストサセックス州ショアハム出身／ポップ・シンガー
▶ 1974 年　デビューアルバム『Silverbird』　▶ 1976 年　シングル「You Make Me
Feel Like Dancing」がヒット

Stan Lynch　スタン・リンチ
1955 年　US オハイオ州シンシナティ出身／ Tom Petty & The Heartbreakers（トム・
ペティ＆ザ・ハートブレイカーズ）／ Ds

Kevin Shields　ケヴィン・シールズ
1963 年　アイルランド・ダブリン出身／ My Bloody Valentine（マイ・ブラッディ・ヴァ
レンタイン）／ Vo.G ／ 1985 年　デビュー

Martin Blunt　マーティン・ブラント
1964 年　UK イングランド・ウェストミッドランズ州出身／ The Charlatans（ザ・シャー
ラタンズ）／ B

Gotye　ゴティエ
1980 年　ベルギー、ウェスト＝フランデレン州ブルージュ出身（オーストラリア育
ち）／本名：Wouter De Backer（ウーテル・デ・バッカー）／シンガーソングライター
▶ 2011 年　アルバム『Making Mirrors』

Robert Harvey　ロバート・ハーヴェイ
1983 年　UK イングランド・ウェストヨークシャー州リーズ出身／ The Music（ザ・
ミュージック）／ Vo.G

✗ Trevor Bolder トレヴァー・ボルダー
2013 年　享年 62 才（膵臓癌）／ Uriah Heep（ユーライア・ヒープ）／ B

✗ Nick Menza ニック・メンザ
2016 年　享年 51 才（心臓発作）／ Megadeth（メガデス）／ Ds

22

Sony Music Japan

Bill LaBounty ビル・ラバウンティ
1948 年　US ウィスコンシン州出身／ AOR シンガーソングライター　▶ 1975 年　ア
ルバム『This Night Won't Last Forever』

Bernie Taupin バーニー・トーピン
1950 年　UK イングランド・リンカンシャー州スリーフォード出身／作詞家／エルトン・
ジョンの共作者

Jerry Dammers ジェリー・ダマーズ
1955 年　インド・タミルナドゥ出身／ The Specials（ザ・スペシャルズ）／ Kb.Vo ／
1979 年　デビュー

Morrissey モリッシー
1959 年　UK イングランド・グレートマンチェスター州マンチェスター出身／本名：
Steven Patric Morrissey（スティーヴン・パトリック・モリッシー）／シンガー／ 1983
年　The Smith（ザ・スミス）でデビュー／ Vo　▶ 1988 年　ソロアルバム『Viva Hate』

Jesse Valenzuela ジェシー・ヴァレンズエラ
1962 年　US アリゾナ州タンバ出身／ Gin Blossoms（ジン・ブロッサムズ）／ G

Johnny Gill ジョニー・ギル
1966 年　US ワシントン D.C. 出身／ R&B シンガー／ New Edition（ニュー・エディショ
ン）　▶ 1983 年　ソロアルバム『Candy Girl』

23

Danny Klein ダニー・クレイン
1946 年　US ニューヨーク州ニューヨークシティ・ブロンクス出身／ The J. Geils
Band（ザ・J・ガイルズ・バンド）／ B

Simon Gilbert サイモン・ギルバート
1965 年　UK イングランド・ウォリックシャー州テディントン出身／ Suede（スウェー
ド）／ Ds ／ 1993 年　デビュー

Phil Selway フィル・セルウェイ
1967 年　UK オックスフォードシャー州アビントン・オン・テムズ出身／ Radiohead（レ
ディオヘッド）／ Ds

23

Matt Flynn　マット・フリン
1970 年　US ニューヨーク州ウッドストック出身／ Maroon 5（マルーン 5）／ Ds ／
1999 年　デビュー

Maxwell　マックスウェル
1973 年　US ニューヨーク州ニューヨークシティ・ブルックリン出身／ R&B シンガー
／ 1996 年　デビュー　▶ 2001 年　アルバム『Now』

Jewel　ジュエル
1974 年　US ユタ州ペイソン出身／本名：Jewel Kilcher（ジュエル・キルヒャー）／シ
ンガーソングライター　▶ 1998 年　シングル「Hands」（セカンドアルバム『Sprit』収録）

Richard Jones　リチャード・ジョーンズ
1974 年　UK ウェールズ・カマーマン出身／ Stereophonics（ステレオフォニックス）
／ B ／ 1997 年　デビュー

Paul James Garred　ポール・ジェイムズ・ガレッド
1985 年　UK イングランド・イーストサセックス州ブライトン出身／ The Kooks（ザ・
クークス）／ Ds ／ 2006 年　アルバムデビュー

24

Sony Music Japan

Bob Dylan　ボブ・ディラン
1941 年　US ミネソタ州デュールス出身／本名：Robert Allen Zimmerman（ロバート・
アレン・ジマーマン）／ "フォークの神様" ともいわれる、我が道を行くシンガーソン
グライター　▶ 1962 年　デビューアルバム『Bob Dylan』　▶ 1963 年 セカンドアルバ
ム『The Freewheelin' Bob Dylan』　▶ 1965 年　シングル「Like a Rolling Stone」（6 作
目『Highway 61 Revisited』収録、全米 2 位）／フォークからロックへの転向を「裏切り」
と捉えられ、大批判を浴びる／ 2016 年　ノーベル文学賞受賞

Patti Labelle　パティ・ラベル
1944 年　US ペンシルベニア州フィラデルフィア出身／ R&B シンガー　▶ 1986 年
シングル「On My Own」（マイケル・マクドナルドとの共作）

Steve Upton　スティーヴ・アプトン
1946 年　UK ウェールズ・レックス出身／ Wishbone Ash（ウィッシュボーン・アッシュ）
／ Ds

Albert Bouchard　アルバート・ブーチャード
1947 年　US ニューヨーク州ウォータータウン出身／ Blue Oyster Cult（ブルー・オイ
スター・カルト）／ Ds ／ 1972 年　デビュー

Rich Robinson　リッチ・ロビンソン
1969 年　US ジョージア州アトランタ出身／ The Black Crowes（ザ・ブラック・クロウズ）
／ G ▶ 1992 年　アルバム『The Southern Harmony and Musical Companion』

Tommy Page　トミー・ペイジ

1968 年　US ニュージャージー州グレンリッジ出身／シンガーソングライター　▶

1990 年　アルバム『Paintings in My Mind』✗ 2017 年 3 月 3 日　享年 46 才（自殺）

✗ Gene Clerk　ジーン・クラーク

1991 年　享年 47 才（心臓疾患）／ The Byrds（ザ・バーズ）／ Vo.G

✗ Jay Bennett　ジェイ・ベネット

2009 年　享年 45 才（鎮痛剤過剰摂取）／ Wilco（ウィルコ）／ G

✗ Paul Gray　ポール・グレイ

2010 年　享年 38 才（モルヒネ過剰接種／心臓疾患）／ Slipknot（スリップノット）

25

Klaus Meine　クラウス・マイネ

1948 年　ドイツ・ニーダーザクセン州ハノーファー出身／ Scorpions（スコーピオンズ）／ Vo　▶ 1972 年 デビューアルバム『Lonesome Crow（恐怖の蠍団）』

Paul Weller　ポール・ウェラー

1958 年　UK イングランド・サリー州ウォキング出身／ 1977 年　The Jam（ザ・ジャム）でデビュー／ 1982 年　解散／ 1983 年　パンクと反対のオシャレなサウンドを志向する The Style Council（ザ・スタイル・カウンシル）結成　▶ 1992 年　ソロアルバム『Paul Weller』発表　▶ 1995 年　アルバム『Stanley Road』全英 1 位

Simon Fowler　サイモン・ファウラー

1965 年　イングランド・ウェストミッドランズ州メリデン出身／ Ocean Colour Scene（オーシャン・カラー・シーン）／ Vo.G　▶ 1996 年　アルバム『Moseley Shoals』

Joe King　ジョー・キング

1980 年　US コロラド州デンバー出身／ The Fray（ザ・フレイ）／ G ／ 2005 年　デビュー

> **社会史**

- 2020 年　アフリカ系アメリカ人のジョージ・フロイドが、ミネアポリス近郊で警察官の不適切な拘束によって殺害された。この事件は長年続いてきた警察官による人種差別問題を再燃させ、全米各地でデモ活動と騒乱が相次いだ。ホワイトハウス前の抗議デモ隊に向けて、トランプ大統領は州兵を派遣し制圧。この事件などを発端として、「Black Lives Matter」運動が全米規模に発展。それを受けたアメリカ合衆国大統領選挙では、人種差別が選挙の大きな争点のひとつになった。2021 年 6 月の裁判で、ジョージ・フロイドを殺害した警察官デレク・ショーヴィン被告には、禁固 22 年 6 か月の刑が言い渡された。ディキシー・チックスは、"Dixie" という単語が奴隷制存続を主張する南部州の名称であることを考慮し、この事件後にバンド名をザ・チックス（The Chicks）に改名

Miles Davis　マイルス・デイヴィス

1926 年　US イリノイ州オールトン出身／ジャズ・トランペット奏者　✗ 1991 年 9 月 28 日　享年 65 才（肺炎）

Jaki Liebezeit　ヤキ・リーベツァイト

1938 年　ドイツ・ザクセン州ドレスデン出身／ Can（カン）／ Ds

Levon Helm　レヴォン・ヘルム

1940 年　US アーカンソー州マーヴェル出身／ 1966 年　ボブ・ディランのツアーのバックバンドとしてデビュー／ Ds.Vo ／ The Band（ザ・バンド）／ Ds.Vo　▶ 1978 年　ソロアルバム『Levon Helm』発表　✗ 2012 年 4 月 19 日　享年 71 才（癌）

Ray Ennis　レイ・エニス

1942 年　UK イングランド・マージーサイド州リヴァプール出身／ The Swinging Blue Jeans（ザ・スウィンギング・ブルー・ジーンズ）／ Vo.G　✗ 2005 年 7 月 31 日　享年 65 才

Verden Allen　ヴァーデン・アレン

1944 年　UK ウェールズ・クライナント出身／ Mott the Hoople（モット・ザ・フープル）／ Kb

Garry Peterson　ギャリー・ピーターソン

1945 年　カナダ・マニトバ州ウィニペグ出身／ The Guess Who（ザ・ゲス・フー）／ Ds

Mick Ronson　ミック・ロンソン

1946 年　UK イングランド・ヨークシャー州キングストン・アポン・ハル出身／デヴィッド・ボウイのバンド・ギタリスト　✗ 1993 年 4 月 29 日　享年 46 才（肝臓癌）

Stevie Nicks　スティーヴィー・ニックス

1948 年　US アリゾナ州フェニックス出身／シンガー／ 1975 年　ロスアンゼルスで活動していた Rinsey Buckingham（リンジー・バッキンガム）と Fleetwood Mac（フリートウッド・マック）に参加／ Vo　▶ 1977 年　アルバム『Rumours』（グラミー賞「最優秀アルバム賞」、2012 年時点累計 4,000 万枚以上の売上げ）　▶ 1981 年　ソロアルバム『Bella Donna』

Lenny Kravitz　レニー・クラヴィッツ

1964 年　US ニューヨーク州ニューヨークシティ出身／ロック＆ハードロック・シンガーソングライター　▶ 1998 年　アルバム『5』収録のシングル「Fly Away」（グラミー賞「最優秀ロック・ヴォーカル・パフォーマンス賞」受賞）

Phillip Rhodes　フィリップ・ローズ

1968 年　US アリゾナ州テンペ出身／ Gin Blossoms（ジン・ブロッサムズ）／ Ds ／

1987 年　デビュー

Alan White　アラン・ホワイト
1972 年　UK イングランド・ロンドン出身／ Oasis（オアシス）／ Ds

Sony Music Japan

Lauryn Hill　ローリン・ヒル
1975 年　US ニュージャージー州サウスオレンジ出身／ The Fugees（ザ・フージーズ）
／ Vo　1997 年　ボブ・マーリーの息子ローアンと交際し、妊娠を機にソロ活動に移行
▶ 1998 年　ソロアルバム『The Miseducation of Lauryn Hill』発表／翌年グラミー賞「最
優秀アルバム賞」「最優秀新人賞」を含む 5 部門（女性では当時史上最多記録）を制覇。
これまでに全世界で 1,800 万枚以上のセールスを記録

Isaac Slade　アイザック・スレイド
1981 年　US コロラド州デンバー出身／ The Fray（ザ・フレイ）／ Vo.P　▶ 2005 年
デビューアルバム『How to Save a Life』

✗ Alan White　アラン・ホワイト
2022 年　享年 72 才／ Yes（イエス）／ Ds

✗ Andy Fletcher　アンディ・フレッチャー
2022 年　享年 60 才／ Depeche Mode（デペッシュ・モード）／ Kb.B

27

Bruce Cockburn　ブルース・コバーン
1945 年　カナダ・オンタリオ州オタワ出身／シンガーソングライター　▶ 1970 年
デビューアルバム『Bruce Cockburn』

Eddie Harsch　エディ・ハーシュ
1957 年　カナダ・オンタリオ州トロント出身／ The Black Crowes（ザ・ブラック・ク
ロウズ）／ Kb

Siouxsie Sioux　スージー・スー
1957 年　UK イングランド・ロンドン出身／ Siouxsie and the Banshees（スージー・
アンド・ザ・バンシーズ）／ Vo　▶ 1978 年　アルバム『The Scream』

Neil Finn　ニール・フィン
1958 年　ニュージーランド、テ・アワムツ出身／ Split Enz（スプリット・エンズ）
／ Crowded House（クラウデッド・ハウス）／ Vo.G　▶ 1986 年　シングル「Don't
Dream It's Over」がヒット

Roger Manning　ロジャー・マニング
1966 年　US カリフォルニア州ロスアンゼルス出身／ Jellyfish（ジェリーフィッシュ）
／ Vo

27

Sean Kinney　ショーン・キニー
1966 年 US ワシントン州レントン出身／ Alice In Chains（アリス・イン・チェインズ）
／ Ds

Lisa "Left Eye" Lopes　リサ・レフトアイ・ロペス
1971 年　US ペンシルベニア州フィラデルフィア出身／ TLC（ティー・エル・シー）
✗ 2002 年 4 月 25 日　享年 30 才（自動車事故）

Andre 3000　アンドレ 3000
1975 年　US ジョージア州アトランタ出身／本名：Andre Lauren Benjamins（アンドレ・
ローレン・ベンジャミン）／ Outkast（アウトキャスト）／ Vo　▶ 2003 年　アルバム
『Speaker Boxxx / The Love Below』

✗ Gregg Allman　グレッグ・オールマン
2017 年　享年 69 才（肝臓癌）／ The Allman Brothers Band（ザ・オールマン・ブラザー
ズ・バンド）／ Vo.Org.G

28

T-Bone Walker　T・ボーン・ウォーカー
1910 年　US テキサス州リンデン出身／ブルースの父／ブルース・ギタリスト、シンガー
✗ 1975 年 3 月 16 日　享年 64 才（脳卒中、肺炎）

Gladys Knight　グラディス・ナイト
1944 年　US ジョージア州アトランタ出身／ R&B シンガー／ 1961 年　デビュー　▶
1973 年シングル「Midnight Train to Georgia（夜汽車よ、ジョージアへ）」

John Fogerty　ジョン・フォガティ
1945 年　US カルフォルニア州バークレー出身／ 1968 年　Creedence Clearwater
Revival（CCR：クリーデンス・クリアウォーター・リバイバル）リーダーでデビュー
▶ 1970 年　アルバム『Cosmo's Factory』／ 1972 年　解散　▶ 1973 年　ソロアルバ
ム『The Blue Ridge Rangers』　▶ 1985 年　アルバム『Centerfield』全米 1 位

Leland Sklar　リーランド・スクラー
1947 年　US ウィスコンシン州ミルウォーキー出身／セッション・ベーシストとして
活躍／ジェイムズ・テイラー、キャロル・キング、リンダ・ロンシュタット等のウェス
ト・コースト・アーティストのレコーディングに参加

Arto Lindsay　アート・リンゼイ
1953 年　US ヴァージニア州リッチモンド出身／ギタリスト　▶ 1995 年　ソロアルバ
ム『The Subtle Body』

Roland Gift　ローランド・ギフト
1961 年　UK イングランド・ウェストミッドランズ州バーミンガム出身／ Fine Young
Cannibals（ファイン・ヤング・カニバルズ）／ Vo　▶ 1985 年　アルバム『Fine

Young Cannibals』

Chris Ballew　クリス・バルー
1965 年　US ワシントン州シアトル出身／ The President（ザ・プレジデント）／ Vo.B

Kylie Minogue　カイリー・ミノーグ
1968 年　オーストラリア・ヴィクトリア州メルボルン出身／シンガー　▶ 1988 年
デビューアルバム『Kylie』

Colbie Caillat　コルビー・キャレイ
1985 年　US カリフォルニア州マリブ出身／シンガーソングライター　▶ 2008 年　ア
ルバム『CoCo』

ロック史
⊙ 1974 年　カーペンターズが 3 度目の来日。3 万人募集の武道館公演に 38 万人通
以上の応募ハガキが殺到

29

Irmin Schmidt　イルミン・シュミット
1937 年　ドイツ・ベルリン出身／ Can（カン）／ Kb

Gary Brooker　ゲイリー・ブルッカー
1945 年　UK イングランド・ロンドン出身／ 1967 年　Procol Harum（プロコル・ハルム）
結成／ Vo.P　▶同年　シングル「A Whiter Shade of Pale（青い影）」全英 1 位／ 1977
年　解散　✂ 2022 年 2 月 19 日　他界 76 才（癌）

Francis Rossi　フランシス・ロッシ
1949 年　UK イングランド・ロンドン出身／ Status Quo（ステイタス・クォー）／
Vo.G ／ 1968 年デビュー　▶ 1973 年　アルバム『Hello!』

Mike Porcaro　マイク・ポーカロ
1955 年　US コネチカット州ハートフォード出身／ TOTO（トト）／ B　✂ 2015 年 3
月 15 日　享年 59 才（筋委縮性側索硬化症）

Mel Gaynor　メル・ゲイナー
1959 年　UK イングランド・ロンドン出身／ Simple Minds（シンプル・マインズ）／ Ds

Melissa Etheridge　メリッサ・エスリッジ
1961 年　US カンザス州レブンウォース出身／ロック・シンガー　▶ 1988 年　デビュー
アルバム『Melissa Etheridge』　▶ 1992 年　アルバム『Never Enough』収録のシング
ル「Ain't It Heavy」がグラミー賞受賞

Noel Gallagher　ノエル・ギャラガー
1967 年　UK イングランド・グレーターマンチェスター州マンチェスター出身　1993

29

Sony Music Japan

年　Oasis（オアシス）結成／ G　▶ 1994 年　デビューアルバム『Definitely Maybe』
▶ 1995 年　アルバム『(What's the Story) Morning Glory?』／ 2009 年　解散／ 2011
年　Noel Gallagher's High Flying Birds（ノエル・ギャラガーズ・ハイ・フライング・バー
ズ）結成　▶同年　アルバム『Noel Gallagher's High Flying Birds』

Chan Kinchla　チャン・キンクラ

1969 年　カナダ・オンタリオ州ハミルトン出身／ Blues Traveler（ブルース・トラヴェ
ラー）／ G

✗ Jeff Buckley　ジェフ・バックリィ

1997 年　享年 30 才（水泳中溺死）／フォーク・シンガーソングライター

✗ Doc Watson　ドク・ワトソン

2012 年　享年 89 才／盲目のギタリスト

✗ B.J. Thomas　B.J. トーマス

2021 年　享年 78 才（肺癌）／カントリー・ポップシンガー

30

Lenny Davidson　レニー・デヴィッドソン

1944 年　UK イングランド・ミドルセックス州エンフィールド出身／ The Dave Clark
Five（ザ・デイヴ・クラーク・ファイヴ）／ G

Topper Headon　トッパー・ヒードン

1955 年　UK イングランド・ケント州ブロムリー出身／ The Clash（ザ・クラッシュ）
／ Ds

Marie Fredriksson　マリー・フレデリクソン

1958 年　スウェーデン・スコーネ県エンゲルホルム出身／ Roxette（ロクセット）の
ヴォーカル　▶ 1989 年　シングル「The Look」（全米シングルチャート 1 位）　▶
2019 年 12 月 9 日　享年 61 才（脳腫瘍）

Stephen Duffy　ステファン・ダフィ

1960 年　UK イングランド・ウェストミッドランズ州バーミンガム・アラムロック出
身／ The Lilac Time（ザ・ライラック・タイム）／ Vo.G　▶ 1987 年　デビューアルバ
ム『The Lilac Time』

Sony Music Japan

Tom Morello　トム・モレロ

1964 年　US ニューヨーク州ニューヨークシティ・ハーレム出身／ Rage Against the
Machine（レイジ・アゲインスト・ザ・マシーン）／ G　▶ 1999 年　アルバム『The
Battle of Los Angeles』

Tim Burgess　ティム・バージェス

1967 年　UK イングランド・グレーターマンチェスター州サルフォード出身／ 1990

年　The Charlatans（ザ・シャーラタンズ）／ Vo　▶同年　デビューアルバム『Some Friendly』

✗ Carl Radle　カール・ラドル
1980 年　享年 37 才（麻薬中毒性腎臓疾患）／ Derek & The Dominos（デレク＆ザ・ドミノス）／ B

✗ John Cipollina　ジョン・シポリナ
1989 年　享年 45 才（遺伝子疾患）／ Quicksilver Messenger Service（クイックシルヴァー・メッセンジャー・サーヴィス）／ G

社会史
　　・1972 年　イスラエルのテルアビブ空港で日本赤軍による銃乱射事件発生

31

Peter Yarrow　ピーター・ヤーロウ
1938 年　US ニューヨーク州ニューヨークシティ出身／ Peter, Paul & Mary（ピーター・ポール＆マリー）　▶ 1962 年　アルバム『Peter, Paul & Mary』

Mick Ralphs　ミック・ラルフス
1944 年　UK イングランド・ハートフォードシャー州ストークレイシー出身／ Bad Company（バッド・カンパニー）／ G ／ 1974 年　デビュー

John Bouham　ジョン・ボーナム
1948 年　UK イングランド・ウスターシャー州レディッチ出身／ 1969 年　Led Zeppelin（レッド・ツェッペリン）／ Ds でデビュー　▶ 1971 年　アルバム『Led Zeppelin Ⅳ』　▶ 1980 年 9 月 25 日　享年 33 才（就寝中の窒息死、多量飲酒による肺水腫）

Karl Bartos　カール・バルトス
1952 年　ドイツ・バイエルン州ベルヒテスガーデン出身／ Kraftwerk（クラフトワーク）／ Kb

Corey Hart　コリー・ハート
1962 年　カナダ・ケベック州モントリオール出身／ロック・シンガー　▶ 1984 年　シングル「Sunglasses at Night」　▶ 1996 年　アルバム『Corey Hart』

Wendy Smith　ウェンディ・スミス
1963 年　UK イングランド、タイン・アンド・ウィア州ニューカッスル出身／ Prefab Sprout（プリファブ・スプラウト）／ Vo　▶ 1984 年 デビューアルバム『Swoon』

Darryl McDaniel　ダリル・マクダニエル
1964 年　US ニューヨーク州ニューヨークシティ・クイーンズ出身／ Run-D.M.C.（ラン DMC）／ DMC

31

Steve White　スティーヴ・ホワイト
1965 年　UK イングランド・ロンドン出身／ The Style Council（ザ・スタイル・カウンシル）／ Ds

Andy Hurley　アンディ・ハーレー
1980 年　US イリノイ州シカゴ出身／ Fall Out Boy（フォール・アウト・ボーイ）／ Ds ／ 2001 年　デビュー

ロック史

⊙ 1974 年　カーペンターズが 2 度目の日本公演を開催。武道館公演ではひばり児童合唱団と、京都では地元の合唱団（リチャードが「Kyoto Children's Choir」と紹介）と「Sing」を日本語で歌った

Column 3

ベビーブーマー世代が創った反戦歌

2022 年 2 月に始まったロシアによるウクライナ侵攻。両国の激しい戦闘は、半年が経った執筆現在（同年 11 月）もさらなる長期化が危惧されている。過去には、各時代の反戦メッセージを歌詞に込めたプロテスト・ソングが多く歌われてきた。特にベトナム戦争（1955 ～ 75 年）への反戦歌は "名もなき兵士" の戦地へ向かう悲しみや黙示録的内容が多く、若者たちの大きなムーブメントに繋がっていった。以下に、各年別の反戦歌 34 曲をまとめてみた。

1950-60年代

● ピーター・ポール＆マリー「Where Have All the Flowers Gone?（花はどこへ行った）」（1962、カバー曲）
　※原曲：ピート・シーガー（1955）
● ピーター・ポール＆マリー「Cruel War（悲惨な戦争）」（1962）
● ボブ・ディラン「Blowin' in the Wind（風に吹かれて）」（1962）
● ボブ・ディラン「Masters of War（戦争の親玉）」（1963）
● ピーター・ポール＆マリー「Gone the Rainbow（虹とともに消えた恋）」（1963）
　※原曲：17 世紀のアイルランドで歌われていた「Siúil A Rúin（シューラルー）」が原曲といわれる。当時の英仏間の戦争では、イングランドに虐げられてきたアイルランド人も駆り出されてしまう。愛する人を戦争で奪われた女性たちが、イングランド人にはわからないゲール語でコーラス部分を歌ったという。その後アイルランド移民によってアメリカに伝わり、異なったタイトルの歌となって独立戦争時によく歌われた。PP&M はこの歌をベトナム戦争の反戦歌として歌った。4 世紀にわたり、時代を超えて歌い継がれてきた奇跡的な反戦歌
● バリー・マクガイア「Eve of Destruction（明日なき世界）」（1965）

※ 1988 年に RC サクセションが日本語でカバー
● ザ・ビートルズ「All You Need Is Love（愛こそがすべて）」（1967）
● ザ・ドアーズ「The Unknown Soldier（名もなき兵士）」（1968）
● ジョン・レノン（プラスティック・オノ・バンド）「Give Peace a Chance（平和を我等に）」（1969）
● ジェファーソン・エアプレイン「Volunteers」（1969）
　※はっきりと反体制を歌った最初のバンドといわれる
● ザ・アニマルズ「Sky Pilot」（1968）
● クリーデンス・クリアウォーター・リバイバル「Fortunate Son」（1969）
● ピーター・ポール＆マリー「Leaving on a Jet Plane（悲しみのジェット・プレーン）」（1969）
　※作詞・作曲：ジョン・デンヴァー
● ザ・ローリング・ストーンズ「Gimme Shelter」（1969）

1970年代

● エドウィン・スター「War（黒い戦争）」（1970）
　※ブルース・スプリングスティーンがイラン・イラク戦争の反戦歌としてカバー（1986）
● クリーデンス・クリアウォーター・リバイバル「Have You Ever Seen the Rain?（雨を見たかい）」（1970）
　※「雨」がベトナム戦争での北爆のナパーム弾のことと解釈され、全米で放送禁止となる。のちにジョン・フォガティは、反戦歌であることを否定している
● ディープ・パープル「Child in Time」（1970）
　※ベトナム戦争が背景にあり、敵味方関係なく殺す "核の脅威" にも触れている。今だからこそ小さくても声をあげることが大切だというメッセージが込められている
● ブラック・サバス「War Pigs」（1970）
● ジミ・ヘンドリックス「Machine Gun」（1970）

- マーヴィン・ゲイ「What's Going On」(1971)
- グランド・ファンク・レイルロード「People, Let's Stop the War（戦争をやめよう）」(1971)
- ジョン・レノン「Imagine」(1971)
- ジョン・レノン「I Don't Want to Be a Soldier（兵隊にはなりたくない）」(1971)
- ジョン・レノン＆オノ・ヨーコ「Happy Xmas (War Is Over)［戦争は終った］」(1971)
- ブレッド「This Isn't What the Government」(1972)
- シカゴ「Dialogue」(1972)
- エルトン・ジョン「Daniel」(1973)
  ※ベトナム戦争で失明した退役軍人が題材。戦後に故郷に帰り英雄扱いされるが、その喧騒を逃れるようにスペインに旅立つ兄を弟の視点から描いている。作詞のバーニー・トーピンは、出征前の普通の生活にただ戻りたいだけの帰還兵達を思いやるべき何かを書きたかったと述べている
- イエス「The Gates of Delirium（錯乱の扉）」(1974)

1980年代

- ネーナ「99 Luftballons（ロックバルーンは99）」(1983)

- U2「Sunday Bloody Sunday」(1983)
  ※北アイルランドのロンドンデリーで、デモ行進中の市民がイギリス陸軍に銃撃された「血の日曜日事件」をテーマにした曲。地区の名をとって「ボグサイドの虐殺」とも呼ばれる。IRA暫定派は1970年からイギリス統治に対する反対運動を行なっており、イギリス軍が非武装の市民を殺傷したこの事件は、現代アイルランド史における重要な一幕となって残る
- カルチャー・クラブ「The War Song（戦争のうた）」(1984)
- ブルース・スプリングスティーン「Born in the U.S.A.」(1984)
  ※ベトナム戦争とその帰還兵のことを歌った反戦歌。しかし、そのタイトルから時の大統領ロナルド・レーガンが選挙活動で利用しようとしたのをブルースは拒否。大ヒットしたこともあり、政治家やあらゆる愛国者のスローガンとして利用される危険性も常にあった曲
- スティング「Russians」(1985)
  ※東西冷戦へのプロテスト・ソング
- ジョニー・ヘイツ・ジャズ「I Don't Want to Be a Hero（反逆のヒーロー）」(1987)
  ※80年代のイギリスとアルゼンチン間の「フォークランド紛争」への反戦歌

6

June

The
Rock
Musicians'
Birthday
Encyclopedia

June

PAUL McCARTNEY　ポール・マッカートニー
1942 年 6 月 18 日
UK イングランド・マージーサイド州リヴァプール出身

　綿花のセールスマンの父と看護婦の母との間に生まれる。労働者階級の温かい家庭環境で育つが 14 才の時、母を乳癌で失う。ジョン・レノンも同様に母を失ったことで、ふたりは精神的に強く結ばれていった。父親ジムはアルバイトでジャズ・バンドを組み、家にあったピアノをポールは弾いていたが、歌を歌いたくて聖歌隊に入る。リヴァプール・イン

1

BRIAN WILSON　ブライアン・ウィルソン
1942 年 6 月 20 日
US カリフォルニア州イングルウッド出身

　幼少期から音楽の才能を発揮していたが、ある日両親が旅行する時に置いていった食費代で彼は楽器を買ってしまう。10 代で弟のデニス、カール、従弟のマイク・ラヴ、友人のアル・ジャーディンとバンドを結成。1961 年、ザ・ビーチ・ボーイズとしてデビュー曲「Surfin'」を発表する。しかし子

2

Monterey Pop Festival
モントレー・ポップ・フェスティバル
1967 年 6 月 16 〜 18 日
US カリフォルニア州モントレー

世界中でベトナム反戦運動が盛り上がる中、「LOVE & PEACE」を掲げて開催されたアメリカ初の大規模ロック・フェスティバル。30 組以上のミュージシャンが出演し、ヒッピー文化の多様性主義も受け入れたこのイベントは現在のロック・フェスの源流となったとされる。出演者は、ジェファーソン・エアプレイン、ドアーズ、ザ・ママス＆ザ・パパス、ジミ・

3

スティテュート（大学予備課程の中学校）在学中の成績は常に良かったものの、大学への進学よりも漠然と芸術家として自由に生きることを夢見ていた。14 才の頃、エルヴィスの「Heartbreak Hotel」を聴いて衝撃を受ける。一番影響を受けたアーティストであるバディ・ホリーに感化され、ザ・ビートルズでは自分たちの歌う曲を自作するようになる。15 才の時にリヴァプール・インスティテュートでジョン・レノンに出会い、バンド「ザ・クオリーメン」に参加。音楽にのめりこみすぎたため、学校の成績は落ちてしまう。その後、西ドイツの歓楽街ハンブルクなどのクラブで昼夜のライヴ活動を続け、バンドとしての実力をつけていく。そして 1962 年、ザ・ビートルズとしてレコードデビューする。

供の頃の父親マリー・ウィルソンの精神的・肉体的虐待に心のバランスを崩してしまう。父親の殴打により片耳が聴こえなくなったことが原因でステレオ・ミキシングに違和感を持ち、60 年代後半までモノラル録音でアルバムを制作していた。父親がザ・ビーチ・ボーイズのマネージャーや楽曲管理会社の株主にもなったことで、その後も様々な圧力を受ける。

ヘンドリックス、ジャニス・ジョップリン、ザ・フー、サイモン & ガーファンクル、ブッカー・T & ザ・MGS、グレイトフル・デッド他多数。ソウル界からオーティス・レディング、特別ゲストにシタール奏者のラヴィ・シャンカルが出演。最終日はザ・フーの強烈なパフォーマンスのあと、ジミ・ヘンドリックスが歯でギターを弾き、スピーカーを破壊、最後には火をつけて燃やすという伝説のパフォーマンスを見せた。ザ・フー、ジミ・ヘンドリックス、ジャニス・ジョップリンが世界デビューするきっかけとなった他、多数のミュージシャンのキャリアの転機となる大規模イベントになった。3 日間の動員数は 20 万人以上。

1

Ron Wood ロン・ウッド
1947 年　UK イングランド・ロンドン出身／ Jeff Beck Group（ジェフ・ベック・グループ）、Faces（フェイセズ）を経て、1976 年　The Rolling Stones（ザ・ローリング・ストーンズ）に加入／ G　▶ 1978 年　アルバム『Some Girls』

Alanis Morissette アラニス・モリセット
1974 年　カナダ・オンタリオ州オタワ出身／シンガーソングライター　▶ 1991 年デビューアルバム『Alanis』

Alan Wilder アラン・ワイルダー
1959 年　UK イングランド・ロンドン出身／ Depeche Mode（デペッシュ・モード）／ Kb.Ds

Simon Gallup サイモン・ギャラップ
1960 年　UK イングランド・サリー州ダックスハースト出身／ The Cure（ザ・キュアー）／ B

Mike Joyce マイク・ジョイス
1963 年　UK イングランド・グレーターマンチェスター州マンチェスター・ファロウフィールド出身／ The Smiths（ザ・スミス）／ Ds

Damon Minchella デーモン・ミンケラ
1969 年　UK イングランド・マージーサイド州リヴァプール出身／ Ocean Colour Scene（オーシャン・カラー・シーン）／ B

> **ロック史**

> ⊙ 1967 年　ザ・ビートルズがアルバム『Sgt. Pepper's Lonely Hearts Club Band』を発表。前年の全米ツアー以降、コンサートを停止し、スタジオでの音楽制作に没頭し完成させる。全英 1 位 22 週、全米 1 位 15 週達成。世界中でヒットし、彼らの最高傑作といわれることが多い。ピーター・ブレイク制作のアルバム・ジャケットも現代アート作品として素晴らしく見応えがあり、彼らが選んだ各国の代表人物・逸品・珍品が大集合している

2

Charlie Watts チャーリー・ワッツ
1941 年　UK イングランド・ロンドン出身／ 1963 年　The Rolling Stones（ザ・ローリング・ストーンズ）でデビュー／ Ds　▶ 1964 年　デビューアルバム『The Rolling Stones』　▶ 1991 年　ジャズ・ソロアルバム『From One Charlie』　✗ 2021 年 8 月 24 日　享年 80 才（死因発表なし／ 2004 年咽頭癌）

Steve Brookins スティーブ・ブルッキンス
1951 年　US フロリダ州ジャクソンヴィル出身／ 38 Special（38 スペシャル）／ Ds

Michael Steele マイケル・スティール
1955 年　US カリフォルニア州パサディナ出身／ The Runaways（ザ・ランナウェイズ）、
The Bangles（ザ・バングルス）／ B

Tony Hadley トニー・ハドリー
1960 年　UK イングランド・ロンドン出身／ Spandau Vallet（スパンダー・バレエ）／
Vo ▶ 1983 年　アルバム『True』がヒット

Jason Falkner ジェイソン・フォークナー
1968 年　US カリフォルニア州ロスアンゼルス出身／ Jerryfish（ジェリーフィッシュ）
／ Vo ▶ 1996 年　ソロアルバム『Author Unknown』

Tim Rice-Oxley ティム・ライス・オクスリー
1976 年　UK イングランド・オックスフォードシャー州オックスフォード出身／ Keane
（キーン）／ Kb.B

Fabrizio Moretti ファブリツィオ・モレッティ
1980 年　ブラジル・リオデジャネイロ出身／ The Strokes（ザ・ストロークス）／ Ds

✗ Vince Welnick ヴィンス・ウェルニック
2006 年　享年 55 才（自殺）／ Grateful Dead（グレイトフル・デッド）

✗ Bo Diddley ボ・ディドリー
2008 年　享年 79 才（心不全）／シンガー、ギタリスト

社会史
⊙ 2022 年　英国エリザベス女王（96 才）即位 70 周年を祝う「プラチナ・ジュビリー」
がこの日から 4 日間英国各地で開催され、祝賀ムードに包まれた。ロンドンは初
夏の天候に恵まれ、近衛兵らのパレードや歴史ある空軍部隊の飛行デモンストレー
ション等の様々な行事が開催された

3

Ian Hunter イアン・ハンター
1939 年　UK イングランド・シュロップシャー州オスウェストリー出身／ Mott the
Hoople（モット・ザ・フープル）／ Vo.G ▶ 1972 年　アルバム『All the Young Dudes（す
べての若き野郎ども）』（デヴィッド・ボウイがプロデュース）

Curtis Mayfield カーティス・メイフィールド
1942 年　US イリノイ州シカゴ出身／ R&B シンガー　／ 1957 年　The Impressions（ザ・
インプレッションズ）のリーダー／ 1970 年　ソロ活動／映画『スーパーフライ』のサ
ウンドトラックを手掛けヒット　✗ 1999 年 12 月 26 日　享年 57 才（糖尿病合併症）

Michael Clarke マイケル・クラーク
1946 年　US ワシントン州スポケイン出身／ The Byrds（ザ・バーズ）／ Ds ✗ 1993

年 12 月 19 日　享年 47 才（アルコールによる肝不全）

Suzi Quatro　スージー・クアトロ
1950 年　US ミシガン州デトロイト出身／ロック・シンガー　▶ 1973 年　デビューア
ルバム『Suzi Quatro』　▶ シングル「Can the Can」がヒット

Deniece Williams　デニス・ウィリアムズ
1951 年　US インディアナ州ゲーリー出身／ R&B シンガー　▶ 1976 年　デビューア
ルバム『This Is Niecy』

Billy Powell　ビリー・パウエル
1952 年　US テキサス州コーパス・クリスティ出身／ Lynyrd Skynyrd（レーナード・
スキナード）／ Kb　✗ 2009 年 1 月 28 日　享年 56 才（心臓発作）

Dan Hill　ダン・ヒル
1954 年　カナダ・オンタリオ州トロント出身／シンガーソングライター　▶ 1977 年
シングル「Sometimes When We Touch」

Danny Wilde　ダニー・ワイルド
1956 年　US メーン州ヒューストン出身／ The Rembrandts（ザ・レンブランツ）／
Vo.G　▶ 1990 年　アルバム『The Rembrandts』

David Cole　デイヴィッド・コール
1962 年　US テネシー州ジョンソンシティ出身／ C+C Music Factory（C+C ミュージッ
ク・ファクトリー）／ Kb　✗ 1995 年 1 月 24 日　享年 30 才（エイズによる髄膜炎）

Kerry King　ケリー・キング
1964 年　US カリフォルニア州ロスアンゼルス出身／ Slayer（スレイヤー）／ G ／
1983 年　デビュー

Kelly Jones　ケリー・ジョーンズ
1974 年　UK ウェールズ・クママン出身／ Stereophonics（ステレオフォニックス）／
G.Vo　▶ 1999 年　アルバム『Performance and Cocktails』

Russel Hobbs　ラッセル・ホブス
1975 年　US ニューヨーク州ニューヨークシティ・ブルックリン出身／ Gorillaz（ゴリ
ラズ）／ Ds

✗ Andrew Gold　アンドリュー・ゴールド
2011 年　享年 59 才（心不全）／シンガーソングライター

Michelle Phillips　ミッシェル・フィリップス
1944 年　US カリフォルニア州ロングビーチ出身／ The Mama's & The Papa's（ザ・

ママス＆ザ・パパス）　▶ 1965 年　シングル「California Dreamin'」

Roger Ball　ロジャー・ボール
1944 年　UK スコットランド・ダンティー州ブロウティ・フェリー出身／ The Average White Band（ザ・アヴェレージ・ホワイト・バンド）／ Sax

Gordon Waller　ゴードン・ウォーラー
1945 年　UK スコットランド・アバディーン州ブレイマー出身／ Peter & Gordon（ピーター＆ゴードン）　▶ 1964 年　アルバム『I Go to Pieces』　☒ 2009 年 7 月 17 日　享年 64 才（心臓発作）

Jimmy McCulloch　ジミー・マカロック
1953 年　UK スコットランド・グラスゴー出身／ Wings（ウイングス）／ G　▶ 1975 年　「Medicine Jar」（『Venus and Mars』収録）／ Vo　☒ 1979 年 9 月 27 日　享年 26 才（ヘロイン過剰摂取）

El DeBarge　エル・デバージ
1961 年　US ミシガン州デトロイト出身／ R&B シンガー　▶ 1986 年　ソロアルバム『El Debarge』

Dmitry Brill　ディミトリ・ブリル
1964 年　ロシア・キエフ出身／ Deee-Lite（ディー・ライト）／ DJ ／ 1990 年　デビュー

Mikael Jorgensen　マイケル・ヨルゲンセン
1972 年　US イリノイ州シカゴ出身／ Wilco（ウィルコ）／ Kb

Stephan Lessard　ステファン・レザード
1974 年　US カリフォルニア州アナハイム出身／ Dave Matthews Band（デイヴ・マシューズ・バンド）／ B

☒ Ronnie Lane　ロニー・レーン
1997 年　享年 51 才 (多発性脳脊髄硬化症) ／ Faces（フェイセズ）のオリジナルメンバー／ B.Vo.Com

☒ Joey Covington　ジョーイ・コヴィントン
2013 年　享年 67 才／ Jefferson Airplane（ジェファーソン・エアプレイン）／ Ds

☒ Steve Priest　スティーヴ・プリースト
2020 年　享年 72 才／ The Sweet（ザ・スウィート）

ロック史

・ 2012 年　「エリザベス女王即位 60 年記念イベント」開催。「クイーン・ゴールデン・ジュビリー・BBC コンサート」がバッキンガム宮殿で開催される。BBC とバンド「テイク・ザット」のゲイリー・バーロウが中心となり実施。エルトン・ジョン、ポー

4

ル・マッカートニー、スティーヴィー・ワンダーなど人気歌手からピアニストのラン・ランまで、幅広いミュージシャンが集結。BBC1 および BBC ラジオ 2 で生中継された

- 2022 年 「エリザベス女王即位 70 年記念イベント」開催。「プラチナ・パーティ・アット・ザ・パレス」がバッキンガム宮殿で行われ、ライヴ・コンサートでは、クイーン＋アダム・ランバート、ロッド・スチュワート、エルトン・ジョン、ダイアナ・ロス、デュラン・デュラン、アリシア・キーズ、アンドリュー・ロイド・ウェイバー、ナイル・ロジャース等大勢のミュージシャンが女王の即位 70 年をお祝いした

社会史

- ◉ 1989 年 六四天安門事件（第二次）。北京市にある天安門広場に民主化を求めて集結していたデモ隊に対して軍隊が武力行使し、多数の死傷者を出した事件。「天安門事件」と呼称する場合は、通常この事件を指す

5

Michael Davis　マイケル・デイヴィス
1943 年 US ミシガン州ウェイン郡出身／MC5（エム・シー・ファイヴ）／B ✂
2012 年 2 月 17 日　享年 68 才（肝不全）

Freddie Stone　フレディ・ストーン
1947 年　US カリフォルニア州ヴァレージョ出身／ Sly & The Family Stone（スライ＆ザ・ファミリー・ストーン）／ G　▶ 1971 年　アルバム『There's a Riot Goin' On』

Laurie Anderson　ローリー・アンダーソン
1947 年　US イリノイ州グレンイーリン出身／パフォーマンス・アーティスト／Vo.Kb.Per　▶ 1982 年 デビューアルバム『Big Science』

Tom Evans　トム・エバンズ
1947 年　UK イングランド・マージーサイド州リヴァプール出身／ Badfinger（バッドフィンガー）／ Vo.G.B ／ 1968 年　デビュー　▶ 1971 年　シングル「Day After Day」✂ 1983 年 11 月 19 日　享年 36 才（自殺）

Nicko McBrain　ニコ・マクブレイン
1952 年　UK イングランド・ロンドン出身／ Iron Maiden（アイアン・メイデン）／ Ds

Richard Butler　リチャード・バトラー
1956 年　UK サリー州キングストン・アポン・テムズ出身／ The Psychedelic Furs（ザ・サイケデリック・ファーズ）／ Vo

Kenny G　ケニー・G
1965 年　US ワシントン州シアトル出身／サックス・ミュージシャン　▶ 1986 年　アルバム『Duotones』

Brian McKnight　ブライアン・マックナイト

1969 年　US ニューヨーク州エリー郡バッファロー出身／R&B・ポップス・シンガーソングライター　▶ 1992 年　デビューアルバム『Brian McKnight』　▶ 1999 年　アルバム『Back at One』

Claus Norreen　クラウス・ノリーン
1970 年　デンマーク・コペンハーゲン市コペンハーゲン出身／Aqua（アクア）／G ／ 1996 年　デビュー

Pete Wentz　ピート・ウェンツ
1979 年　US イリノイ州シカゴ出身／Fall Out Boy（フォール・アウト・ボーイ）／B

Sebastien Lefebvre　セバスチャン・ルフェーヴル
1981 年　カナダ・ケベック州モントリオール出身／Simple Plan（シンプル・プラン）／ G ／ 2002 年　デビュー

✗ Dee Dee Ramone　ディー・ディー・ラモーン
2002 年　享年 49 才（ヘロイン中毒）／The Ramones（ザ・ラモーンズ）／ B

✗ Alec John Such　アレック・ジョン・サッチ
2022 年　享年 70 才（肝硬変）／Bon Jovi（ボン・ジョヴィ）／ B

社会史
⊙ 1981 年　アメリカ疾病予防管理センター（CDC）が最初のエイズ発生例を発見

6

Gary U.S. Bonds　ゲイリー U.S. ボンド
1939 年　US フロリダ州ジャクソンヴィル出身／本名：Gary Levone Anderson（ゲイリー・レヴォン・アンダーソン）　▶ 1960 年　デビューシングル「New Orleans」　▶ 1981 年　アルバム『Dedication』（ブルース・スプリングスティーンのプロデュース）

Edgar Froese　エドガー・フローゼ
1944 年　ドイツ・ベルリン出身　／ドイツのアーティスト／電子音楽の先駆者（ジャーマン・サイケ）／Tangerine Dream（タンジェリン・ドリーム）／Kb　▶ 1970 年　デビューアルバム『Electronic Meditation』　✗ 2015 年 1 月 20 日　享年 70 才（肺血栓塞栓症による突然死）

Richard Sinclair　リチャード・シンクレア
1948 年　UK イングランド・ケント州カンタベリー出身／Caravan（キャラヴァン）／ B ／ 1968 年　デビュー

Steve Vai　スティーヴ・ヴァイ
1960 年　US ニューヨーク州ナッソー郡カールプレイス出身／Alcatrazz（アルカトラズ）／ G ／フランク・ザッパ門下生のひとり

Jan Feb Mar Apr May Jun Jul Aug Sep Oct Nov Dec

6

Murdoc Niccals　マードック・ニコルス

1966 年　UK イングランド・スタッフォードシャー州ストーク・オン・トレント出身／Gorillaz（ゴリラズ）／B（ヴァーチャル・バンド）

James Shaffer　ジェイムス・シェファー

1970 年　US カリフォルニア州ベイカーズフィールド出身／Korn（コーン）／G

Uncle Kracker　アンクル・クラッカー

1974 年　US ミシガン州マウントクレメンス出身／ロック・シンガー　▶ 2000 年　デビューアルバム『Double Wide』

Carl Barat　カール・バラー

1978 年　UK イングランド・ハンプシャー州ベイジングストーク出身／The Libertines（ザ・リバティーンズ）／Vo.G　▶ 2002 年　アルバム『Up the Bracket』

Kyle Falconer　カイル・ファルコナー

1987 年　UK スコットランド・ダンディー州ドライバーグ出身／The View（ザ・ヴュー）／ G.Vo

Ross MacDonald　ロス・マクドナルド

1989 年　UK イングランド・チェシャー州ウィルムスロー出身／The 1975（ザ・ナインティーン・セヴンティ・ファイヴ）／B

✘ Robin Crosby　ロビン・クロスビー

2002 年　享年 42 才（エイズ／ヘロイン過剰摂取）／Ratt（ラット）／G

✘ Billy Preston　ビリー・プレストン

2006 年　享年 59 才（腎臓病）／キーボード奏者／ザ・ビートルズ、ローリング・ストーン等と共演

✘ Marvin Isley　マーヴィン・アイズレー

2010 年　享年 57 才（糖尿病合併症）／The Isley Brothers（ザ・アイズレー・ブラザーズ）／B

✘ Dr. John　ドクター・ジョン

2019 年　享年 77 才（心臓発作）／シンガーソングライター

✘ Jim Seals　ジム・シールズ

2022 年　享年 80 才（慢性疾患）／Seals & Crofts（シールズ＆クロフツ）のメンバー

ロック史

- ⊙ 1971 年　ザ・ビートルズも出演したアメリカのテレビ番組『エド・サリバンショー』が放送終了
- ⊙ 1982 年　反核コンサート「ピース・サンデー・ウィ・ハヴ・ア・ドリーム」が開

催される（米カリフォルニア州パサディナローズボウル、85,000 人動員）。出演：
CSNY、ボブ・ディラン、ジャクソン・ブラウン、スティーヴィー・ワンダー、ジョー
ン・バエズ、スティーヴィー・ニックス、リンダ・ロンシュタット、ベット・ミド
ラー、トム・ペティ他

⊙ 1987 年 デヴィッド・ボウイがドイツ西側の壁ギリギリでコンサートを開催。5,000
人もの東ドイツの若者が国境（壁）の旧国会議事堂前に集まり、必死で聴き入った。
東ドイツ側にも向けられたスピーカーからは、ベルリンの壁で落ち合う恋人同士を
見て書かれた曲といわれる名曲「Heroes」が流れ、若者たちはボウイと一緒に大合
唱する。このコンサートから 1 週間後、レーガン米大統領が旧ソ連ゴルバチョフ書
記長に壁の取り壊しを申し入れた

社会史

⊙ 1968 年 米ロバート・ケネディ大統領がロスアンゼルスでパレード中、銃で暗殺
される。享年 42 才

7

Tom Jones トム・ジョーンズ
1940 年 UK ウェールズ・グラモーガン・ポンティプリッド出身／本名：Thomas
Jones Woodward（トーマス・ジョーンズ・ウッドワード）／シンガー ▶ 1965 年
シングル「What's New Pussycat」

Sony Music Japan

Paddy McAloon パディ・マクアルーン
1957 年 UK イングランド・ダラム州ダラム出身／シンガーソングライター／ Prefab
Sprouts（プリファブ・スプラウト）／ Vo.G ／ 1984 年 デビュー ▶ 1988 年 アル
バム『From Langley Park to Memphis』

Warner Music Japan

Prince プリンス
1958 年 US ミネソタ州ミネアポリス出身／本名：Prince Rogers Nelson（プリンス・
ロジャーズ・ネルソン）▶ 1978 年 デビューアルバム『For You』▶ 1982 年 アル
バム『1999』がヒット ▶ 1984 年 サントラアルバム『Purple Rain』（全米 1 位）✗
2016 年 4 月 21 日 享年 57 才（鎮痛剤過剰投与）

Eric Kretz エリック・クレッツ
1966 年 US カリフォルニア州サンホセ出身／ Stone Temple Pilots（ストーン・テンプ
ル・パイロッツ）／ Ds

Dave Navarro デイヴ・ナヴァロ
1967 年 US カリフォルニア州ロスアンゼルス出身／ Jane's Addiction（ジェーンズ・
アディクション）／ G ／ 1987 年 デビュー

✗ Stuart Cable スチュアート・ケーブル
2010 年 享年 40 才（飲酒後の就寝中窒息死）／ Stereophonics（ステレオフォニックス）
／ Ds

✗ Bob Welch ボブ・ウェルチ

2012 年 享年 67 才（自殺）／ Fleetwood Mac（フリートウッド・マック）／ G.Vo

　⊙ 1963 年 ザ・ローリング・ストーンズ、シングル「Come On」でデビュー

　⊙ 2006 年 NTT ドコモ「着うたフル」サービス開始（シングル CD から配信ダウンロードの時代へ急加速）

8

Chuck Negron チャック・ネグロン

1942 年 US ニューヨーク州ニューヨークシティ・マンハッタン出身／ Three Dog Night（スリー・ドッグ・ナイト）／ Vo.G

Boz Scaggs ボズ・スキャッグス

Sony Music Japan

1944 年 US オハイオ州キャントン出身／本名：William Royce Scaggs（ウィリアム・ロイス・スキャッグス）／ Steve Miller Band（スティーヴ・ミラー・バンド）Vo.G を経てソロデビュー／アダルト・コンテンポラリーを代表するシンガー（AOR の旗手）▶ 1969 年 アルバム『Boz Scaggs』 ▶ 1974 年 アルバム『Slow Dancer』 ▶ 1976 年 アルバム『Silk Degrees』全米 2 位

Bonnie Tyler ボニー・タイラー

1951 年 UK ウェールズ、ニース・ポート・タルボット州スケーウェン出身／本名：Gaynor Hopkins（ゲイナー・ホプキンス）／シンガー ▶ 1978 年 シングル「It's a Heartache」

Greg Ginn グレッグ・ギン

1954 年 US アリゾナ州タクソン出身／ Black Flag（ブラック・フラッグ）／ G ▶ 1981 年 デビューアルバム『Damaged』

Mic Hucknall ミック・ハックネル

1960 年 UK イングランド・グレーターマンチェスター州マンチェスター出身／ Simply Red（シンプリー・レッド）／ Vo ▶ 1985 年 アルバム『Picture Book』

Nick Rhodes ニック・ローズ

1962 年 UK イングランド・ウェストミッドランズ州バーミンガム・モズリー出身／ Duran Duran（デュラン・デュラン）／ Kb

Neil Mitchell ニール・ミッチェル

1965 年 UK スコットランド・アーガイル・アンド・ビュート区ヘレンズバラ出身／ Wet Wet Wet（ウェット・ウェット・ウェット）／ Kb

Kanye West カニエ・ウェスト

1977 年　US ジョージア州アトランタ出身／ソングライター、プロデューサー、ラッパー
▶ 2004 年　デビューアルバム『The College Dropout』

Sony Music Japan

Derek Trucks　デレク・トラックス
1979 年　US テキサス州ジャクソンヴィル出身／ The Allman Brothers Band（ザ・オールマン・ブラザーズ・バンド）G ／ Tedeschi Trucks Band（テデスキ・トラックス・バンド）G ▶ 1997 年　アルバム『The Derek Trucks Band』

✘ Danny Kirwan　ダニー・カーワン
2018 年　享年 68 才（肺炎）／ Fleetwood Mac（フリートウッド・マック）／ G

9

Les Paul　レス・ポール
1915 年　US ウィスコンシン州ウォキショー出身／ギタリスト／ギブソン・レスポールの生みの親　✘ 2009 年 8 月 13 日　享年 94 才

Jon Lord　ジョン・ロード
1941 年　UK イングランド・レスターシャー州レスター出身／ Deep Purple（ディープ・パープル）／ Kb ✘ 2012 年 7 月 16 日　享年 71 才（肺塞栓症）

Mick Box　ミック・ボックス
1947 年　UK イングランド・ロンドン出身／ Uriah Heep（ユーライア・ヒープ）／ G
▶ 1970 年　デビューアルバム『...Very' Eavy ...Very' Umble』

Pete Gill　ピート・ギル
1951 年　UK イングランド・サウスヨークシャー州シェフィールド出身／ Saxon（サクソン）／ Ds

Dean Dinning　ディーン・ディニング
1967 年　US カルフォルニア州出身／ Toad the Wet Sprocket（トート・ザ・ウェット・スプロケット）／ B ／ 1989 年　デビュー

Dean Felber　ディーン・フェルバー
1967 年　US メリーランド州ベセスタ出身／ Hootie and the Blowfish（フーティ・アンド・ザ・ブロウフィッシュ）／ B

Ed Simons　エド・シモンズ
1970 年　UK イングランド・ロンドン出身／ The Chemical Brothers（ザ・ケミカル・ブラザーズ）▶ 2005 年　アルバム『Push the Button』

Matthew Bellamy　マシュー・ベラミー
1978 年　UK イングランド・ケンブリッジシャー州ケンブリッジ出身／ Muse（ミューズ）／ G.Vo ▶ 2003 年　アルバム『Absolution』

9

ロック史

◉ 1969年　ブライアン・ジョーンズがザ・ローリング・ストーンズからの脱退を発表。すでにストーンズの主導権はミックとキースにあり、ドラックとアルコール依存に陥っていた彼は、お金を条件に同意したといわれる。しかしその1か月後、ブライアンは自宅のプールで溺死してしまう

社会史

◉ 1991年　皇太子徳仁親王と小和田雅子さんの結婚の儀

10

Maxi Priest　マキシ・プリースト
1961年　UKイングランド・ロンドン出身／シンガー／レゲエ・ラヴァーズ・ロック
▶ 1990年　アルバム『Bonafide』

Jimmy Chamberlin　ジミー・チェンバレン
1964年　USイリノイ州ジョリエット出身／Smashing Pumpkins（スマッシング・パンプキンズ）／Ds

Joey Santiago　ジョーイ・サンティアゴ
1965年　フィリピン・マニラ市出身／Pixies（ピクシーズ）／G

JoJo　ジョジョ
1971年　USノースカロライナ州モンロー出身／本名：Joel “JoJo” Hailey（ジョエル・“ジョジョ”・ヘイリー）／K-Ci & JoJo（ケー・シー＆ジョジョ）／R&Bデュオ

Faith Evans　フェイス・エヴァンス
1973年　USフロリダ州レイクランド出身／R&Bシンガー　▶ 1995年　デビューアルバム『Faith』

Mats Bjorke　マッツ・ビョルク
1982年　スウェーデン・ストックホルム県ストックホルム出身／Mando Diao（マンドゥ・ディアオ）／Kb／1995年　デビュー

Ray Charles　レイ・チャールズ
2004年　享年73才（肝臓癌）／ヴォーカリスト

Graeme Kelling　グレアム・ケリング
2004年　享年46才（膵臓癌）／Deacon Blue（ディーコン・ブルー）／G

11

Richard Palmer　リチャード・パーマー
1947年　UKイングランド・ドーセット州ボーンマス出身／Supertramp（スーパートランプ）／G.Vo／1970年　デビュー

Frank Beard フランク・ベアード
1949 年　US テキサス州フランクストン出身／ZZ Top（ZZ トップ）／Ds

Sony Music Japan

Graham Russell グラハム・ラッセル
1950 年　UK イングランド・ノッティンガムシャー州ノッティンガム出身／Air Supply
（エア・サプライ）／Vo.G　▶ 1980 年　アルバム『Lost in Love』　▶ 1981 年　アル
バム『The One That You Love』

Donnie Van Zant ドニー・ヴァン・ザント
1952 年　US フロリダ州ジャクソンヴィル出身／38 Special（38 スペシャル）／Vo

Gioia Bruno ジョイア・ブルーノ
1963 年　イタリア・プッリャ州バーリ出身／Expose（エクスポゼ）

Steven Drozd スティーヴン・ドローズ
1969 年　US オクラホマ州オクラホマシティ出身／The Flaming Lips（ザ・フレイミン
グ・リップス）／Ds／1985 年　デビュー

12

Reg Presley レグ・プレスリー
1941 年　UK イングランド・ハンプシャー州アンドーヴァー出身／The Troggs（ザ・
トロッグス）／Vo　☠ 2013 年 2 月 4 日　享年 71 才（脳卒中）

Roy Harper ロイ・ハーパー
1941 年　UK イングランド・グレーターマンチェスター州マンチェスター・ラッショル
ム出身／ギタリスト／シンガーソングライター　▶ 1975 年　アルバム『HQ』

Barry Bailey バリー・ベイリー
1948 年　US ジョージア州ディカルブ郡ディケイター出身／Atlanta Rhythm Section（ア
トランタ・リズム・セクション）／G　☠ 2022 年 3 月 12 日　享年 73 才（多発性硬化症）

John Wetton ジョン・ウェットン
1949 年　UK イングランド・ダービーシャー州ウィリントン出身／King Crimson（キ
ング・クリムゾン）／B／元イエスのスティーヴ・ハウと Asia（エイジア）結成　▶
1982 年　アルバム『Asia』　☠ 2017 年 1 月 31 日　享年 67 才（大腸癌）

Bun E. Carlos バン・E・カルロス
1950 年　US イリノイ州ロックフォード出身／Cheap Trick（チープ・トリック）／Ds

Brad Delp ブラッド・デルプ
1951 年　US マサチューセッツ州ダンバース出身／Boston（ボストン）／Vo　▶
1976 年　アルバム『Boston』　☠ 2007 月 3 月 9 日　享年 55 才（自殺）

Pete Farndon ピート・ファーンドン

1952 年　UK イングランド・ヘレフォードシャー州ヘレフォード出身／ The Pretenders（ザ・プリテンダーズ）／ B ／ 1980 年　デビュー　✗ 1983 年 4 月 14 日　享年 30 才（ヘロイン過剰摂取）

Bobby Sheehan　ボビー・シーハン

1968 年　US ニュージャージー州サミット出身／ Blues Traveler（ブルース・トラヴェラー）／ B ／ 1990 年　デビュー　✗ 1999 年 8 月 20 日　享年 31 才（ヘロイン＆コカイン過剰摂取）

✗ Jon Hiseman　ジョン・ハイズマン

2018 年　享年 71 才（脳腫瘍）／コロシアム／ Ds

Dennis Locorriere　デニス・ロコリエール

1949 年　US ニュージャージー州ユニオンシティ出身／ Dr. Hook（ドクター・フック）／ Vo.G

Jorge Santana　ホルヘ・サンタナ

1951 年　メキシコ・ハリスコ州アウトラン・デ・ナバロ出身／カルロス・サンタナの弟／ Malo（マロ）／ G ▶ 1972 年　デビューアルバム『Malo』　✗ 2020 年 5 月 14 日　享年 74 才（心臓マヒ）

Paul De Lisle　ポール・デ・ライル

1963 年　カナダ・オンタリオ州エクスター出身／ Smash Mouth（スマッシュ・マウス）／ B ／ 1994 年 結成　▶ 1997 年　デビューアルバム『Fush Yu Mang』

David Gray　デイヴィッド・グレイ

1968 年　UK イングランド・チェシャー州セール出身／シンガーソングライター　▶ 1993 年　デビューアルバム『A Century Ends』

Soren Rasted　ソレン・ラステッド

1969 年　デンマーク・コペンハーゲン市コペンハーゲン出身／ Aqua（アクア）／ Kb

Rivers Cuomo　リヴァーズ・クオモ

1970 年　US ニューヨーク州ニューヨークシティ・マンハッタン出身／ Weezer（ウィーザー）／ Vo.G ▶ 1994 年　アルバム『Weezer』（通称「The Blue Album」）グラミー賞受賞

Cheryl Gamble　シェリル・ギャンブル

1970 年　US ニューヨーク州ニューヨークシティ・ブルックリン出身／ SWV（Sisters With Voice：エス・ダブリュ・ヴイ）

Sarah Conner　サラ・コナー

1980 年　ドイツ・ニーダーザクセン州デルメンホルスト出身／ポップ・シンガー／

2001 年　デビュー

Jan
Feb
Mar
Apr
May
Jun
Jul
Aug
Sep
Oct
Nov
Dec

14

Sony Music Japan

Rod Argent　ロッド・アージェント
1945 年　UK イングランド・ハートフォードシャー州セント・アルバンス出身／The Zombies（ザ・ゾンビーズ）／Vo.Kb　▶ 1965 年　アルバム『The Zombies』

Alan White　アラン・ホワイト
1949 年　UK イングランド・ダラム州ペルトン出身／Yes（イエス）／Ds　✂ 2022 年 5 月 26 日　享年 72 才

Jim Lea　ジム・リー
1949 年　UK イングランド・ウェストミッドランズ州ウルヴァンプトン出身／Slade（スレイド）／B　▶ 1969 年デビュー（グラムロック）　▶ 1969 年　アルバム『Beginnings』

Nick Van Ede　ニック・ヴァン・イード
1958 年　UK イングランド・ウェストサセックス州クックフィールド出身／Cutting Crew（カッティング・クルー）／Vo

Boy George　ボーイ・ジョージ
1961 年　UK イングランド・ケント州バーンハースト出身／本名：George Alan O'Dowd（ジョージ・アラン・オダウド）／Culture Club（カルチャー・クラブ）／Vo ▶ 1982 年　サードシングル「Do You Really Want to Hurt Me?」全英 1 位　▶ 1983 年 代表作アルバム『Colour By Number』

Chris DeGamo　クリス・デガーモ
1963 年　US ワシントン州ウェナッチー出身／Queensryche（クイーンズライク）／G

✂ Charles Miller　チャールズ・ミラー
1980 年　享年 41 才（刺殺）／War（ウォー）／Sax

✂ Rory Gallagher　ロリー・ギャラガー
1995 年　享年 46 才（肝臓疾患）／ブルース・ロック・ギタリスト

✂ Bob Bogle　ボブ・ボーグル
2009 年　享年 75 才（非ホジキンリンパ腫）／The Ventures（ザ・ヴェンチャーズ） ／B

15

Harry Nilsson　ハリー・ニルソン
1941 年　US ニューヨーク州ニューヨークシティ・ブルックリン出身／シンガーソングライター　▶ 1969 年　シングル「Everybody's Talkin'（うわさの男）」（『Aerial Ballet（空中バレー）』［前年発表］に収録された、フレッド・ニールのカヴァー曲。映画『真夜中のカーボーイ』主題歌でヒット　▶ 1971 年　シングル「Without You」（全米 1 位、バッ

ドフィンガーのカヴァー曲）　✗ 1994 年 1 月 15 日　享年 52 才（心不全）

Johnny Hallyday　ジョニー・アリディ
1943 年　フランス・パリ出身／ロック・シンガー／俳優（『アイドルを探せ』出演）
▶ 1978 年　アルバム『Solitudes à deux』　✗ 2017 年 12 月 6 日　享年 74 才（肺癌）

Muff Winwood　マフ・ウィンウッド
1943 年　UK イングランド・ウェストミッドランズ州バーミンガム・アーディントン
出身／ The Spencer Davis Group（ザ・スペンサー・デイヴィス・グループ）／ B ／
1966 年　アルバムデビュー

Noddy Holder　ノディ・ホルダー
1946 年　UK イングランド・スタッドフォード州ウォルソール出身／ Slade（スレイド）
／ Vo.G　▶ 1970 年　アルバム『Play It Loud』（グラムロック）

Russell Hitchcock　ラッセル・ヒッチコック
1949 年　オーストラリア・ヴィクトリア州メルボルン出身／ Air Supply（エア・サプ
ライ）／ Vo　▶ 1980 年　アルバム『Lost in Love』

Steve Walsh　スティーヴ・ウォルシュ
1951 年　US ミズーリ州セントジョセフ出身／ Kansas（カンサス）／ Vo.Kb　▶ 1976
年　アルバム『Leftoverture』

Brad Gillis　ブラッド・ギルス
1957 年　US カリフォルニア州サンフランシスコ出身／ Night Ranger（ナイト・レン
ジャー）／ G

Scott Rockenfield　スコット・ロッケンフィールド
1963 年　US ワシントン州シアトル出身／ Queensryche（クイーンズライク）／ Ds

Ice Cube　アイス・キューブ
1969 年　US カリフォルニア州ロスアンゼルス出身／ラッパー　▶ 1990 年　デビュー
アルバム『AmeriKKKa's Most Wanted』

Gary Lightbody　ゲイリー・ライトボディ
1976 年　UK 北アイルランド、アーズ・アンド・ノース・ダウン区バンガー出身／
Snow Patrol（スノウ・パトロール）／ Vo.G　▶ 2003 年　アルバム『Final Straw』

Billy Martin　ビリー・マーティン
1981 年　US メリーランド州アナポリス出身／ Good Charlotte（グッド・シャーロット）
／ G

Wayne Serman　ウェイン・サーモン
1984 年　US ユタ州アメリカンウォーク出身／ Imagine Dragons（イマジン・ドラゴン

16

Ian Matthews　イアン・マシューズ
1946 年　UK イングランド・リンカンシャー州スカンソープ出身／ Fairport Convention
（フェアポート・コンヴェンション）結成／ Vo

Garry Roberts　ギャリー・ロバーツ
1950 年　アイルランド・ダブリン出身／ The Boomtown Rats（ザ・ブームタウン・ラッ
ツ）／ G.Vo ／ 1977 年　デビュー

Sony Music Japan

Gino Vannelli　ジノ・ヴァネリ
1952 年　カナダ・ケベック州モントリオール出身／ AOR シンガー　▶ 1978 年　シン
グル「I Just Wanna Stop」　▶ 1981 年　アルバム『Nightwalker』

Matt Costa　マット・コスタ
1982 年　US カリフォルニア州ハンティントンビーチ出身／シンガーソングライター
▶ 2008 年　セカンドアルバム『Unfamiliar Faces』

ロック史
- 1967 年　野外フェスの先駆け的イベント「モントレー・ポップ・フェスティバル」
  初開催。サンフランシスコ・モントレーで 3 日間開催（20 万人以上動員）。出演：ザ・
  フー、ジミ・ヘンドリックス、ザ・ママス＆ザ・パパス、ジェファーソン・エアプ
  レイン、グレイトフル・デッド、オーティス・レディング、ジャニス・ジョップリ
  ン他

社会史
- 2011 年　世界各国で皆既月食が観測される

17

Chris Spedding　クリス・スペディング
1944 年　UK イングランド・ダービーシャー州ステイヴリー出身／ギタリスト　▶
1975 年　アルバム『Chris Spedding』

Sony Music Japan

Barry Manilow　バリー・マニロウ
1946 年　US ニューヨーク州ニューヨークシティ・ブルックリン出身／本名：Barry
Alan Pincus（バリー・アラン・ピンカス）／シンガー　▶ 1974 年　シングル「Manday」
がヒット　▶ 1978 年　シングル「Copacabana (At the Copa)」（『Even Now』収録／
グラミー賞受賞）

Gregg Rolie　グレッグ・ローリー
1947 年　US ワシントン州シアトル出身／ Santana（サンタナ）Vo.Kb ／その後
Journey（ジャーニー）　▶ 1981 年　アルバム『Escape』

17

Paul Young　ポール・ヤング
1947 年　UK グレーターマンチェスター州マンチェスター・ベンチル出身　／ Sad Café（サッド・カフェ）Vo ／ Mike & The Mechanics（マイク & ザ・メカニックス）Vo ✗ 2000 年 7 月 15 日　享年 53 才（心臓発作）

Michael Monroe　マイケル・モンロー
1962 年　フィンランド・ウーシマー県ヘルシンキ出身／本名：Matti Antero Kristian Fagerholm（マティ・アンテロ・クリティスアン・ファーゲルホルム）／ Hanoi Rocks（ハノイ・ロックス）／ Vo ▶ 1981 年デビューアルバム『Bangkok Shocks, Saigon Shakes』

Lou Barlow　ルー・バーロウ
1966 年　US オハイオ州デイトン出身／ Dinosaur Jr.（ダイナソー Jr.）／ B ／ 1985 年デビュー

✗ Karl Mueller　カール・ミューラー
2005 年　享年 41 才（癌）／ Soul Asylum（ソウル・アサイラム）／ B

> **社会史**
> ⊙ 1972 年　米ウォーターゲート事件（ニクソン大統領）

18

RAM
Universal Music

Paul McCartney　ポール・マッカートニー
1942 年　UK イングランド・マージーサイド州リヴァプール出身／ The Beatles（ビートルズ）／ B ▶ 1971 年　ソロアルバム『Ram』／ Wings（ウイングス）結成 ▶ 1973 年　アルバム『Band on the Run』

Carl Radle　カール・ラドル
1942 年　US オクラホマ州タルサ出身／ Derek & The Dominos（デレク & ザ・ドミノス）／ B ／ 1970 年　デビュー ✗ 1980 年 5 月 30 日　享年 37 才（麻薬中毒性腎臓疾患）

Jude Cole　ジュード・コール
1960 年　US イリノイ州イーストモーリーン出身／シンガーソングライター ▶ 1992 年　アルバム『Start the Car』

Alison Moyet　アリソン・モイエ
1961 年　UK イングランド・エセックス州ビレリケイ出身／シンガー／ Yazoo（ヤズー）／ Vo ▶ 1984 年 ソロアルバム『Alf』

Dizzy Reed　ディジー・リード
1963 年　US イリノイ州ヒンズデール出身／ Gun N' Roses（ガンズ・アンド・ローゼズ）／ Kb.Vo

Nathan Morris　ネイザン・モリス

1971 年　US ペンシルベニア州フィラデルフィア出身／Boyz Ⅱ Men（ボーイズⅡメン）

Ray LaMontagne　レイ・ラモンターニュ
1973 年　US ニューハンプシャー州ナシュア出身／シンガーソングライター　▶ 2004 年　アルバム『Ray LaMontagne』

Simon Taylor　サイモン・テイラー
1982 年　UK イングランド・ウォリックシャー州ストラッドフォード・アポン・エイボン出身／Klaxons（クラクソンズ）／Vo.G　▶ 2007 年　アルバム『Myths of the Near Future』

✗ Peter Allen　ピーター・アレン
1992 年　享年 48 才（エイズ合併症）／AOR シンガーソングライター

✗ Clarence Clemons　クラレンス・クレモンズ
2011 年　享年 69 才（脳卒中）／Bruce Springsteen & The E Street Band（ブルース・スプリングスティーン＆ザ・E ストリート・バンド）／Sax

ロック史
- 1967 年　「モントレー・ポップ・フェスティバル」の最終日。3 日間を通して歴史に名を残すミュージシャンたちが登場し、圧倒的パフォーマンスを披露した。ロック史に残る伝説的コンサートとして語り継がれている

社会史
- 1989 年　ビルマが国号を「ミャンマー」に変更。第二次世界大戦後、たび重なるクーデターや独裁体制の崩壊などを繰り返し、国名を「ビルマ連邦社会主義共和国」から「ミャンマー連邦」に。2021 年、国軍の相次ぐクーデターにより、国民民主連盟を率いていたアウンサンスーチーは拘留され、全土で軍に抗議する激しいデモが 22 年現在でも続いている

19

Peter Bardens　ピーター・バーデンズ
1945 年　UK イングランド・ロンドン出身／Camel（キャメル）／Kb（プログレ）✗ 2002 年 1 月 22 日　享年 57 才（肺癌）

John Hinch　ジョン・ヒンチ
1947 年　UK イングランド・スタフォードシャー州リッチフィールド出身／Judas Priest（ジューダス・プリースト）／Ds／1974 年　デビュー　✗ 2021 年 4 月 29 日 享年 73 才

Nick Drake　ニック・ドレイク
1948 年　ミャンマー・ヤンゴン区ヤンゴン（旧ビルマ・ラングーン）出身／フォーク・シンガーソングライター　▶ 1972 年　アルバム『Pink Moon』✗ 1974 年 11 月 25 日 享年 26 才（抗うつ薬過剰摂取）

Ann Wilson　アン・ウィルソン
1950 年　US ワシントン州シアトル出身／ Heart（ハート）／ Vo.G　▶ 1985 年　アルバム『Heart』

Paula Abdul　ポーラ・アブドゥル
1962 年　US カリフォルニア州ロスアンゼルス出身／シンガー、ダンサー　▶ 1988 年　シングル「Straight Up」がヒット

Brian Welch　ブライアン・ウェルチ
1970 年　US カリフォルニア州トーランス出身／ Korn（コーン）／ G

ロック史

• 1971 年　キャロル・キングの『Tapestry（つづれおり）』が全米アルバムチャートで 15 週連続 1 位を独走。シングル「It's Too Late」も全米シングルチャート 5 週間 1 位を獲得。自作自演のピアノ弾き語りというロック・ポップスの新しいスタイルが大きな話題を呼ぶ

20

Chet Atkins　チェット・アトキンス
1924 年　US テネシー州ラットル出身／ギタリスト・カントリーミュージシャン　▶ 1953 年　デビューアルバム『Chet Atkins' Gallopin' Guitar』　✗ 2001 年 6 月 30 日　享年 77 才（癌）

Sony Music Japan

Brian Wilson　ブライアン・ウィルソン
1942 年　US カリフォルニア州イングルウッド出身／ The Beach Boys（ザ・ビーチ・ボーイズ）のリーダー／シンガーソングライター／ 1962 年　ザ・ビーチ・ボーイズでデビュー／ Vo.Kb.B　▶ 1966 年　名作アルバム『Pet Sounds』／ 1980 年代　ソロ活動／ 1990 年代　ライヴ活動　開始

Lionel Richie　ライオネル・リッチー
1949 年　US アラバマ州タスキギー出身／ Commodores（コモドアーズ）／ Vo.Sax　▶ 1983 年　ソロアルバム『Can't Slow Down』

Alan Longmuir　アラン・ロングミュアー
1948 年　UK スコットランド・エディンバラ出身／ Bay City Rollers（ベイ・シティ・ローラーズ）／ B　✗ 2018 年 7 月 2 日　享年 70 才

Michael Anthony　マイケル・アンソニー
1954 年　US イリノイ州シカゴ出身／ Van Halen（ヴァン・ヘイレン）／ B

John Taylor　ジョン・テイラー
1960 年　UK イングランド・ワーウィックシャー州ソリフル出身／ Duran Duran（デュラン・デュラン）／ B

Murphy Karges マーフィー・カージス

1967 年　US カリフォルニア州ニューポートビーチ出身／ Sugar Ray（シュガー・レイ）
／ B　▶ 1995 年　デビューアルバム『Lemonade and Brownies』

Ian Matthews イアン・マシューズ

1971 年　UK イングランド・ブリストル出身／ Kasabian（カサビアン）／ Ds

Chino Moreno チノ・モレノ

1973 年　US カリフォルニア州サクラメント出身／ Deftones（デフトーンズ）／ Vo
▶ 2000 年　アルバム『White Pony』（オルタナ・メタルの傑作、収録曲「Elite」は、
2001 年グラミー賞「最優秀メタル・パフォーマンス賞」受賞）　▶ 2003 年　アルバム
『Deftones』

Charlotte Hatherley シャーロット・ハザレイ

1979 年　UK イングランド・ロンドン出身／ Ash（アッシュ）／ G.Vo

Adam Hann アダム・ハン

1988 年　UK インランド・グレーターマンチェスター州マンチェスター出身／ The
1975（ザ・ナインティーン・セヴンティ・ファイヴ）／ G

21

Jim Galagher ジム・ギャラガー

1943 年　US コロラド州ボールダー出身／ The Astronauts（ザ・アストロノウツ）／
Ds

Sony Music Japan

Ray Davies レイ・デイヴィス

1944 年　UK イングランド・ロンドン出身／ 1963 年　ロンドンで弟デイヴと The
Kinks（ザ・キンクス）を結成　▶ 1964 年　アルバム『Kinks』　▶ 2006 年　ソロアル
バム『Other People's Lives』

John Hiseman ジョン・ハイズマン

1944 年　UK イングランド・ロンドン出身／ Colosseum（コラシアム）／ Ds　✖ 2018
年 6 月 12 日　享年 71 才（脳腫瘍）

Joey Molland ジョーイ・モーランド

1947 年　UK イングランド・マージーサイド州リヴァプール・エッジヒル出身／
Badfinger（バッドフィンガー）／ Vo.G

Joey Kramer ジョーイ・クレイマー

1950 年　US ニューヨーク州ニューヨークシティ・ブロンクス出身／ Aerosmith（エア
ロスミス）／ Ds

Nils Lofgren ニルス・ロフグレン

1951 年　US イリノイ州シカゴ出身　▶ 1975 年　ソロアルバム『Nils Lofgren』／

21

Bruce Springsteen & The E Street Band（ブルース・スプリングスティーン＆ザ・E ストリート・バンド）／G

Mark Brzezicki マーク・ブレゼジッキー
1957 年　UK イングランド・バークシャー州スロウ出身／Big Country（ビッグ・カントリー）／Ds

Pat Sansone パット・サンソン
1969 年　US ミシシッピ州メリディアン出身／Wilco（ウィルコ）／Kb

Mike Einziger マイク・アインジガー
1976 年　US カリフォルニア州ロスアンゼルス出身／Incubus（インキュバス）／G
▶ 2006 年　アルバム『Light Grenades』

Brandon Flowers ブランドン・フラワーズ
1981 年　US ネバダ州ラスヴェガス出身／The Killers（ザ・キラーズ）／Vo.G.Kb ▶
2017 年　アルバム『Wonderful, Wonderful』初全米 1 位

✗ John Lee Hooker ジョン・リー・フッカー
2001 年　享年 83 才（老衰）／ブルース・シンガー

> **ロック史**
> • 1948 年　世界初の LP レコードがコロムビア社から発売される。メンデルスゾーン作曲「ヴァイオリン協奏曲ホ短調作品 64」（ヴァイオリン：ミルシテイン、指揮：ブルーノ・ワルター、ニューヨーク・フィルハーモニック）

22

Bobby Harrison ボビー・ハリソン
1939 年 UK イングランド・ロンドン出身／Procol Harum（プロコル・ハルム）／Ds
✗ 2022 年 1 月 10 日　享年 82 才

Peter Asher ピーター・アッシャー
1944 年　UK イングランド・ロンドン出身／1964 年　Peter & Gordon（ピーター＆ゴードン）のシングル「A World without Love」（レノン＆マッカートニー）が英米で 1 位を獲得。解散後渡米し、プロデューサーとしてジェイムス・テイラー、リンダ・ロンシュタットを手掛け成功する

Howard Kaylan ハワード・ケイラン
1947 年　US ニューヨーク州ニューヨークシティ出身／The Turtles（ザ・タートルズ）／Vo.G.Sax

Todd Rundgren トッド・ラングレン
1948 年　US ペンシルベニア州アッパーダービー出身／シンガーソングライター／プロデューサー／1968 年　Nazz（ナッズ）のメンバーとしてデビュー　▶解散後、シ

ングル「Hello It's Me」「I Saw the Light」がヒット（2枚組のソロ4作目『Something / Anything?』1972年収録）　▶ 1974年　Utopia（ユートピア）を結成し、ライヴ活動開始／プロデューサーとしても活動

Larry Junstrom　ラリー・ジャンストローム
1949年　US ペンシルベニア州ピッツバーグ出身／38 Special（38 スペシャル）／B

Cyndi Lauper　シンディ・ローパー
1953年　US ニューヨーク州ニューヨークシティ・クイーンズ出身／ロック・シンガー
▶ 1983年　デビューアルバム『She's So Unusual』　▶ シングル「Girls Just Want to Have Fun」「Time After Time」「She Bop」等が全米トップ10ヒット

Sony Music Japan

Green Gartside　グリーン・ガートサイド
1955年　UK イングランド・ウェストヨークシャー州リーズ出身／ Scritti Politti（スクリッティ・ポリッティ）／ Vo.G　▶ 1982年 デビューアルバム『Songs to Remember』

Derek Forbes　デレク・フォーブス
1956年　UK スコットランド・グラスゴー出身／ Simple Minds（シンプル・マインズ）／ B

Gary Beers　ゲイリー・ビアーズ
1957年　オーストラリア・ニューサウスウェールズ州マンリー出身／ Inxs（インエクセス）／ B

Ruby Turner　ルビー・ターナー
1958年　ジャマイカ・モンテゴベイ出身／ R&B シンガーソングライター　▶ 1989年 アルバム『Paradise』

Alan Anton　アラン・アントン
1959年　カナダ・オンタリオ州トロント出身／ Cowboy Junkies（カウボーイ・ジャンキーズ）／ B

Jimmy Somerville　ジミー・ソマーヴィル
1961年　UK イングランド・ロンドン出身／ Bronski Beat（ブロンスキ・ビート）／ Vo ／ 1984年　デビュー　▶ 1990年　シングル「You Make Me Feel (Mighty Real)」

Sony Music Japan

Bobby Gillespie　ボビー・ギレスピー
1962年　UK スコットランド・グラスゴー出身　▶ 1984年　Primal Scream（プライマル・スクリーム）結成／ Vo　▶ 1987年　デビューアルバム『Sonic Flower Groove』
▶ 1991年　アルバム『Screamadelica』

Mike Edwards　マイク・エドワーズ
1964年　UK イングランド・ウィルトシャー州ブラッドフォード・オン・エイヴォン出身／ Jesus Jones（ジーザス・ジョーンズ）／ Vo.G

22

Tom Cunningham　トム・カニンガム
1964 年　UK スコットランド・グラスゴー出身／ Wet Wet Wet（ウェット・ウェット・ウェット）／ Ds

Gordon Peter Moakes　ゴードン・ピーター・モークス
1976 年　UK イングランド・バッキンガムシャー州ミルトン・キーンズ市ニューポート・パグネル出身／ Bloc Party（ブロック・パーティ）／ B ／ 2004 年 デビュー　▶ 2005 年　デビューアルバム『Silent Alarm』

Amos Lee　エイモス・リー
1977 年　US ペンシルベニア州フィラデルフィア出身／シンガーソングライター／ギタリスト　▶ 2005 年　アルバム『Amos Lee』

✗ Vinnie Paul　ヴィニー・ポール
2018 年　享年 54 才（心臓疾患）／ Pantera（パンテラ）／ Ds

社会史
- ⊙ 2014 年　シリアとイラクで活動する元アルカイダ系イスラム過激派組織 ISIL（IS）がイスラム国家樹立を一方的に宣言
- ⊙ 2016 年　イギリス国民投票でヨーロッパ連合（EU）からの離脱可決

23

Nick Decaro　ニック・デカロ
1938 年　US オハイオ州クリーヴランド出身／編曲家、プロデューサー、シンガーソングライター　▶ 1974 年　アルバム『Italian Graffiti』　✗ 1992 年 3 月 4 日　享年 53 才

Stuart Sutcliffe　スチュアート・サトクリフ
1940 年　UK スコットランド・エジンバラ出身／ The Beatles（ザ・ビートルズ）／ B ✗ 1962 年 4 月 10 日　享年 21 才（脳出血）

Steve Shelley　スティーヴ・シェリー
1962 年　US ミシガン州ミッドランド出身／ Sonic Youth（ソニック・ユース）／ Ds

Paul Arthurs　ポール・アーサーズ
1965 年　UK イングランド・グレーターマンチェスター州マンチェスター・バーンネイジ出身／ Oasis（オアシス）／ G

KT Tunstall　KT タンストール
1975 年　UK スコットランド・エジンバラ出身／シンガーソングライター　▶ 2005 年　シングル「Black Horse and the Cherry Tree」

Jason Mraz　ジェイソン・ムラーズ
1977 年　US ヴァージニア州メカニックスヴィル出身／シンガーソングライター　▶ 2003 年　デビューアルバム『Waiting for My Rocket to Come』

Duffy ダフィー
1984 年　UK ウェールズ・グウィネス州バンガー出身／シンガーソングライター　▶
2008 年　アルバム『Rockferry』

✗ Bobby Bland ボビー・ブランド
2013 月　享年 83 才／ブルース・シンガー

Sony Music Japan

24

Jeff Beck ジェフ・ベック
1944 年　UK イングランド・サリー州ウェリントン出身／ギタリスト／ 1964 年　The Yardbirds（ザ・ヤードバーズ）／ 1966 年　Jeff Beck Group（ジェフ・ベック・グループ）結成／ The Honeydrippers（ザ・ハニードリッパーズ）参加　▶ 1968 年　アルバム『Truth』／エリック・クラプトン、ジミー・ペイジと並ぶ UK3 大ギタリスト

Chris Wood クリス・ウッド
1944 年　UK イングランド・ウェストミッドランズ州バーミンガム・クイントン出身／ Traffic（トラフィック）／ Sax　✗ 1983 年 7 月 12 日　享年 38 才（肺炎）

Colin Blunstone コリン・ブランストーン
1945 年　UK イングランド・ハートフォードシャー州ハットフィールド出身／ The Zombies（ザ・ゾンビーズ）／ Vo　▶ 1965 年　アルバム『The Zombies』

Warner Music Japan

Mick Fleetwood ミック・フリートウッド
1947 年　UK イングランド・コーンウォール州レッドルース出身／ John Mayall & The Bluesbreakers（ジョン・メイオール＆ザ・ブルースブレイカーズ）／ Ds ／脱退後、ピーター・グリーン（G）らと共に、1967 年ロンドンで Fleetwood Mac（フリートウッド・マック）／ Ds を結成　▶ 1975 年　アルバム『Fleetwood Mac（ファンタスティック・マック）』／ 1976 年　全米 1 位

John Illsley ジョン・イルズリー
1949 年　UK イングランド・レスターシャー州レスター出身／ Dire Straits（ダイアー・ストレイツ）／ B

Nick Duffy ニック・ダフィ
1956 年　UK イングランド・ウェストミッドランズ州バーミンガム出身／ The Lilac Time（ライラック・タイム）／ G ／ 1987 年　デビュー

Astro アストロ
1957 年　UK イングランド・ウェストミッドランズ州バーミンガム出身／本名：Terence Wilson（テレンス・ウィルソン）／ UB40 ／ Per.Tp.Vo　✗ 2021 年 11 月 6 日　享年 64 才

Andy McCluskey アンディ・マクラスキー
1959 年　UK イングランド・マージーサイド州ウィラル出身／ Orchestral Manoeuvres

In The Dark（オーケストラ・マヌーヴァーズ・イン・ザ・ダーク）

Curt Smith カート・スミス
1961 年 UK イングランド・サマセット州バース出身／ Tears for Fears（ティアーズ・
フォー・フィアーズ）／ Vo.B ▶ 1985 年 アルバム『Songs from the Big Chair』

Jeff Cease ジェフ・シーズ
1967 年 US テネシー州ナッシュヴィル出身／ The Black Crowes（ザ・ブラック・ク
ロウズ）／ G

✗ **Pete Quaife** ピート・クウェイフ
2010 年 享年 67 才（腎不全）／ The Kinks（ザ・キンクス）／ B

ロック史

- 1999 年 エリック・クラプトン、ドラッグのリハビリ施設「クロスロード・セン
  ター」設立のために所有ギター 100 本をオークションに

社会史

- 1976 年 「ベトナム社会主義共和国」成立。第二次世界大戦後フランス植民地体
  制が崩壊し、国は共産主義陣営「ベトナム民主共和国」（北ベトナム）と資本主義
  陣営「ベトナム共和国」（南ベトナム）に分裂。62 年にはアメリカが介入したベト
  ナム戦争（第二次インドシナ戦争）を経て南ベトナムの政権が崩壊。76 年に統一
  国家として「ベトナム社会主義共和国」が成立した。このベトナム戦争がアメリカ
  に様々な文化的な影響（反戦歌、フラワー・ムーブメント等）を与え、社会的にも
  大きな影を与えていく

Clint Warwick クリント・ワーウィック
1940 年 UK イングランド・ウェストミッドランズ州バーミンガム・アストン出身／
The Moody Blues（ザ・ムーディ・ブルース）／ B ✗ 2004 年 5 月 15 日 享年 63 才（肝炎）

Carly Simon カーリー・サイモン
1945 年 US ニューヨーク州ニューヨークシティ・マンハッタン出身 ▶ 1971 年 デ
ビューアルバム『Carly Simon』 ▶ 1972 年 「You're So Vain」(3 作目『No Secrets』収録)
全米 1 位、グラミー賞「最優秀新人賞」受賞／同年 ジェイムス・テイラーと結婚／
1983 年 離婚

Ian McDonald イアン・マクドナルド
1946 年 UK イングランド・グレーターマンチェスター州マンチェスター出身／ King
Crimson（キング・クリムゾン）／ Sax.Fl.Kb／ Foreigner（フォリナー）／ Vo.G.Kb（マ
ルチプレイヤー） ✗ 2022 年 2 月 9 日 享年 75 才（結腸癌）

Allen Lanier アラン・レイニア
1946 年 US ニューヨーク州ロングアイランド出身／ Blue Oyster Cult（ブルー・オイ

スター・カルト）／ G ／ 1972 年　デビュー　✗ 2013 年 8 月 14 日　享年 67 才（慢性閉塞性肺疾患：COPD）

Tim Finn　ティム・フィン
1952 年　ニュージーランド・ノースアイランド出身／ Crowded House（クラウデッド・ハウス）／ Vo ／ Split Enz（スプリット・エンズ）／ Vo　▶ 1983 年　ソロアルバム『Escapade』

David Paich　デヴィッド・ヘイチ
1954 年　US カリフォルニア州ロスアンゼルス出身／ TOTO（トト）／ Kb　▶ 1978 年　アルバム『TOTO』　▶ 1982 年　アルバム『TOTO IV』（「最優秀レコード賞」や「最優秀アルバム賞」といった主要部門 6 部門を受賞）

Sony Music Japan

George Michael　ジョージ・マイケル
1963 年　UK イングランド・ロンドン出身／本名：Georgios Kyriacos Panayiotou（ヨルゴス・キリアコス・パナイオトゥー）／ 1982 年　Andrew Ridgeley（アンドリュー・リッジリー）とヴォーカル・デュオ Wham!（ワム！）を結成　▶ 1984 年　アルバム『Make It Big』（英米で 1 位）でトップ・アイドルグループに　▶ 1987 年　ソロアルバム『Faith』が大ヒット（ワム！解散後に発表）　✗ 2016 年 12 月 25 日　享年 53 才（拡張型心筋症・脂肪肝の症状が見られた自然死）

Mike Kroeger　マイク・クルーガー
1972 年　カナダ・ブリティッシュコロンビア州バンクーバー出身／ Nickelback（ニッケルバック）／ B

Mario Calire　マリオ・キャリア
1974 年　US ニューヨーク州エリー郡バッファロー出身／ The Wallflowers（ザ・ウォールフラワーズ）／ Ds

✗ Hillel Slovak　ヒレル・スロヴァク
1988 年　享年 26 才（ヘロイン過剰摂取）／ Red Hot Chili Peppers（レッド・ホット・チリ・ペッパーズ）／ G

✗ Michael Jackson　マイケル・ジャクソン
2009 年　享年 50 才（鎮痛剤過剰摂取）／ヴォーカリスト

26

Georgie Fame　ジョージィ・フェイム
1943 年　UK イングランド・ランカシャー州レイ出身／本名：Clive Powell（クライヴ・パウエル）／キーボード、シンガー　▶ 1968 年　シングル「The Ballad of Bonnie and Clyde」

Adrian Gurvitz　エイドリアン・ガーウィッツ
1949 年　UK イングランド・ロンドン出身／シンガーソングライター　▶ 1979 年　ア

ルバム『Sweet Vendetta』

Mick Jones　ミック・ジョーンズ
1955 年　UK イングランド・ロンドン出身／The Clash（ザ・クラッシュ）／G　▶
1977 年　デビューアルバム『The Clash』　▶ 1979 年　アルバム『London Calling』

Chris Isaak　クリス・アイザック
1956 年　US カリフォルニア州ストックトン出身／シンガーソングライター／1985 年
デビュー

Patty Smyth　パティ・スマイス
1957 年　US ニューヨーク州ニューヨークシティ出身／シンガー　▶ 1987 年　アルバ
ム『Never Enough』

Terry Nunn　テリー・ナン
1961 年　US カリフォルニア州バルドウィンヒルズ出身／Berlin（ベルリン）／Vo
▶ 1986 年　シングル「Take My Breath Away」

Colin Greenwood　コリン・グリーンウッド
1969 年　UK イングランド・オックスフォードシャー州オックスフォード出身／
Radiohead（レディオヘッド）／B

Nathan Followill　ネイサン・フォロウィル
1979 年　US オクラホマ州オクラホマシティ出身／Kings of Leon（キングス・オブ・
レオン）／D.Per

Ryan Tedder　ライアン・テダー
1979 年　US オクラホマ州タルサ出身／One Republic（ワン・リパブリック）／
Vo.G.Kb ／ 2002 年　デビュー　▶ 2007 年　アルバム『Dreaming Out Loud』

Ariana Grande　アリアナ・グランデ
1993 年　US フロリダ州ボカラントン出身／シンガーソングライター　▶ 2013 年　デ
ビューアルバム『Yours Truly』

Bruce Johnston　ブルース・ジョンストン
1942 年　US イリノイ州ピオリア出身／ソングライター／プロデューサー／1965 年
The Beach Boys（ザ・ビーチ・ボーイズ）／Vo.G　▶ 1977 年　シングル「I Write the
Song（歌の贈り物）」作曲（バリー・マニロウ歌唱）、グラミー賞受賞

Gilson Lavis　ギルソン・レイヴィス
1951 年　UK イングランド・ベッドフォードシャー州ベッドフォード出身／Squeeze（ス
クイーズ）／Ds

Margo Timmins　マーゴ・ティミンズ
1961 年　カナダ・ケベック州モントリオール出身／ Cowboy Junkies（カウボーイ・ジャンキーズ）／ Vo

✗ John Entwistle　ジョン・エントウィッスル
2002 年　享年　57 才（コカイン過剰摂取による心臓発作）／ The Who（ザ・フー）／ B

✗ Bobby Womack　ボビー・ウーマック
2014 年　享年 70 才／ R&B・ソウル・シンガーソングライター、ギタリスト

✗ Chris Squire　クリス・スクワイア
2015 年　享年 67 才（急性骨髄性白血病）／ Yes（イエス）／ B

28

David Knights　デイヴィッド・ナイツ
1945 年　UK イングランド・ロンドン出身／ Procol Harum（プロコル・ハルム）／ B

Mark Stoermer　マーク・ストーマー
1977 年　US ネバダ州ラスヴェガス出身／ The Killers（ザ・キラーズ）／ B ／ 2003 年デビュー（UK）

29

Little Eva　リトル・エヴァ
1943 年　US ノースキャロライナ州ベルヘイヴン出身／シンガー ▶ 1962 年　シングル「The Loco Motion」（キャロル・キング作曲）

Ian Paice　イアン・ペイス
1948 年　UK イングランド・ノッティンガム州ノッティンガム出身／ Deep Purple（ディープ・パープル）／ Ds

Colin Hay　コリン・ヘイ
1953 年　オーストラリア・ヴィクトリア州メルボルン出身／ Men At Work（メン・アート・ワーク）／ Vo.G ▶ 1981 年　シングル「Who Can it be Now?（ノックは夜中に）」▶ 1982 年　アルバム『Business as Usual（ワーク・ソングス）』

✗ Tim Buckley　ティム・バックリィ
1975 年　享年 28 才（ヘロイン過剰摂取）／フォーク・シンガーソングライター

✗ Lowell George　ローウェル・ジョージ
1979 年　享年 34 才（ドラッグ過剰摂取）／ Little Feet（リトル・フィート）／ Vo.G

✗ Gary Duncan　ゲイリー・ダンカン
2019 年　享年 72 才／ Quicksilver Messengers Service（クイックシルヴァー・メッセ

ンジャー・サーヴィス）／ G.Vo

ロック史

- 1966 年　ザ・ビートルズ初来日（羽田空港）。日本武道館公演（6/30 〜）
- 1973 年　ディープ・パープルのイアン・アンダーソンとロジャー・グローヴァー が来日ツアー最終公演（大阪）後、脱退

Glenn Sharrok　グレン・シャロック
1944 年　UK イングランド・ケント州チャタム出身／ Little River Band（リトル・リ ヴァー・バンド）／ Vo　▶ 1979 年　5 作目『First Under the Wire』

Andy Scott　アンディ・スコット
1949 年　UK ウェールズ・レクサム出身／ Sweet（スウィート）／ G.Kb ／ 1971 年 デビュー

Hal Lindes　ハル・リンデス
1953 年　US カリフォルニア州モントレー出身／ Dire Straits（ダイアー・ストレイツ） ／ G.Vo

Philip Adrian Wright　フィリップ・エイドリアン・ライト
1956 年　UK イングランド・サウスヨークシャー州シェフィールド出身／ Human League（ヒューマン・リーグ）／ Kb

Yngwie Malmsteen　イングウェイ・マルムスティーン
1963 年　スウェーデン・ストックホルム県ストックホルム出身／ギタリスト／ Alcatrazz（アルカトラス）／ G

Phil Anselmo　フィル・アンセルモ
1968 年　US ルイジアナ州ニューオーリンズ出身／ Pantera（パンテラ）／ Vo ／ 1983 年　デビュー

Tom Drummond　トム・ドラモンド
1969 年　US ルイジアナ州シュレヴポート出身／ Better Than Ezra（ベター・ザン・エ ズラ）／ B

Andy Burrows　アンディ・バロウズ
1979 年　UK イングランド・ハンプシャー州ウィンチェスター出身／ Razor Light（レ イザー・ライト）／ Ds ／ 2003 年　デビュー

✄ Chet Atkins　チェット・アトキンス
2001 年　享年 77 才（癌）／ギタリスト

- 1966年　ザ・ビートルズ、初来日公演を日本武道館で開催（7月1・2日は昼夜2回の計5回公演）。ジョンやポールは行動制限を破って、お忍びでホテルを脱出。武道館という神聖な場所での初めてのロック・コンサートということで、警視庁は異常なまでに大規模な警備体制をとり、コンサートは無事終了した。観客1万人に対し、警察官が3,000人が動員された

社会史

- 2019年　米トランプ大統領と北朝鮮の金正恩総書記が板門店で会談

Musician's Message

音楽は、神の御声
その声、すなわち音楽を聴くために
神様はラジオを創り給うた
ヒット曲はラジオから生まれた
ラジオが音楽や人を育ててきた
神の創りしラジオ

The Beach Boys「That's Why God Made the Radio
(ザッツ・ホワイ・ゴッド・メイド・ザ・ラジオ〜神の創りしラジオ〜)」
(2012 年) より

7

July

The
Rock
Musicians'
Birthday
Encyclopedia

MICK JAGGER　ミック・ジャガー

1943 年 7 月 26 日
UK イングランド・ケント州ダートフォード出身

　上流階級出身で体操教師の父は、しつけとウェイト・トレーニングが厳しく、3 才のミックにボディ・ビルディングをさせたほどである。母親は労働者階級でイギリス保守党の活動的な党員。裕福な家庭で育ち上昇志向が強いミックは、グラマースクールの名門校ロンドン・スクール・オブ・エコノミクス（米ケネディ大統領も学ぶ）に入学する。リトル・リチャー

1

The Day John Lennon Met Paul McCartney
ジョン・レノンとポール・マッカートニーが出会った日

1957 年 7 月 6 日
リヴァプール・ウールトンにあるセント・ピーターズ教区教会の夏祭り

　友人アイヴァン・ヴォーンに誘われたポールは、この日初めてジョンのバンド「ザ・クオリーメン」のステージを観る。演奏終了後、ジョンを紹介されたポールは、メンバーの前でリトル・リチャーズやエディ・コクランなどをピアノ・ギターで演奏し驚かせる。その後バンドに誘われ、10 月 18 日にパーティー会場で初めてザ・クオリーメンのメンバーとしてジョンと共にステージに立つ。ジョン 16 才、ポール 15 才の時であった。ポールがバンドに正式に参加したのち、ポールは友人ジョージ・ハリスン

2

Live Aid　ライヴ・エイド

1985 年 7 月 13 日
ウェンブリー・スタジアム（UK ロンドン）、JFK スタジアム（US フィラデルフィア）

　きっかけは 1984 年 12 月にイギリスのボブ・ゲルドフとミッジ・ユーロが呼びかけたエチオピア飢餓救済のためのチャリティ・プロジェクト「バンド・エイド（Band Aid）」によるチャリティ・ソング「Do They Know It's Christmas?」。

3

ズやチャック・ベリーなどのアメリカの音楽・映画との出会いがバンドを始めるきっかけとなり、親の反対を押し切りロックの道へと進む。その後、幼馴染で小学校の同級生だったキース・リチャーズと再会・意気投合し、一緒にバンドを組むことになる。ふたりはロンドンに移り住み、1962年19才の時、ブライアン・ジョーンズに出会い、ザ・ローリング・ストーンズを結成することになる。翌年にはデビューシングル「Come On」をリリースした。概してビートルズは"優等生"、ストーンズは"不良"のイメージがあるが、ミックは家庭環境と教育にも恵まれ、バンドのイメージとは逆であるといわれる。

を紹介しバンドに加える。これでザ・ビートルズの4人のうち3人が揃う。60年には、アート・カレッジでジョンの同級生だったスチュアート・サトクリフも参加。当初、バンド名は彼らのアイドルだったバディ・ホリーのバンド名「クリケッツ」が有力候補だったが、"クリケット"には昆虫の名前（コオロギ）と英国の球技のふたつの意味があった。かたやビートル（beetle）はカブトムシだが、"beatle"と綴りを替えると同音で音楽の"ビート（beat）"に通ずるという面白さを狙って「Beatles」に決定。8月から2年間、ドイツ・ハンブルクのライヴ活動を充実させるが様々なトラブルも残した。その後スチュワートを残してリヴァプールに戻り、地元のキャバーン・クラブ等で人気を博していく。61年、上手く溶け込めなかったピート・ベストからリンゴ・スターにドラマーの交替が行われ、4人の正式なメンバーが決定。最もリンゴを推したのはジョージだったといわれる。

売上げ面で大きく成功し、その活動に触発された形でアメリカのハリー・ベラフォンテが呼びかけたアメリカ版プロジェクト「USA for Africa」が85年3月にリリースした「We Are the World」も大成功する。このふたつの動きを統合したコンサートが「Live Aid（ライヴ・エイド）」である。イギリスではポール・マッカートニー、クイーン、エルトン・ジョン、デヴィッド・ボウイ、ザ・フー、U2他、アメリカはザ・ビーチ・ボーイズ、ボブ・ディラン、ニール・ヤング、マドンナ他多数アーティストが出演。世界170か国でテレビ放送され、15億人が視聴した。その結果、1億4,000万ドルがアフリカに贈られた。

James Cotton　ジェイムズ・コットン
1935 年 US ミシシッピ州チュニカ出身／ブルース・ハーモニカ奏者　✗ 2017 年 3 月 16 日　享年 81 才（肺炎）

Delaney Bramlett　デラニー・ブラムレット
1939 年 US ミシシッピ州ポントトックカントリー出身／ Delaney & Bonnie（デラニー & ボニー）／夫婦デュオ　▶ 1970 年　アルバム『On Tour with Eric Clapton』

Deborah Harry　デボラ・ハリー
1945 年 US フロリダ州マイアミ出身／ 1974 年ニューヨークで結成されたバンド Blondie（ブロンディ）のヴォーカル　▶ 1979 年　シングル「Heart of Glass」全米 1 位　▶ 1980 年　シングル「The Tide Is High」　▶ 1981 年　シングル「Rapture」全米 1 位

Marc Benno　マーク・ベノ
1947 年 US テキサス州ダラス出身／シンガーソングライター（ブルース・R&B）　▶ 1972 年　アルバム『Ambush』

Fred Schneider　フレッド・シュナイダー
1951 年 US ニュージャージー州ニューアーク出身／ The B-52's（ザ・ビー・フィフティ・トゥーズ）／ Kb.Vo

Phil Solem　フィル・ソレム
1956 年 US ミネソタ州ダルース出身／ The Rembrandts（ザ・レンブランツ）／ Vo.G

Evelyn "Champagne" King　イヴリン・シャンペン・キング
1960 年 US ニューヨーク州ニューヨークシティ・ブロンクス出身／ R&B シンガー／ 1977 年デビュー　▶ 1982 年　アルバム『Get Loose』

Roddy Bottum　ロディ・ボッタム
1963 年 US カリフォルニア州ロスアンゼルス出身／ Faith No More（フェイス・ノー・モア）／ Kb

Missy Elliott　ミッシー・エリオット
1971 年 US ヴァージニア州ポーツマス出身／ R&B シンガー　▶ 1997 年　デビューシングル「The Rain（Supa Dupa Fly）」

✗ Luther Vandross　ルーサー・ヴァンドロス
2005 年　享年 54 才（心筋梗塞）／ R&B シンガーソングライター

✗ Mel Galley　メル・ギャレー
2008 年　享年 60 才（食道癌）／ Whitesnake（ホワイトスネイク）／ G

- 1967 年　ヨーロッパ共同体（EC）創設。イギリスは主権国家として初めて 2020 年 1 月 31 日に離脱。加盟国は 27 か国（22 年時点）だが、ウクライナをはじめ今後の加盟要請国は多い
- 1979 年　ソニー、ポータブル・オーディオ・プレーヤー「Walkman（ウォークマン）」発売
- 1997 年　香港が英国から中国に返還される

2

Charles Miller　チャールズ・ミラー
1939 年　US カンザス州オレイサ出身／ War（ウォー）／ Sax　✗ 1980 年 6 月 14 日 享年 41 才（刺殺）

Roy Bittan　ロイ・ビタン
1949 年　US ニューヨーク州ニューヨークシティ・ロックアウェイ出身／ Bruce Springsteen & The E Street Band（ブルース・スプリングスティーン＆ザ・E ストリート・バンド）／ Kb

Johnny Colla　ジョニー・コーラ
1952 年　US カリフォルニア州サクラメント出身／ Huey Lewis & The News（ヒューイ・ルイス＆ザ・ニュース）／ G.Sax

Pete Briquette　ピート・ブリケット
1954 年　アイルランド・カヴァン州バリージェイムズダフ出身／ The Boomtown Rats（ザ・ブームタウン・ラッツ）／ B

Rocky Gray　ロッキー・グレイ
1974 年　US アーカンソー州リトルロック出身／ Evanescence（エヴァネッセンス）／ Ds

Tim Christensen　ティム・クリステンセン
1974 年　デンマーク・コペンハーゲン市コペンハーゲン出身／ Dizzy Miss Lizzy（ディジー・ミス・リジー）／ Vo.G ／ 1998 年　解散／デンマークのロックバンド／バンド名はザ・ビートルズに由来　▶ 1994 年　アルバム『Dizzy Miss Lizzy』

Michelle Branch　ミシェル・ブランチ
1983 年　US アリゾナ州フラグスタック出身／シンガーソングライター　▶ 2001 年　メジャー・デビューアルバム『The Spirit Room』

Lindsay Lohan　リンジー・ローハン
1986 年　US ニューヨーク州サフォーク郡コールドスプリングハーバー出身／シンガー　▶ 2004 年　アルバム『Speak』

✗ **Alan Longmuir**　アラン・ロングミュアー

2

2018 年　享年 70 才／ Bay City Rollers（ベイ・シティ・ローラーズ）／ B

⊙ 1976 年　ベトナム社会主義共和国成立（南北ベトナム統一）

3

Paul Barrere　ポール・バレール
1948 年　US カリフォルニア州バーバンク出身／ Little Feat（リトル・フィート）／ G.Vo
／ 1971 年デビュー　✗ 2019 年 10 月 26 日　享年 71 才（肝臓癌）

Andy Fraser　アンディ・フレイザー
1952 年　UK イングランド・ロンドン出身／ Free（フリー）　／ B　✗ 2015 年 3 月 16
日　享年 62 才（癌、エイズ）

Laura Branigan　ローラ・ブラニガン
1957 年　US ニューヨーク州ウェストチェスター郡ブルースター出身／シンガー　▶
1982 年　シングル「Gloria」がヒット　✗ 2004 年 8 月 26 日　享年 47 才（脳動脈瘤）

Stephen Pearcy　スティーヴン・パーシー
1959 年　US カリフォルニア州サンディエゴ出身／ Ratt（ラット）／ Vo　▶ 1984 年
デビューアルバム『Out of the Cellar（情欲の炎）』／ LA メタルの代表的存在／全米で
1,600 万枚、全世界で 3,000 万枚以上の総セールスを記録

Vince Clarke　ヴィンス・クラーク
1960 年　UK イングランド・ロンドン出身／ Depeche Mode（デペッシュ・モード）
▶ 1981 年　アルバム『Speak & Spell』／ Yazoo（ヤズー）／ Kb

Phil Jordan　フィル・ジョーダン
1982 年　UK イングランド・ウェストヨークシャー州リーズ出身／ The Music（ザ・
ミュージック）／ Ds

✗ Brian Jones　ブライアン・ジョーンズ
1969 年　享年 27 才（水死）／ The Rolling Stones（ザ・ローリング・ストーンズ）

✗ Jim Morrison　ジム・モリソン
1971 年　享年 27 才（ヘロイン過剰摂取といわれる）／ The Doors（ザ・ドアーズ）

✗ Billie Hughes　ビリー・ヒューズ
1998 年　享年 50 才（心臓発作）／ AOR ソングライター

⊙ 1966 年　ザ・ビートルズ「フィリピンでの悪夢」事件。ザ・ビートルズは日本公
演後にフィリピン公演のため羽田から香港経由でマニラへ向かい、現地で大歓迎を
受ける。しかし約 10 万人を動員したコンサート終了後に行われた「イメルダ・マ

ルコス大統領夫人の歓迎パーティー」への招待を欠席する。実はブライアン・エプスタインが配慮し、メンバーに知らせずに招待を丁重に辞退したのだった。しかし、この意志を現地のプロモーターは"許されないこと"として、直前までイメルダ夫人側に伝えなかった。自分の招待をすっぽかされたと思い込んだイメルダ夫人は激怒し、メディアはビートルズ・ネガティブ・キャンペーンを実施。ビートルズに対する激しい怒り・反感はフィリピン中に広まり、国民や警察・兵士までが敵意を向ける大騒動となる。帰国時、飛行機離陸許可がなかなか下りず、結局「コンサートの収入をすべて当局に渡す」という条件と引き換えに、ようやくフィリピンを離れることができた。出国できた時にはエプスタインも体調を崩し、この事件がその後ビートルズのツアーへの意欲を失わせた一因であるともいわれている

4

Bill Withers　ビル・ウィザース
1938 年　US ウェストヴァージニア州スラブフォーク出身／R&B シンガー　▶ 1971 年　シングル「Ain't No Sunshine（消えゆく太陽）」全米 3 位　▶ 1972 年　シングル「Lean on Me」🗡 2020 年 3 月 30 日　享年 81 才（心臓病）

Alan Wilson　アラン・ウィルソン
1943 年　US マサチューセッツ州アーリントン出身／Canned Heat（キャンド・ヒート）／G 🗡 1970 年 9 月 3 日　享年 27 才（過量服薬）

Jeremy Spencer　ジェレミー・スペンサー
1948 年　US インディアナ州オークランド出身／Fleetwood Mac（フリートウッド・マック）／Vo.G

John Waite　ジョン・ウェイト
1952 年　UK イングランド・ランカシャー州ランカスター出身／1976 年 The Babys（ザ・ベイビーズ）／Vo.B　▶ 1984 年　ソロシングル「Missing You」がヒット／1987 年 Bad English（バッド・イングリッシュ）

Kirk Pengilly　カーク・ペンギリー
1958 年　オーストラリア・ヴィクトリア州メルボルン出身／INXS（インエクサス）／G.Sax

Matt Malley　マット・マリー
1963 年　US カリフォルニア州オークランド出身／Counting Crows（カウンティング・クロウズ）／B

William Goldsmith　ウィリアム・ゴールドスミス
1972 年　US ワシントン州シアトル出身／Foo Fighters（フー・ファイターズ）／Ds

Orri Dyrason　オーリー・ディラソン
1977 年　アイスランド・レイキャヴィーク出身／Sigur Ros（シガー・ロス）／Ds.Kb／1997 年　デビュー

4

Jesse Charland　ジェシー・チャーランド
1981 年　US カリフォルニア州出身／ Hoobastank（フーバスタンク）／ B　▶ 2001 年　デビューアルバム『Hoobastank』

Post Malone　ポスト・マローン
1995 年　US ニューヨーク州オノンダガ郡シラキュース出身／本名：Austin Richard Post（オースティン・リチャード・ポスト）／シンガー、ラッパー、プロデューサー　▶ 2018 年　アルバム『Beerbongs & Bentleys』

✗ Barry White　バリー・ホワイト
2003 年　享年 58 才（脳卒中）／シンガーソングライター、プロデューサー／ Love Unlimited Orchestra（ラヴ・アンリミテッド・オーケストラ）

> **ロック史**
> ⊙ 1964 年　ザ・ビーチ・ボーイズ、7 枚目のシングル「I Get Around」が悲願のビルボード首位達成。61 年デビューの彼らは「Surfin' USA」などスマッシュヒットを次々と発表するが、チャート 1 位には縁遠かった

> **社会史**
> ⊙ 1976 年　アメリカ合衆国独立宣言 200 周年

5

Robbie Robertson　ロビー・ロバートソン
1943 年　カナダ・オンタリオ州トロント出身／ The Band（ザ・バンド）／ G.Vo　▶ 1968 年　アルバム『Music from Big Pink』　▶ 1987 年　ソロアルバム『Robbie Robertson』

Huey Lewis　ヒューイ・ルイス
1950 年　US ニューヨーク州ニューヨークシティ出身／本名：Hugh Anthony Cregg Ⅲ（ヒュー・アンソニー・クレッグ 3 世）／ Huey Lewis & The News（ヒューイ・ルイス & ザ・ニュース）結成　▶ 1983 年　アルバム『Sports』全米 1 位（マイケル・ジャクソンの『Thriller』に次いで年間チャート 2 位）

Michael Monarch　マイケル・モナーク
1950 年　US カリフォルニア州ロスアンゼルス出身／ Steppenwolf（ステッペンウルフ）／ G

Marc Cohn　マーク・コーン
1959 年　US オハイオ州クリーヴランド出身／シンガーソングライター　▶ 1991 年　デビューアルバム『Marc Cohn』

Joe　ジョー
1973 年　US ジョージア州カスバート出身／本名：Joseph Thomas Jr.（ジョセフ・トーマス・ジュニア）／ R&B シンガー

Jason Wade　ジェイソン・ウェイド
1980 年　US カリフォルニア州カマリロ出身／ Lifehouse（ライフハウス）／ Vo.G
▶ 2000 年　アルバム『No Name Face』

Dave Haywood　デイヴ・ヘイウッド
1982 年　US ジョージア州オーガスタ出身／ Lady Antebellum（レディ・アンテベラム）
／ G

Nick O'Malley　ニック・オマリー
1985 年　UK イングランド・サウスヨークシャー州シェフィールド出身／ Arctic
Monkeys（アークティック・モンキーズ）／ Vo.B

Adam Young　アダム・ヤング
1986 年　US ミネソタ州オワトナ出身／ Owl City（アウル・シティ：アダム・ヤング
のソロプロジェクト）　▶ 2009 年　アルバム『Ocean Eyes』

✗ Manny Charlton　マニー・チャールトン
2022 年　享年 80 才／ Nazareth（ナザレス）／ G

ロック史
- 1968 年　米サンフランシスコに、ビル・グラハムがライヴハウス「Fillmore West（フィルモア・ウェスト）」をオープン（71 年クローズ、94 年再オープン）
- 1969 年　ザ・ローリング・ストーンズがブライアン・ジョーンズの追悼公演をハイドパーク（ロンドン）で開催。新メンバーのミック・テイラーのお披露目コンサートとして開かれる予定だったが、開催 2 日前に元メンバーのブライアン・ジョーンズが自宅のプールで溺死する。コンサートは中止される気運になったが、ミック・ジャガーが「ブライアンのために行う」と宣言。急遽"ジョーンズへの追悼"という名目で開かれることなり、ストーンズ 2 年ぶりのライヴに 30 万人もの観客が集まった

6

Bill Haley　ビル・ヘイリー
1925 年　US ミシガン州ハイランド・パーク出身／ロック・シンガー／ Bill Haley & His Comets（ビル・ヘイリー＆ヒズ・コメッツ）　▶ 1955 年　シングル「Rock Around the Clock」　✗ 1981 年 2 月 9 日　享年 55 才（心臓発作）

John Keeble　ジョン・キーブル
1959 年　UK イングランド・ロンドン出身／ Spandau Ballet（スパンダー・バレエ）／ Ds

50 Cent　50 セント
1975 年　US ニューヨーク州ニューヨークシティ・クイーンズ出身／本名：Curtis James Jackson Ⅲ（カーティス・ジェイムズ・ジャクソン 3 世）／ラッパー、プロデューサー　▶ 2003 年　アルバム『Get Rich or Die Tryin'』

6

Nic Cester　ニック・セスター
1979 年　オーストラリア・ヴィクトリア州メルボルン出身／ Jet（ジェット）／ Vo
▶ 2003 年　アルバム『Get Born』

Kate Nash　ケイト・ナッシュ
1987 年　UK イングランド・ロンドン出身／シンガーソングライター　▶ 2007 年　アルバム『Made of Bricks』

✘ Louis Armstrong　ルイ・アームストロング
1971 年　享年 69 才（心臓発作）／ジャズ・ミュージシャン／愛称：Satchmo（サッチモ）

✘ Van McCoy　ヴァン・マッコイ
1979 年　享年 39 才（心臓発作）／プロデューサー、作曲家

✘ Skip Battin　スキップ・バッティン
2003 年　享年 69 才（アルツハイマー病）／ The Byrds（ザ・バーズ）／ B

> **ロック史**
> ⊙ 1957 年　ジョン・レノンが組んでいたバンド「ザ・クオリーメン」の演奏を見るために、ポール・マッカートニーがリヴァプールのセント・ピーターズ教会を訪れた。ふたりはこの時初めて出会い、のちにビートルズ結成へと歩み出した記念すべき日となる

7

Ringo Starr　リンゴ・スター
1940 年　UK イングランド・マージーサイド州リヴァプール出身／本名：Richard Starkey（リチャード・スターキー）／ The Beatles（ザ・ビートルズ）／ Ds.Vo ／ 1970 年　解散　▶ 1971 年　ソロアルバム『It Don't Come Easy』（ジョージ・ハリスンのプロデュース）／ 1989 年以降、「RINGO STARR and His All Starr Band」を結成し、ワールドツアーを行なっている

Mark White　マーク・ホワイト
1962 年　US ニューヨーク州ニューヨークシティ・クイーンズ出身／ Spin Doctors（スピン・ドクターズ）／ B

Perry Richardson　ペリー・リチャードソン
1963 年　US サウスキャロライナ州コンウェイ出身／ Firehouse（ファイアーハウス）／ B ／ 1990 年　デビュー

✘ Fred Neil　フレッド・ニール
2001 年　享年 65 才（皮膚癌）／ブルース＆フォーク・シンガーソングライター

✘ Syd Barrett　シド・バレット
2006 年　享年 60 才（糖尿病合併症）／ Pink Floyd（ピンク・フロイド）／ Vo.G

⊙ 2007 年　世界の温暖化防止活動促進のためのチャリティ・コンサート「ライヴ・アース（Live Earth）」が世界規模で同時開催（ロンドン、ニュージャージー、ワシントン D.C.、ハンブルク、リオ、幕張メッセ、京都、上海、シドニー、ヨハネスブルク、南極）。テレビ・ラジオ・インターネットを通じて、世界 150 か国以上で 20 億人が視聴した

⊙ 2005 年　ロンドンで地下鉄とバスを標的にした同時爆破事件発生。イスラム教過激派 4 名による自爆テロで、一般人 52 名が巻き込まれて死亡し、750 名以上が負傷した

8

Warren Entner　ウォーレン・エントナー
1944 年　US マサチューセッツ州ボストン出身／ The Grass Roots（ザ・グラス・ルーツ）／ G.Kb

Carlos Cavazo　カルロス・カヴァーゾ
1957 年　US カリフォルニア州オレンジ群出身／ Quiet Riot（クワイエット・ライオット）／ G

Andrew Fletcher　アンドリュー・フレッチャー
1961 年　UK イングランド・ノッティンガムシャー州ノッティンガム出身／ Depeche Mode（デペッシュ・モード）／ Kb.B　✂ 2022 年 5 月 26 日　享年 60 才

Graham Jones　グレアム・ジョーンズ
1961 年　UK イーストヨークシャー州ブリッドリングトン出身／ Haircut 100（ヘアカット 100）／ G ／ 1982 年　デビュー

Joan Osborne　ジョーン・オズボーン
1962 年　US ケンタッキー州アンカレッジ出身／シンガーソングライター　▶ 1995 年シングル「One of Us」

Beck　ベック
1970 年　US カリフォルニア州ロスアンゼルス出身／本名：Beck Hansen（ベック・ハンセン）／シンガーソングライター　▶ 1994 年　デビューアルバム『Mellow Gold』▶ 2014 年　アルバム『Morning Phase』（グラミー賞「最優秀アルバム賞」「最優秀ロックアルバム賞」受賞）　▶ 2017 年　アルバム『Colors』（グラミー賞「最優秀オルタナティヴ・ミュージック・アルバム賞」受賞）

Stephen Mason　スティーヴン・メイソン
1975 年　US イリノイ州ジョリエット出身／ Jars of Clay（ジャーズ・オブ・クレイ）／ G ／ 1993 年　デビュー　▶ 1995 年　アルバム『Jars of Clay』

8

Jamie Cook　ジェイミー・クック

1985 年　UK イングランド・サウスヨークシャー州シェフィールド・ハイグリーン出身／ Arctic Monkeys（アークティック・モンキーズ）／ G　▶ 2013 年　アルバム『AM』

社会史
- ⊙ 1994 年　北朝鮮の金日成主席死去（享年 82 才）
- ⊙ 2011 年　スペースシャトル・アトランティス最終飛行（全機退役）

9

Bon Scott　ボン・スコット

1946 年　UK スコットランド・アンガス州フォーファー出身／ AC/DC（エーシー・ディーシー）／ Vo　▶ 1979 年　アルバム『Highway to Hell』　✘ 1980 年 2 月 19 日　享年33 才（車中で死亡、死因諸説あり）

Mitch Mitchell　ミッチ・ミッチェル

1946 年　UK イングランド・ロンドン出身／ Jimi Hendrix Experience（ジミ・ヘンドリックス・エクスペリエンス）／ Ds　▶ 1968 年　アルバム『Electric Ladyland』　✘ 2008年 11 月 12 日　享年 61 才（ホテル客室での自然死）

Marc Almond　マーク・アーモンド

1957 年　UK イングランド・マージーサイド州サウスポート出身／シンガー、コンポーザー／ Soft Cell（ソフト・セル）／ Vo　▶ 1981 年　アルバム『Non-Stop Erotic Cabaret』

Jim Kerr　ジム・カー

1959 年　UK スコットランド・グラスゴー出身／ Simple Minds（シンプル・マインズ）／ Vo　▶ 1985 年　アルバム『Once Upon a Time』

Courtney Love　コートニー・ラヴ

1964 年　US カリフォルニア州サンフランシスコ出身／ Hole（ザ・フォール）／ Vo　▶ 1994 年　アルバム『Live Through This』

Jack White　ジャック・ホワイト

1975 年　US ミシガン州デトロイト出身／ The White Stripes（ザ・ホワイト・ストライプス）Vo.G ／ The Racanters（ザ・ラカンターズ）Vo.G ／ The Dead Weather（ザ・デッド・ウェザー）Ds.G.Vo ／グラミー賞 9 回受賞　▶ 2003 年　アルバム『Elephant』

Isaac Brock　アイザック・ブロック

1975 年　US ワシントン州イサカ出身／ Modest Mouse（モデスト・マウス）／ Vo.G　▶ 1996 年　デビューアルバム『This Is a Long Drive for Someone with Nothing to Think About』

Dan Estrin　ダン・エストリン

1976 年　US カリフォルニア州ロスアンゼルス出身／ Hoobastank（フーバスタンク）

／ G.Kb

Jan
Feb
Mar
Apr
May
Jun
Jul
Aug
Sep
Oct
Nov
Dec

ロック史

⊙ 1955 年　ビル・ヘイリー＆ヒズ・コメッツの「Rock Around the Clock」全米 1 位（映画『暴力教室』主題歌）

10

Ronnie James Dio　ロニー・ジェイムズ・ディオ

1942 年　US ニューハンプシャー州ポーツマス出身／ Rainbow（レインボー）／ Vo ▶ 1975 年　デビューアルバム『Ritchie Blackmore's Rainbow（銀嶺の覇者）』 ✂ 2010 年 5 月 16 日　享年 67 才（胃癌）

Jerry Miller　ジェリー・ミラー

1943 年　US ワシントン州タコマ出身／ Moby Grape（モビー・グレイプ）／ G.Vo ▶ 1967 年　デビューアルバム『Moby Grape』

Arlo Guthrie　アーロ・ガスリー

1947 年　US ニューヨーク州ニューヨークシティ・ブルックリン出身／ Woody Guthrie（ウディ・ガスリー）の息子　▶ 1967 年　デビューアルバム『Alice's Restaurant』

Greg Kihn　グレッグ・キーン

1949 年　US メリーランド州ボルチモア出身／ 1979 年　The Greg Kihn Band（グレッグ・キーン・バンド）／ Vo.G　▶ 1983 年　アルバム『Kihnspiracy』

Neil Tennant　ニール・テナント

1954 年　UK イングランド・ノーサンバーランド州ブラントンパーク出身／ Pet Shop Boys（ペット・ショップ・ボーイズ）／ Vo　▶ 1986 年　アルバム『Westend Girls』がヒット

Sandy West　サンディ・ウェスト

1959 年　US カリフォルニア州ロングビーチ出身／ The Ruaways（ザ・ランナウェイズ）／ Ds ／ 1976 年 デビュー　✂ 2006 年 10 月 21 日　享年 47 才（肺癌）

Peter DiStefano　ピーター・ディステファノ

1959 年　US カリフォルニア州サンタモニカ出身／ Porno for Pyros（ポルノ・フォー・パイロス）／ G

Alice Nutter　アリス・ナッター

1962 年　UK イングランド・ランカシャー州バーンリー出身／ Chumbawamda（チャンバワンバ）／ Vo ／ 1985 年 デビュー　▶ 1997 年　アルバム『Tubthumper』

Jason Orange　ジェイソン・オレンジ

1970 年　UK イングランド・グレーターマンチェスター州マンチェスター・クランプサル出身／ Take That（テイク・ザット）／ 1990 年 デビュー　▶ 1992 年　デビュー

10

アルバム『Take That & Party』。1990年から96年の間に2,500万枚を売上げ、BBCは「UK音楽史上ビートルズ以来、最も成功したバンドで老若男女問わずに愛されている」とたびたび報じた

Jessica Simpson　ジェシカ・シンプソン
1980年　US テキサス州ダラス出身／シンガー　▶ 2000年　アルバム『I Think I'm in Love with You』

11

Peter Murphy　ピーター・マーフィー
1957年　UK イングランド・ノーサンプトンシャー州ノーサンプトン出身／Bauhaus（バウハウス）／Vo／1980年 デビュー（ポストパンク）

Suzanne Vega　スザンヌ・ヴェガ
1959年　US カリフォルニア州サンタモニカ出身／シンガーソングライター　▶ 1987年　シングル「Luka」全米3位

Richie Sambora　リッチー・サンボラ
1959年　US ニュージャージー州ウッドブリッジ出身／Bon Jovi（ボン・ジョヴィ）／G　▶ 1991年　ソロアルバム『Stranger in This Town』

Scott Shriner　スコット・シュライナー
1965年　US オハイオ州トレド出身／Weezer（ウィーザー）／B

Rick McMurray　リック・マックマーレイ
1975年　UK 北アイルランド・アントリウム県アントリム出身／Ash（アッシュ）／Ds

✕ Rob Gril　ロブ・グリル
2011年　享年67才（脳卒中合併症）／The Glass Roots（ザ・グラス・ルーツ）／Vo.B

✕ Tommy Ramone　トミー・ラモーン
2014年　享年65才（胆管癌）／The Ramones（ザ・ラモーンズ）／Ds

ロック史

⊙ 1970年　前年開催された「ウッドストック・フェスティバル」が3時間の映画となり、そのサントラ盤LP3枚組『Woodstock Music from the Original Soundtrack』が4週連続で全米アルバムチャート1位に君臨する。ジミ・ヘンドリックスのギターのみによる米国国歌「星条旗よ永遠なれ」は前衛芸術ともいえる名演奏であり、ロックの世界で語り継がれている

12

Christine McVie　クリスティン・マクヴィー

1943 年　UK イングランド・ウェストミッドランズ州バーミンガム出身／ Fleetwood Mac（フリートウッド・マック）／ Vo.Kb　▶ 1977 年　アルバム『Rumours』　▶ 1988 年　アルバム『Greatest Hits』

Wilko Johnson　ウィルコ・ジョンソン
1947 年　UK イングランド・エセックス州キャンベイ・アイランド出身／ Dr. Feelgood（ドクター・フィールグッド）／ G

Alessi　アレッシー
1953 年　US ニューヨーク州ロングアイランド出身／ Billy（ビリー）と Bobby（ボビー）の双子兄弟　▶ 1978 年　アルバム『All for a Reason』がヒット

Dan Murphy　ダン・マーフィー
1962 年　US ミネソタ州ダルース出身／ Soul Asylum（ソウル・アサイラム）／ G

Tim Gane　ティム・ゲイン
1964 年　UK イングランド・ロンドン出身／ Stereolab（ステレオラブ）／ G.Kb　▶ 1992 年　デビューアルバム『Peng!』　▶ 1994 年　アルバム『Mars Audiac Quintet』

Robin Wilson　ロビン・ウィルソン
1965 年　US アリゾナ州テンプ出身／ Gin Blossoms（ジン・ブロッサムズ）／ Vo ／ 1987 年　デビュー

✗ Minnie Riperton　ミニー・リパートン
1979 年　享年 31 才（乳癌）／シンガー

✗ Chris Wood　クリス・ウッド
1983 年　享年 38 才（肺炎）／ Traffic（トラフィック）／ Fl.Sax

✗ Judy Dyble　ジュディ・ダイブル
2020 年　享年 71 才（肺癌）／ Fairport Convention（フェアポート・コンヴェンション）／ Vo

ロック史
⊙ 1962 年　ザ・ローリング・ストーンズ、ロンドンの「マーキー・クラブ」で初ライヴ

社会史
⊙ 1996 年　イギリス皇室のチャールズ皇太子とダイアナ妃夫妻が離婚

13

Roger McGuinn　ロジャー・マッギン
1942 年　US イリノイ州シカゴ出身／ 1964 年　ロスアンゼルスで The Byrds（ザ・バーズ）結成。G.Vo（ザ・ビートルズの映画『ビートルズがやって来るヤァ！ヤァ！ヤァ！』

13

Sony Music Japan

でジョージが弾いていたリッケンバッカーの 12 弦ギターに強く影響を受けてバンドを結成) ▶ 1965 年　アルバム『Mr. Tambourine Man』

Stephen Jo Bladd　スティーヴン・ジョー・ブラッド
1942 年　US マサチューセッツ州ボストン出身／The J. Geils Band（ザ・J・ガイルズ・バンド）／B

Gerald Levert　ジェラルド・レヴァート
1966 年　US オハイオ州クリーヴランド出身／R&B シンガーソングライター　▶ 2007 年　アルバム『In My Songs』グラミー賞受賞　✗ 2006 年 11 月 10 日　享年 40 才（心臓発作）

> ### ロック史
> ⊙ 1985 年　アフリカ難民救済チャリティ・コンサート「Live Aid（ライヴ・エイド）」が同時開催される(ロンドン、ニューヨーク／出演:ポール・マッカートニー、ミック・ジャガー、エルトン・ジョン、デヴィッド・ボウイ、ザ・ビーチ・ボーイズ、クイーン、エリック・クラプトン、サンタナ、マドンナ、U2 他多数)

14

Woody Guthrie　ウディ・ガスリー
1912 年　US オクラホマ州オケマー出身／フォーク・シンガー／ボブ・ディランがお手本にした　▶ 1940 年　代表曲「This Land Is Your Land（我が祖国）」　✗ 1967 年 10 月 3 日　享年 54 才（ハンチントン病）

Jim Gordon　ジム・ゴードン
1945 年　US カリフォルニア州ロスアンゼルス出身／Derek & The Dominos（デレク & ザ・ドミノス）／Ds／1970 年　デビュー

Andy Newmark　アンディ・ニューマーク
1950 年　US ニューヨーク州ウェストチェスター郡ポート・チェスター出身／Sly & The Family Stone（スライ & ザ・ファミリー・ストーン）／Ds／1967 年　デビュー ▶ 1980 年　ジョン・レノン&オノ・ヨーコ『Double Fantasy』Ds

Chris Cross　クリス・クロス
1952 年　UK イングランド・ロンドン出身／Ultravox（ウルトラボックス）／B

Robert Casale　ロバート・キャセール／ボブ 2 号
1952 年　US オハイオ州ケント出身／本名：Robert Edward "Bob" Casale／Devo（ディーヴォ）／▶ 1978 年　デビューアルバム『Q: Are We Not Men? A: We Are DEVO!（頽廃的美学論）』✗ 2014 年 2 月 17 日　享年 61 才（心不全）

Matthew Seligman　マシュー・セリグマン
1955 年　キプロス共和国ペンタゲイア出身／Thompson Twins（トンプソン・ツインズ）／B ✗ 2020 年 4 月 17 日　享年 64 才（新型コロナウイルス感染症）

Nick McCabe　ニック・マッケイブ
1971 年　UK イングランド・マージーサイド州リヴァプール・ヘイドック出身／The Verve（ザ・ヴァーヴ）／G

Taboo　タブー
1975 年　US カリフォルニア州ロスアンゼルス出身／本名：Jaime Gomez（ジェイミー・ゴメス）／Black Eyed Peas（ブラック・アイド・ピーズ）／ダンサー　▶ 1998 年 デビューアルバム『Behind the Front』

Dan Reynolds　ダン・レイノルズ
1987 年　US ネバダ州ラスヴェガス出身／Imagine Dragons（イマジン・ドラゴンズ）／Vo.G　▶ 2012 年　アルバム『Night Visions』

15

Peter Lewis　ピーター・ルイス
1945 年　US カリフォルニア州ハリウッド出身／Moby Grape（モビー・グレイプ）／G.Vo　▶ 1967 年 デビューアルバム『Moby Grape』

Linda Ronstadt　リンダ・ロンシュタット
1946 年　US アリゾナ州ツーソン出身／シンガー　▶ 1974 年　シングル「You're No Good（悪いあなた）」全米 1 位　▶ 1977 年　アルバム『Simple Dreams』全米 1 位／グラミー賞 12 回、アメリカン・ミュージックアワード 3 回、カントリー・ミュージックアワード 3 回他多数の音楽賞を受賞／全米のみで 3,000 万枚のアルバムセールスを記録／2013 年　パーキンソン病のため引退　▶ 2022 年 4 月　リンダのロック・ドキュメンタリー映画『The Sound of My Voice』公開

Peter Banks　ピーター・バンクス
1947 年　UK イングランド・ハートフォードシャー州バーネット出身／Yes（イエス）／G　✗ 2013 年 3 月 8 日　享年 65 才（心臓疾患）

Trevor Horn　トレヴァー・ホーン
1949 年　UK イングランド・ダラム州ダラム出身／プロデューサー／The Buggles（ザ・バグルス）／Vo.B／1979 年デビュー　▶ 1980 年　アルバム『The Age of Plastic』

David Pack　デイヴィッド・パック
1952 年　US カリフォルニア州ハンティントンパーク出身／AOR シンガーソングライター／Ambrosia（アンブロージア）　▶ 1985 年　アルバム『Anywhere You Go』

Jeff Carlisi　ジェフ・カーリシ
1952 年　US マサチューセッツ州ボストン出身／38 Special（38 スペシャル）／G

Johnny Thunders　ジョニー・サンダース
1952 年　US ニューヨーク州ニューヨークシティ・クイーンズ出身／ロック・ミュージシャン／New York Dolls（ニューヨーク・ドールズ）／G　✗ 1991 年 4 月 23 日

15

享年 38 才

Ian Curtis イアン・カーティス
1956 年　UK イングランド・チェシャー州マックルズフィールズ出身／ Joy Division（ジョイ・デヴィジョン）／ Vo　▶ 1980 年 4 月　シングル「Love Will Tear Us Apart」
✗ 1980 年 5 月 18 日　享年 23 才（自殺／ US ツアー・スタート前日）

Marky Ramone マーキー・ラモーン
1956 年　US ニューヨーク州ニューヨークシティ・ブルックリン出身／ The Ramones（ザ・ラモーンズ）／ Ds

Joe Satriani ジョー・サトリアーニ
1956 年　US ニューヨーク州ロングアイランド出身／ギタリスト　▶ 1987 年　アルバム『Surfing With the Alien』

John Dolmayan ジョン・ドルマヤン
1973 年　レバノン・ベイルート出身（アルメニア系アメリカ人）／ System of a Down（システム・オブ・ア・ダウン）／ Ds ／ 1998 年　デビュー

Ray Toro レイ・トロ
1977 年　US ニュージャージー州カーニー出身／ My Chemical Romans（マイ・ケミカル・ロマンス）／ G ／ 2004 年　デビュー

✗ **Paul Young** ポール・ヤング
2000 年　享年 53 才（心臓発作）／ Sad Café（サッド・カフェ）、Mike + The Mechanics（マイク＆ザ・メカニックス）／ Vo

✗ **Paul Ryder** ポール・ライダー
2022 年　享年 58 才／ Happy Mondays（ハッピー・マンデーズ）／ B

社会史
◉ 1971 年　ニクソン・ショック。ニクソン大統領の訪中を予告する宣言から、翌 72 年 2 月の実際の北京訪問に至る“新しい外交政策”

16

Tony Jackson トニー・ジャクソン
1940 年　UK イングランド・マージーサイド州リヴァプール出身／ The Searchers（ザ・サーチャーズ）／ B

Alan Fitzgerald アラン・フィッツジェラルド
1949 年　US カリフォルニア州出身／ Night Ranger（ナイト・レンジャー）／ Kb

Stewart Copeland スチュワート・コープランド
1952 年　US ヴァージニア州アレクサンドリア出身／ The Police（ザ・ポリス）／ Ds

▶ 1979 年　アルバム『Reggatta de Blanc』／ 1984 年　ザ・ポリスが活動休止し、その後バンド「Animal Logic（アニマル・ロジック）」結成　▶ 1989 年　アルバム『Animal Logic』／ 2007 年　ザ・ポリス再結成（ワールドツアーで来日）

✗ John Lord　ジョン・ロード
2012 年　享年 71 才（肺塞栓症）／ Deep Purple（ディープ・パープル）／ Kb

✗ Johnny Winter　ジョニー・ウィンター
2014 年　享年 70 才／ブルース・ギタリスト、シンガー

17

Spencer Davis　スペンサー・デイヴィス
1939 年　UK サウスウェールズ・スウォンジー出身／ The Spencer Davis Group（ザ・スペンサー・デイヴィス・グループ）／ Vo.G ／ 1966 年 アルバムデビュー　▶同年シングル「Gimme Some Lovin'」　✗ 2020 年 10 月 19 日　享年 81 才（肺炎）

Michael Tucker　マイケル・タッカー
1947 年　UK イングランド・ロンドン出身／ Sweet（スウィート）／ Ds ／ 1971 年 デビュー　✗ 2002 年 2 月 14 日　享年 54 才（白血病）

Terry "Geezer" Butler　テリー・ギーザー・バトラー
1949 年　UK イングランド・ウェストミッドランズ州バーミンガム出身／ Black Sabbath（ブラック・サバス）／ B

Phoebe Snow　フィービ・スノウ
1950 年　US ニューヨーク州ニューヨークシティ出身／シンガーソングライター　▶ 1974 年　アルバム『Phoebe Snow』　▶ 1977 年　アルバム『Never Letting Go』　✗ 2011 年 4 月 26 日　享年 60 才（脳内出血に伴う疾患）

Sony Music Japan

Nicolette Larson　ニコレット・ラーソン
1952 年　US モンタナ州ヘレナ出身／シンガー　▶ 1979 年　シングル「Lotta Love」　✗ 1997 年 12 月 16 日　享年 45 才（脳浮腫）

Chet McCracken　チェット・マクラッケン
1952 年　US ワシントン州シアトル出身／ The Doobie Brothers（ザ・ドゥービー・ブラザーズ）／ D

Leanne Lyons　リアン・ライオンズ
1973 年　US ニューヨーク州ニューヨークシティ・ブロンクス出身／ SWV（Sisters With Voices：エス・ダブリュ・ヴイ）

Panda Bear　パンダ・ベア
1978 年　US ヴァージニア州シャーロッツビル出身／本名：Noah Benjamin Lennox（ノア・ベンジャミン・レノックス）／ Animal Collective（アニマル・コレクティヴ）／

Vo.Pro　▶ 2000 年　デビューアルバム『Spirit They're Gone, Spirit They've Vanished』
（自主レーベル「Animal」）

✂ Billy Holiday　ビリー・ホリデイ
1959 年　享年 44 才（麻薬常習・肝硬変・腎不全）／ジャズ・シンガー

✂ John Coltrane　ジョン・コルトレーン
1967 年　享年 40 才（肝臓癌）／ジャズ・サックス奏者

✂ Chas Chandler　チャス・チャンドラー
1996 年　享年 57 才（大動脈瘤）／ The Animals（ザ・アニマルズ）／ B

✂ Gordon Waller　ゴードン・ウォーラー
2009 年　享年 64 才（心臓発作）／ Perter & Gordon（ピーター＆ゴードン）

ロック史

⊙ 1971 年　グランド・ファンク・レイルロード、伝説の"嵐の中のコンサート"決行（東京・後楽園球場）。雷と共に突然の豪雨と嵐が到来し、1 時間あまり開演が遅れる。しかしスタンドのほとんどの観客は退避せずに待ち続け、熱気が異様に高まる中、決行された

18

Ian Stewart　イアン・スチュワート
1938 年　UK スコットランド・ファイフ区ピッテンウィーム出身／ The Rolling Stones
（ザ・ローリング・ストーンズ）／ Kb（創立メンバー）　✂ 1985 年 12 月 12 日　享年
47 才（心臓発作）

Dion　ディオン
1939 年　US ニューヨーク州ニューヨークシティ・ブロンクス出身／本名：Dion
Francis DiMucci（ディオン・フランシス・ディムッチ）／シンガー　▶ 1961 年　シングル「Runaround Sue」

Terry Chambers　テリー・チェンバース
1955 年　UK ウィルトシャー州スウィンドン出身／ XTC（エックス・ティー・シー）
／ Ds

Keith Levene　キース・レヴィン
1957 年　UK イングランド・ロンドン出身／ Public Image Ltd（PIL：パブリック・イメージ・リミテッド）／ G

Nigel Twist　ナイジェル・トゥイスト
1958 年　UK イングランド・グレーターマンチェスター州マンチェスター出身／ Alarm
（アラーム）／ Ds ／ 1978 年　デビュー

Jack Irons ジャック・アイアンズ

1962 年　US カリフォルニア州ロスアンゼルス出身／Red Hot Chili Peppers（レッド・ホット・チリ・ペッパーズ）／Ds

Daron Malakian ダラン・マラキアン

1975 年　US カリフォルニア州ロスアンゼルス・ハリウッド出身／System of a Down（システム・オブ・ア・ダウン）／G.Vo　▶ 1998 年　デビューアルバム『System of a Down』

✗ Nico ニコ

1988 年　享年 49 才（自転車事故）／The Velvet Underground（ザ・ヴェルヴェット・アンダーグラウンド）／Vo

19

Alan Gorrie アラン・ゴーリー

1946 年　UK スコットランド、パース・アンド・キンロス市パース出身／The Average White Band（ザ・アヴェレージ・ホワイト・バンド）／B.Vo

Brian May ブライアン・メイ

1947 年　UK イングランド・ミドルセックス州ハンプトン出身／ギタリスト／Queen（クイーン）／G ／天文学者　▶ 1977 年　「We Will Rock You」（『News of the World』収録）の作曲者。60 年代中頃に父ハロルドと共に製作した自作の「レッド・スペシャル」は、ピックとして 6 ペンス硬貨を用いることで唯一無二のサウンドが得られるという伝説的ギター

Bernie Leadon バーニー・リードン

1947 年　US ミネソタ州ミネアポリス出身／The Eagles（ザ・イーグルス）／G.Banjo

Keith Godchaux キース・ゴジョー

1948 年　US ワシントン州シアトル出身／Grateful Dead（グレイトフル・デッド）／Kb ✗ 1980 年 7 月 23 日　享年 32 才（交通事故）

Allen Collins アレン・コリンズ

1952 年　US フロリダ州ジャクソンヴィル出身／Lynyrd Skynyrd（レーナード・スキナード）／G ✗ 1990 年 1 月 23 日　享年 38 才（慢性肺炎）

Kevin Haskins ケヴィン・ハスキンス

1960 年　UK イングランド・ノーサンプトンシャー州ノーサンプトン出身／Bauhaus（バウハウス）／Ds ／1980 年　デビュー

Hugh Harris ヒュー・ハリス

1987 年　UK イングランド・イーストサセックス州ブライトン出身／The Kooks（ザ・クークス）／G　▶ 2006 年　デビューアルバム『Inside In / Inside Out』

19

- ⊙ 1954 年　Elvis Presley（エルヴィス・プレスリー）、サン・レコードからデビュー
シングル「That's All Right」リリース

- ⊙ 1980 年　モスクワ・オリンピック開催。アメリカ、イギリス、日本など参加拒否
国多数

20

Sony Music Japan

Kim Carnes　キム・カーンズ
1945 年　US カリフォルニア州ロスアンゼルス出身／シンガー　▶ 1981 年　シングル
「Bette Davis Eyes」（『Mistaken Identity』収録）

John Lodge　ジョン・ロッジ
1945 年　UK イングランド・ウェストミッドランズ州バーミンガム・アーディントン
出身／ The Moody Blues（ザ・ムーディ・ブルース）／ Vo.B　▶ 1965 年　デビュー
アルバム『The Magnificent Moodies』

Carlos Santana　カルロス・サンタナ
1947 年　メキシコ・ハリスコ州アウトラン出身／ギタリスト／ Santana（サンタナ）
／ 1966 年　サンフランシスコでサンタナ結成／ 1969 年　ウッドストック・フェスティ
バルに出演し有名に　▶ 1970 年　セカンドアルバム『Abraxas』全米 1 位　▶ 1972
年　アルバム『Caravanserai』　▶ 1999 年　アルバム『Supernatural』（グラミー賞 8
部門受賞）

Jem Finer　ジェム・ファイナー
1955 年　UK イングランド・スタッフォードシャー州ストーク・オン・トレント出身
／ The Pogues（ザ・ポーグス）／ Sax.Banjo ／ 1984 年　デビュー（ケルティック・
パンク）

Paul Cook　ポール・クック
1956 年　UK イングランド・ロンドン出身／ Sex Pistols（セックス・ピストルズ）／
Ds

Michael McNeil　マイケル・マクニール
1958 年　UK スコットランド・バラ島出身／ Simple Minds（シンプル・マインズ）／
Kb

Lee Harris　リー・ハリス
1962 年　UK イングランド・ロンドン出身／ Talk Talk（トーク・トーク）／ Ds ／
1982 年　デビュー

Chris Cornell　クリス・コーネル
1964 年　US ワシントン州シアトル出身／ Soundgarden（サウンドガーデン）／ Vo.G

▶ 1994 年　アルバム『Super Unknown』　✗ 2017 年 5 月 17 日　享年 52 才（自殺）

Stone Gossard　ストーン・ゴッサード
1966 年　US ワシントン州シアトル出身／ Pearl Jam（パール・ジャム）／ G　▶ 1991 年　アルバム『Ten』

Elliott Yamin　エリオット・ヤミン
1978 年　US カリフォルニア州ロスアンゼルス出身／ヴォーカリスト／ 2007 年　デビュー／人気オーディション番組『アメリカン・アイドル』で 3 位入賞

✗ Chester Bennington　チェスター・ベニントン
2017 年　享年 41 才（自殺）／ Linkin Park（リンキン・パーク）／ Vo

社会史
- 1969 年　アポロ 11 号が世界初の月面着陸に成功。アームストロング船長とオルドリン操縦士の 2 名が月着陸船「イーグル号」を着陸させた
- 1973 年　日本赤軍によるドバイ日航機ハイジャック事件発生
- 1989 年　ミャンマーの国民民主連盟書記長アウンサンスーチーが軍事政権により、自宅軟禁される
- 2015 年　アメリカとキューバが国交回復

21

Kim Fowley　キム・フォーリー
1939 年　US カリフォルニア州ロスアンゼルス出身／シンガーソングライター／プロデューサー／ The Runaways（ザ・ランナウェイズ）のプロデューサー

Cat Stevens　キャット・スティーヴンス
1948 年　UK イングランド・ロンドン出身／本名：Steven Demetre Georgiou（スティーヴン・デメトレ・ジョルジオ）／シンガーソングライター／ 1966 年　デビュー　▶ 1972 年　シングル「Morning Has Broken」がヒット

Eric Bazilian　エリック・バジリアン
1953 年　US ペンシルベニア州フィラデルフィア出身／ The Hooters（ザ・フーターズ）／ Vo.G.Mandolin　▶ 1987 年　アルバム『One Way Home』

Howie Epstein　ハウイー・エプスタイン
1955 年　US ウィスコンシン州ミルウォーキー出身／ Tom Petty & The Heartbreakers（トム・ペティ & ザ・ハートブレイカーズ）／ B

Taco　タコ
1955 年　インドネシア・ジャカルタ出身／ポップシンガー　▶ 1982 年　シングル「Puttin' on the Ritz」

Jim Martin　ジム・マーティン

21

1961 年　US カリフォルニア州サンフランシスコ出身／Faith No More（フェイス・ノー・モア）／G／1985 年　デビュー　▶ 1989 年　アルバム『The Real Thing』

22

George Clinton　ジョージ・クリントン
1941 年　US ノースキャロライナ州カナポリス出身／P ファンクの創始者／Parliament（パーラメント）、Funkadelic（ファンカデリック）　▶ 1982 年　デビューアルバム『Computer Games』

Richard Davies　リチャード・デイヴィス
1944 年　UK イングランド・ウィルトシャー州スインドン出身／Supertramp（スーパートランプ）／Vo.Kb

Warner Music Japan

Don Henley　ドン・ヘンリー
1947 年　US テキサス州ギルマー出身／The Eagles（ザ・イーグルス）／Vo.Ds　▶ 1976 年　アルバム『Hotel California』　▶ 1982 年　ソロアルバム『I Can't Stand Still』　▶ 1984 年　シングル「The Boys of Summer」がヒット

Keith Sweat　キース・スウェット
1961 年　US ニューヨーク州ニューヨークシティ・ハーレム出身／R&B シンガー　▶ 1987 年　デビューアルバム『Make It Last Forever』

Emily Saliers　エミリー・サリアーズ
1963 年　US コネチカット州ニューヘイブン出身／Indigo Girls（インディゴ・ガールズ）　▶ 1994 年　アルバム『Swamp Ophelia』

Will Calhoun　ウィル・カルホーン
1964 年　US ニューヨーク州ニューヨークシティ・ブルックリン出身／Living Colour（リヴィング・カラー）／Ds／1988 年　デビュー

Pat Badger　パット・バドガー
1967 年　US マサチューセッツ州ボストン出身／Extreme（エクストリーム）／B

Rufus Wainwright　ルーファス・ウェインライト
1973 年　US ニューヨーク州ダッチェス郡ラインベック出身／シンガーソングライター　▶ 1998 年　デビューアルバム『Rufus Wainwright』

Daniel Jones　ダニエル・ジョーンズ
1973 年　UK イングランド・エセックス州サウスエンド・オン・シー出身／Savage Garden（サヴェージ・ガーデン）／G.Kb

✗ Gar Samuelson　ガー・サミュエルソン
1999 年　享年 41 才（肝不全）／Megadeth（メガデス）／Ds

✗ Art Neville　アート・ネヴィル

2019 年　享年 81 才／ The Neville Brothers（ザ・ネヴィル・ブラザーズ）／ Kb

社会史

- 2013 年　英国 " ロイヤル・ベイビー " ジョージ 1 世誕生（ウィリアム王子と妻キャサリン妃の第 1 子）

23

Tony Joe White　トニー・ジョー・ホワイト

1943 年　US ルイジアナ州グッドウィル出身／スワンプ・ロックの王者　▶ 1969 年デビューアルバム『Black and White』

Dino Danelli　ディノ・ダネリ

1944 年　US ニュージャージー州ジャージーシティ出身／ The Rascals（ザ・ラスカルズ）／ Ds

Andy Mackay　アンディ・マッケイ

1946 年　UK イングランド・コーンウェル州ロストウィズエル出身／ Roxy Music（ロキシー・ミュージック）／ Sax

John Hall　ジョン・ホール

1948 年　US メリーランド州ボルチモア出身／ 1972 年　Orleans（オーリアンズ）結成／ G　▶ 1975 年　アルバム『Let There Be Music』／その後、アメリカ合衆国下院議員として政治活動開始

John Rutsey　ジョン・ラトジー

1952 年　カナダ・オンタリオ州トロント出身／ Rush（ラッシュ）／ Ds　▶ 1974 年デビューアルバム『Rush』リリース直後、健康問題でバンドを脱退する。後任ドラマーに Neal Peart（ニール・パート）が起用される　✗ 2008 年 5 月 11 日　享年 55 才（糖尿病合併症による心臓発作）

Martin Gore　マーティン・ゴア

1961 年　UK イングランド・ロンドン出身／ Depeche Mode（デペッシュ・モード）／ Kb

Nick Menza　ニック・メンザ

1964 年　ドイツ・バイエルン州ミュンヘン出身／ Meagadeth（メガデス）／ Ds ／ 1984 年　デビュー　✗ 2016 年 5 月 21 日　享年 51 才（心臓発作）

Tim Kellett　ティム・ケレット

1964 年　UK イングランド・ノースヨークシャー州ナレスボロ出身／ Simply Red（シンプリー・レッド）／ Kb

Slash　スラッシュ

23

Universal Music

1965 年　UK イングランド・ロンドン出身／本名：Saul Hudson（ソウル・ハドソン）／Guns N' Roses（ガンズ・アンド・ローゼズ）／G　▶1987 年　アルバム『Appetite for Destruction』　▶1991 年　アルバム『Use Your Illusion Ⅱ』

Alison Krauss　**アリソン・クラウス**
1971 年　US イリノイ州ディケーター出身／フォーク・シンガー（ブルー・グラス、カントリー）　▶1986 年　アルバム『Different Strokes』

Sony Music Japan

Fran Healy　**フラン・ヒーリー**
1973 年　UK イングランド・スタッフォードシャー州スタッフォード出身／Travis（トラヴィス）／Vo ▶1999 年　アルバム『The Man Who』

Michelle Williams　**ミシェル・ウィリアムズ**
1980 年　US テキサス州ヒューストン出身／Destiny's Child（デスティニーズ・チャイルド）　▶1998 年 デビューアルバム『Destiny's Child』

Steve Jocz　**スティーヴ・ジョクス**
1981 年　カナダ・オンタリオ州エイジャックス出身／Sum 41（サム 41）／Ds／2000 年　デビュー

Keith Godchaux　**キース・ゴジョー**
1980 年　享年 32 才（交通事故）／Grateful Dead（グレイトフル・デッド）／Kb

Amy Winehouse　**エイミー・ワインハウス**
2011 年　享年 27 才（アルコール中毒）

24

Mick Karn　**ミック・カーン**
1958 年　キプロス・ニコシア出身／Japan（ジャパン）／B.Vo　▶1978 年 デビューアルバム『Adolescent Sex（果てしなき反抗）』 2011 年 1 月 4 日　享年 52 才（癌）

Paul Geary　**ポール・ギアリー**
1961 年　US マサチューセッツ州メドフォード出身／Extreme（エクストリーム）／Ds

Jennifer Lopez　**ジェニファー・ロペス**
1969 年　US ニューヨーク州ニューヨークシティ・キャッスルヒル出身／シンガー　▶1999 年　アルバム『If You Had My Love』

Dan Peak　**ダン・ピーク**
2011 年　享年 61 才（心膜炎）／America（アメリカ）／Vo.G

Larry Hoppen　**ラリー・ホッペン**
2012 年　享年 61 才（自殺）／Orleans（オーリアンズ）／Vo.G

25

Manny Charlton　マニー・チャールトン

1941 年　スペイン・アンダルシア州ラ・リネア・デ・ラ・コンセプション出身／
Nazareth（ナザレス）／ G ／ 1971 年　デビュー　✄ 2022 年 7 月 5 日　享年 80 才

Jim McCarty　ジム・マッカーティ

1943 年　US ミシガン州デトロイト出身／ The Yardbirds（ザ・ヤードバーズ）／ Ds
／ Renaissance（ルネッサンス）／ Ds

Thurston Moore　サーストン・ムーア

1958 年　US フロリダ州コーラル・ゲーブルズ出身／ 1980 年　Sonic Youth（ソニック・
ユース）結成／ G.Vo　▶ 1983 年　デビューアルバム『Confusion Is Sex』

Richard Colburn　リチャード・コルバーン

1970 年　UK スコットランド・グラスゴー出身／ Belle and Sebastian（ベル・アンド・
セバスチャン）／ Ds ／ 1996 年　デビュー

✄ Peter Green　ピーター・グリーン

2020 年　享年 73 才／ John Mayall & The Bluesbreakers（ジョン・メイオール＆ザ・ブルー
スブレイカーズ）から、Fleetwood Mac（フリートウッド・マック）G.V に移籍

> **ロック史**
>
> ⊙ 1965 年　ボブ・ディラン、「ニューポート・フォーク・フェスティバル」でエレ
> クトリック編成でのライヴを披露し、賛否両論を巻き起こす

Jul

Universal Music

Mick Jagger　ミック・ジャガー

1943 年　UK イングランド・ケント州ダートフォード出身／本名：Michael Philip
Jagger（マイケル・フィリップ・ジャガー）／ The Rolling Stones（ザ・ローリング・
ストーンズ）／ Vo　▶ 1964 年　デビューアルバム『The Rolling Stones』　▶ 1985 年
ソロアルバム『She's the Boss』

Roger Taylor　ロジャー・テイラー

1949 年　UK イングランド・ノーフォーク州キングズ・リン出身／ Queen（クイーン）
／ Ds　▶ 1984 年　「Radio Ga Ga」（『The Works』収録）の作曲者

Gary Cherone　ゲイリー・シェローン

1961 年　US マサチューセッツ州モールデン出身／ Extreme（エクストリーム）／ Vo
▶ 1989 年　デビューアルバム『Extreme』

Andy Connel　アンディ・コーネル

1961 年　UK イングランド・グレーターマンチェスター州マンチェスター出身／ Swing
Out Sister（スウィング・アウト・システター）／ Kb

26

Dave Baksh デイヴ・バクシュ
1980 年　カナダ・オンタリオ州エイジャックス出身／ Sum 41（サム 41）／ G

✗ Brent Mydland ブレント・ミッドランド
1990 年　享年 37 才（急性コカイン、麻薬中毒）／ Grateful Dead（グレイトフル・デッド）／ Kb

✗ J.J. Cale J.J. ケイル
2013 年　享年 74 才（心臓発作）／ US シンガーソングライター

✗ Joey Jordison ジョーイ・ジョーディソン
2021 年　享年 46 才（死因不明／睡眠中に死亡）／ Slipknot（スリップノット）／ Ds

27

Bobbie Gentry ボビー・ジェントリー
1942 年　US ミシシッピ州チカソー郡出身／シンガー　▶ 1967 年　アルバム『Ode to Billie Joe（ビリー・ジョーの唄）』

Karl Mueller カール・ミューラー
1962 年　US ミネソタ州ミネアポリス出身／ Soul Asylum（ソウル・アサイラム）／ B

Rex Brown レックス・ブラウン
1964 年　US テキサス州グレアム出身／ Pantera（パンテラ）／ B ／ 1983 年　デビュー

28

Rick Wright リック・ライト
1943 年　UK イングランド・ロンドン出身／ Pink Floyd（ピンク・フロイド）／ Kb

Mike Bloomfield マイク・ブルームフィールド
1943 年　US イリノイ州シカゴ出身／ブルース・ロック・ギタリスト／ The Paul Butterfield Blues Band（ザ・ポール・バターフィールド・ブルース・バンド）　▶ 1968 年　アルバム『Super Session』

Gerald Casale ジェラルド・キャセール
1948 年　US オハイオ州ラベンナ出身／ Devo（ディーヴォ）／ B.Syn.Vo ／ 1977 年デビュー

Simon Kirke サイモン・カーク
1949 年　UK イングランド・ロンドン出身／ Free（フリー）／ Ds

Steve Peregrin Took スティーヴ・ペレグリン・トゥック
1949 年　UK イングランド・ロンドン出身／本名：Stephen Ross Porter（スティーヴン・ロス・ポーター）／ 1967 年　T. Rex（T・レックス）の前身 Tyrannosaurus Rex（ティラノザウルス・レックス）でマーク・ボランとアコースティック・デュオを結成しデビュー

／その後、ドラッグ問題で解雇される　✗ 1980 年 10 月 27 日　享年 31 才（パーティー中にカクテルのチェリーが喉に詰まって窒息死／薬物は未検出）

Steve Morse　スティーヴ・モース
1954 年　US オハイオ州ハミルトン出身／ Deep Purple（ディープ・パープル）／ G

✗ Greg Guidry　グレッグ・ギドリー
2003 年　享年 49 才（ガレージの自動車内焼身自殺）／ AOR シンガーソングライター

✗ Dusty Hill　ダスティ・ヒル
2021 年　享年 72 才（死因不明／睡眠中に死亡）／ ZZ Top（ZZ トップ）／ B.Kb.Vo

Neal Doughty　ニール・ドーティー
1946 年　US インディアナ州エバンズビル出身／ REO Speedwagon（REO スピードワゴン）／ Kb

Patti Scialfa　パティ・シャルファ
1953 年　US ニュージャージー州ディール出身／ Bruce Springsteen & The E Street Band（ブルース・スプリングスティーン＆ザ・E ストリート・バンド）／ Vo.G ／ブルース・スプリングスティーンの妻

Geddy Lee　ゲディー・リー
1953 年　カナダ・オンタリオ州トロント出身／ Rush（ラッシュ）／ B.Vo　▶ 1974 年 デビューアルバム『Rush（閃光のラッシュ）』

John Sykes　ジョン・サイクス
1959 年　UK イングランド・バークシャー州レディング出身／ Whitesnake（ホワイトスネイク）G ／ Thin Lizzy（シン・リジィ）G

Simon Jones　サイモン・ジョーンズ
1972 年　UK イングランド・マージーサイド州リヴァプール出身／ The Verve（ザ・ヴァーヴ）／ B

Wanya Morris　ウォンヤ・モリス
1973 年　US ペンシルベニア州フィラデルフィア出身／ Boyz Ⅱ Men（ボーイズ Ⅱ メン）

Jamie Reynolds　ジェイミー・レイノルズ
1980 年　UK イングランド・ドーセット州ボーンマス出身／ Klaxons（クラクソンズ）／ Vo.B　▶ 2007 年 デビューアルバム『Myths of the Near Future（近未来の神話）』

✗ Cass Elliot　キャス・エリオット
1974 年　享年 32 才（心筋梗塞）／ The Mama's & The Papa's（ザ・ママス＆ザ・パパス）

Jul

29 社会史

⊙ 1981 年　英チャールズ王子がダイアナ・スペンサーと挙式（ロンドン、セントポール教会）

30

Sony Music Japan

Buddy Guy　バディ・ガイ
1936 年　US ルイジアナ州レッツワース出身／ブルース・ギタリスト、シンガー（シカゴ・ブルース）　▶ 1991 年　アルバム『Damn Right, I've Got the Blues』

Paul Anka　ポール・アンカ
1941 年　カナダ・オンタリオ州オタワ出身／シンガー／カナダ・ポップス界最初のスーパースター　▶ 1958 年　シングル「Diana」がヒット／フランク・シナトラ「My Way」の英詞制作（元フランス語の曲のメロディーを多少変更）　▶ 1983 年　アルバム『Walk a Fine Line』

Kate Bush　ケイト・ブッシュ
1958 年　UK イングランド・ケント州ベックスリーヒース出身／シンガーソングライター　▶ 1978 年　デビューシングル「Wuthering Heights（嵐が丘）」

Sean Moore　ショーン・ムーア
1968 年　UK ウェールズ・ポンティプール出身／ Manic Street Preachers（マニック・ストリート・プリーチャーズ）／ Ds

Brad Hargreaves　ブラッド・ハーグリーヴス
1971 年　US カリフォルニア州マリン郡出身／ Third Eye Blind（サード・アイ・ブラインド）／ Ds

31

Gary Lewis　ゲイリー・ルイス
1945 年　US カリフォルニア州ロスアンゼルス出身／喜劇俳優ジェリー・ルイスの息子／ Gary Lewis & Playboys（ゲイリー・ルイス＆プレイボーイズ）　▶ 1965 年　シングル「This Diamond Ring」

Hugh McDowell　ヒュー・マクダウェル
1953 年　UK イングランド・ロンドン出身／ Electric Light Orchestra（ELO：エレクトリック・ライト・オーケストラ）　✘ 2018 年 11 月 6 日　享年 65 才（癌）

Daniel Ash　ダニエル・アッシュ
1957 年　UK イングランド・ノーサンプトンシャー州ノーサンプトン出身／ Bauhaus（バウハウス）／ G ／ 1980 年　デビュー

Bill Berry　ビル・ベリー
1958 年　US ミネソタ州ダルース出身／ R.E.M.（アール・イー・エム）／ Ds

Fatboy Slim ファットボーイ・スリム
1963 年　UK イングランド・ロンドン出身／本名：Norman Cook（ノーマン・クック）／ "Fatboy Slim" は本人のプロジェクト名　▶ 1998 年　アルバム『You've Come a Long Way, Baby』

Sim Cain シム・ケイン
1963 年　UK イングランド・ロンドン出身／ Rollins Band（ロリンズ・バンド）／ Ds ／ 1987 年　デビュー

Jim Corr ジム・コアー
1964 年　アイルランド・ラウス県ダンドーク出身／ The Corrs（ザ・コアーズ）／ Vo.G

Will Champion ウィル・チャンピオン
1978 年　UK イングランド・ハンプシャー州サウサンプトン出身／ Coldplay（コールドプレイ）／ Ds

✗ Ray Ennis レイ・エニス
2005 年　享年 65 才 ／ The Swinging Blue Jeans（ザ・スウィンギング・ブルー・ジーンズ）／ Vo.G

Column 4

ロックは死んだのか？

KISS のジーン・シモンズは以前からロックの行方を憂いていたひとり。ニューヨークに拠点を置くオンラインマガジン「Consequence of Sound」（2021 年 3 月 9 日）とのインタビューでも、「ロックは死んだ」と再三述べている。「1958 年から 88 年の 30 年間にたくさんの素晴らしいミュージシャンたちが活躍していた。でもそれ以降、"ロックは死んだ"のさ」。彼はさらに続ける。「エルヴィスから始まり、ビートルズ、ローリング・ストーンズ、プログレのピンク・フロイド、ヘヴィメタのメタリカ、アイアン・メイデン、AC/DC。そして U2、プリンス、デヴィッド・ボウイ、イーグルス、マドンナ、ディスコ、モータウンもあった。1988 年から現在までの間、新しいビートルズは誰なんだ？」

ジーンはワン・ダイレクションや BTS の大成功を認めながらも、彼らの影響力を"砂糖"になぞらえている。「少しの間大人気になるけど、そのうち消えてなくなり、誰も気にしなくなるよ」と。彼のこのような考え方は、彼自身が優れたビジネスマンであるためであり、最近のデジタルが主流となった音楽業界のビジネスモデルがロックバンドの成功の妨げになっていると批判している。「ロックバンドが活躍できない理由は彼らに才能がないからではなく、現在の若者たちが音楽にはお金を使わないと決め、楽曲をダウンロードしてファイルをシェアしているからだ。音楽は無料同然になり、次世代の偉大なバンドが生まれる機会がなくなってしまったことで、最近のロックバンドは成功への道が閉ざされている」。そしてインタビューをこう締めくくった。「バンドを花に例えると、水や十分な日光が与えられなければ死んでしまう。"なぜ、花は枯れるんだ？"と言うけど、それは因果応報だ。最近は曲がダウンロードされても 1/100 セントしかもらえない。才能の問題ではなく、今のデジタル中心のビジネスモデルが機能していないからだ。そういう状況だから、残っている手段はライヴ・パフォーマンス！新しいバンドには愛が必要なんだ」

しかし、一方で**エアロ・スミスのジョー・ペリー**は「VW Music」でのインタビュー（2022 年 7 月 5 日）で、ジーンの「ロックは死んだ」に異議を申し立てている。「ヒットチャートでは振るわなくとも、"継続して"大きなステージでヘッドライナーを務める新しいロックバンドはたくさんいる。問題はそれを聴くファンの数が少ないから、目立った成功を収められないこと。でもこれからファンになる人たちだってたくさんいるんだ。小さなクラブでもライヴを観たい満員のファンがいるからこそ、音楽は今も生かされているのさ！」

8

August

The
Rock
Musicians'
Birthday
Encyclopedia

JOE STRUMMER　ジョー・ストラマー

1952 年 8 月 21 日
トルコ共和国アンカラ出身

　本名は John Graham Mellor（ジョン・グレアム・メラー）。父親が外交官だったため、転勤によりエジプト・メキシコ・ドイツなどで幼少期を過ごし、様々な国の文化に出会う。9才でイギリスに住むが、シティ・オブ・フリーメンズ・スクールに寄宿生として入学し、両親とは離れて暮らすように。その頃からザ・ビートルズ、ザ・ローリング・ストーンズ、ザ・

1

MADONNA　マドンナ

1958 年 8 月 16 日
US ミシガン州ベイ・シティ出身

　本名は Madonna Louise Veronica Ciccone（マドンナ・ルイーズ・ヴェロニカ・チッコーネ）。イタリア系の父シルヴィオとフランス系の母マドンナの間に生まれる。8 人兄妹。母はマドンナが 6 才の時に乳癌で死去する。マドンナは常に成績優秀で、高校時代はチアリーダーとして活躍するが、父

2

Woodstock Music and Art Festival
ウッドストック・ミュージック・アンド・アート・フェスティバル

1964 年 5 月 30 日
US ニューヨーク州ニューヨークシティ・ハーレム出身

　ニューヨーク州アルスター郡ウッドストックのアート・ムーブメントに関連して「ウッドストック」と名付けられた。フェスティバルには 8 月 15 日から 17 日の 3 日間で 40 〜 50 万人が参加。アメリカのカウンターカルチャーを象徴する歴史的なイベントであり、「愛と平和と音楽の 3 日間」と呼ばれている。ロックの歴史上初の大型野外コンサートで設備不備

3

ビーチ・ボーイズ、ウディ・ガスリーなどを聴き始め、次第に音楽にのめりこんでいく。16才の時、極右団体のメンバーだった兄が自殺。このことが彼の人生観を決定的に変え、「ザ・クラッシュ」の反ファシズム的姿勢に向かっていく。アートスクールに入学したがドロップアウトし、バンド活動を開始。74年に「101ers」を結成するが、76年にセックス・ピストルズの前座を務めると音楽観が一変。101ersを解散し、ミック・ジョーンズたちとザ・クラッシュを結成する。ピストルズを観てからわずか3か月でライヴ・デビューをしている。ジュリアン・テンプル監督の映画『ロンドン・コーリング』はジョーの生涯を振り返った作品である。2002年12月22日、先天性心臓疾患で他界。享年50才。

の再婚で心に傷を負う。亡き母への想いがその後の創作活動に大きな影響を与えていく。奨学金でミシガン大学に進学するが1年で退学。ニューヨークに行き、ヌードモデルやウェイトレスをしながらダンサーへの道を目指す。ニューヨークでディスコ音楽の影響を受け、1970年代末に「ブレックファスト・クラブ」、続いて「エミー」を結成する。そして1980年にソロ契約が実現してデビューする。58年生まれの同い年アーティストには、マイケル・ジャクソン、プリンス、ポール・ウェラー、サーストン・ムーア（ソニック・ユース）がいる。

が多く、天候にも恵まれない中、その規模と観客数の膨大さに比べれば、驚くほど平和な祭典だったと語り継がれている。出演者は、ジョーン・バエズ、ザ・フー、ジェファーソン・エアプレイン、サンタナ、ジャニス・ジョップリン、グレイトフル・デッド、ザ・バンド、ジミ・ヘンドリックス、クロスビー、スティルス、ナッシュ＆ヤング他多数。特にジミ・ヘンドリックスのギター一本で奏でる「星条旗よ永遠なれ」はベトナム戦争への批判として大変な注目を浴びた。ロック・フェスティバルは1967年のモントレー・ポップ・フェスティバルと、このウッドストックで頂点に達する。

1

Paddy Moloney　パディ・モローニ

1938 年　アイルランド・ダブリン出身／ The Chieftains（ザ・チーフタンズ）／ティンホイスル、イリアンパイプス　▶ 1992 年　アルバム『Another Country』

Sony Music Japan

Jerry Garcia　ジェリー・ガルシア

1942 年　US カリフォルニア州サンフランシスコ出身／ Grateful Dead（グレイトフル・デッド）／ Vo　▶ 1987 年　アルバム『In the Dark』　✗ 1995 年 8 月 9 日　享年 53 才（心筋梗塞）

Boz Burrell　ボズ・バレル

1946 年　UK イングランド・リンカンシャー州ホスビーチ出身／ Bad Company（バッド・カンパニー）／ B ／元 King Crimson（キング・クリムゾン）　✗ 2006 年 9 月 21 日　享年 60 才（心臓発作）

Rick Coonce　リック・コーンス

1946 年　US カリフォルニア州ロスアンゼルス出身／ The Grass Roots（ザ・グラス・ルーツ）／ Ds　✗ 2011 年 2 月 25 日　享年 64 才（心臓疾患）

Tommy Bolin　トミー・ボーリン

1951 年　US アイオワ州スーシティ出身／ Deep Purple（ディープ・パープル）／ G ／ 1968 年　デビュー　▶ 1975 年　アルバム『Come Taste the Band』　✗ 1976 年 12 月 4 日　享年 25 才（麻薬過剰摂取）

Tim Bachman　ティム・バックマン

1951 年　US マニトバ州ウィニペグ出身／ Bachman-Turner Overdrive（バックマン・ターナー・オーヴァードライヴ）／ G　▶ 1974 年　アルバム『Not Fragile』

Robert Cray　ロバート・クレイ

1953 年　US ジョージア州コロンバス出身／ブルース・ギタリスト／シンガー　▶ 1980 年　デビューアルバム『Who's Been Talkin'』　▶ 1986 年　アルバム『Strong Persuader』

Sony Music Japan

Michael Penn　マイケル・ペン

1958 年　US ニューヨーク州ニューヨークシティ・グリニッジビレッジ出身／シンガーソングライター／俳優ショーン・ペンの兄　▶ 1989 年　シングル「No Myth」（『March』収録）

Rob Buck　ロブ・バック

1958 年　US ニューヨーク州シャトークア郡ジェームズタウン出身／ 10,000 Maniacs（10,000 マニアックス）／ G　▶ 1989 年　アルバム『Blind Man's Zoo』　✗ 2000 年 12 月 19 日　享年 42 才（肝臓疾患）

Joe Elliott　ジョー・エリオット

1959 年　UK イングランド・サウスヨークシャー州シェフィールド出身／ Def Leppard
（デフ・レパード）／ Vo　▶ 1983 年　アルバム『Pyromania』

Chuck D　チャック D
1960 年　US ニューヨーク州ニューヨークシティ・フラッシング出身／ Public Enemy
（パブリック・エネミー）／ Vo（特にアフリカ系アメリカ人社会に関わる）社会・政治
問題に対して積極的な活動をするヒップホップ・グループ　▶ 1987 年　デビューアル
バム『Yo! Bum Rush the Show』

Adam Duritz　アダム・ダーリッツ
1964 年　US メリーランド州ボルチモア出身／ Counting Crows（カウンティング・ク
ロウズ）／ Vo　▶ 1993 年　アルバム『August and Everything After』

ロック史
- 1971 年　ジョージ・ハリスン「バングラデシュ難民救済コンサート」を開催（マ
  ジソン・スクエア・ガーデン）。当時史上初の大規模な慈善コンサートであり、公
  演直後コンサートの入場料収入から 24 万ドルあまりがバングラデシュ孤児救済基
  金に寄付された
- 1981 年　米音楽専門チャンネル「MTV」開局。最初に放送された PV はザ・バグ
  ルス「Video Killed The Radio Star（ラジオ・スターの悲劇）」

2

Peter O'Toole　ピーター・オトゥール
1932 年　アイルランド・ダブリン出身／ Hothouse Flowers（ホットハウス・フラワーズ）
／ B.G ／ 1986 年　デビュー

Garth Hudson　ガース・ハドソン
1937 年　カナダ・オンタリオ州ウィンザー出身／ The Band（ザ・バンド）／ Org.Sax

Jim Capaldi　ジム・キャバルディ
1944 年　UK ウスターシャー州イヴシャム出身／ Traffic（トラフィック）／ Ds ／
1967 年 デビュー　✗ 2005 年 1 月 28 日　享年 60 才（胃癌）

Mark Naftalin　マーク・ナフタリン
1944 年　US ミネソタ州ミネアポリス出身／ The Paul Butterfield Blues Band（ザ・ポー
ル・バターフィールド・ブルース・バンド）／ Org ／ 1966 年 デビュー

Ted Turner　テッド・ターナー
1950 年　UK イングランド・ロンドン出身／ Wishbone Ash（ウィッシュボーン・アッ
シュ）／ G.Vo　▶ 1970 年　デビューアルバム『Wishbone Ash』

Andrew Gold　アンドリュー・ゴールド
1951 年　US カリフォルニア州バーバンクス出身／ LA 地域のポップ・ロックのサウ
ンドに影響を与えたマルチプレイヤー、シンガーソングライター、プロデューサー／

2

10cc（テン・シー・シー）の楽曲制作　▶ 1975 年　ソロアルバム『Andrew Gold』／ 1983 年に 10cc 解散後、85 年からグレアム・グールドマン（10cc）と組んで WAX（ワックス）を結成　▶ 1986 年　アルバム『Magnetic Heaven』／ワックスは 92 年の 10cc 再結成に伴い自然消滅　✘ 2011 年 6 月 3 日　享年 59 才（腎臓癌、心機能障害）

Joe Lynn Turner　ジョン・リン・ターナー
1951 年　US ニュージャージー州ハッケンサック出身／ Rainbow（レインボー）／ Vo

Butch Vig　ブッチ・ヴィグ
1955 年　US ウィスコンシン州バイロークア出身／ Garbage（ガービッジ）／ Ds

Pete De Freitas　ピート・デ・フレイタス
1961 年　トリニダード・トバゴ、ポートオブスペイン出身／ Echo & The Bunnymen（エコー＆ザ・バニーメン）／ Ds　✘ 1989 年 6 月 14 日　享年 27 才（オートバイ事故）

Lee Mavers　リー・メイヴァース
1962 年　UK イングランド・マージーサイド州リヴァプール出身／ The La's（ザ・ラーズ）／ G.Vo　▶ 1990 年　デビューアルバム『The La's』

John Stanier　ジョン・ステニアー
1968 年　US メリーランド州ボルチモア出身／ Helmet（ヘルメット）、Battles（バトルス）／ Ds ／ 1990 年　デビュー

✘ Brian Cole　ブライアン・コール
1972 年　享年 29 才（ヘロイン過剰摂取）／ The Association（ザ・アソシエイション）

3

Sony Music Japan

Tony Bennett　トニー・ベネット
1926 年　US ニューヨーク州ニューヨークシティ・アストリア出身／ジャズ・シンガー　▶ 2006 年　アルバム『Duets an American Classic』

B.B. Dickerson　B.B. ディッカーソン
1949 年　US カリフォルニア州トーランス出身／ War（ウォー）／ B.Vo　▶ 1970 年　デビューアルバム『Eric Burdon Declares "War"』　✘ 2021 年 4 月 2 日　享年 71 才

Ian Bairnson　イアン・ベアンソン
1953 年　UK スコットランド・エディンバラ出身／ Pilot（パイロット）／ G.Sax ／ 1974 年　デビュー

Randy Scruggs　ランディ・スクラッグス
1953 年　US テネシー州ナッシュヴィル出身／ Stray Cats（ストレイ・キャッツ）／ G　✘ 2018 年 4 月 17 日　享年 64 才

Lee Rocker　リー・ロッカー

1961 年　US ニューヨーク州ロングアイランド・マサペクア出身／Stray Cats（ストレイ・キャッツ）／B／1981 年　デビュー（UK）　▶ 1981 年　アルバム『Stray Cats』

James Hetfield　ジェイムズ・ヘットフィールド

1963 年　US カリフォルニア州ダウニー出身／Metallica（メタリカ）／Vo.G　▶ 1991 年　シングル「Enter Sandman」（『Metallica』収録）がヒット／2019 年までに世界中で 1 億 2,000 万枚を記録。世界的に最も成功を収めたメタル・バンド

Ed Roland　エド・ローランド

1963 年　US ジョージア州ストックブリッジ出身／Collective Soul（コレクティヴ・ソウル）／Vo.G　▶ 1993 年　アルバム『Hints Allegations and Things Left Unsaid』

Brent Kutzle　ブレント・カツレ

1985 年　US カリフォルニア州ニューポートビーチ出身／One Republic（ワン・リパブリック）／Ds／2002 年　デビュー

✄ Arthur Lee　アーサー・リー

2006 年　享年 61 才（白血病）／Love（ラヴ）／Vo.G

4

Louis Armstrong　ルイ・アームストロング

1901 年　US ルイジアナ州ニューオーリンズ出身／ジャズ・ミュージシャン／Tp　▶ 1967 年　シングル「What a Wonderful World」　✄ 1971 年 7 月 6 日　享年 69 才（心臓発作）

Klaus Schultze　クラウス・シュルツ

1947 年　ドイツ・ベルリン出身／Tangerine Dream（タンジェリン・ドリーム）／Kb／1970 年　デビュー（ジャーマン・サイケ）

Ian Broudie　イアン・ブロウディ

1958 年　UK イングランド・マージーサイド州リヴァプール出身／The Lighting Seeds（ザ・ライトニング・シーズ）／G.Vo　▶ 1989 年 デビューシングル「Pure」　▶ 1990 年　デビューアルバム『Cloudcuckooland』　✄ 2016 年 10 月 23 日　享年 57 才（急性心不全）

Robbin Crosby　ロビン・クロスビー

1959 年　US カリフォルニア州サンディエゴ・ラホア出身／Ratt（ラット）／G／1984 年デビュー　✄ 2002 年 6 月 6 日　享年 42 才（エイズ、ヘロイン過剰摂取）

Paul Reynolds　ポール・レイノルズ

1962 年　UK イングランド・マージーサイド州リヴァプール出身／A Flock of Seagulls（フロック・オブ・シーガルズ）／G

5

Rick Huxley　リック・ハクスリー
1940 年　UK イングランド・ケント州ダートフォート出身／ The Dave Clark Five（ザ・デイヴ・クラーク・ファイヴ）／ B　✘ 2013 年 2 月 11 日　享年 72 才(慢性閉塞性肺疾患)

Rick Derringer　リック・デリンジャー
1947 年　US オハイオ州セリナ出身／ギタリスト、シンガー、コンポーザー、プロデューサー／ The McCoys（ザ・マッコイズ）、The Edgar Winter Group（ザ・エドガー・ウインター・グループ）／ G　▶ 1972 年　シングル「Frankenstein」がヒット　▶ 1973 年　ソロアルバム『All American Boy』

Greg Leskiw　グレッグ・レスキ
1947 年　カナダ・カニトバ州ウィニペグ出身／ The Guess Who（ザ・ゲス・フー）／ G

David Hungate　デイヴィッド・ハンゲイト
1948 年　US ミズーリ州トロイ出身／ TOTO（トト）／ B

Pat Smear　パット・スメア
1959 年　US カリフォルニア州ロスアンゼルス出身／ Foo Fighters（フー・ファイターズ）／ G

Pete Burns　ピート・バーンズ
1959 年　UK イングランド・マージーサイド州リヴァプール出身／ Dead or Alive（デッド・オア・アライヴ）／ Vo ／ 1984 年　デビュー　▶ 1988 年　アルバム『Nude』

Adam Yauch　アダム・ヤウク
1964 年　US ニューヨーク州ニューヨークシティ・ブルックリン出身／ Beastie Boys（ビースティ・ボーイズ）／ Vo.B　▶ 1986 年　アルバム『Licensed to Ill』　✘ 2012 年 5 月 4 日　享年 47 才（唾液腺腫瘍、リンパ腫）

✘ Jeff Porcaro　ジェフ・ポーカロ
1992 年　享年 38 才（心不全）／ TOTO（トト）／ B

✘ George Duke　ジョージ・デューク
2013 年　享年 67 才（慢性リンパ性白血病）／ US ジャズ・フュージョンのピアニスト、コンポーザー、プロデューサー

6

Allan Holdsworth　アラン・ホールズワース
1946 年　UK イングランド・ウェストヨークシャー州ブラッドフォード出身／ギタリスト（ロック・ジャズ・フュージョン）／ Soft Machine（ソフト・マシーン）／ G　▶ 1975 年　アルバム『Bundles』／ U.K.（ユー・ケー）／ G　▶ 1978 年　デビューアルバム『U.K.』　▶ 1985 年　ソロアルバム『Metal Fatigue』　✘ 2017 年 4 月 16 日　享年 70 才（心臓疾患）

Pat Macdonald　パット・マクドナルド

1952 年 US ウィスコンシン州グリーンベイ出身／Timbuk3（ティムバック3）／G.Vo
▶ 1986 年 デビューアルバム『Greetings from Timbuk3』

Elliott Smith　エリオット・スミス

1969 年　US ネブラスカ州オマハ出身／シンガーソングライター　▶ 1994 年　デビューアルバム『Roman Candle』　✄ 2003 年 10 月 21 日　享年 34 才（自殺）

Geri Halliwell　ジェリ・ハリウェル

1972 年　UK イングランド・ハートフォードシャー州ワトフォード出身／Spice Girls（スパイス・ガールズ）／愛称：Ginger Spice（ジンジャー・スパイス）／最年長でリーダー
▶ 1996 年　デビューアルバム『Spice』（世界中で 3,100 万枚以上の売上げを記録。歴史上最も売れた女性グループのアルバム）

✄ Rick James　リック・ジェイムズ

2004 年　享年 56 才／US ファンク・ミュージシャン、ベーシスト、作曲家、プロデューサー

ロック史

⦿ 1971 年　ピンク・フロイド初来日。箱根アフロディーテで公演

7

B.J. Thomas　B.J. トーマス

1942 年 US オクラホマ州ヒューゴ出身／カントリー・ポップシンガー　▶ 1970 年
シングル「Raindrops Keep Fallin' on My Head」　✄ 2021 年 5 月 29 日　他界 78 才（肺癌）

Neil Larsen　ニール・ラーセン

1948 年　US オハイオ州クリーヴランド出身／Larsen-Feiten Band（ラーセン＝フェイトン・バンド）／Kb ／ 1972 年　デビュー　▶ 1979 年　アルバム『High Gear』

Pete Way　ピート・ウェイ

1951 年　UK ミドルセックス州エンフィールド出身　／ UFO（ユー・エフ・オー）／B ／ 1971 年　デビュー　✄ 2020 年 8 月 14 日　享年 69 才（交通事故）

Bruce Dickinson　ブルース・ディッキンソン

1958 年　UK イングランド・ノッティンガムシャー州ワークソップ出身／Iron Maiden（アイアン・メイデン）／Vo ／バンド名は中世ヨーロッパの拷問器具「鉄の処女」に由来　▶ 1980 年　デビューアルバム『Iron Maiden（鋼鉄の処女）』（総売上げは 1 億枚以上）

Jacqui O'Sullivan　ジャッキー・オサリヴァン

1960 年　UK イングランド・ロンドン出身／ヴォーカル・トリオ／Bananarama（バナナラマ）

Max Rafferty　マックス・ラファティ

1983 年　UK イングランド・シュロップシャー州ブリッジノース出身／The Kooks（ザ・

クークス）／ B ▶ 2006 年 アルバムデビュー『Inside In / Inside Out』

John Renbourn ジョン・レンボーン
1944 年 UK イングランド・ロンドン出身／ Pentangle（ペンタングル）／ G ／ 1968
年 デビュー ✗ 2015 年 3 月 26 日 享年 70 才（心臓発作）

Ali Score アリ・スコア
1955 年 UK イングランド・マージーサイド州リヴァプール出身／ A Flock of Seagulls
（フロック・オブ・シーガルズ）／ Ds ／ 1981 年 デビュー

Chris Foreman クリス・フォアマン
1956 年 UK イングランド・ロンドン出身／ Madness（マッドネス）／ G

Dennis Drew デニス・ドルー
1957 年 US ニューヨーク州シャトークア郡ジェームズタウン出身／ 10,000 Maniacs
（10,000 マニアックス）／ Kb ▶ 1992 年 アルバム『Our Time in Eden』

The Edge ジ・エッジ
1961 年 UK イングランド・ロンドン出身／本名：David Howell Evans（デイヴィッド・
ハウエル・エヴァンス）／ U2 ／ G ▶ 1983 年 アルバム『War』

Scott Stapp スコット・スタップ
1973 年 US フロリダ州オーランド出身／ Creed（クリード）／ Vo ▶ 1999 年 アル
バム『Human Clay』

JC Chasez JC・シャゼイ
1976 年 US メリーランド州ボウイ出身／ N'Sync（イン・シンク）

Shawn Mendes ショーン・メンデス
1998 年 カナダ・オンタリオ州トロント出身／本名：Shaun Peter Raul Mendes（ショー
ン・ピーター・ラウル・メンデス）／シンガーソングライター ▶ 2015 年 アルバム
『Handwritten』

✗ Glen Campbell グレン・キャンベル
2017 年 享年 81 才（アルツハイマー病）／ US カントリー・ミュージック歌手

✗ Bruce Conte ブルース・コンテ
2021 年 享年 71 才（白血病）／ Tower of Power（タワー・オブ・パワー）／ G

✗ Olivia Newton-John オリヴィア・ニュートン・ジョン
2022 年 享年 73 才（乳癌）／オーストラリア人ヴォーカリスト

- 1967 年　東南アジア諸国連合（ASEAN）結成宣言
- 1974 年　米ニクソン大統領、ウォーターゲート事件で辞任
- 2014 年　米軍、イラク・レバントのイスラム国（ISIL）に空爆作戦開始

9

Sony Music Japan

Whitney Houston　ホイットニー・ヒューストン
1963 年　US ニュージャージー州ニューアーク出身／シンガー　▶ 1985 年　デビューアルバム『You Give Good Love』　▶ 1994 年　主演映画『ボディガード』（1992 年上映）の主題歌「I Will Always Love You」がグラミー賞「最優秀アルバム賞」受賞／「ビルボード HOT100」で 14 週 1 位を獲得しベストセラーに（楽曲自体は 1973 年リリースのドリー・パートン作詞作曲のヒット曲のカバー曲）　✗ 2012 年 2 月 11 日　享年 48 才（コカイン摂取による心臓発作）

Sam Fogarino　サム・フォガリーノ
1968 年　US ペンシルベニア州フィラデルフィア出身／ Interpol（インターポール）／ Ds ／ 2002 年　デビュー

Arion Salazar　アライオン・サラザール
1970 年　US カリフォルニア州オークランド出身／ Third Eye Blind（サード・アイ・ブラインド）／ B

✗ Bill Chase　ビル・チェイス
1974 年　享年 40 才（飛行機事故）／ Chase（チェイス）／ US ブラス・ロックバンド

✗ Jerry Garcia　ジェリー・ガルシア
1995 年　享年 53 才（心臓発作）／ Grateful Dead（グレイトフル・デッド）／ G

10

Bobby Hatfield　ボビー・ハットフィールド
1940 年　US ウィスコンシン州ビーバーダム出身／ The Righteous Brothers（ザ・ライチャス・ブラザーズ）／ 1964 年　デビュー　▶ 1965 年　シングル「Unchained Melody」　✗ 2003 年 11 月 5 日　享年 62 才（コカイン過剰摂取による心臓発作）

James Griffin　ジェイムズ・グリフィン
1943 年　US オハイオ州シンシナティ出身／ Bread（ブレッド）／ Vo.G　✗ 2005 年 1 月 11 日　享年 61 才（肺癌）

Veronica Bennett　ヴェロニカ・ベネット
1943 年　US ニューヨーク州ニューヨークシティ・スパニッシュハーレム出身／ The Ronettes（ザ・ロネッツ）　▶ 1963 年　ファーストシングル「Be My Baby」（ビルボード 2 位）／ 1968 年　Phil Spector（フィル・スペクター）と結婚し、その後は Ronnie Spector（ロニー・スペクター）として活動／ 2007 年　ザ・ロネッツ「ロックの殿堂」入り　✗ 2022 年 1 月 12 日　享年 78 才（癌）

Ian Anderson　イアン・アンダーソン

1947 年　UK スコットランド・ファイフ区ダンファームリン出身／ 1968 年　Jethro Tull（ジェスロ・タル）結成／ Vo.Fl　▶ 1968 年　デビューアルバム『This Was（日曜日の印象）』　▶ 1972 年　アルバム『Thick As a Brick（ジェラルドの汚れなき世界）』　▶ 1973 年　アルバム『A Passion Play』（2 枚組アルバム全体で 1 曲という大胆な大作で全米 1 位獲得）

Peter Beckett　ピーター・ベケット

1948 年　UK イングランド・マージーサイド州リヴァプール出身／ Player（プレイヤー）／ Vo.G　▶ 1977　シングル「Baby Come Back」全米 1 位（『Player』収録）

Andy Davis　アンディ・デイヴィス

1949 年　UK イングランド・ロンドン出身／ The Korgis（ザ・コーギス）／ Vo.G　▶ 1980 年　セカンドアルバ『Dumb Waiters』

Patti Austin　パティ・オースティン

1950 年　US ニューヨーク州ニューヨークシティ・ハーレム出身／ R&B・ジャズシンガー　▶ 1976 年　デビューアルバム『End of a Rainbow』　▶ 1981 年　アルバム『Every Home Should Have One』

Jon Farriss　ジョン・ファリス

1961 年　オーストラリア・西オーストラリア州パース出身／ INXS（インエクサス）／ Ds

Julia Fordham　ジュリア・フォーダム

1962 年　UK イングランド・ハンプシャー州ポーツマス出身／シンガーソングライター　▶ 1991 年　アルバム『Swept』

Aaron Hall　アーロン・ホール

1964 年　US ニューヨーク州ニューヨークシティ・ブロンクス出身／ R&B バンド Guy（ガイ）のメンバー

Todd Nichols　トッド・ニコルズ

1967 年　US カリフォルニア州サンタバーバラ出身／ Toad the Wet Sprocket（トード・ザ・ウェット・スプロケット）／ G

Michael Bivins　マイケル・ビヴィンズ

1968 年　US マサチューセッツ州ボストン出身／ New Edition（ニュー・エディション）

Aaron Kamin　アーロン・カミン

1977 年　US カリフォルニア州スタジオシティ出身／ The Calling（ザ・コーリング）／ G

✗ Isaac Hayes　アイザック・ヘイズ

2008 年　享年 65 才（脳梗塞）／ R&B・ファンク・シンガーソングライター

John Simon　ジョン・サイモン
1941 年　US コネチカット州ノーウォーク出身／プロデューサー、コンポーザー（ザ・バンド、ジャニス・ジョップリン、レナード・コーエン他）　▶ 1971 年　アルバム『John Simon's Album』

Mike Hugg　マイク・ハグ
1942 年　UK イングランド・ハンプシャー州ゴスポート出身／ Manfred Mann（マンフレッド・マン）／ Ds

Denis Payton　デニス・ペイトン
1943 年　UK イングランド・ロンドン出身／ The Dave Clark Five（ザ・デイヴ・クラーク・ファイヴ）／ Sax　✄ 2006 年 12 月 17 日　享年 63 才（癌）

Jim Kale　ジム・ケイル
1943 年　カナダ・マニトバ州ウィニペグ出身／ The Guess Who（ザ・ゲス・フー）／ B

Sony Music Japan

Eric Carmen　エリック・カルメン
1949 年　US オハイオ州クリーヴランド出身／シンガーソングライター／ 1971 年　Raspberries（ラズベリーズ）／ Vo　▶ 1975 年　ソロ・デビューアルバム『Eric Carmen』全米 2 位　▶ 1976 年　シングル「All By Myself」

Erik Brann　エリック・ブラン
1950 年　US イリノイ州ペキン出身／ Iron Butterfly（アイアン・バタフライ）／ G　✄ 2003 年 7 月 25 日　享年 52 才

Bob Mothersbaugh　ボブ・マザーズボー
1952 年　US オハイオ州アクロン出身／ Devo（ディーヴォ）／ G.Vo ／ 1977 年　デビュー

Joe Jackson　ジョー・ジャクソン
1954 年　UK イングランド・スタッフォードシャー州バートン・アポン・トレント出身／シンガーソングライター、キーボード奏者　▶ 1982 年　アルバム『Night and Day』　▶同年　シングル「Steppin' Out」

Jah Wobble　ジャー・ウォブル
1958 年　UK イングランド・ロンドン出身／ Public Image Ltd（PIL）／ B ／ 1978 年デビュー

Charlie Sexton　チャーリー・セクストン
1968 年　US テキサス州サン・アントニオ出身／シンガー、ギタリスト　▶ 1985 年デビューアルバム『Pictures for Pleasure』／ 1999 〜 2002 年にかけて、ボブ・ディラ

Aug

11

ンのサポートギタリスト

Andrew Bell アンドリュー・ベル
1970年　UK ウェールズ・カーディフ出身／Ride（ライド）／G.Vo／Beady Eye（ビーディ・アイ）／1990年　デビュー

Ben Gibbard ベン・ギバード
1976年　US ワシントン州ブレマートン出身／Death Cab for Cutie（デス・キャブ・フォー・キューティ）／Vo.G／1998年　デビュー

Mel Taylor メル・テイラー
1996年　享年62才（肺癌）／The Ventures（ザ・ヴェンチャーズ）／Ds

12

Geoff Muldaur ジェフ・マルダー
1943年　US ニューヨーク州ニューヨークシティ・ブルックリン出身／フォーク・シンガー／Paul Butterfield's Better Days（ポール・バターフィールズ・ベター・デイズ）／G.Vo／1973年　デビュー

Mark Knopfler マーク・ノップラー
1949年　UK スコットランド・グラスゴー出身／Dire Straits（ダイアー・ストレイツ）／G.Vo ▶1978年　アルバム『Dire Straits』／1995年　ダイアー・ストレイツ解散 ▶2000年　セカンド・ソロアルバム『Sailing to Philadelphia』がヒット

Kid Creole キッド・クレオール
1950年　US ニューヨーク州ニューヨークシティ・ブロンクス出身／本名：August Darnell（オーガスト・ダーネル）／エルヴィス・プレスリー主演映画『闇に響く声（King Creole）』にあやかって改名／1980年　Kid Creole and the Coconuts（キッド・クレオール＆ザ・ココナッツ）結成

Roy Hay ロイ・ヘイ
1961年　UK イングランド・エセックス州サウスエンド・オン・シー出身／Culture Club（カルチャー・クラブ）／G.kb

Steffan Halperin ステファン・ハルペリン
1985年　UK イングランド・ロンドン出身／Klaxons（クラクソンズ）／Ds／2006年　デビュー

Richie Hayward リッチー・ヘイワード
2010年　享年64才（肝臓癌）／Little Feat（リトル・フィート）／Ds

社会史

1969年　北アイルランド紛争本格化

13

Dan Fogelberg ダン・フォーゲルバーグ
1951 年　US イリノイ州ピオリア出身／シンガーソングライター　▶ 1979 年　アルバム『Phoenix』 ✗ 2007 年 12 月 16 日　享年 56 才（前立腺癌）

Feargal Sharkey フィアガル・シャーキー
1958 年　UK 北アイルランド・ロンドンデリー出身／ The Undertones（ザ・アンダートーンズ）／ Vo

Mark E Nevin マーク・E・ネヴィン
1959 年　UK イングランド・ロンドン出身／ Fairground Attraction（フェアグラウンド・アトラクション）／ G ／ 1988 年　デビュー　▶ 1988 年　アルバム『The First of a Million Kiss』

✗ Les Paul レス・ポール
2009 年 8 月 13 日　享年 94 才／ギタリスト

✗ Jon Brookes ジョン・ブルックス
2013 年　享年 44 才（脳腫瘍）／ The Charlatans（ザ・シャーラタンズ）／ Ds

社会史

⊙ 1961 年　東ドイツが東西ベルリンの境界に壁を構築。第二次世界大戦後の冷戦下、ドイツは西ドイツ（英米仏）と東ドイツ（ソ連）に分裂していた。往来が自由だったため、東側から西側への人口流出が続いた。東ドイツは自国体制を守るべく、市民が寝静まった深夜に西ベルリンとの境界にコンクリートの壁を作り、有刺鉄線を張り巡らせて通行を遮断。ドイツ分断・東西冷戦、そして数々の悲劇の象徴「ベルリンの壁」となった

14

Dash Crofts ダッシュ・クロフツ
1940 年　US テキサス州シスコ出身／ Seals & Crofts（シールズ＆クロフツ）　▶ 1972 年　アルバム『Summer Breeze』

David Crosby デイヴィッド・クロスビー
1941 年　US カリフォルニア州ロスアンゼルス出身／ The Byrds（ザ・バーズ）／ G ／ 1968 年　脱退／ Crosby, Stills, Nash & Young（クロスビー、スティルス、ナッシュ＆ヤング：CSNY）　▶ 1969 年　アルバム『Crosby, Stills & Nash』　▶ 1971 年　ソロアルバム『If I Could Only Remember My Name』

Sony Music Japan

Ben Sidran ベン・シドラン
1943 年　US イリノイ州シカゴ出身／ピアニスト、シンガーソングライター　▶ 1977 年　アルバム『The Doctor Is In』

Larry Graham ラリー・グラハム

14

1946 年　US テキサス州ビューモント出身／1966 年　Sly & The Family Stone（スライ＆・ザ・ファミリー・ストーン）／B／1973 年　Graham Central Station（グラハム・セントラル・ステーション）　▶同年　アルバム『My Radio Sure Sounds Good to Me』

Mark Collins　マーク・コリンズ
1965 年　UK イングランド・ランカシャー州バートン・アポン・アーウェル出身／The Charlatans（ザ・シャーラタンズ）／G／1990 年　デビュー

Kevin Cadogan　ケヴィン・カドガン
1970 年　US カリフォルニア州オークランド出身／Third Eye Blind（サード・アイ・ブラインド）／G

Martin Bulloch　マーティン・ブロック
1974 年　UK スコットランド・ノースラナークシャー州ベルズヒル出身／Mogwai（モグワイ）／Ds／1997 年　デビュー

✕ Roy Buchanan　ロイ・ブキャナン
1988 年　享年 48 才（自殺）／US ギタリスト、ブルース・ミュージシャン

✕ Allen Lanier　アラン・レイニア
2013 年　享年 67 才（慢性閉塞性肺疾患：COPD）／Blue Oyster Cult（ブルー・オイスター・カルト）／G

✕ Pete Way　ピート・ウェイ
2020 年　享年 69 才（交通事故）／UFO（ユー・エフ・オー）／B

15

Pete York　ピート・ヨーク
1942 年　UK イングランド・ノースヨークシャー州ミドルズブラ出身／The Spencer Davis Group（ザ・スペンサー・デイヴィス・グループ）／Ds／1965 年　アルバムデビュー

Sylvie Vartan　シルヴィ・ヴァルタン
1944 年　ブルガリア・イスクレック出身／フランス人シンガー　▶1964 年　シングル「La Plus Belle Pour Aller Danser（アイドルを探せ）」

Jimmy Webb　ジミー・ウェッブ
1946 年　US オクラホマ州エルクシティ出身／シンガーソングライター　▶1982 年　アルバム『Angel Heart』

Sony Music Japan

Tom Johnston　トム・ジョンストン
1948 年　US カリフォルニア州バイセイリア出身／The Doobie Brothers（ザ・ドゥービー・ブラザーズ）／Vo.G／バンド創設メンバー／初期のヒット曲は彼の作品が多い　▶1974 年　アルバム『The Captain and Me』／1975 年　健康を害し、バンドを離脱／1987 年　ベトナム帰還兵のためのベネフィット・コンサート・ツアーを行うために

再結成されたザ・ドゥービー・ブラザーズに参加。これをきっかけにジョンストン、シモンズらオリジナルメンバーを中心とした本格的な再結成へと繋がっていく

Bobby Caldwell　ボビー・コールドウェル
1951 年　US ニューヨーク州ニューヨークシティ・マンハッタン出身／シンガーソングライター（AOR）　▶ 1978 年　アルバム『Bobby Caldwell』

Lady Miss Kier　レディ・ミス・キアー
1963 年　US オハイオ州ヤングスタウン出身／本名：Kierin　Magenta　Kirby ／ Deee-Lite（ディー・ライト）／ Vo　▶ 1990 年　デビューシングル「Groove Is in the Heart」全米 4 位

C.J. Fogelklou　C.J. フォーゲルクロウ
1980 年　スウェーデン・ストックホルム県ストックホルム出身／ Mando Diao（マンドゥ・ディアオ）／ B ／ 1995 年　デビュー

Dave Welsh　デイヴ・ウェルシュ
1984 年　US コロラド州デンバー出身／ The Fray（ザ・フレイ）／ G ／ 2005 年デビュー　▶ 2009 年　アルバム『The Fray』

✂ Bob Birch　ボブ・バーチ
2011 年　享年 55 才（自傷行為による銃創）／ Elton John Band（エルトン・ジョン・バンド）／ B

ロック史
- 1965 年　ザ・ビートルズ、シェイ・スタジアム公演（米ニューヨーク、56,000 人動員）
- 1969 年　ウッドストック・フェスティバルがニューヨーク郊外ベセル丘で 3 日間開催（50 万人動員）。ロックを中心とした大規模な野外コンサートで、60 年代のカウンターカルチャーを象徴する歴史的なイベントになる

社会史
- 2021 年　アメリカ軍がアフガニスタンから完全撤退開始。反政府勢力タリバンが首都カブールを包囲して大統領府を占拠し、事実上アフガニスタン政権は崩壊する。2001 年のアメリカ同時多発テロを契機に始まった 20 年におよぶアメリカ軍駐留は、結果的に駐留前のイスラム過激派支配のアフガニスタンに戻ってしまう。アフガニスタンはタリバンの占拠とアメリカ軍の突然の撤退で、ますます混迷を極める状況に陥った

16

Kevin Ayers　ケヴィン・エアーズ
1944 年　UK イングランド・ケント州ハーンベイ出身／ Soft Machine（ソフト・マシーン）／ B.Vo　▶ 1968 年　アルバム『The Soft Machine』（同年脱退）　▶ 1969 年　ソロ・デビューアルバム『Joy of a Toy』／ G.Vo　✂ 2013 年 2 月 18 日　享年 68 才（就寝中）

James "J.T." Taylor　ジェイムズ・"J.T."・テイラー
1953 年　US サウスカロライナ州ローレンス出身／ Kool & The Gang（クール & ザ・ギャング）／ Vo　▶ 1983 年　アルバム『In the Heart』

Tim Farriss　ティム・ファリス
1957 年　オーストラリア・西オーストラリア州パース出身／ INXS（インエクサス）／ G

Warner Music Japan

Madonna　マドンナ
1958 年　US ミシガン州ベイ・シティ出身／本名：Madonna Louise Veronica Ciccone（マドンナ・ルイーズ・ヴェロニカ・チッコーネ）／ 1983 年　デビュー　▶ 1984 年　アルバム『Like a Virgin』全米 1 位／ "クイーン・オブ・ポップ" と称され、全世界で 3 億万枚以上のセールスを達成／「ギネス・ワールド・レコード」において「全世界で最も売れた女性レコーディング・アーティスト」「史上最も成功した女性アーティスト」として認定されている

Emily Robison　エミリー・ロビソン
1972 年　US マサチューセッツ州ピッツフィールド出身／ Dixie Chicks（ディクシー・チックス）／ G.Vo　▶ 1990 年 デビューアルバム『Thank Heavens for Dale Evans』　▶ 2006 年　アルバム『Taking the Long Way』発表／ 2013 年に再婚し、改姓後の Emily Strayer の名前で活動中

Robert Hardy　ロバート・ハーディ
1980 年　UK スコットランド・グラスゴー出身／ Franz Ferdinand（フランツ・フェルディナンド）／ B ／ 2004 年　デビュー

Vanessa Carlton　ヴァネッサ・カールトン
1980 年　US ペンシルベニア州ミルフォード出身／シンガーソングライター　▶ 2002 年　デビューアルバム『Be Not Nobody』／シングル「A Thousand Miles」

✗ Robert Johnson　ロバート・ジョンソン
1938 年 8 月 16 日　享年 27 才／ブルース・シンガー

✗ Elvis Presley　エルヴィス・プレスリー
1977 年　享年 42 才（不整脈）／ミュージシャン、映画俳優

✗ Aretha Franklin　アレサ・フランクリン
2018 年　享年 76 才（膵臓癌）／ソウル・シンガー

ロック史
⊙ 1962 年　ザ・ビートルズがドラマーのピート・ベストを解雇

Sib Hashian　シブ・ハシアン
1949 年　US マサチューセッツ州ボストン出身／ Boston（ボストン）／ Ds

Colin Moulding コリン・モールディング
1955 年 UK イングランド・ウィルトシャー州スウィンドン出身／XTC（エックス・ティー・シー）／ Kb.Vo

Belinda Carlisle ベリンダ・カーライル
1958 年 US カリフォルニア州ロスアンゼルス・ハリウッド出身／ The Go-Go's（ザ・ゴーゴーズ）／ Vo ▶ 1986 年 ソロアルバム『Belinda』

Maria McKee マリア・マッキー
1964 年 US カリフォルニア州ロスアンゼルス出身／シンガーソングライター／ 1985 年 Lone Justice（ローン・ジャスティス）／ Vo ▶ 1989 年 ソロ・デビューアルバム『Maria McKee』

Steve Gorman スティーヴ・ゴーマン
1965 年 US ミシガン州マスキーゴン出身／ The Black Crowes（ザ・ブラック・クロウズ）／ Ds

Donnie Wahlberg ドニー・ウォルバーグ
1969 年 US マサチューセッツ州ボストン・ドーチェスター出身／ New Kids On the Block（ニュー・キッズ・オン・ザ・ブロック）▶ 1988 年 アルバム『Hangin' Tough』

ロック史
⊙ 1972 年 ディープ・パープル初来日公演（日本武道館）開催。2 枚組ライヴ盤『Live in Japan』は全世界で発売

社会史
⊙ 1982 年 オランダ・フィリップス社が世界初の CD 製造

18

Dennis Elliott デニス・エリオット
1950 年 UK イングランド・ロンドン出身／ Foreigner（フォリナー）／ Ds

Ron Strykert ロン・ストライカート
1957 年 オーストラリア・ヴィクトリア州コランブラ出身／ Men At Work（メン・アット・ワーク）／ G

Mika ミーカ
1983 年 レバノン・ベイルート出身／シンガーソングライター ▶ 2007 年 メジャー・デビューアルバム『Life in Cartoon Motion』

✘ Tony Jackson トニー・ジャクソン
2003 年 享年 63 才（糖尿病、心臓疾患、肝硬変）／ The Searchers（ザ・サーチャーズ）／ B

18

✗ Scott McKenzie スコット・マッケンジー
2012 年 享年 73 才／シンガー

ロック史

⊙ 1977 年 ザ・ポリス、トリオとしての初ライヴを実施。BBC が放映（ハットフィールド・ポリテクニック・カレッジで撮影）

19

Ginger Baker ジンジャー・ベイカー
1939 年 UK イングランド・ロンドン出身／ Cream（クリーム）／ Ds ▶ 1967 年 アルバム『Disraeli Gears』✗ 2019 年 10 月 6 日 享年 80 才（心臓病）

Billy J. Kramer ビリー・J・クレイマー
1943 年 UK イングランド・マージーサイド州リヴァプール出身／本名：William Howard Ashton（ウィリアム・ハワード・アシュトン）／ Billy J. Kramer & The Dakotas（ビリー・J・クレイマー＆ザ・ダコタス）

Ian Gillan イアン・ギラン
1945 年 UK イングランド・ロンドン出身／ Deep Purple（ディープ・パープル）／ Vo ▶ 1972 年 アルバム『Live in Japan』／ Black Sabath（ブラック・サバス）／ Vo

John Deacon ジョン・ディーコン
1951 年 UK レスターシャー州オードビー出身／ Queen（クイーン）／ B ▶ 1980 年 アルバム『The Game』／元来、ディーコンは音楽業界の慌ただしさや狂騒に強いストレスを感じていた。フレディ・マーキュリーが亡くなったことで、さらに表舞台に出ることはなくなり、音楽業界からはその後引退してしまう。映画『ボヘミアン・ラプソディ』には、息子のルーク・ディーコンが出演している

Ivan Neville アイヴァン・ネヴィル
1959 年 US ルイジアナ州ニューオーリンズ出身／ The Neville Brothers（ザ・ネヴィル・ブラザーズ）／ Kb ／ 1978 年 デビュー

Joey Tempest ジョーイ・テンペスト
1963 年 スウェーデン、ウプランズ・ヴェスビー出身／ Europe（ヨーロッパ）／ Vo ▶ 1986 年 シングル「The Final Countdown」がヒット

Regine Chassagne レジーヌ・シャサーニュ
1976 年 カナダ・ケベック州出身／ Arcade Fire（アーケイド・ファイア）／ Vo.Acc ／ 2003 年 デビュー ▶ 2010 年 アルバム『The Suburbs』英米 1 位

✗ LeRoi Moore リロイ・ムーア
2008 年 享年 46 才（肺炎）／ Dave Matthews Band（デイヴ・マシューズ・バンド）／ Sax

John Lantree　ジョン・ラントリー
1940 年　UK イングランド・ロンドン出身／ The Honeycombs（ザ・ハニーカムズ）
／ B ／ 1964 年　デビュー

Isaac Hayes　アイザック・ヘイズ
1942 年　US テネシー州コヴィントン出身／ R&B・ファンク・シンガーソングライター／
俳優　▶ 1971 年　映画『黒いジャガー（Shaft）』の主題歌「Black Moses（黒いジャガー
のテーマ）」がヒット。アカデミー歌曲賞、グラミー賞「映画・テレビサウンドトラック部門」、
ゴールデングローブ賞「作曲賞」を受賞　✗ 2008 年 8 月 10 日　享年 65 才（脳梗塞）

Ralf Hutter　ラルフ・ヒュッター
1946 年　ドイツ・ノルトライン＝ヴェストファーレン州クレーフェルト出身／
Kraftwerk（クラフトワーク）／ Kb.Vo　▶ 1974 年　アルバム『Autobahn』

James Pankow　ジェイムズ・パンコウ
1947 年　US ミズーリ州セントルイス出身／ Chicago（シカゴ）／ Tb　▶ 1973 年
アルバム『Chicago 6』

Robert Plant　ロバート・プラント
1948 年　UK イングランド・ウェストミッドランズ州ウェスト・ブロムウィッチ出身
／ Led Zeppelin（レッド・ツェッペリン）Vo　▶ 1969 年　アルバム『Led Zeppelin Ⅱ』
／ The Honeydrippers（ザ・ハニードリッパーズ）Vo

Phil Lynott　フィル・リノット
1949 年　アイルランド・ダブリン出身／ Thin Lizzy（シン・リジィ）／ Vo.B　▶ 1976
年　アルバム『Jailbreak』　✗ 1986 年 1 月 4 日　享年 36 才（ヘロイン摂取に伴う感染症、
敗血症）

Doug Fieger　ダグ・フィージャー
1952 年　US ミシガン州オークパーク出身／ The Nack（ザ・ナック）／ Vo.G　▶
1979 年　シングル「My Sharona」がヒット　✗ 2010 年 2 月 14 日　享年 57 才（脳腫
瘍／肺癌）

John Hiatt　ジョン・ハイアット
1952 年　US インディアナ州インディアナポリス出身／ロック・シンガーソングライ
ター　▶ 1974 年　デビューアルバム『Hangin' Around the Observatory』

Dimebag Darrell　ダイムバッグ・ダレル
1966 年　US テキサス州アーリントン出身／ Pantera（パンテラ）／ G ／ 1983 年 デ
ビュー　✗ 2004 年 12 月 8 日　享年 38 才（パフォーマンス中に銃殺）

Fred Durst　フレッド・ダースト
1970 年　US フロリダ州ジャクソンヴィル出身／ Limp Bizkit（リンプ・ビズキット）

／ Vo　▶ 2000 年　アルバム『Chocolate Starfish and the Dog Flavored Water』

Jamie Cullum　ジェイミー・カラム
1979 年　UK イングランド・エセックス州ロッチフォード出身／ジャズ系シンガー
▶ 2005 年　シングル「Everlasting Love」

✗ Frankie Banali　フランキー・バネリ
2020 年　享年 68 才（膵臓癌）／ Quiet Riot（クワイエット・ライオット）／ Ds

Kenny Rogers　ケニー・ロジャース
1938 年　US テキサス州ヒューストン出身／ポップ・カントリー・シンガーソングライ
ター／アメリカの国民的歌手　▶ 1981 年　アルバム『Lady』がヒット　✗ 2020 年
3 月 20 日　享年 81 才（老衰）

James Burton　ジェイムズ・バートン
1939 年　US ルイジアナ州ミンデン出身／エルヴィス・プレスリーのバックバンド・
ギタリスト

Jackie DeShannon　ジャッキー・デシャノン
1941 年　US ケンタッキー州ヘイゼル出身／シンガーソングライター　▶ 1963 年　シ
ングル「Needles and Pins（針とピン）」　▶同年　シングル「When You Walk in the
Room」

Carl Giammarese　カール・ジャマリーズ
1947 年　US イリノイ州シカゴ出身／ The Buckinghams（ザ・バッキンガムズ）／ G
／ 1967 年 デビュー

Glenn Hughes　グレン・ヒューズ
1951 年　UK イングランド・スタフォードシャー州キャノック出身／ベーシスト、ヴォー
カリスト／ Deep Purple（ディープ・パープル）、Black Sabbath（ブラック・サバス）

Sony Music Japan

Joe Strummer　ジョー・ストラマー
1952 年　トルコ・アンカラ県アンカラ出身／ The Clash（ザ・クラッシュ）／ Vo.G
▶ 1979 年　アルバム『London Calling』　✗ 2002 年 12 月 22 日　享年 50 才（先天性
心臓疾患）

Serj Tankian　サージ・タンキアン
1967 年　レバノン・ベイルート出身／ System of a Down（システム・オブ・ア・ダウ
ン）／ Vo

Liam Howlett　リアム・ハウレット
1971 年　UK イングランド・エセックス州ブレインツリー出身／ The Prodigy（ザ・プ
ロディジー）／ Kb.Pro.Mix

☠ Don Everly　ドン・エヴァリー
2021 年　享年 84 才／ The Everly Brothers（ザ・エヴァリー・ブラザーズ）

John Lee Hooker　ジョン・リー・フッカー
1917 年　US ミシシッピ州クラークスデイル出身／ブルース・シンガー　▶ 1962 年
アルバム『Burnin'』☠ 2001 年 6 月 21 日　享年 83 才（老衰）

Donna Godchaux　ドナ・ゴジョー
1947 年　US アラバマ州マスクル・ショールズ出身／ Grateful Dead（グレイトフル・デッ
ド）／ Vo

Vernon Reid　ヴァーノン・リード
1958 年　UK イングランド・ロンドン出身／ Living Colour（リヴィング・カラー）／
G　▶ 1988 年 デビューアルバム『Vivid』

Ian Mitchell　イアン・ミッチェル
1958 年　UK スコットランド・エディンバラ出身／ Bay City Rollers（ベイ・シティ・ロー
ラーズ）／ G ☠ 2020 年 9 月 1 日　享年 62 才（咽頭癌）

Roland Orzabal　ローランド・オーザバル
1961 年　UK イングランド・ハンプシャー州ポーツマス出身／ Tears for Fears（ティアー
ズ・フォー・フィアーズ）／ Vo.G　▶ 1989 年　アルバム『The Seeds of Love』

Debbie Peterson　デビィ・ピーターソン
1961 年　US カリフォルニア州ロスアンゼルス・ノースリッジ出身／ The Bangles（ザ・
バングルス）／ Ds

Tori Amos　トーリ・エイモス
1963 年　US ノースキャロライナ州ニュートン出身／シンガーソングライター　▶
1996 年　アルバム『Boys for Pele』

Layne Staley　レイン・ステイリー
1967 年　US ワシントン州カークランド出身／ Alice In Chains（アリス・イン・チェイ
ンズ）／ Vo

Steve Cradock　スティーヴ・クラドック
1969 年　UK イングランド・ウェストミッドランズ州ソリフル出身／ Ocean Colour
Scene（オーシャン・カラー・シーン）／ G

Paul Doucette　ポール・ドゥセット
1972 年　US ペンシルベニア州ノースハンティンドン出身／ Matchbox Twenty（マッチ
ボックス・トゥエンティ）／ Ds

22

Howie Dwaine Dorough　ハウィー・ドゥエイン・ドロー
1973 年　US フロリダ州オーランド出身／ Backstreet Boys（バックストリート・ボーイズ）

Jeff Stinco　ジェフ・スティンコ
1978 年　カナダ・ケベック州モントリオール出身／ Simple Plan（シンプル・プラン）／ G

Dua Lipa　デュア・リパ
1995 年　UK イングランド・ロンドン出身（両親はコソボのアルバニア人）／シンガーソングライター、モデル　▶ 2017 年　デビューアルバム『Dua Lipa』／ 2019 年　グラミー賞「最優秀新人賞」「最優秀ダンス・レコーディング賞」受賞

✄ Ed King　エド・キング
2018 年　享年 68 才（癌）／ Lynyrd Skynyrd（レーナード・スキナード）／ G

23

Keith Moon　キース・ムーン
1946 年　UK イングランド・ロンドン出身／ The Who（ザ・フー）／ Ds　▶ 1965 年　アルバム『My Generation』　✄ 1978 年 9 月 7 日　享年 32 才（アルコール依存症の離脱症状を抑える薬物の過剰摂取）

Rick Springfield　リック・スプリングフィールド
1949 年　オーストラリア・ニューサウスウェールズ州シドニー出身／ロック・シンガー　▶ 1981 年　シングル「Jessie's Girl」（『Working Class Dog』収録）

Dean Deleo　ディーン・デレオ
1961 年　US ニュージャージー州ニューアーク出身／ Stone Temple Pilots（ストーン・テンプル・パイロット）／ G

Shaun Ryder　ショーン・ライダー
1962 年　US イングランド・グレーターマンチェスター州サルフォード出身／ Happy Mondays（ハッピー・マンデーズ）／ Vo ／ 1987 年　デビュー　▶ 1990 年　アルバム『Pills 'n' Thrills and Bellyaches』

Julian Casablancas　ジュリアン・カサブランカス
1978 年　US ニューヨーク州ニューヨークシティ出身／ The Strokes（ザ・ストロークス）／ Vo　▶ 2001 年　アルバム『Is This It』

Sky Blu　スカイ・ブルー
1986 年　US カリフォルニア州ロスアンゼルス出身／ LMFAO（エルエムエフエーオー）／エレクトロ・ポップデュオ／ 2006 年　デビュー　▶ 2011 年　アルバム『Sorry for Party Rocking』

David Freiberg デヴィッド・フライバーグ
1938 年　US オハイオ州シンシナティ出身／ Quicksilver Messenger Service（クイックシルヴァー・メッセンジャー・サーヴィス／ B

John Cipollina ジョン・シポリナ
1943 年　US カリフォルニア州バークレー出身／ Quicksilver Messenger Service（クイックシルヴァー・メッセンジャー・サーヴィス）／ G　✘ 1989 年 5 月 30 日　享年 45 才（遺伝子疾患）

Malcolm Duncan マルコム・ダンカン
1945 年　UK スコットランド・モントローズ出身／ The Average White Band（ザ・アヴェレージ・ホワイト・バンド）／ Sax　✘ 2019 年 10 月 8 日　享年 74 才（癌）

Randy Murray ランディ・マーレイ
1945 年　カナダ・オンタリオ州チャタム・ケント出身／ Bachman Turner Overdrive（バックマン・ターナー・オーヴァードライヴ）／ G

Michael DeRosier マイケル・デロージャー
1951 年　カナダ・オンタリオ州出身／ Heart（ハート）／ Ds

Dick Lee ディック・リー
1956 年　シンガポール出身／シンガーソングライター　▶ 1990 年　アルバム『Mustapha』

Mark Bedford マーク・ベッドフォード
1961 年　UK イングランド・ロンドン出身／ Madness（マッドネス）／ B

✘ Charlie Watts チャーリー・ワッツ
2021 年　享年 80 才（死因発表なし／ 2004 年喉頭癌）／ The Rolling Stones（ザ・ローリング・ストーンズ）／ Ds

✘ Frite McIntyre フリッツ・マッキンタイア
2021 年　享年 62 才／ Simply Red（シンプリー・レッド）／ Kb

Gene Simmons ジーン・シモンズ
1949 年　イスラエル・ハイファ出身／本名：Chaim Witz（ハイム・ヴィッツ）／ KISS（キッス）／ B　▶ 1976 年　アルバム『Destroyer』／火吹きや血を吐くパフォーマンス演出で有名／ "KISS" のライセンス商品やライツの分配で実業家としても成功している

James Warren ジェイムズ・ウォーレン
1951 年　UK イングランド出身／ The Korgis（ザ・コーギス）／ B.Vo　▶ 1979 年　アルバム『The Korgis』

25

Sony Music Japan

Rob Halford ロブ・ハルフォード
1951 年 UK イングランド・ウェストミッドランズ州サットン・コールドフィールド出身／Judas Priest（ジューダス・プリースト）／Vo／1974 年 デビュー　▶ 1980 年　アルバム『British Steel』

Geoffrey Downes ジェフリー・ダウンズ
1952 年 UK イングランド・グレーターマンチェスター州ストックポート出身／The Buggles（ザ・バグルス）、Yes（イエス）、Asia（エイジア）／Kb　▶ 1982 年　アルバム『Asia』

Elvis Costello エルヴィス・コステロ
1954 年 UK イングランド・ロンドン出身／本名：Declan Patrick McManus（デクラン・パトリック・マクマナス）／ヴォーカリスト、ギタリスト、コンポーザー　▶ 1977 年 ソロ・デビューアルバム『My Aim Is True』　▶同年 シングル「Watching the Detectives」　▶ 1999 年　シングル「She」（『ノッティングヒルの恋人』主題歌）がヒット

Vivian Campbell ヴィヴィアン・キャンベル
1962 年 UK 北アイルランド・ベルファスト市出身／Def Leppard（デフ・レパード）／G

Jeff Tweedy ジェフ・トゥイーディー
1967 年 US イリノイ州ベルヴィル出身／Uncle Tupelo（アンクル・テュペロ）／Vo.B／Wilco（ウィルコ）／Vo.G.Kb　▶ 2004 年　アルバム『A Ghost Is Born』

Stuart Murdoch スチュアート・マードック
1968 年 UK スコットランド・イーストレンフルシャー州クラークストン出身／Belle & Sebastian（ベル＆セバスチャン）／Vo.G

James Righton ジェイムズ・ライトン
1983 年 UK イングランド・ウォリックシャー州ストラトフォード・アポン・エイヴォン出身／Klaxons（クラクソンズ）／Vo.Kb／2006 年　デビュー

26

Jet Black ジェット・ブラック
1938 年 UK イングランド・エセックス州イルフォード出身／本名：Brian John Duffy（ブライアン・ジョン・ダフィー）／The Stranglers（ザ・ストラングラーズ）／Ds／1977 年　デビュー

Chris Curtis クリス・カーティス
1941 年 UK イングランド・グレーターマンチェスター州オールダム出身／The Searchers（ザ・サーチャーズ）／Ds

Maureen Tuker モーリン・タッカー
1944 年 US ニューヨーク州ニューヨークシティ・ジャクソンハイツ出身／The Velvet

Underground（ザ・ヴェルヴェット・アンダーグラウンド）／ Ds

Dan Vickrey　ダン・ヴィッカリー
1966 年　US カリフォルニア州ウォールナットクリーク出身／ Counting Crows（カウンティング・クロウズ）／ G

Shirley Manson　シャーリー・マンソン
1966 年　UK スコットランド・エディンバラ出身／ 1993 年　Garbage（ガービッジ）結成／ Vo　▶ 1995 年　デビューアルバム『G』

Adrian Young　エイドリアン・ヤング
1969 年　US カリフォルニア州ロングビーチ出身／ No Doubt（ノー・ダウト）／ Ds

✗ Laura Branigan　ローラ・ブラニガン
2004 年　享年 47 才（脳動脈瘤）／ US シンガー

ロック史
⦿ 1970 年　ジミ・ヘンドリックス、NY に「エレクトリック・レディ・スタジオ」を設立

社会史
⦿ 2005 年　大型ハリケーン「カトリーナ」が、アメリカ南東部ニューオーリンズに上陸。1,200 人が死亡。ハリケーンの強さは最高のカテゴリー 5。各地区で大きな被害が続出し、街は無法地帯のように危険な状態になったため、州兵が治安維持にあたった。その後テレビ各局が救済特番を放送、有名人やミュージシャンが演奏し募金を受け付けた

27

Daryl Dragon　ダリル・ドラゴン
1942 年　US カリフォルニア州ロスアンゼルス出身／ Captain & Tennille（キャプテン＆テニール）／男女ポップ・デュオ　※キャプテン：ダリル・ドラゴン

Tim Bogert　ティム・ボガート
1944 年　US ニューヨーク州ニューヨークシティ出身／ Vanilla Fudge（ヴァニラ・ファッジ）／ B ／ 1970 年　Cactus（カクタス）／ B

Alex Lifeson　アレックス・ライフソン
1953 年　カナダ・オンタリオ州トロント出身／ Rush（ラッシュ）／ G ／カナダを代表するプログレ・バンド／ 1974 年 デビュー　▶ 1981 年　代表作となる 8 作目『Moving Pictures』全米 3 位

Glen Matlock　グレン・マトロック
1956 年　UK イングランド・ロンドン出身／ Sex Pistols（セックス・ピストルズ）／ B

Tony Kanal　トニー・カナル

1970 年　UK イングランド・ロンドン出身／ No Doubt（ノー・ダウト）／ B

✖ Brian Epstein　ブライアン・エプスタイン

1967 年　享年 32 才（鎮静剤、睡眠薬の過剰摂取）／ The Beatles（ザ・ビートルズ）のマネージャー

✖ Stevie Ray Vaughan　スティーヴィー・レイ・ヴォーン

1990 年　享年 33 才（飛行機事故）／ブルース・ギタリスト、作曲家、シンガー

ロック史

⊙ 1988 年　トレイシー・チャップマンのデビューアルバムが全米 1 位に。人種差別の問題も歌う社会派シンガーソングライターとしてデビューする。ネルソン・マンデラ 70 歳記念コンサートに、エリック・クラプトンやスティーヴィー・ワンダーら超一流のアーティストと共に運よく出演。その印象的なパフォーマンスが世界に衛星テレビ中継され、話題が沸騰。放送直後 2 日間で英国だけでも 12,000 枚を売上げ、その実力が広く認知されるようになる

28

David Soul　デイヴィッド・ソウル

1943 年　US イリノイ州シカゴ出身／シンガー、俳優／ 1975 年　ドラマ『刑事スタスキー＆ハッチ』のハッチ役で人気に　▶ 1976 年　シングル「Don't Give Up on Us」

Ann Lantree　アン・ラントリー

1943 年　UK イングランド・ロンドン出身／ The Honeycombs（ザ・ハニーカムズ）／ Ds ／ 1964 年　デビュー／愛称：Honey（ハニー）

Daniel Seraphine　ダニエル・セラフィン

1948 年　US イリノイ州シカゴ出身／ Chicago（シカゴ）／ Ds

Hugh Cornwell　ヒュー・コーンウェル

1949 年　UK イングランド・ロンドン出身／ The Stranglers（ザ・ストラングラーズ）／ Vo.G　▶ 1977 年 デビューアルバム『Rattus Norvegicus（夜獣の館）』

Shania Twain　シャナイア・トゥエイン

1965 年　カナダ・オンタリオ州ウィンザー出身／本名：Eileen Regina Edwards（エイリーン・レジーナ・エドワーズ）／シンガー　▶ 1997 年　アルバム『Come on Over』　▶ 1998 年　シングル「You're Still the One」

Andrew White　アンドリュー・ホワイト

1974 年　UK イングランド・ウェストヨークシャー州リーズ出身／ Kaiser Chiefs（カイザー・チーフス）／ G　▶ 2005 年　アルバム『Employment』

LeAnn Rimes　リアン・ライムス

1982 年　バルバトス・セントミハエル出身／カントリー＆ポップ・シンガー　▶ 1996
年　メジャー・デビューアルバム『Blue』

Dick Halligan　ディック・ハリガン
1943 年　US ニューヨーク州レンセリア郡トロイ出身／ Blood, Sweat & Tears（ブラッ
ド・スウェット＆ティアーズ）／ Kb.Tp

Chris Copping　クリス・コッピング
1945 年　UK イングランド・ランカシャー州ミドルトン出身／ Procol Hurum（プロコル・
ハルム）／ Org

Sony Music Japan

Michael Jackson　マイケル・ジャクソン
1958 年　US インディアナ州ゲーリー出身／ 1969 年　The Jackson 5（ザ・ジャクソ
ン 5）デビュー／ "キング・オブ・ポップ" の異名をとる　▶ 1979 年　アルバム『Off
the Wall』　▶ 1982 年　アルバム『Thriller』　✗ 2009 年 6 月 25 日　享年 50 才（医師
による麻酔薬の過剰投与）

Eddi Reader　エディ・リーダー
1959 年　UK スコットランド・グラスゴー出身／シンガーソングライター／ Fairground
Attraction（フェアグラウンド・アトラクション）　▶ 1988 年　デビューアルバム『The
First of a Million Kisses』

Pebbles　ペブルス
1964 年　US カリフォルニア州オークランド出身／本名：Perri Arnette McKissack（ペ
リ・アーネット・マキシック）／シンガー　▶ 1987 年　デビューアルバム『Pebbles』

Meshell Ndegeocello　ミシェル・ンニデゲオチェロ
1969 年　ドイツ・ベルリン出身／ベーシスト　▶ 1996 年　アルバム『Peace Beyond
Passion』

Kyle Cook　カイル・クック
1975 年　US インディアナ州フランクフォード出身／ Matchbox Twenty（マッチボッ
クス・トゥエンティ）／ G

Bjorn Agren　ビヨルン・アグレン
1979 年　スウェーデン・ヴェストラ・イェータランド県リードヒェーピング出身／
Razorlight（レイザーライト）／ G　▶ 2004 年 デビューアルバム『Up All Night』

David Desrosiers　デイヴィッド・デロシアーズ
1980 年　カナダ・ケベック州モントリオール出身／ Simple Plan（シンプル・プラン）
／ B

Liam James Payne　リアム・ジェームズ・ペイン

29

1993 年　UK イングランド・ウェストミッドランズ州ウルヴァーハンプトン出身／One Direction（ワン・ダイレクション）

✗ Ron Bushy　ロン・ブッシー
2021 年　享年 79 才（食道癌）／ Iron Butterfly（アイアン・バタフライ）／ Ds

ロック史
◉ 1966 年　ザ・ビートルズ、サンフランシスコ公演を最後にライヴ活動休止

30

John Phillips　ジョン・フィリップス
1935 年　US サウスカロライナ州パリスアイランド出身／The Mamas & The Papas（ザ・ママス＆ザ・パパス）　▶ 1966 年　デビューアルバム『If You Can Believe Your Eyes and Ears（夢のカリフォルニア）』　▶同年　サードシングル「Monday, Monday」全米 1 位　✗ 2001 年 3 月 18 日　享年 65 才（心不全）

John McNally　ジョン・マクナリー
1941 年　UK イングランド・マージーサイド州リヴァプール・ウォルトン出身／The Searchers（ザ・サーチャーズ）／ G

Micky Moody　ミッキー・ムーディ
1950 年　UK イングランド・ヨークシャー州ミドルズブラ出身／ Whitesnake（ホワイトスネイク）／ G　▶ 1978 年 アルバム『Trouble』

Martin Jackson　マーティン・ジャクソン
1955 年　UK イングランド・グレーターマンチェスター州マンチェスター出身／ Swing Out Sister（スウィング・アウト・シスター）／ Ds

Robert Clivilles　ロバート・クライヴィルズ
1964 年　US ニューヨーク州ニューヨークシティ出身／ C ＋ C Music Factory（C+C ミュージック・ファクトリー）／ Per

Lars Frederiksen　ラーズ・フレデリクセン
1971 年　US カリフォルニア州キャンベル出身／ Rancid（ランシド）／ G.Vo　▶ 1995 年　アルバム『...And Out Come the Wolves』

31

Van Morrison　ヴァン・モリソン
1945 年　UK 北アイルランド・ベルファスト出身／本名：George Ivan Morrison（ジョージ・イヴァン・モリソン）／シンガーソングライター／高い音楽性と歌唱力で他ミュージシャンから尊敬を集める（ジャンルはブルース、ジャズ、ソウル、カントリーなど）／ 1964 年　Them（ゼム）結成／ Vo ／ 1966 年　ソロ活動開始　▶ 1970 年　アルバム『Moondance』　▶ 2008 年　アルバム『Keep It Simple』初の全米 TOP10

Bob Welch　ボブ・ウェルチ
1945年　US カリフォルニア州ロスアンゼルス出身／Fleetwood Mac（フリートウッド・マック）／Vo.G　▶ 1977年　ソロアルバム『French Kiss』　✗ 2012年6月7日　享年66才（自殺）

Rudolf Schenker　ルドルフ・シェンカー
1948年　ドイツ・ニーダーザクセン州ヒルデスハイム出身／Scorpions（スコーピオンズ）／G

Gina Schock　ジーナ・ショック
1957年　US メリーランド州ボルチモア出身／The Go-Go'S（ザ・ゴーゴーズ）／Ds

Glenn Tilbrook　グレン・ティルブルック
1957年　UK イングランド・ロンドン出身／Squeeze（スクイーズ）／Vo.G

Debbie Gibson　デビー・ギブソン
1970年　US ニューヨーク州ニューヨークシティ・ブルックリン出身／シンガー　▶ 1987年　アルバム『Out of the Blue』

Greg Richling　グレッグ・リッチリング
1970年　US カリフォルニア州ロスアンゼルス出身／The Wallflowers（ザ・ウォールフラワーズ）／B

Craig Nicholls　クレイグ・ニコルズ
1977年　オーストラリア・ニューサウスウェールズ州シドニー出身／The Vines（ザ・ヴァインズ）／Vo.G　▶ 2002年　デビューアルバム『Highly Evolved』

社会史
- ⊙ 1968年　英「ワイト島フェスティバル（Isle of Wight Festival）」が初めて開催される。1970年まで開催されたのち、2002年に復活し現在まで続いている。第1回の出演ラインナップは、ジェファーソン・エアプレイン、アーサー・ブラウン、ザ・ムーヴ、スマイル、ティラノザウルス・レックス、フェアポート・コンヴェンション、プリティ・シングス他
- ⊙ 1997年　ダイアナ英国元皇太子妃がパリにて交通事故死する（享年36才）
- ⊙ 2021年　アメリカ軍がアフガニスタンでの20年間におよぶ駐留を完全終結。2001年9月のアメリカ同時多発テロに対する「報復」として始まった同国史上最長の戦争に終止符が打たれた。アメリカ軍兵士の死者は2,461人、2万人以上が負傷。アフガニスタン民間人の死亡者は4.5万人以上に上り、ほぼ全土をタリバン政権が復権

彼はロックンロールにゃ老だけど

死ぬにはチョイと若すぎた

いいや　死ぬには若すぎるなら

ロックンロールにもう老だということはありえない

Jethro Tull「Too Old to Rock 'n' Roll: Too Young to Die!」
(1978 年) より

9

September

The
Rock
Musicians'
Birthday
Encyclopedia

September

FREDDIE MERCURY　フレディ・マーキュリー

1946 年 9 月 5 日
タンザニア・ザンジバル島ストーンタウン出身（英国保護国）

　本名：Farrokh Bulsara（ファルーク・バルサラ）。ペルシャ系インド人で、ゾロアスター教徒の両親のもとで裕福に育つ。全寮制寄宿学校時代の 7 才の頃、母親の勧めでピアノを始める。この頃から複数のロック・バンドで活動を開始し、ピアノとヴォーカルを担当。フレディは、自身の出自や子供時代のことを公表するのを好まなかったという。17 才の時、英国イングランドに家族で移住し、イーリング・アートカレッジに進学。この時の経験を活かして、のちのクイーンの衣装

1

BRUCE SPRINGSTEEN
ブルース・スプリングスティーン

1949 年 9 月 23 日
US ニュージャージー州ロング・ブランチ出身

　NJ フリーホールドの家で幼少期の大半を過ごす。家の隣は当時みんなの溜まり場だったガソリンスタンドで、夏の夜は屋根の上からスタンドの様子を見ながら眠ったという。父のダグラスはブルーカラーの仕事をしていたオランダ系アイルランド移民の家系。イタリア系アメリカ人の母アデルは秘書として働く、典型的な労働者階級だった。頑固で激しやすい性格の父親に対しては、愛情と嫌悪感の入り混じった複雑な感情を持つようになり、ブルースの人生に大きな影響を与

2

No Nukes: The Muse Concert
ノー・ニュークス・ミューズ・コンサート

1979 年 9 月 19 〜 23 日
US ニューヨーク州マジソン・スクエア・ガーデン

　1979 年 3 月のスリーマイル島の原発事故がきっかけとなり反核運動が起き、25 万人が参加するコンサートが開催された。"Muse" とは "Musician

3

をデザインしている。カレッジ卒業後は生涯の親友となるガールフレンドのメアリー・オースティン、ロジャー・テイラーと一緒に古着店で働く。

　ロンドンのインペリアル・カレッジの学生ブライアン・メイとロジャーが美術学校の学生ティム・スタッフェルと結成した「スマイル」がその後のクイーンの前身となる。スマイル解散後、フレディとジョン・ディーコンが加わり、71年にクイーンを正式に結成。フレディは名字をバルサラからマーキュリーに改名。72年、アルバム『Queen』でデビューし世界的にも躍進していく中、フレディのソロ活動やプライベートの問題等でバンドは一時活動を休止。85年の「Live Aid（ライヴ・エイド）」で復活を遂げる。91年に自らのエイズ発症を公表し、11月24日ロンドン・ケンジントンの自宅で死去する。享年45才。自宅前には多くの献花が置かれ、ファンが追悼する場所となった。

える。

　彼のロック体験はテレビ番組『エド・サリヴァン・ショー』で観たエルヴィスから始まる。9才でギターを買ってもらうが、レッスンに退屈してしまいギターから遠ざかる。13才の時に質屋でフェンダーのエレキギターを買い、初めて自分を表現できる手段を発見する。1965年、16才の彼は最初のバンド「キャスティールズ」に参加するが、68年に解散。家族は職探しのためカリフォルニアに移住するが、ブルースはひとりニュージャージーに残り、アズベリー・パークに引っ越す。バンド「チャイルド」を結成後、「スティール・ミル」に改名。そこに加入してきたのが、サックス奏者のクラレンス・クレモンズであった。解散後にバックバンドの「Eストリート・バンド」を結成し、73年『Greetings from Asbury Park, N.J.（アズベリー・パークからの挨拶）』でデビュー。84年発表の7枚目『Born in the U.S.A.』で世界的に大ブレイクする。

United for Safe Energy" の略。出演者はジャクソン・ブラウン、ブルース・スプリングスティーン、トム・ペティ＆ハートブレイカーズ、クロスビー、スティルス、ナッシュ＆ヤング、ボニー・レイット、ザ・ドゥービー・ブラザーズ他。この運動の結果、アメリカでは200基ほどあった原発建設計画のほとんどが中止された。ライヴの模様は映画公開され、音源も3枚組レコードで発売された。

1

Barry Gibb　バリー・ギブ
1946 年　UK マン島ダグラス出身／ 1958 年　オーストラリア・ブリスベンに移住
／ The Bee Gees（ザ・ビー・ジーズ）結成　▶ 1977 年　アルバム『Saturday Night
Fever』（売上げ枚数 4,000 万枚以上の史上最も売れたサウンドトラック）

Greg Errico　グレッグ・エリコ
1948 年　US カリフォルニア州サンフランシスコ出身／ Sly & The Family Stone（スラ
イ＆ザ・ファミリー・ストーン）／ Ds ／ 1967 年　デビュー

Steve Goetzman　スティーヴ・ゴーツマン
1950 年　US ケンタッキー州ルイヴィル出身／ Exile（エグザイル）／ Ds

Bruce Foxton　ブルース・フォクストン
1955 年　UK イングランド・サリー州ウォキング出身／ The Jam（ザ・ジャム）／ B.Vo
／パンク・ロック、ネオ・モッズ　▶ 1977 年　デビューアルバム『In the City』／
1982 年　解散

Gloria Estefan　グロリア・エステファン
1957 年　キューバ・ハバナ出身／シンガー／ Miami Sound Machine（マイアミ・サウ
ンド・マシーン）／ Vo　▶ 1985 年　アルバム『Primitive Love』

Omar Rodriguez Lopez　オマー・ロドリゲス・ロペス
1975 年　プエルトリコ・バヤモン出身／ The Mars Volta（ザ・マーズ・ヴォルタ）／
Vo.G.Kb　▶ 2006 年　アルバム『Amputechture』

Joe Trohman　ジョー・トローマン
1984 年　US イリノイ州シカゴ出身／ Fall Out Boy（フォール・アウト・ボーイ）／ G
▶ 2003 年　デビューアルバム『Take This to Your Grave』

✗ Hal David　ハル・デヴィッド
2011 年　享年 91 才（脳卒中）／本名：Harold Lane（ハロルド・レイン）／作詞家（「雨
にぬれても」「遥かなる影」）

✗ Ian Mitchell　イアン・ミッチェル
2020 年　享年 62 才（咽頭癌）／ Bay City Rollers（ベイ・シティ・ローラーズ）／ G

ロック史

- 1973 年　ポール・マッカートニーが新作アルバム『Band on the Run』の試練の録
音をアフリカで開始。ナイジェリアの EMI スタジオで録音を行うも、次々と災難
に見舞われる。ナイジェリア出発直前にはメンバーふたりが脱退、その後強盗被害
に遭う。スタジオ設備は貧弱で、地元ミュージシャンとの確執もあり、ポールは各
楽器を自ら演奏することに。しかし苦労の甲斐あって、アルバムは 4 週間連続で全
米 1 位を獲得する

社会史

⊙ 1982 年　大韓航空機撃墜事件発生（ソ連領空を侵犯した飛行機）。乗員乗客 269 人全員死亡

2

Marty Grebb　マーティ・グレブ

1945 年　US イリノイ州シカゴ出身／ The Buckinghams（ザ・バッキンガムズ）／ Kb.G.Sax　✂ 2020 年 1 月 1 日　享年 74 才

Billy Preston　ビリー・プレストン

1946 年　US テキサス州ヒューストン出身／キーボード奏者／ヴォーカリスト／ 1969 年　EMI ビル屋上で行われたザ・ビートルズ「Get Back Session」参加　▶ 1971 年 アルバム『I Wrote a Simple Song』　✂ 2006 年 6 月 6 日　享年 59 才（腎臓病）

Richard Coughlan　リチャード・カフラン

1947 年　UK ケント州カンタベリー出身／ Caravan（キャラヴァン）／ Ds ／ 1968 年 デビュー

Mik Kaminski　ミック・カミンスキー

1951 年　UK ノースヨークシャー州ハロゲイト出身／ Electric Light Orchestra（ELO： エレクトリック・ライト・オーケストラ）／ Vi

Steve Porcaro　スティーヴ・ポーカロ

1957 年　US コネチカット州ハートフォード出身／ TOTO（トト）／ Kb　▶ 1978 年 アルバム『TOTO』

Fritz McIntyre　フリッツ・マッキンタイア

1958 年　UK イングランド・ウェストミッドランズ州バーミンガム出身／ Simply Red（シ ンプリー・レッド）／ Kb　✂ 2021 年 8 月 24 日　享年 62 才

Jerome Augustyniak　ジェローム・オーガスティニアック

1958 年　US ニューヨーク州エリー郡スローン出身／ 10,000 Maniacs（10,000 マニアッ クス）／ Ds

Sam Rivers　サム・リヴァーズ

1977 年　US フロリダ州ジャクソンヴィル出身／ Limp Bizkit（リンプ・ビズキット） ／ B ／ 1997 年　デビュー

ロック史

• 1964 年　ザ・ビートルズは全米ツアー中に人種差別を目の当たりにする。ペンシ ルベニア州フィラデルフィアでのコンサート前日のこの日、黒人虐殺事件が発生し、 コンサートから黒人が締め出された。ザ・ビートルズは人種差別をやめなければコ ンサートは中止すると通告し、公民権運動を支持する意向を示した

• 1995 年　米オハイオ州クリーヴランドに「ロックの殿堂（Rock and Roll Hall of

Fame)」オープン

Freddie King　フレディ・キング
1934 年　US テキサス州ギルマー出身／ブルース・ギタリスト　✗ 1976 年 12 月 28 日
享年 42 才（心不全）

Alan Jardine　アラン・ジャーディン
1942 年　US オハイオ州リマ出身／ The Beach Boys（ザ・ビーチ・ボーイズ）／ G
▶ 1966 年　アルバム『Pet Sounds』

George Biondo　ジョージ・ビオンド
1945 年　US ニューヨーク州ニューヨークシティ出身／ Steppenwolf（ステッペンウル
フ）／ B

Mike Harrison　マイク・ハリソン
1945 年　UK カンブリア州カーライル出身／ Spooky Tooth（スプーキー・トゥース）
／ Vo.Kb ／ 1968 年　デビュー

Eric Bell　エリック・ベル
1947 年　UK 北アイルランド・イーストベルファスト出身／ Thin Lizzy（シン・リジィ）
／ G

Don Brewer　ドン・ブリュワー
1948 年　US ミシガン州フリント出身／ 1968 年　Grand Funk Railroad（グランド・ファ
ンク・レイルロード）結成／ Ds　▶ 1969 年　デビューアルバム『On Time（グランド・
ファンク・レイルロード登場）』

Steve Jones　スティーヴ・ジョーンズ
1955 年　UK イングランド・ロンドン出身／ Sex Pistols（セックス・ピストルズ）／ G

Perry Bamonte　ペリー・バモンテ
1960 年　UK イングランド・ロンドン出身／ The Cure（ザ・キュアー）／ Kb.G

Redfoo　レッドフー
1975 年　US カリフォルニア州ロスアンゼルス出身／本名：Stefan Kendal Gordy（ス
テファン・ケンダル・ゴーディ）／ LMFAO（エルエムエフオー）ラッパー／ 2006 年
デビュー

Jason McCaslin　ジェイソン・マクキャスリン
1980 年　カナダ・オンタリオ州トロント出身／ Sum 41（サム 41）／ B ／ 2000 年
デビュー

Andrew McMahon　アンドリュー・マクマホン

1982 年　US マサチューセッツ州コンコード出身／ソロ・プロジェクト・バンド Jack's Mannequin（ジャックス・マネキン）結成／ 2005 年　急性リンパ白血病発症後、回復　▶同年　デビューアルバム『Everything in Transit』

Ross Farrelly　ロス・ファレリー
1997 年　アイルランド・キャヴァン出身／ The Strypes（ザ・ストライプス）／ Vo ／ 2008 年　結成　▶ 2013 年　デビューアルバム『Snapshot』

✗ Alan Wilson　アラン・ウィルソン
1970 年　享年 27 才（抗精神薬過剰摂取）／ Canned Heat（キャンド・ヒート）／ G

✗ Walter Becker　ウォルター・ベッカー
2017 年　享年 67 才（食道癌）／ Steely Dan（スティーリー・ダン）／ G.B

4

Gary Duncan　ゲイリー・ダンカン
1946 年　US カリフォルニア州サンディエゴ出身／ Quicksilver Messenger Service（クイックシルヴァー・メッセンジャー・サーヴィス）／ G ✗ 2019 年 6 月 29 日　享年 72 才（発作による心拍停止）

Greg Elmore　グレッグ・エルモア
1946 年　US カリフォルニア州サンディエゴ郡コロナド海軍基地出身／ Quicksilver Messenger Service（クイックシルヴァー・メッセンジャー・サーヴィス）／ Ds

Martin Chambers　マーティン・チャンバース
1951 年　UK イングランド・ヘレフォードシャー州ヘレフォード出身／ The Pretenders（ザ・プリテンダーズ）／ Ds

Kim Thayil　キム・タイル
1960 年　US ワシントン州シアトル出身／ Soundgarden（サウンドガーデン）／ G ／ 1988 年　デビュー

Sony Music Japan

Mark Ronson　マーク・ロンソン
1975 年　UK イングランド・ロンドン出身／プロデューサー　▶ 2015 年　アルバム『Uptown Special』

Sony Music Japan

Beyonce Knowles　ビヨンセ・ノウルズ
1981 年　US テキサス州ヒューストン出身／ Destiny's Child（デスティニーズ・チャイルド）　▶ 2003 年　シングル「Crazy in Love」

James Bay　ジェイムズ・ベイ
1990 年　UK イングランド・ハートフォードシャー州ヒチン出身／シンガーソングライター　▶ 2015 年　アルバム『Chaos and the Calm』

Jan
Feb
Mar
Apr
May
Jun
Jul
Aug
Sep
Oct
Nov
Dec

⊙ 1996 年　Google LLC 設立（米カリフォルニア州マウンテンビュー）

5

Al Stewart　アル・スチュアート
1945 年　UK スコットランド・グラスゴー出身／シンガーソングライター／ 1967 年
アルバムデビュー　▶ 1976 年　アルバム『Year of the Cat』

Freddie Mercury　フレディ・マーキュリー
1946 年　タンザニア・ザンジバル島ストーンタウン出身（英国保護国）出身／本名：
Farrokh Bulsara（ファルーク・バルサラ）／インド在住のペルシャ人（14 才で英国
に移住）／ 1971 年　Queen（クイーン）結成／ Vo　▶ 1973 年　デビューアルバム
『Queen』　▶ 1975 年　アルバム『A Night at the Opera』　▶同年　シングル「Bohemian
Rhapsody」　▶ 1985 年　ソロシングル「I Was Born to Love You」　✗ 1991 年 11 月
24 日　享年 47 才（エイズ）／ 2018 年　クイーン結成から 1985 年の「Live Aid（ライヴ・
エイド）」出演までを、フレディに焦点を当てて描いた伝記映画『ボヘミアン・ラプソディ』
が上映される。第 91 回アカデミー賞では主演男優賞、編集賞、録音賞、音響編集賞の
最多 4 冠を獲得。興行収入は全世界で約 1,000 億円以上、日本でも 130 億円以上を上
回り [大成功となり、複数回鑑賞する人が続出した

Buddy Miles　バディ・マイルス
1947 年　US ネブラスカ州オマハ出身／ドラマー／ Jimi Hendrix（ジミー・ヘンドリッ
クス）と Band of Gypsys（バンド・オブ・ジプシーズ）結成／ Ds.Vo　✗ 2008 年 2 月
26 日　享年 60 才（心臓病）

Dave "Clem" Clempson　デイヴ・クレム・クレムソン
1949 年　UK イングランド・スタッフォードシャー州タムウォース出身／ Humble Pie
（ハンブル・パイ）、Colosseum（コロシアム）／ G.Vo ／ 1969 年　デビュー

Brad Wilk　ブラッド・ウィルク
1968 年　US オレゴン州ポートランド出身／ Rage Against the Machines（レイジ・ア
ゲインスト・ザ・マシーン）／ Ds

Dweezil Zappa　ドゥイージル・ザッパ
1969 年　US カリフォルニア州ロスアンゼルス出身／ Frank Zappa（フランク・ザッパ）
の息子／ギタリスト

✗ Joe South　ジョー・サウス
2012 年　享年 72 才（心不全）／シンガーソングライター

⊙ 1986 年　プリンス初来日公演（大阪城ホール、横浜スタジアム、〜 9 日）

6

Dave Bargeron　デイヴ・バージェロン
1942 年　US マサチューセッツ州アソル出身／ Blood, Sweat & Tears（ブラッド・スウェット＆ティアーズ）／ Tb

Roger Waters　ロジャー・ウォーターズ
1943 年　UK イングランド・ケンブリッジシャー州ケンブリッジ出身／ Pink Floyd（ピンク・フロイド）／ B.Vo.Com　▶ 1973 年　アルバム『The Darkside of the Moon』

Charles Smith　チャールズ・スミス
1948 年　US ニュージャージー州ジャージーシティ出身／ Kool & the Gang（クール＆ザ・ギャング）／ G　✘ 2006 年 6 月 20 日　享年 57 才（病死）

Patrick O'Hearn　パトリック・オハーン
1954 年　US カリフォルニア州ロスアンゼルス出身／ Missing Persons（ミッシング・パーソンズ）／ B ／ 1981 年　デビュー

Paul Waaktaar-Savoy　ポール・ワークター＝サヴォイ
1961 年　ノルウェー・オスロ出身／ a-ha（アーハ）／ G

Macy Gray　メイシー・グレイ
1967 年　US オハイオ州キャントン出身／本名：Natalie Renee McIntyre（ナタリー・レニー・マッキンタイア）／ R&B シンガー　▶ 1999 年　デビューアルバム『On How Life Is』

CeCe Peniston　シー・シー・ペニストン
1969 年　US オハイオ州デイトン出身／ R&B シンガー　▶ 1992 年　アルバム『Finally』

Dolores O'Riordan　ドロレス・オリオーダン
1971 年　アイルランド・リムリック州バリーブリケン出身／ The Cranberries（ザ・クランベリーズ）／ Vo　▶ 1983 年　デビューアルバム『Everybody Else Is Doing It, So Why Can't We?』　✘ 2018 年 1 月 15 日　享年 46 才（急性アルコール中毒による溺死）

David Sitek　デイヴィッド・シーテック
1972 年　US ニューヨーク州ニューヨークシティ・ブルックリン出身／ TV On The Radio（TV オン・ザ・レディオ）／ G.Pro ／ 2004 年　デビュー

Nina Persson　ニーナ・パーション
1974 年　スウェーデン・ネルケ地方エレブルー県出身／ The Cardigans（ザ・カーディガンズ）／ Vo　▶ 1995 年　アルバム『Life』

6

✗ Tom Fogerty トム・フォガティ
1990 年　享年 48 才（輸血による HIV 感染）／ Cleedence Clearwater Revival（CCR：クリーデンス・クリアウォーター・リバイバル）／ G

✗ Nicky Hopkins ニッキー・ホプキンス
1994 年　享年 50 才（腸手術後の合併症）／ピアニスト

7

Buddy Holly バディ・ホリー
1936 年　US テキサス州ラボック出身／ロック・シンガー　▶ 1957 年　シングル「Peggy Sue」 ✗ 1959 年 2 月 3 日　享年 22 才（飛行機墜落事故）

Dennis Thompson デニス・トンプソン
1948 年　US ミシガン州デトロイト出身／ MC5（エム・シー・ファイヴ）／ Ds

Gloria Gaynor グロリア・ゲイナー
1949 年　US ニュージャージー州ニューアーク出身／シンガーソングライター　▶
1978 年　シングル「I Will Survive」

Chrissie Hynde クリッシー・ハインド
1951 年　US オハイオ州アクロン出身／ 1978 年　ロンドンで結成された The Pretenders（ザ・プリテンダーズ）／ Vo.G ／バンド名は The Platters（ザ・プラターズ）の全米 No.1 ヒット曲「The Great Pretender」（55 年発売）のサム・クック・バージョンに影響を受けて命名　▶ 1979 年　アルバム『Pretenders』

Benmont Tench ベンモント・テンチ
1953 年　US フロリダ州ゲインズヴィル出身／ Tom Petty & The Heartbreakers（トム・ペティ＆ザ・ハートブレイカーズ）／ Kb

Brad Houser ブラッド・ハウザー
1960 年　US テキサス州ダラス出身／ Eddie Brickell & New Bohemians（エディ・ブリッケル＆ニュー・ボヘミアンズ）／ B

Leroi Moore リロイ・ムーア
1961 年　US ノースカロライナ州ダーラム出身／ Dave Matthews Band（デイヴ・マシューズ・バンド）／ Sax ✗ 2008 年 8 月 19 日　享年 46 才（肺炎）

Tei Towa テイ・トウワ
1964 年　日本・東京出身／ Deee-Lite（ディー・ライト）／ Kb ／ 1990 年　デビュー

✗ Keith Moon キース・ムーン
1978 年　享年 32 才（アルコール依存症の離脱症状抑制剤の過剰摂取）／ The Who（ザ・フー）／ Ds

✗ Warren Zevon ウォーレン・ジヴォン
2003 年　享年 56 才（肺癌）／シンガーソングライター

8

Stormy Patterson ストーミー・パターソン
1940 年　US コロラド州ボールダー出身／The Astronauts（ザ・アストロノウツ）／B

Brian Cole ブライアン・コール
1942 年　US ワシントン州タコマ出身／The Association（ザ・アソシエイション）／B.Vo
✗ 1972 年 8 月 2 日　享年 29 才（ヘロイン過剰摂取）

Kelly Groucutt ケリー・グロウカット
1945 年　UK ウェストミッドランズ州コーズリー出身／Electric Light Orchestra（ELO：
エレクトリック・ライト・オーケストラ）／B

Ron "Pigpen" McKernan ロン・"ピッグペン"・マッカーナン
1945 年　US カリフォルニア州サンマテオ郡サンブルーノ出身／Grateful Dead（グレ
イトフル・デッド）／Org ✗ 1973 年 3 月 8 日　享年 27 才（胃腸出血）

Dean Daughtry ディーン・ドートリー
1946 年　US アラバマ州キンストン出身／Atlanta Rhythm Section（アトランタ・リズム・
セクション）／Kb

Benjamin Orr ベンジャミン・オール
1947 年　US オハイオ州レイクウッド出身／The Cars（ザ・カーズ）／B.Vo ▶ 1984
年　アルバム『Heartbeat City』 ▶ 1986 年　ソロアルバム『The Lace』 ✗ 2000 年 10
月 3 日　享年 53 才（膵臓癌）

David Steele デイヴィッド・スティール
1960 年　UK イングランド・ウェストミッドランズ州バーミンガム出身／Fine Young
Cannibals（ファイン・ヤング・カニバルズ）／B.Kb

Aimee Mann エイミー・マン
1960 年　US マサチューセッツ州ボストン出身／シンガーソングライター／Til Tuesday
（ティル・チューズデイ）／Vo.B ▶ 1993 年　ソロ・デビューアルバム『Whatever』

Richard Hughes リチャード・ヒューズ
1975 年　UK イングランド・ケント州グレイブセンド出身／Keane（キーン）／Ds

Pink ピンク
1979 年　US ペンシルベニア州ドイルスタウン出身／本名：Alecia Beth Moore（アリシ
ア・ベス・ムーア）／シンガー ▶ 2000 年　デビューアルバム『Can't Take Me Home』
▶ 2001 年　シングル「Lady Marmalade」全米 1 位、グラミー賞受賞 ▶ 2008 年　シ
ングル「So What」全米 1 位

8

Eric Hutchinson　エリック・ハッチンソン
1980 年　US ワシントン D.C. 出身／シンガーソングライター　▶ 2007 年　デビュー
アルバム『Sounds Like This』

社会史
⊙ 2022 年　英国エリザベス 2 世（女王）が静養先のスコットランド・バルモラル城
で老衰により崩御。享年 96 才。在位期間は 70 年と 214 日で、イギリス史上最高
齢かつ最長在位の君主であった。その後、長男チャールズ皇太子が王位を新たに継
承し、チャールズ 3 世としてイギリス国王に即位した。国葬が行われ、ウェストミ
ンスター宮殿で公開された女王の棺に別れを告げようと並ぶ人々の列は最長 24 時
間以上待ちになり、世界中のマスコミで繰り返し伝えられた

9

Otis Redding　オーティス・レディング
1941 年　US ジョージア州ドウソン出身／ R&B シンガー　▶ 1968 年　アルバム『The
Dock of the Bay』全米 1 位　✗ 1967 年 12 月 10 日　享年 26 才（自家用飛行機事故）

Doug Ingle　ダグ・イングル
1945 年　US ネブラスカ州オマハ出身／ Iron Butterfly（アイアン・バタフライ）／
Vo.Kb ／ 1971 年　解散（75 年再結成）

Bruce Palmer　ブルース・パーマー
1946 年　カナダ・ノバスコシア州リヴァプール出身／ The Buffalo Springfield（ザ・バッ
ファロー・スプリングフィールド）／ B　✗ 2004 年 10 月 4 日　享年 58 才（心臓発作）

John McFee　ジョン・マクフィー
1950 年　US カリフォルニア州サンタクルーズ出身／ The Doobie Brothers（ザ・ドゥー
ビー・ブラザーズ）／ G

Sony Music Japan

Dave Stewart　デイヴ・スチュワート
1952 年　UK タイン・アンド・ウィア州サンダーランド出身／シンガー、ギタリスト、
プロデューサー／ Eurythmics（ユーリズミックス）／ G.Vo　▶ 1983 年　アルバム
『Sweet Dreams』

Adrian Lee　エイドリアン・リー
1957 年　UK イングランド・ロンドン出身／ Mike + The Mechanics（マイク＆ザ・メ
カニックス）／ Kb ／ 1985 年　デビュー

Michael Buble　マイケル・ブーブレ
1975 年　カナダ・ブリティッシュコロンビア州バンクーバー出身／ジャズ・シンガー
▶ 2003 年　アルバム『Michael Buble』

ロック史
⊙ 1981 年　アムネスティ・インターナショナル主催チャリティ・コンサート「The

Secret Policeman's Other Ball」がロンドンで開催される（〜 12 日）。アムネスティ・インターナショナル英国支部が人権分野の研究とキャンペーン活動の資金を調達するために上演した 4 回目の特典ショー。このショーは、ロック・ミュージシャンが人権問題やその他の政治的・社会的大義にその後数十年で関与するようになるうえで非常に大きな影響を与えたといわれる。のちに様々な分野の活動家となったスティング、ボブ・ゲルドフ、エリック・クラプトン、フィル・コリンズ、ドノヴァン、ジェフ・ベック、ミッジ・ユーロ等が出演している

⦿ 2009 年　ザ・ビートルズの全アルバムがデジタルリマスター版で世界同時発売

社会史

⦿ 1976 年　中華人民共和国の毛沢東主席、他界（享年 82 才）
⦿ 1998 年　英 BBC が世界初のデジタルテレビ放送開始

10

Danny Hutton　ダニー・ハットン
1942 年　US カリフォルニア州ロスアンゼルス出身／ Three Dog Night（スリー・ドッグ・ナイト）／ Vo　▶ 1970 年　アルバム『Naturally』

Jose Feliciano　ホセ・フェリシアーノ
1945 年　プエルトリコ・ラレス出身／盲目のシンガーソングライター　▶ 1968 年シングル「Light My Fire（ハートに火をつけて）」（ザ・ドアーズのカバー曲）

Don Powell　ドン・パウエル
1946 年　UK イングランド・スタッフォードシャー州ビルストン出身／ Slade（スレイド）／ Ds ／ 1969 年　デビュー

Joe Perry　ジョー・ペリー
1950 年　US マサチューセッツ州ローレンス出身／ Aerosmith（エアロスミス）／ G
▶ 1973 年　アルバム『Aerosmith』▶ 1993 年　アルバム『Get a Grip』

Pat Mastelotto　パット・マステロット
1955 年　US カリフォルニア州ビュート郡チコ出身／ Mr. Mister（ミスター・ミスター）／ Ds ／ 1984 年　デビュー

Johnnie Fingers　ジョニー・フィンガーズ
1956 年　アイルランド・ダブリン出身／ The Boomtown Rats（ザ・ブームタウン・ラッツ）／ Kb.Vo

Siobhan Fahey　シヴォーン・ファヘイ
1958 年　アイルランド・ダブリン出身／ Bananarama（バナナラマ）

David Lowery　デイヴィット・ロウリー
1960 年　US カリフォルニア州サンアントニオ出身／ Cracker（クラッカー）／ G.Vo
▶ 1992 年　アルバム『Cracker』

10

Mikey Way　マイキー・ウェイ
1980 年 US ニュージャージー州ベルヴィル出身／ My Chemical Romans（マイ・ケミカル・ロマンス）／ B ／ 2004 年　デビュー

Matthew Followill　マシュー・フォロウィル
1984 年　US オクラホマ州オクラホマシティ出身／ Kings of Leon（キングス・オブ・レオン）／ G ▶ 2003 年　アルバム『Youth & Young Manhood』

Josh McClorey　ジョシュ・マクローリー
1995 年　アイルランド出身／ The Strypes（ザ・ストライプス）／ G.Vo

✗ Daniel Johnston　ダニエル・ジョンストン
2019 年　享年 58 才（心臓発作）／シンガーソングライター

11

Mickey Hart　ミッキー・ハート
1943 年　US ニューヨーク州ニューヨークシティ・ブルックリン出身／ Grateful Dead（グレイトフル・デッド）／ Per

Dennis Tufano　デニス・トゥファーノ
1946 年　US イリノイ州シカゴ出身／ The Buckinghams（ザ・バッキンガムズ）／ Vo.G ／ 1967 年　デビュー

Tommy Shaw　トミー・ショウ
1953 年　US アラバマ州モンゴメリー出身／ STYX（スティクス）／ G.Vo ▶ 1978 年 アルバム『Pieces of Eight』

Jon Moss　ジョン・モス
1957 年　UK イングランド・ロンドン出身／ Culture Club（カルチャー・クラブ）／ Ds

Mick Talbot　ミック・タルボット
1958 年　UK イングランド・ウィンブルドン出身／ The Style Council（ザ・スタイル・カウンシル）／ Kb ▶ 1984 年　アルバム『Café Bleu』

Moby　モービー
1965 年　US ニューヨーク州ニューヨークシティ・ハーレム出身／本名：Richard Melville Hall（リチャード・メルヴィル・ホール）／作曲、作詞、演奏などすべて自身で行い、ジャンルもロック〜ハウス等と幅広い ▶ 2002 年　アルバム『18』

Francis MacDonald　フランシス・マクドナルド
1970 年　UK スコットランド・グラスゴー出身／ Teenage Fanclub（ティーンエイジ・ファンクラブ）／ 1990 年　デビュー

Richard Ashcroft　リチャード・アシュクロフト

1971 年　UK イングランド・グレーターマンチェスター州マンチェスター・ウィガン出身／ The Verve（ザ・ヴァーヴ）／ Vo　▶ 1997 年　アルバム『Urban Hymns』／ 1999 年　解散、ソロ活動へ　▶ 2000 年　ソロアルバム『Alone with Everybody』全英 1 位

Jonny Buckland　ジョニー・バックランド
1977 年　UK イングランド・ロンドン出身／ Coldplay（コールドプレイ）／ G　▶ 2008 年　アルバム『Viva La Vida or Death and all His Friends』

Charles Kelley　チャールズ・ケリー
1981 年　US ジョージア州オーガスタ出身／ Lady Antebellum（レディ・アンテベラム）／ Vo

✗ Peter Tosh　ピーター・トッシュ
1987 年　享年 42 才（強盗殺人）／ Bob Marley & The Wailers（ボブ・マーリー & ザ・ウェイラーズ）

社会史
・ 2001 年　米ニューヨーク他で同時多発テロ事件発生

12

Maria Muldaur　マリア・マルダー
1943 年　US ニューヨーク州ニューヨークシティ出身／シンガー　▶ 1975 年　アルバム『I'm a Woman』

Barry White　バリー・ホワイト
1944 年　US テキサス州ガルベストン出身／ 1972 年　Love Unlimited（ラヴ・アンリミテッド）　▶ 1974 年　アルバム『Love's Theme』　✗ 2003 年 7 月 4 日　享年 58 才（脳卒中）

Gerry Beckley　ジェリー・ベックリー
1952 年　US テキサス州フォートワース出身／ America（アメリカ）／ Vo.G.Kb　▶ 1972 年　アルバム『Home Coming』

Neil Peart　ニール・パート
1952 年　カナダ・オンタリオ州ハミルトン出身／ Rush（ラッシュ）／ Ds ／ローリング・ストーン誌の読者が選ぶ史上最高のドラマー第 2 位　✗ 2020 年 1 月 7 日　享年 67 才（脳腫瘍）

Barry Andrews　バリー・アンドリューズ
1956 年　UK イングランド・ロンドン出身／ XTC（エックス・ティー・シー）／ Kb

Ben Folds　ベン・フォールズ
1966 年　US ノースカロライナ州ウィンストン・セーラム出身／ 1965 年　Ben Folds Five（ベン・フォールズ・ファイヴ）」でデビュー／ Vo.P ／ ▶ 2001 年　ソロ・デビューアルバム『Rockin' the Suburbs』

12

Jennifer Hudson　ジェニファー・ハドソン
1981 年　US イリノイ州シカゴ出身／R&B シンガー、女優／2004 年　『アメリカン・アイドル』出身／2006 年　映画『ドリームガールズ』出演（アカデミー賞助演女優賞）／2008 年　アルバムデビュー『Jennifer Hudson』（グラミー賞「最優秀 R&B アルバム賞」授賞）／2009 年　アメフト「スーパーボウル」でアメリカ国家独唱

✗ Johnny Cash　ジョニー・キャッシュ
2003 年　享年 71 才（糖尿病合併症）／シンガーソングライター

ロック史

⊙ 1987 年　マイケル・ジャクソン、初のソロ・ワールドツアー「Bad World Tour」を日本の後楽園球場公演よりスタート。当初は全 9 回（東京：後楽園球場、西宮：阪急西宮スタジアム、横浜：横浜スタジアムの各 3 回）の予定が、あまりのチケット需要の高さのため、さらに 5 回（横浜 2 回、大阪：大阪スタジアム 3 回）が追加される。最終公演日は 10 月 12 日であった。マイケルは日本を 19 日に離日し、日本滞在は 41 日間に及んだ。その後 15 か国で 123 公演が行われ、440 万人が来場、1 億 2,500 万ドルの売上げを記録した大成功のワールドツアーとなった

13

Dave Quincy　デイヴ・クインシー
1939 年　UK イングランド・サセックス州バトル出身／Manfred Mann's Earth Band（マンフレッド・マンズ・アース・バンド）／Sax

David Clayton Thomas　デイヴィッド・クレイトン・トーマス
1941 年　UK イングランド・サリー州キングストン・アポン・テムズ出身／Blood, Sweat & Tears（ブラッド・スウェット＆ティアーズ）／Vo　▶ 1968 年　アルバム『Blood, Sweat & Tears』

Sony Music Japan

Peter Cetera　ピーター・セテラ
1944 年　US イリノイ州シカゴ出身／ベーシスト、ヴォーカリスト、コンポーザー／1969 年　Chicago（シカゴ）のメンバーでデビュー／Vo.B ／ 1985 年　脱退　▶ 1986 年　ソロシングル「Glory of Love」全米 1 位

Don Was　ドン・ウォズ
1952 年　US ミシガン州デトロイト出身／本名：ドナルド・ファーガソン／Was（Not Was）［ウォズ（ノット・ウォズ）］／ B.Kb.Vo　▶ 1988 年　アルバム『What Up, Dog?』／プロデューサーとして、ブライアン・ウィルソン、ザ・ローリング・ストーンズなどの作品を手がける

Dave Mustaine　デイヴ・ムステイン
1961 年　US カリフォルニア州サンディエゴ出身／Meagadeth（メガデス）／Vo.G

Steve Perkins　スティーヴ・パーキンス
1967 年　US カリフォルニア州ロスアンゼルス出身／Jane's Addiction（ジェーンズ・

アディクション）／ Ds ／ 1987 年　デビュー

Fiona Apple　フィオナ・アップル
1977 年　US ニューヨーク州ニューヨークシティ出身／シンガーソングライター　▶
1996 年　アルバム『Tidal』

Niall James Horan　ナイル・ジェームス・ホーラン
1993 年　アイルランド・ウェストミース州出身／ One Direction（ワン・ダイレクション）

✘ Gary Richrath　ゲイリー・リッチラス
2015 年　享年 65 才／ REO Speedwagon（REO スピードワゴン）／ G

✘ Eddie Money　エディ・マネー
2019 年　享年 70 才（心臓手術後の合併症）／ロック・シンガー

社会史
⊙ 1993 年　オスロ合意に基づき、パレスチナ暫定自治協定締結

14

Fred "Sonic" Smith　フレッド・"ソニック"・スミス
1948 年　US ウェストヴァージニア州リンカーン郡出身／ MC5（エム・シー・ファイヴ）
／ G ／ Patti Smith（パティ・スミス）の夫　✘ 1994 年 11 月 4 日　享年 45 才（心不全）

Ed King　エド・キング
1949 年　US フロリダ州グレンデール出身／ Lynyrd Skynyrd（レーナード・スキナード）
／ G ／ 1973 年　デビュー　✘ 2018 年 8 月 22 日　享年 68 才（癌）

Paul Kossoff　ポール・コゾフ
1950 年　UK イングランド・ロンドン出身／ Free（フリー）／ G　✘ 1976 年 3 月 19
日　享年 25 才（心臓病）

Steve Berlin　スティーヴ・バーリン
1955 年　US ペンシルベニア州フィラデルフィア出身／ Los Lobos（ロス・ロボス）／
Sax

Morten Harket　モートン・ハルケット
1959 年　ノルウェー・オスロ出身／ a-ha（アーハ）／ Vo　▶ 1985 年　アルバム『Hunting
High and Low』

John Power　ジョン・パワー
1967 年　UK イングランド・マージーサイド州リヴァプール出身／ The La's（ザ・ラー
ズ）／ B.Vo ／ 1990 年　デビュー

Amy Winehouse　エイミー・ワインハウス

14

1983 年　UK イングランド・ミドルセックス州エンフィールド出身／ロック・ソウル シンガー　▶ 2006 年　アルバム『Back to Black』　✗ 2011 年 7 月 23 日　享年 27 才（薬 物依存症）

⊙ 1982 年　モナコ公国グレース・ケリー公妃、自動車事故（自ら運転中に脳梗塞発症） により他界（享年 52 才）

15

Lee Dorman　リー・ドーマン
1942 年　US ミズーリ州セントルイス出身／ Iron Butterfly（アイアン・バタフライ） ／ B　✗ 2012 年 12 月 21 日　享年 70 才（自動車内での自然死）

Kelly Keagy　ケリー・ケイギー
1952 年　US ロスアンゼルス郡グレンデール出身／ Night Ranger（ナイト・レンジャー） ／ Ds

Paul Thomson　ポール・トムソン
1976 年　UK スコットランド・グラスゴー出身／ Franz Ferdinand（フランツ・フェルディ ナンド）／ Ds

Zach Filkins　ザック・フィルキンス
1978 年　US コロラド州コロラド・スプリングス出身／ One Republic（ワン・リパブリッ ク）／ G　▶ 2007 年　デビューアルバム『Dreaming Out Loud』

✗ Johnny Ramone　ジョニー・ラモーン
2004 年　享年 55 才（前立腺癌）／ The Ramones（ザ・ラモーンズ）／ G

✗ Richard Wright　リチャード・ライト
2008 年　享年 65 才（癌）／ Pink Floyd（ピンク・フロイド）／ Kb

✗ Ric Ocasek　リック・オケイセック
2019 年　享年 75 才（肺気腫、心臓疾患）／ The Cars（ザ・カーズ）／ Vo.G

⊙ 2008 年　リーマン・ショック（米投資会社リーマン・ブラザーズが経営破綻）

16

B.B. King　B.B. キング
1925 年　US ミシシッピ州イッタベーナ出身／本名：Riley B. King（ライリー・B・キ ング）／ブルース・ギタリスト、歌手、作曲家／ 1950 年代から晩年まで活躍したブルー ス界の巨人　▶ 1964 年　シングル「Rock Me Baby」　▶ 1993 年　アルバム『Blues Summit』　✗ 2015 年 5 月 14 日　享年 89 才（アルツハイマー病、糖尿病）

Dick Heckstall-Smith ディック・ヘクストール＝スミス
1934 年　UK シュロップシャー州ルドロウ出身／ Colosseum（コロシアム）／ Sax
✝ 2004 年 12 月 17 日　享年 70 才（急性肝不全）

Joe Butler ジョー・バトラー
1941 年　US ニューヨーク州ロングアイランド出身／ The Lovin' Spoonful（ザ・ラヴィ
ン・スプーンフル）／ Ds

Bernard Calvert バーナード・カルヴァート
1943 年　UK イングランド・ランカシャー州ブリーフィールド出身／ The Hollies（ザ・
ホリーズ）／ B

Sonny LeMaire ソニー・ルメール
1946 年　US ヴァージニア州フォートリー出身／ Exile（エグザイル）／ B

Kenny Jones ケニー・ジョーンズ
1948 年　UK イングランド・ロンドン出身／ Small Faces（スモール・フェイセス）／
The Who（ザ・フー）Ds（キース・ムーンの他界後加入）

Ron Blair ロン・ブレア
1948 年　US カリフォルニア州サンディエゴ出身／ Tom Petty & The Heartbreakers（ト
ム・ペティ＆ザ・ハートブレイカーズ）／ B

Bilinda Butcher ビリンダ・ブッチャー
1961 年　アイルランド・ダブリン出身／ My Bloody Valentine（マイ・ブラッディ・ヴァ
レンタイン）／ Vo.G ／ 1985 年　デビュー

Flo Rida フロー・ライダー
1979 年　US フロリダ州キャロルシティ出身／ラッパー　▶ 2008 年　デビューアルバ
ム『Mail on Sunday』

Richard Marx リチャード・マークス
1963 年　US イリノイ州シカゴ出身／シンガーソングライター　▶ 1987 年　アルバム
『Richard Marx』　▶ 1989 年　シングル「Right Here Waiting」全米 1 位

Dave "The Snake" Sabo デイヴ・"ザ・スネイク"・セイボ
1964 年　US ニュージャージー州パースアンボイ出身／ Skid Row（スキッド・ロウ）
／ G ／ 1989 年　デビュー　▶ 1991 年　アルバム『Slave to the Grind』

Marc Anthony マーク・アンソニー
1968 年　US ニューヨーク州ニューヨークシティ出身（プエルトリコ系）／サルサ系
ラテン・シンガー　▶ 1999 年　アルバム『Marc Anthony』

Nick Jonas ニック・ジョナス

16

1992 年　US テキサス州ダラス出身／本名：Nicholas Jonny Jones（ニコラス・ジョニー・ジョナス）／ Jonas Brothers（ジョナス・ブラザーズ）／ 3 人兄弟のポップ・ロックバンド　▶ 2008 年　サードアルバム『A Little Bit Longer』全米 1 位

✗ Mark Bolan　マーク・ボラン
1977 年　享年 30 才（自動車事故）／ T. Rex（T・レックス）／ Vo.G

✗ Mary Travers　マリー・トラヴァース
2009 年　享年 73 才（白血病化学療法合併症）／ Peter Paul & Mary（PPM：ピーター・ポール＆マリー）

✗ Jerry Corbetta　ジェリー・コルベッタ
2016 年　享年 68 才（ピック病、認知症／ Sugarloaf（シュガーローフ）／ Vo.Kb

17

Hank Williams　ハンク・ウィリアムズ
1923 年　US アラバマ州マウント・オリーヴ出身／カントリー・シンガー　▶ 1952 年シングル「Jambalaya」がヒット

Adam Devlin　アダム・デヴリン
1969 年　UK ミドルセックス州ハウンズロー出身／ The Bluetones（ザ・ブルートーンズ）／ G ／ 1996 年　デビュー

Keith Flint　キース・フリント
1969 年　UK イングランド・ロンドン出身／ The Prodigy（ザ・プロディジー）／ Vo.Dance　✗ 2019 年 3 月 4 日　享年 49 才（自殺）

Chuck Comeau　チャック・コモー
1979 年　カナダ・ケベック州モントリオール出身／ Simple Plan（シンプル・プラン）／ Ds ／ 2002 年　デビュー

✗ Marc Bolan　マーク・ボラン
1977 年　享年 29 才（自動車事故）

✗ Rob Tyner　ロブ・タイナー
1991 年　享年 46 才（心臓発作）／ MC5（エム・シー・ファイヴ）／ Vo

社会史
- ⊙ 2002 年　小泉首相、歴代史上初の北朝鮮訪問（平壌宣言）

18

Michael Franks　マイケル・フランクス
1944 年　US カリフォルニア州ラ・ホーヤ出身／シンガーソングライター／ AOR、ジャズ　▶ 1976 年　アルバム『The Art of Tea』　▶ 1977 年　アルバム『Sleeping Gypsy』

P.F. Sloan　P.F. スローン
1945 年　US ニューヨーク州ニューヨークシティ出身／本名：Philip Gary Schlein（フィリップ・ゲイリー・シュライン）／シンガーソングライター／The Grass Roots（ザ・グラス・ルーツ）／ Vo.G　▶ 1966 年　シングル「From a Distance（孤独の世界）」

Kerry Livgren　ケリー・リヴグレン
1949 年　US カンザス州トピカ出身／ Kansas（カンサス）／ G

Dee Dee Ramone　ディー・ディー・ラモーン
1951 年　US ヴァージニア州フォートリー出身／本名：Douglas Glenn Colvin（ダグラス・グレン・コルヴィン）／ The Ramones（ザ・ラモーンズ）／ B　✘ 2002 年 6 月 5 日　享年 49 才（ヘロイン過剰摂取）

Mark Olson　マーク・オルソン
1961 年　US ミネソタ州ミネアポリス出身／ The Jayhawks（ザ・ジェイホークス）／ Vo.G

Joanne Catherall　ジョアンヌ・キャサラル
1962 年　UK イングランド・サウスヨークシャー州シェフィールド出身／ Human League（ヒューマン・リーグ）／ Vo　▶ 1979 年　デビューアルバム『Reproduction』

Rick Bell　リック・ベル
1967 年　US マサチューセッツ州ボストン・ロックスベリー出身／ New Edition（ニュー・エディション）

✘ Jimi Hendrix　ジミ・ヘンドリックス
1970 年　享年 27 才（ドラッグ過剰摂取、鎮静剤誤嚥による窒息）／シンガーソングライター、ギタリスト

19

Brian Epstein　ブライアン・エプスタイン
1934 年　UK イングランド・マージーサイド州リヴァプール出身／ザ・ビートルズのマネージャー　✘ 1967 年 8 月 27 日　享年 32 才（薬物過剰接種）

Paul Williams　ポール・ウィリアムズ
1940 年　US ネブラスカ州オマハ出身／シンガーソングライター　▶ 1970 年　シングル「We've Only Just Begun（愛のプレリュード）」（カーペンターズ）　▶ 1971 年　シングル「Old Fashioned Love Song」がヒット（スリー・ドッグ・ナイトのカバーもヒット）

Bill Medley　ビル・メドレー
1940 年　US カリフォルニア州ロスアンゼルス出身／ The Righteous Brothers（ザ・ライチャス・ブラザーズ）　▶ 1965 年　アルバム『You've Lost That Lovin' Feelin'』　▶同年　シングル「Unchained Melody」

Sep

Cass Elliot　キャス・エリオット

1941 年　US メリーランド州ボルチモア出身／ The Mama's & The　Papa's（ザ・ママ
ス＆ザ・パパス）　▶ 1966 年　シングル「California Dreamin'」がヒット　✗ 1974 年
7 月 29 日　享年 32 才（心筋梗塞）

John Coghlan　ジョン・コーラン

1946 年　UK イングランド・ロンドン出身／ Status Quo（ステイタス・クォー）／ Ds
▶ 1968 年　デビューアルバム『Picturesque Matchstickable Messages from the Status
Quo』

Lol Crème　ロル・クレーム

1947 年　UK イングランド・ランカシャー州プレストウィッチ出身／ 10cc（テン・シー・
シー）／ G.Kb ／ Godley & Creme（ゴドレイ＆クレーム）、Art of Noise（アート・オブ・
ノイズ）

Nile Rogers　ナイル・ロジャース

1952 年　US ニューヨーク州ニューヨークシティ出身／ギタリスト、コンポーザー、
プロデューサー／ Chic（シック）／ G　▶ 1978 年　アルバム『C'est Chic』／ The
Honeydrippers（ザ・ハニードリッパーズ）　▶ 2013 年　Daft Punk（ダフト・パンク）の
アルバム『Random Access Memories』で 3 曲参加（グラミー賞「最優秀アルバム賞」受賞）

Lita Ford　リタ・フォード

1958 年　UK イングランド・ロンドン出身／ The Runaways（ザ・ランナウェイズ）／
G ／ 1976 年　デビュー

Jarvis Cocker　ジャーヴィス・コッカー

1963 年　UK イングランド・サウスヨークシャー州シェフィールド出身／ Pulp（パルプ）
／ Vo.G.Kb　▶ 1983 年　デビューアルバム『It』

Paul Winterhart　ポール・ウィンターハート

1971 年　UK イングランド・ロンドン出身／ Kula Shaker（クーラ・シェイカー）／
Ds

Jeremy Jordan　ジェレミー・ジョーダン

1973 年　US インディアナ州ハモンド出身／シンガー　▶ 1992 年　シングル「The
Right Kind of Love」

Ryan Dusick　ライアン・デューシック

1977 年　US カリフォルニア州ロスアンゼルス出身／ Maroon 5（マルーン 5）／ Ds
／ 1999 年　デビュー

✗ Gram Parsons　グラム・パーソンズ

1973 年　享年 26 才（ドラッグ依存症）／ The Byrds（ザ・バーズ）

- 1970年　第1回「グラストンベリー・フェスティバル」開催。イングランド南西部のクランベリー近くにある Worty Farm（大農場）で開催。踏み荒らされた牧草の保護のため、不定期に5〜6年の間隔で休催年を設けている。初回の名称は「ピルトン・ポップ・アンド・ブルース・フォーク・フェスティバル」。初年度1,500人の観客数から始まったこのフェスは規模を拡大し、1981年に正式に今の名称に改める。2007年には18万人が来場した。2022年はコロナの影響で3年ぶりに開催。6月22日から4日間、80才を迎えたポール・マッカートニー、ブルース・スプリングスティーン、ビリー・アイリッシュ、ダイアナ・ロス他多数バンドが参加した
- 1979年　原子力発電所建設反対を訴える「No Nukes: The Muse Concert」開催（マジソンス・スクエア・ガーデン、〜 23 日）。同年3月のスリーマイル島原発事故に対する反核運動。出演：ザ・ドゥービー・ブラザーズ、ブルース・スプリングスティーン、トム・ペティ、ジャクソン・ブラウン、ジェイムズ・テイラー、クロスビー、スティルス、ナッシュ＆ヤング他

20

Chuck Panozzo　チャック・パノッゾ
1948年　US イリノイ州シカゴ出身／STYX（スティクス）／B

Alannah Currie　アランナ・カリー
1957年　ニュージーランド・オークランド出身／Thompson Twins（トンプソン・ツインズ）／Vo.Sax

Dave Hemingway　デイヴ・ヘミングウェイ
1960年　UK イングランド・ハンバーサイド州ハル出身／The Beautiful South（ザ・ビューティフル・サウス）／Vo　▶ 1989年　デビューアルバム『Welcome to the Beautiful South』

Nuno Bettencourt　ヌーノ・バッテンコート
1966年　ポルトガル・アゾレス諸島テルセイラ島プライア・デ・ビットリア出身／Extreme（エクストリーム）／G

Ben Shepherd　ベン・シェパード
1968年　US ワシントン州シアトル出身／Soundgarden（サウンドガーデン）／B
▶ 1991年　サードアルバム『Badmotorfinger』から参加

Joel Kosche　ジョエル・コシェ
1969年　US ジョージア州ストックブリッジ出身／Collective Soul（コレクティヴ・ソウル）／G／2001〜14年までリード・ギターとして在籍

Gerard Smith　ジェラード・スミス
1974年　US ニューヨーク州ニューヨークシティ・ブルックリン出身／TV On The Radio（TV オン・ザ・レディオ）／B.Kb／2004年　デビュー　✗ 2011年4月20日 享年34才（肺癌）

20

Rick Woolstenhulme リック・ウールステンハルム
1979 年　US アリゾナ州ギルバート出身／Lifehouse（ライフハウス）／Ds

✗ Jim Croce ジム・クロウチ
1973 年　享年 30 才（飛行機事故）／シンガーソングライター

ロック史

- 1969 年　ジョン・レノンが、ザ・ビートルズのメンバー・ミーティングでバンドからの脱退意向を表明。今後の活動に関する会議でポールとジョンの意見が合わず、その場で脱退を表明。しかしマネージャーのアラン・クレインは公表しなかった。70 年 4 月にポールが脱退を表明し、ザ・ビートルズは事実上その時点で解散となった
- 1983 年「The Arms Benefit Concert（ARMS：多発性硬化症）支援コンサート」がロンドンのロイヤル・アルバート・ホールで開催される。同病に苦しむロニー・レーンの呼びかけで、研究活動を支援するために行われた。ヤードバーズ出身の三大ギタリスト、エリック・クラプトン、ジェフ・ベック、ジミー・ペイジが初めて一緒にステージに立つ歴史的なコンサートになる。当初はロンドン 2 公演のみの予定だったが反響が大きかったため、同年アメリカでの 9 公演が追加された

21

Leonard Cohen レナード・コーエン
1934 年　カナダ・ケベック州モントリオール出身／シンガーソングライター　▶ 1967 年　デビューアルバム『Songs of Leonard Cohen』 ✗ 2016 年 11 月 7 日　享年 82 才

Don Felder ドン・フェルダー
1947 年　US フロリダ州ゲインズヴィル出身／The Eagles（ザ・イーグルス）／G.Vo　▶ 1975 年　アルバム『One of These Nights』／ザ・イーグルスの初代メンバー／1980 年　解散／1994 年　再結成／2000 年　解雇　▶シングル「Hotel California」の作曲者

Phil Taylor フィル・テイラー
1954 年　UK イングランド・チェスターフィールド州ハスランド出身／Motörhead（モーターヘッド）／Ds／1975 年　デビュー ✗ 2015 年 11 月 11 日　享年 61 才（肝不全）

Corinne Drewery コリーン・ドリュリー
1959 年　UK イングランド・ノッティンガムシャー州ノッティンガム出身／Swing Out Sister（スウィング・アウト・シスター）／Vo　▶ 1987 年　シングル「Breakout」がヒット

Faith Hill フェイス・ヒル
1967 年　US ミシシッピ州ジャクソン出身／カントリー・シンガー　▶ 1993 年　アルバム『Take Me as I Am』

Jon Brookes ジョン・ブルックス

1968 年　UK イングランド・スタッフォードシャー出身／ The Charlatans（ザ・シャーラタンズ）／ Ds ／ 1990 年 デビュー　✂2013 年 8 月 13 日　享年 44 才（病死）

Liam Gallagher　リアム・ギャラガー
1972 年　UK イングランド・グレーターマンチェスター州マンチェスター出身／本名：William John Paul Gallagher（ウィリアム・ジョン・ポール・ギャラガー）／ Noel Gallagher（ノエル・ギャラガー）は実兄／ Oasis（オアシス）／ Vo　▶ 1995 年　アルバム『(What's the Story) Morning Glory?』／ 2009 年　解散（全世界トータルセールス：7,700 万枚）／同年　Beady Eye（ビーディ・アイ）結成

David Silveria　デイヴィッド・シルヴェリア
1972 年　US カリフォルニア州サンレアンドロ出身／ Korn（コーン）／ Ds

✂ Jaco Pastorius　ジャコ・パストリアス
1987 年　享年 35 才（脳挫傷、安楽死）／ジャズ・ベーシスト

✂ Boz Burrell　ボズ・バレル
2006 年　享年 60 才（心臓発作）／ Bad Company（バッド・カンパニー）／ B

ロック史
- 1983 年　イギリス「The Prince's Trust Rock Gala」コンサート開催（ロイヤル・アルバート・ホール）。出演：エリック・クラプトン、ジェフ・ベック、ジミー・ペイジ、スティーヴ・ウィンウッド、ビル・ワイマン、ロニー・レーン他多数
- 2001 年　アメリカ同時多発テロ被災者救済コンサート「America: A Tribute to Heroes」開催（マジソン・スクエア・ガーデン）。全米 4 大ネットワークテレビ局が制作・中継し、全世界 30 か国以上でオンエアされた。出演：ブルース・スプリングスティーン、スティーヴィー・ワンダー、U2、トム・ペティ、ニール・ヤング、ビリー・ジョエル、スティング、ポール・サイモン、ウィリー・ネルソン他多数

22

David Coverdale　デイヴィッド・カヴァデール
1951 年　UK イングランド・ノースヨークシャー州ソルトバーンバイザシー出身／ Deep Purple（ディープ・パープル）／ Vo ／ Whitesnake（ホワイトスネイク）／ Vo　▶ 1987 年　アルバム『White Snake』

Debby Boone　デビー・ブーン
1956 年　US ニュージャージー州ハッケンサック出身／シンガー　▶ 1977 年　アルバム『You Light Up My Life』

Doug Wimbish　ダグ・ウィンビッシュ
1956 年　US コネチカット州ハートフォード出身／ Living Colour（リヴィング・カラー）／ B ／ 1988 年　デビュー

Nick Cave　ニック・ケイヴ

22

1957 年　オーストラリア・ヴィクトリア州ウォリクネビール出身／シンガーソングライター／ 1981 年　The Birthday Party（ザ・バースデイ・パーティ）のメンバーでデビュー ▶ 1984 年　ソロ・デビューアルバム『From Her to Eternity』／ 1985 年　Nick Cave & The Bad Seeds（ニック・ケイヴ & ザ・バッド・シーズ）として活躍

Joan Jett　ジョーン・ジェット
1958 年　US ペンシルベニア州フィラデルフィア出身／ The Runaways（ザ・ランナウェイズ）／ Vo.G ／ Joan Jett & The Blackhearts（ジョーン・ジェット & ザ・ブラックハーツ）ソロ活動開始 ▶ 1981 年　アルバム『I Love Rock'n Roll』がヒット

Matt Sharp　マット・シャープ
1969 年　タイ・バンコク出身／ Weezer（ウィーザー）／ B ／ The Rentals（ザ・レンタルズ）

社会史
⊙ 1980 年　イラン・イラク戦争勃発

23

John Coltrane　ジョン・コルトレーン
1926 年　US ノースカロライナ州ハムレット出身／ジャズ・サックス奏者　✘ 1967 年 7 月 17 日　享年 40 才（肝臓癌）

Ray Charles　レイ・チャールズ
1930 年　US ジョージア州オールバニ出身／ R&B シンガー ▶ 1960 年　シングル「Georgia on My Mind」 ▶ 1962 年　アルバム『Modern Sounds in Country and Western Music』　✘ 2004 年 6 月 10 日　享年 73 才（肝臓癌）

Roy Buchanan　ロイ・ブキャナン
1939 年　US アーカンソー州オザーク出身／ギタリスト ▶ 1976 年　アルバム『A Street Called Straight』　✘ 1988 年 8 月 14 日　享年 48 才（自殺）

Julio Iglesias　フリオ・イグレシアス
1943 年　スペイン・マドリード州マドリード出身／シンガーソングライター ▶ 1982 年　アルバム『Momentos』／ 3 億枚を超えるセールス達成で最も成功した男性ラテン・シンガー

Steve Boone　スティーヴ・ブーン
1943 年　US ノースカロライナ州キャンプレジューン出身／ The Lovin' Spoonful（ザ・ラヴィン・スプーンフル）／ B

Ron Bushy　ロン・ブッシー
1945 年　US ワシントン D.C. 出身／ Iron Butterfly（アイアン・バタフライ）／ Ds

Jerry Corbetta　ジェリー・コルベッタ

1947 年　US コロラド州デンバー出身／ Sugarloaf（シュガーローフ）／ Vo.Kb ／
1970 年　デビュー　✗ 2016 年 9 月 16 日　享年 68 才（ピック病、認知症）

Sony Music Japan

Bruce Springsteen　ブルース・スプリングスティーン
1949 年　US ニュージャージー州ロング・ブランチ出身／ Bruce Springsteen & The E
Street Band（ブルース・スプリングスティーン＆ザ・E ストリート・バンド）結成　▶
1973 年　デビューアルバム『Greeting from Asbury Park, N.J.』　▶ 1975 年　アルバム
『Born to Run』がヒット　▶ 1984 年　アルバム『Born in the U.S.A.』世界中で大ヒット

Leon Taylor　リオン・テイラー
1955 年　US テネシー州ジョンソンシティ出身／ The Ventures（ザ・ヴェンチャーズ）
／ Ds ／ 1960 年　デビュー／初代ドラマーのメル・テイラーの長男

Rachael Yamagata　レイチェル・ヤマガタ
1977 年　US ヴァージニア州アーリントン出身／シンガーソングライター　▶ 2004 年
アルバム『Worn Me Down』

✗ Robbie McIntosh　ロビー・マッキントッシュ
1974 年　享年 24 才（ヘロイン過剰摂取）／ The Average White Band（ザ・アヴェレー
ジ・ホワイト・バンド）

> **ロック史**
> • 1971 年　レッド・ツェッペリンが初来日公演開催（日本武道館 2 回、広島県立体
> 育館 1 回、大阪フェスティバルホール 2 回の計 5 回公演）。ジミー・ペイジは広島
> 平和記念公園を訪れ、原爆慰霊碑に献花した

24

Mel Taylor　メル・テイラー
1933 年　US ニューヨーク州ニューヨークシティ・ブルックリン出身／ The Ventures
（ザ・ヴェンチャーズ）／ Ds ✗ 1996 年 8 月 11 日　享年 62 才（肺癌）

Linda McCartney　リンダ・マッカートニー
1941 年　US ニューヨーク州ウェストチェスター郡スカースデイル出身／ 1969 年 3 月
12 日　ポール・マッカートニーと結婚／ Wings（ウイングス）／ Kb.Vo ✗ 1998 年 4
月 17 日　享年 56 才（乳癌）

Gerry Marsden　ジェリー・マースデン
1942 年　UK イングランド・マージーサイド州リヴァプール出身／ Gerry & The
Pacemakers（ジェリー＆ザ・ペースメーカーズ）／ Vo.G ✗ 2021 年 1 月 3 日　享年
78 才（心臓の感染症）

Emilio Castillo　エミリオ・キャスティーヨ
1950 年　US カリフォルニア州アラメダ郡オークランド出身／ Tower of Power（タ
ワー・オブ・パワー）／ Sax.Vo ／ 1970 年　デビュー　▶ 1973 年　アルバム『Tower

24

of Power』

Shawn Crahan　ショーン・クラハン
1969年　US アイオワ州デモイン出身／ Slipknot（スリップノット）／ Per　▶ 1999年　デビューアルバム『Slipknot』

Peter Salisbury　ピーター・サリスベリー
1971年　UK イングランド・サマセット州チッペンハム出身／ The Verve（ザ・ヴァーヴ）／ Ds

25

Jules Alexander　ジュールズ・アレクサンダー
1943年　US テネシー州チャタヌーガ出身／ The Association（ザ・アソシエイション）／ G.Vo

Onnie McIntyre　オニー・マッキンタイア
1945年　UK スコットランド・レノックスタウン出身／ The Average White Band（ザ・アヴェレージ・ホワイト・バンド）／ G.Vo

Steven Severin　スティーヴン・セヴリン
1955年　UK イングランド・ロンドン出身／ Siouxsie and the Banshees（スージー＆ザ・バンシーズ）／ B.Kb　▶ 1978年　アルバム『The Scream』

Daniel Kessler　ダニエル・ケスラー
1974年　UK イングランド・ロンドン出身／ Interpol（インターポール）／ G ／ 2002年　デビュー　▶ 2007年　アルバム『Our Love to Admire』

✗ John Bonham　ジョン・ボーナム
1980年　享年32才（窒息死）／ Led Zeppelin（レッド・ツェッペリン）／ Ds

社会史
⊙ 1972年　ミュンヘン・オリンピック襲撃事件

26

Joe Bauer　ジョー・バウアー
1941年　US テネシー州メンフィス出身／ The Youngbloods（ザ・ヤングブラッズ）／ Ds ／ 1967年　デビュー　✗ 1982年9月　享年41才（脳腫瘍）

Bryan Ferry　ブライアン・フェリー
1945年　UK イングランド・ダラム州ワシントン出身／ Roxy Music（ロキシー・ミュージック）でデビュー／ Vo　▶ 1982年　アルバム『Avalon』　▶ 1985年　ソロアルバム『Boys and Girls』全英1位

John Foxx　ジョン・フォックス

1948 年　UK イングランド・ランカシャー州チョーリー出身／ Ultravox（ウルトラボックス）／ Kb.Vo

Olivia Newton-John　オリヴィア・ニュートン＝ジョン
1948 年　UK イングランド・ケンブリッジシャー州ケンブリッジ出身／シンガー　▶
1971 年　アルバム『If Not for You』初ヒット（表題曲はボブ・ディラン作）　▶ 1975
年　アルバム『Have You Never Been Mellow（そよ風の誘惑）』　▶ 1981 年　アルバム
『Physical』10 週間全米 1 位　✗ 2022 年 8 月 8 日　享年 73 才（乳癌）

Stuart Tosh　スチュアート・トッシュ
1951 年　UK スコットランド・エディンバラ出身／ Pilot（パイロット）／ Ds ／ 1974
年　デビュー

Cesar Rosas　セサル・ロサス
1954 年　メキシコ・エルモシージョ出身／ Los Lobos（ロス・ロボス）／ G.Vo

Craig Chaquico　クレイグ・チャキーソ
1954 年　US カリフォルニア州サクラメント出身／ Jefferson Starship（ジェファーソン・スターシップ）／ G

Tracey Thorn　トレイシー・ソーン
1962 年　UK イングランド・ハートフォード州ハットフィールド出身／ Everything But
the Girl（エヴリシング・バット・ザ・ガール）／ Vo　▶ 1984 年　アルバム『Eden』

Shannon Hoon　シャノン・フーン
1967 年　US インディアナ州ラファイエット出身／ Blind Melon（ブラインド・メロン）
／ Vo　▶ 1992 年　デビューアルバム『Blind Melon』　✗ 1995 年 10 月 21 日　享年 28
才（薬物過剰摂取）

Paul Draper　ポール・ドレイパー
1970 年　UK イングランド・マージーサイド州リヴァプール出身／ Mansun（マンサン）
／ Vo.G ／ 1997 年　デビュー

Shawn Stockman　ショーン・ストックマン
1972 年　US ペンシルベニア州フィラデルフィア出身／ Boyz Ⅱ Men（ボーイズⅡメン）

Dean Butterworth　ディーン・バターワース
1976 年　UK イングランド・グレーターマンチェスター州ロッチデール出身／ Good
Charlotte（グッド・シャーロット）／ Ds ／ 1996 年　デビュー

Christina Milian　クリスティーナ・ミリアン
1981 年　US ニュージャージー州ジャージーシティ出身／シンガー　▶ 2001 年　アルバム『Christina Milian』

✄ Robert Palmer　ロバート・パーマー
2003 年　享年 54 才（心臓発作）／シンガー

✄ Alan Lancaster　アラン・ランカスター
2021 年　享年 72 才（多発性硬化症）／ Status Quo（ステイタス・クォー）／ B

⊙ 2006 年　安倍晋三、第 90 代内閣総理大臣就任

27

Sony Music Japan

Randy Bachman　ランディ・バックマン
1943 年　カナダ・マニトバ州ウィニペグ出身／ The Guess Who（ザ・ゲス・フー）から Bachman Turner Overdrive（バックマン・ターナー・オーヴァードライヴ）／ Vo.G
▶ 1970 年　アルバム『American Woman』（ザ・ゲス・フー）▶ 1974 年　アルバム『Not Fragile』

Meat Loaf　ミートローフ
1947 年　US テキサス州ダラス出身／本名：Marvin Lee Aday（マーヴィン・リー・アーディ）／ロック・シンガー　▶ 1977 年　アルバム『Bad Out of Hell（地獄のロック・ライダー）』▶ 1993 年　シングル「I'd Do Anything for Love (But I Won't Do That)［愛にすべてを捧ぐ］」✄ 2022 年 1 月 20 日　享年 74 才（新型コロナウイルス感染）

Linda Lewis　リンダ・ルイス
1950 年　UK イングランド・ロンドン出身／ジャマイカ系ソウル・シンガー　▶ 1972 年　アルバム『Lark』

Robbie Shakespeare　ロビー・シェイクスピア
1953 年　ジャマイカ・キングストン出身／ Sly & Robbie（スライ＆ロビー）／ B ✄ 2021 年 12 月 8 日　享年 68 才（腎臓病）

Greg Ham　グレッグ・ハム
1953 年　オーストラリア・ヴィクトリア州メルボルン出身／ Men At Work（メン・アット・ワーク）／ Sax.Kb ✄ 2012 年 4 月 19 日　享年 58 才（心臓発作）

Shaun Cassidy　ショーン・キャシディ
1958 年　US カリフォルニア州ロスアンゼルス出身／シンガー　▶ 1977 年　シングル「Da Doo Ron Ron」

Stephan Jenkins　スティーヴン・ジェンキンス
1964 年　US カリフォルニア州インディオ出身／ Third Eye Blind（サード・アイ・ブラインド）／ Vo.G ▶ 1997 年　アルバム『Third Eye Blind』

Sony Music Japan

Avril Lavigne　アヴリル・ラヴィーン
1984 年　カナダ・オンタリオ州ナパニー出身／ロック・シンガー　▶ 2002 年　シン

グル「Complicated」がヒット　▶同年　デビューアルバム『Let Go』

☒ Jimmy McCulloch　ジミー・マカロック
1979 年　享年 26 才（ヘロイン過剰摂取）／ Wings（ウイングス）／ G

☒ Cliff Burton　クリフ・バートン
1986 年　享年 24 才（交通事故）／ Metallica（メタリカ）／ B

28

Ben E. King　ベン・E・キング
1938 年　US ノースカロライナ州ヘンダーソン出身／本名：Benjamin Earl Nelson（ベンジャミン・アール・ネルソン）／ソウル・シンガー　▶ 1987 年　シングル「Stand By Me」がヒット　☒ 2015 年 4 月 30 日　享年 75 才（自然死）

Helen Shapiro　ヘレン・シャピロ
1946 年　UK イングランド・ロンドン出身／シンガー　▶ 1961 年　シングル「You Don't Know（悲しき片想い）」

Andy Ward　アンディ・ウォード
1952 年　UK イングランド・サリー州エプソム出身／ Camel（キャメル）／ Ds（UK プログレ）

Alannah Currie　アランナ・カリー
1959 年　ニュージーランド・オークランド出身／ Thompson Twins（トンプソン・ツインズ）／ Dr.Vo

Daniel Platzman　ダニエル・プラッツマン
1986 年　US ジョージア州アトランタ出身／ Imagine Dragons（イマジン・ドラゴンズ）／ Dr

Hilary Duff　ヒラリー・ダフ
1987 年　US テキサス州ヒューストン出身／シンガー　▶ 2003 年　シングル「So Yesterday」

☒ Miles Davis　マイルス・デイヴィス
1991 年　享年 65 才（肺炎）／ジャズ・トランペット奏者

社会史
⊙ 1976 年　日航機ハイジャック事件（ダッカ）

29

Jerry Lee Lewis　ジェリー・リー・ルイス
1935 年　US ルイジアナ州フェリディ出身／ロック・シンガー　▶ 1957 年 シングル「Great Balls of Fire（火の玉ロック）」

29

Mark Farner マーク・ファーナー
1948 年　US ミシガン州フリント出身／1968 年　Grand Funk Railroad（グランド・ファンク・レイルロード）／G　▶1969 年　デビューアルバム『On Time』

Mike Pinera マイク・ピネラ
1948 年　US フロリダ州タンパ出身／Iron Butterfly（アイアン・バタフライ）／G

Ian Baker イアン・ベイカー
1965 年　UK イングランド・ロンドン出身／Jesus Jones（ジーザス・ジョーンズ）／Kb／1989 年　デビュー

Brett Anderson ブレット・アンダーソン
1967 年　UK イングランド・サセックス州リンドフィールド出身／1989 年　Suede（スウェード）結成／Vo　▶1993 年　デビューアルバム『Suede』

Brad Smith ブラッド・スミス
1968 年　US ミシシッピ州ウェストポイント出身／Blind Melon（ブラインド・メロン）／B／1992 年　デビュー

Jon Auer ジョン・オワア
1969 年　US ワシントン州ベリンガム出身／The Posies（ザ・ポウジーズ）／G.Kb.Vo　▶1988 年　デビューアルバム『Failure』　▶1993 年　サードアルバム『Frosting on the Beater』

† **Helen Reddy** ヘレン・レディ
2020 年　享年 78 才（死因発表なし／認知症）／シンガー

30

Johnny Mathis ジョニー・マティス
1935 年　US テキサス州ギルマー出身／ソウル・シンガー　▶1957 年　デビューアルバム『Wonderful, Wonderful』

Dewy Martin デューイ・マーティン
1940 年　カナダ・オンタリオ州チェスターヴィル出身／The Buffalo Springfield（ザ・バッファロー・スプリングフィールド）／Ds　†2009 年 1 月 31 日　享年 68 才

Marc Bolan マーク・ボラン
1947 年　UK イングランド・ロンドン出身／本名：Mark Feld（マーク・フェルド）／“Bolan” は「Bob Dylan」を短縮したもの／T. Rex（T・レックス）／Vo.G／元祖グラムロック　▶1970 年　アルバム『T. Rex』　▶1971 年　アルバム『Electric Warrior』
†1977 年 9 月 16 日　享年 30 才（自動車事故）

John Lombardo ジョン・ロンバード
1952 年　US ヴァージニア州ジェームズタウン出身／10,000 Maniacs（10,000 マニアッ

クス）／ G

Patrice Rushen パトリース・ラッシェン
1954 年　US カリフォルニア州ロスアンゼルス出身／ジャズ・R&B シンガー、ピアニスト　▶ 1978 年　アルバム『Patrice Rushen』　▶ 1982 年　アルバム『Straight from the Heart』

Basia バーシア
1954 年　ポーランド・シロンスク県ヤヴォジュノ出身／シンガー／元 Matt Bianco（マット・ビアンコ）／ Vo　▶ 1987 年　ソロアルバム『Time & Tide』

Bill Rieflin ビル・リーフリン
1960 年　US ワシントン州シアトル出身／マルチプレイヤー／ King Crimson（キング・クリムゾン）　✟ 2020 年 3 月 24 日　享年 59 才（癌）

Robby Takac ロビー・テイキャック
1964 年　US ニューヨーク州エリー郡バッファロー出身／ Goo Goo Dolls（グー・グー・ドールズ）／ B

Trey Anastasio トレイ・アナスタシオ
1964 年　US テキサス州フォートワース出身／ Phish（フィッシュ）／ G　▶ 1992 年　メジャー・デビューアルバム『A Picture of Nectar』発売／ 1999 年　フジロック・フェスティバルに 3 日間連続出演し、計 12 時間近く演奏

Ben Lovett ベン・ラヴェット
1986 年　UK イングランド・ロンドン出身／ Mumford & Sons（マムフォード・アンド・サンズ）／ Vo.Kb　▶ 2009 年　デビューアルバム『Sigh No More』英米で 2 位、130 週以上にわたりチャートにランクイン。全世界売上げは 800 万枚以上に上り、世界的な人気を不動のものとした

ロック史
⊙ 1967 年　1927 年に設立された英国放送協会 BBC（British Broadcasting Corporation）が「BBC ラジオ 1」を放送開始。第二次世界大戦後の 55 年に FM 放送を開始し、ほぼ FM・デジタル化された現在は最新ヒット曲や、ロック、ダンスミュージック、ヒップホップ、ブラックミュージック等の音楽専門番組を中心にオンエアしている。ワールドサービスも充実させ、積極的に多様な音楽の発信を続けている

Column 5

ミュージシャンたちはどのような人生の最期を迎えたのだろう？

本書に登場する 2,735 名のミュージシャンたちのうち、2022 年 11 月末時点で 445 名が、残念ながらその人生の最期を迎えている。原因は様々だが、特に 1960 年代から 90 年代を駆け抜けたミュージシャンには、今の時代では考えられないような悲しく壮絶な死因が多く、不慮の事故死やドラッグ・アルコール過剰摂取、心臓発作、自殺が全体の約 40％近くを占める。

【死因内訳】

不慮の事故（60 名）
ドラッグ・アルコール過剰摂取（45 名）
心臓発作（37 名）
自殺（23 名）
新型コロナウイルス感染（5 名）
老衰（2 名）
その他の病気（228 名）
自然死／原因不明／非公表（45 名）

【ミュージシャンの人生最期の共通点とは】

当時のミュージシャンたちは、ロックを通して自己主張や体制への抵抗を直接表現するようになる。その姿やメッセージは特に若者の心に強く響き、ロックの存在は彼らに不可欠となっていった。

幸運にも音楽の世界で最期まで充実した人生を送る人、あるいは業界を去っても一般の人々と同様の最期を迎える人がほとんどである。その反面、1/4 程度のミュージシャンたちは理想と現実の狭間で悩み、アルコール依存、薬物過剰摂取等の荒れた私生活に陥ったり、信じがたい突然の事故で早世してしまうなど、彼らならではといえる事件も後を絶たなかった。

世界的人気ミュージシャンでも、他人に言えない内面的なコンプレックスや闇を抱えながら、その輝かしい実績を築き続けていくプレッシャーを背負っている。ゆえに、熱狂的なファンやレコード会社の期待が大きなストレスとなって、自らを精神的に追い詰めてしまう人も数知れなかった。早すぎる死は、レコードが大ヒットしリッチになり、人気者になったとしても、心の中で葛藤し続

けたミュージシャンたちの宿命のひとつなのかもしれない。以下では、それら死因の内訳を一部紹介し、最後に総括してみたい。

◎不慮の事故（平均年齢：34.5才）

1．交通事故（平均年齢：36才）

エディ・コクラン
1938/10/3-1960/4/17、享年 21 才
ロック・シンガー。英国ツアーからの帰路、空港に向かう途中でタクシー事故に遭う。

ニコ
1938/10/16-1988/7/18、享年 49 才
ザ・ヴェルヴェット・アンダーグラウンド。息子と休暇で訪れていたスペインのイビサ島で自転車から転倒した際、頭部を強打し脳内出血で他界。

デュアン・オールマン
1946/11/20-1971/10/29、享年 24 才
ザ・オールマン・ブラザーズ・バンド。休暇中にハーレーダビットソンを運転中、目の前で急停止したトラックをよけようとしたが衝突。バイクから投げ出され、内臓損傷により数時間後に亡くなる。

マーク・ボラン
1947/9/30-1977/9/16、享年 30 才
T・レックス。愛人が運転する車の助手席に乗っていたが、事故により大破。

コージー・パウエル
1947/12/29-1998/4/5、享年 50 才
レインボー他のドラマー。高速道路をシートベルトなしに酩酊下で運転。ガールフレンドと携帯電話で会話中、時速 167km で中央分離帯に衝突・大破。

ファルコ
1957/2/19-1998/2/6、享年 40 才
ソロ・シンガー。アルコール・ドラッグ摂取後の愛車運転中に大型バスとの衝突事故を起こす。

クリフォード・リー・バートン

1962/2/10-1986/9/27、享年 24 才

メタリカ。ツアー移動中のバスが路面凍結でスリップ横転。窓から投げ出され、バスの下敷きになり即死。

2. 飛行機事故（平均年齢：29.9才）

バディ・ホリー

1936/9/7-1959/2/3、享年 22 才

ロック・ミュージシャン。ハードなツアー 11 日目を終えたバディは、次の公演先への過酷なバス移動を嫌い、小型飛行機をチャーター。席数がメンバー数より少なかったため、体調不良のビッグ・ボッパーと、コイントスの賭けに勝ったリッチー・ヴァレンスと共に 3 人でチャーター機に搭乗。猛吹雪の中を飛び立つが悪天候とパイロットの操縦ミスで墜落し、全員死亡。その後 1960 年代初頭にかけて、ロックスターたちが懲役や徴兵で次々と姿を消し、アメリカの大衆音楽は勢いを失う。60 年代中頃のブリティッシュ・インヴェイジョンまでの間、スター不在の暗い時代が続いたため、この飛行機事故がロックンロールの時代の終わりを告げる象徴的な出来事となった。のちにこの 59 年 2 月 3 日は「音楽が死んだ日」と呼ばれるようになる。

リッチー・ヴァレンス

1941/5/13-1959/2/3、享年 17 才

ロック・ミュージシャン。バリー・ホリーと同じ飛行機に同乗し、悪天候により墜落。一度に 3 人のロックンローラーが亡くなったことでファンに衝撃を与えたこの日は、のちにこの悲劇を題材にしたドン・マクリーンの曲「American Pie」内のフレーズ "The day the music died" として歌われたことにより定着する。

オーティス・レディング

1941/9/9-1967/12/10、享年 26 才

R&B シンガーソングライター。オーティス・レディングとバンドメンバー 5 人、マネージャーおよびパイロットの計 8 名の乗った双発機が、次の公演地に向かう途中、濃霧で滑走路を見失い近くの湖に墜落。7 人が命を落とす。盟友のジェイムズ・ブラウンは、以前より自家用飛行機で移動することの危惧を訴えていたといわれる。

ジム・クロウチ

1943/1/10-1973/9/20、享年 30 才

シンガーソングライター。ジムと他の 5 名がチャーターした飛行機が空港からテイクオフ中に木に衝突。同乗していた全員が亡くなる。衝突の 1 時間前にジムはコンサートを終了しており、次の会場に向かう途中の突然の事故だった。

ジョン・デンヴァー

1943/12/31-1997/10/12、享年 53 才

カントリー・シンガー。彼は航空機の収集家で複数の飛行機（セスナ）を所持していた。米国内ツアー後の休暇中に、単独で操縦していたプロペラ機が墜落してしまう（不慣れな操縦が原因とされる）。

ロニー・ヴァン・ザント

1948/1/15-1977/10/20、享年 29 才

レーナード・スキナード。バンドがツアーでチャーターした飛行機の燃料不足により、山中に墜落。バンドメンバーのスティーヴ・ゲインズとキャシー・ゲインズ、アシスタント・ロードマネージャー、パイロット、副操縦士も共に死亡する悲惨な事故。

スティーヴィー・レイ・ヴォーン

1954/10/3-1990/8/27、享年 35 才

ブルース・ギタリスト、作曲家。エリック・クラプトン、バディ・ガイ、ロバート・クレイらとブルース・フェスティバルに出演。終了後、シカゴ行きのヘリコプターに搭乗するが、濃霧で視界を失い、未明にスキー場のゲレンデに墜落。クラプトンのボディガードを含む乗員全員が亡くなる。

ランディ・ローズ

1956/12/6-1982/3/19、享年 25 才

クワイエット・ライオット／オジー・オズボーン・バンド。オジー・オズボーンのバンドツアー中の飛行機墜落事故。ランディは遊覧飛行を目的に、ツアーバスの運転手が操縦するセスナ機に搭乗。オジーやメンバーが休息をとるために乗っていたバスとの並列飛行を楽しんでいた。しかしセスナ機の翼がバスのルーフに接触・墜落し、炎上。オジーはかけがいのない仲間の事故現場を目の前で見たショックがトラウマにな

り、長い間精神的に悩まされてしまう。

アリーヤ

1979/1/16-2001/8/25、享年 22 才

シンガー、女優。映画出演で人気絶頂に達するも、ボーイフレンドに会うために仕事の予定を繰り上げて搭乗したフロリダへ向かうセスナ機が離陸直後に墜落。事故は機体の整備不良、積載オーバー、パイロットのコカインやアルコール摂取が原因とされる。

3. 銃殺・刺殺・水死・火災（平均年齢：39.5才）

サム・クック

1931/1/22-1964/12/11、享年 33 才

ソウル・ゴスペル歌手。泥酔状態かつ女性を伴ってモーテルを訪れた際、身の危険を感じた管理人が発砲し、胸部に銃弾を受けてしまう。管理人は裁判で正当防衛が認められたとのこと。

マーヴィン・ゲイ

1939/4/2-1984/4/1、享年 44 才

R&B シンガーソングライター。自宅で両親の喧嘩を仲裁した際に父と口論になり、激昂した父が拳銃を発砲。至近距離から放たれた弾が胸部と肩に命中し、病院に運ばれる前に亡くなる。父が使用した拳銃は生前に息子からプレゼントされたものだったという悲劇的な最期となる。

フェリックス・パパラルディ

1939/12/30-1983/4/17、享年 43 才

ベーシスト、キーボーディスト他。妻に射殺されて亡くなる。妻はパパラルディに愛人がいたことを知っていた一方、殺意を否認して銃の練習中の事故だったと主張したものの、最終的には過失致死罪で懲役 4 年の実刑判決となった。

ジョン・レノン

1940/10/9-1980 年 /12/8、享年 40 才

ザ・ビートルズ。スタジオ作業を終えたジョンとヨーコの乗ったリムジンがダコタ・アパート前に到着。すると、そこに待ち構えていたマーク・チャップマンがジョンを呼び止めると同時に拳銃で 5 発発砲。4 発がジョンに命中してしまう。警官の到着時にはかすかに意識があったものの、一刻を争う危険な状態で病院に到着。その後、必死の心臓マッサージと輸血が行われた

が、失血性ショックにより亡くなってしまう。40 才を迎えたばかりのあまりにも早い訃報に、世界中がショックを受けた。

ブライアン・ジョーンズ

1942/2/28-1969/7/3、享年 27 才

ザ・ローリング・ストーンズ。ストーンズを脱退後、まもなく自宅のプールで水死する。のちに行われた検視では、「アルコールとドラッグの影響による不運な出来事」と結論づけられた。その後、ブライアンの追悼コンサートを行なったストーンズのオルタモントでのコンサートで悲劇が起こる。

デニス・ウィルソン

1944/12/4-1983/12/28、享年 39 才

ザ・ビーチ・ボーイズ。ドラッグやアルコール摂取の影響が大きく、泥酔状態で友人の所有するヨットの甲板から海に飛び込み、溺死してしまう。

ジェフ・バックリィ

1966/11/17-1997/5/29、享年 30 才

シンガーソングライター。夜にミシシッピ川で泳いでいた際に溺死。正装した状態だったが、同行者が目を離した隙に姿が消えていたという。地元警察らによる捜索活動でも発見できず、5 日後に近隣住民が遺体を発見する。当時セカンドアルバムの制作中だった。溺れた際に飲酒はしていたが、事故死の可能性が高いといわれている。

スティーヴ・ブロンスキー

1960/2/7-2021/12/10、享年 61 才

ブロンスキー・ビート（キーボード）。脳卒中の発症後、自宅アパートで介護されていたが、致命的な火災が発生し、煙を吸って亡くなる。

◎ドラッグ・アルコール過剰摂取 （平均年齢：39.8才）

ジミ・ヘンドリックス

1942/11/27-1970/9/18、享年 27 才

ギタリスト。ヘンドリックスの死には不可解な点が多いといわれている。ロンドンのホテルに滞在中、薬物の過剰摂取により突然他界してしまう。死因は睡眠中の嘔吐による窒息で、就寝

前に飲んだ大量のワインと睡眠薬が原因といわれる。それまでのドラッグ過剰摂取で、ジミは心身共にボロボロになっていた。光と影の両極端な面を持つ才能あふれるミュージシャンの、激しく短い生き様だった。

ジャニス・ジョップリン
1943/1/19-1970/10/4、享年 27 才

ロック・シンガー。2枚目のソロアルバムのレコーディングにジョップリンが姿を見せなかったので不安を感じたプロデューサーが、バンドのローディーに連絡して彼女の滞在するホテルを訪ねたところ、ベッド横の床に倒れているのを発見。死因は、以前から乱用していた通常より高純度のヘロインが致死量を越えたためだとされた。

キース・ムーン
1946/8/23-1978/9/7、享年 32 才

ザ・フー（ドラマー）。アルコール依存症で禁断症状を起こし、一時意識不明に陥る。同年、致死量に至るほどの飲酒をして入院。医師から「飲酒を控えなければ3か月以内に死ぬ」と警告される。2年後、アルコール依存症の離脱症状を抑える薬物を大量摂取して昼寝につくが、そのまま亡くなってしまう。死因は薬物の過剰摂取であると発表された。

フィル・リノット
1949/8/20-1986/1/4、享年 36 才

シン・リジィ（ヴォーカル）。ヘロイン注射に伴う感染症および敗血症により、急死。彼の生涯の功績を記念して、アイルランド・ダブリンに銅像が建てられた。アイルランドでは英雄だった。

トム・ペティ
1950/10/20-2017/10/2、享年 66 才

シンガーソングライター。慢性的な疾患のために服用していたオピオイド系鎮痛剤など、複数の薬剤の過剰摂取が死因とされる。彼が心停止の状態に陥り亡くなった際、体内に数種類の鎮痛剤が確認された。家族とバンドメンバーは、「残念ながら、彼の体は肺気腫や膝、特に股関節に深刻な問題を抱えていた」と述べたといわれる。

シド・ヴィシャス
1957/5/10-1979/2/2、享年 21 才

セックス・ピストルズ。ドラッグを断てないシドと恋人ナンシーのため、セックス・ピストルズの活動は崩壊。ふたりはニューヨークに渡り、ライヴ活動を続けながらドラッグを大量に摂取し続け、ナンシーは自殺未遂を図る。シドはラストライヴのあとに、ハードドラッグの過剰摂取により意識を失い、入院。その後ホテルのバスルームでナンシーが死亡し、シドは自殺未遂を再三起こす。刑務所に収監されて薬物が抜けきった体に高純度のヘロインを大量摂取したことで、遂に死に至る。そのヘロインは同夜、シドに哀願された彼の母親からの渡し物だった。

プリンス
1958/6/7-2016/4/21、享年 57 才

移動中の自家用ジェット機内でインフルエンザによる体調不良が悪化し、病院に緊急搬送されるが、なぜかすぐ退院してしまう。翌日には、地元ミネアポリスに所有する「ペイズリー・パーク・スタジオ」で催されたダンスパーティーでファンの前に姿を現した。しかしその5日後の早朝、複数のテレビ局が「プリンスの死亡」を報じる。州の検視当局により、死因は鎮痛剤の過剰投与による中毒死であると公表された。彼のスタジオにはたくさんの未発表曲が残されているという。

マイケル・ジャクソン
1958/8/29-2009/6/25、享年 50 才

自宅で心停止・呼吸停止状態に陥り、UCLA付属病院へ救急搬送されるが他界してしまう。元主治医はマイケルの不眠治療のため、使用していた鎮痛剤を催眠鎮静剤に切り替えたという。ところが不眠状態は改善されず、死の当日には深夜から早朝にかけて様々な鎮痛剤等を断続的に投与された。それでも眠りにつけず、マイケルの度重なる要求により元主治医はさらなる鎮痛剤の点滴投与を行う。マイケルの就寝直後、元主治医がトイレのために数分離れた間に呼吸は停止していたという。「急性鎮痛剤中毒」としたうえで、第一の死因は鎮痛剤と催眠鎮痛剤の医師による複合使用であり、外的要因による死であることが断定された。

　直後にロンドンで開催される予定だった大規

模コンサート「This Is It」を直前に、充実した
リハーサルや会見も行なわれていた。あまりに
突然の死が世界中に与えたショックは、計りし
れないほど大きな悲劇になってしまった。

ホイットニー・ヒューストン

1963/8/9-2012/2/11、享年 48 才

ホテルの客室の浴槽の中に倒れていたところを
発見され、同日亡くなってしまう。グラミー賞
授賞式を翌日に控え、前夜祭に参加するために
ビバリーヒルズのホテルに滞在していた。死因
は「不慮の溺死」だったが、遺体からコカイン
が検出されたため、入浴中のコカイン摂取の影
響で心臓発作を起こし、浴槽に沈んだ可能性が
高いという検視結果が発表された。

　ホイットニーの一人娘クリスティーヌも 22
才で、母と同様に浴槽（自宅）にて意識不明の
状態で発見され亡くなる。彼女の体内からは
マリファナ、アルコール、コカイン関連の物
質、モルヒネと鎮静剤が発見され、肺炎が誘引
され亡くなったといわれる。母子共に薬物摂取
による浴槽での他界とは偶然なのか、それとも
……。

エイミー・ワインハウス

1983/9/14-2011/7/23、享年 27 才

シンガー。薬物中毒やアルコール依存症のため、
夫と共に飲酒・薬物のリハビリ施設に何度も入
所していた。2008 年の第 50 回グラミー賞で
は主要 6 部門にノミネートされ、授賞式への
参加も表明していたが、アメリカに入国するた
めに必要なビザの発行を拒否されてしまう。そ
の後も薬の影響で精神が錯乱状態のようにな
り、遂には自宅にて遺体で発見される。

　友人は死の直前数日間に、「エイミーはアル
コールと麻薬（エクスタシー）を大量摂取して
いた」とマスコミに語っていた。エイミーは日
常的にコカインや危険な麻薬を摂取していたた
め、友人の間ではとても心配されていた。最終
的に死因は「急性アルコール中毒による事故死」
と断定された。治療は受けていたものの、若く
して実力のある彼女をそこまで追い詰めた薬物
の世界が、非常に悲しい結末をもたらしてし
まった。この死で彼女も「27 CLUB」のメンバー
のひとりになったといわれる。

◎心臓発作（平均年齢：56.4才）

ジム・モリソン

1943/12/8-1971/7/3、享年 27 才

ザ・ドアーズ（ヴォーカル）。パリにあるアパー
トのバスタブの中で亡くなっているのが発見さ
れる。第一発見者は当時交際していた女性。事
件性がないと考えた警察は検死を行わず、死因
は心臓発作と発表された。彼女は、薬物過剰摂
取が死の原因ではないかと証言している。

ゲイリー・ムーア

1952/4/4-2011/2/6、享年 58 才

ロック・ギタリスト、歌手。亡くなる前年、
21 年振りの来日公演が開催された。その後も
夏のヨーロッパ、ロシアと続けてコンサート・
ツアーが敢行された。その翌年、休暇先のスペ
インにて心臓発作で急逝する。

ジェフ・ポーカロ

1954/4/1-1992/8/5、享年 38 才

TOTO（ドラマー）。自宅の庭で殺虫剤を散布
後に、アレルギーで心臓発作を起こし急死。し
かし死因については諸説ある。コカイン中毒が
原因の動脈硬化症という説もあったが、TOTO
のメンバーは「彼はドラッグを使用したことが
ない」と否定している。

◎自殺（平均年齢：46.3才）

デル・シャノン

1934/12/30-1990/2/8、享年 55 才

シンガーソングライター。ボブ・ディラン、
ジョージ・ハリスン、トム・ペティ、ジェフ・
リンらが参加するトラヴェリング・ウィルベ
リーズに、死去したロイ・オービソンの後継と
して加入する予定だったが、うつ病のため自宅
で猟銃自殺を遂げてしまう。妻は処方された薬
剤の副作用によるものだと製薬会社を訴えた。

キース・エマーソン

1944/11/2-2016/3/10、享年 71 才

エマーソン・レイク＆パーマー。自宅で倒れて
いるのを同居する日本人女性が発見して警察に
通報、死亡が確認された。警察は銃で自らを
撃ったことによる自殺と判断し、その後検視局

によって自殺と断定された。

ボブ・ウェルチ
1945/8/31-2012/6/7、享年 66 才
フリートウッド・マック。ヘロイン中毒で入院し、麻薬所持で逮捕されたあと、しばらくは表立った音楽活動から遠ざかっていた。1987 年に音楽活動を再開し、アルバムも 3 枚リリースしたが、その後自宅で拳銃自殺しているところを妻が発見した。

ビート・ハム
1947/4/27-1975/4/24、享年 27 才
バッドフィンガー（ヴォーカル）。バッドフィンガーは 1970 年代中頃、世界中でヒットを連発していたが、所属していたアップル・レコードが崩壊の危機にあった。その後ワーナー・ブラザース・レコードに引き抜かれ、バンド内部の問題や経理・マネジメント上の多くの難題に巻き込まれる。音楽活動も上手くいかず、すでにビートは全く収入がなくなっていた。失意の果てに自宅ガレージにて自殺。翌朝、妻によって発見された。

イアン・カーティス
1956/7/15-1980/5/18、享年 23 才
ジョイ・ディヴィジョン（ヴォーカル）。ヨーロッパ・ツアーを終了させ、次なるツアーの地アメリカへと出発する前日に自宅のキッチンで自殺する。遺書は見つからず、持病のてんかんの悪化や、妻と愛人との問題などが理由とされている。離婚の話し合いが決着しないまま、妻は娘を連れて両親の家へ帰っていた。翌日、自宅に戻ってきた妻によりイアンは発見される。

マイケル・ハッチェンス
1960/1/22-1997/11/22、享年 37 才
INXS（ヴォーカル）。当時の恋人とデンマークに遊びに行った時に街で暴漢に襲われ、転倒し脳に損傷を負って入院する。退院ののち、味覚障害が起こり、怒りっぽくなって恋人とも破局。その後、他の女性と結婚し子供も持つが、事故の後遺症の味覚障害、怒り、鬱に悩まされ続け、それらが原因で自殺したといわれる。シドニーのホテルの一室にて遺体で発見され、自殺と断定された。彼の一人娘の恋人も、のちに薬物の過剰摂取で亡くなってしまう。

カート・コバーン
1967/2/20-1994/4/5、享年 27 才
ニルヴァーナ（ヴォーカル）。最初のアルバムから大成功を収めたが、彼はこの成功に葛藤を感じていた。アンダーグラウンドをルーツとする自身の信念を裏切ってしまったことや、メディアの伝える彼の姿と本来の自分との乖離に大きく戸惑っていたという。また少年時代からのうつ病と、20 才頃から患う原因不明の胃痛に使用していた鎮痛剤などへの薬物依存にも苦しんでいた。その後シアトルの自宅で薬物を服用し、ショットガンで自殺する。彼の死は、「27 CLUB」のことを再度音楽ファンに思い起こせる衝撃的な出来事となった。

※ただ彼の死については、暗殺されたとする陰謀論が多数ある。発端は、彼が行方不明になった時に妻のコートニー・ラヴに雇われた私立探偵が主張した説。それによれば、コートニー・ラヴと子守りアシスタントで元恋人が共謀してカートを暗殺したのだという。当時コートニーはカートと離婚調停中で、離婚することになった際に何億ドルという資産を失うことが耐えられなかったと考えられているようだが、真相はいかに

エリオット・スミス
1969/8/6-2003/10/21、享年 34 才
シンガーソングライター。エリオットは治療によってドラッグ中毒を克服し、長年にわたって依存していたアルコールや抗うつ薬を断つことにも成功していた。しかし同棲していた女性との口論後、バスルームに籠っていたその彼女がエリオットの叫び声を聞いて外に飛び出してみると、そこには胸にナイフの刺さった彼が立っていたという。結局、胸に負った 2 か所の刺し傷が原因で、搬送先の病院で死亡。当初は自殺とみられていたが、公開された検視報告書では殺人の可能性も否定されていない。

キース・フリント
1969/9/17-2019/3/4、享年 49 才
プロディジー。オーストラリア・ツアーを終え、バンドのメンバーはイギリスに帰宅、次はアメリカ・ツアーを行う予定だった。しかし彼はツアー前にエセックスの自宅で突然自殺してしまう。警察は事件性があるものとしては扱っていないという。

結論：
「ミュージシャンならではの死因」はあるのか？

不慮の事故

この時代特有のミュージシャンの自由奔放な行動、多忙なツアー中の心身の疲労困憊、複雑な人間関係、ドラッグ・アルコール依存、金銭問題等によって、運悪く突然人生を終えてしまう不幸で刹那的な事故は、やはりこの時代を象徴している。

ドラッグ＆アルコール過剰摂取

1960 ～ 90 年代に活躍した有名ミュージシャンがドラッグやアルコールを過剰摂取するようになった要因や、死に至るまでの過程は人それぞれだ。ただ彼らがそれまで生きてきた過程で抱えた内なる深い悩み、精神的な問題が結果的にそのような道に自らを導いてしまったのは、残念ながら間違いない。彼らは共通して、本来非常に繊細な心を持つ、優しい人間だったのではないだろうか。

心臓発作

なぜ、ミュージシャンには心臓発作で亡くなる人が多いのか（全体の約 10％）。年齢が比較的高い人は、ハードな演奏や多忙なコンサート・ツアーによる身体的ストレス、体調不良、そして病的疾患による場合が多い。一方、若いミュージシャンは薬物・アルコール依存症者が圧倒的多数である。ツアーなど苛酷な仕事で溜まったストレスや不規則な生活の悪習慣が、この病気を自ら招いてしまうのかもしれない。

自殺

年齢には関係なく、ミュージシャンの自殺は多い。表向きには派手に成功したミュージシャンが、他人には言えない様々な悩みからドラッグ・アルコール依存等の悲惨な生活に陥り、自らピリオドを打つ者が絶えない時代であった。妻と愛人との問題、バンド仲間とのいさかい、所得の不安、ハードなコンサート・ツアーによる心身疲弊から自殺に追い込まれていったのではないだろうか。

10

October

The
Rock
Musicians'
Birthday
Encyclopedia

October

JOHN LENNON　ジョン・レノン

1940 年 10 月 9 日
UK イングランド・マージーサイド州リヴァプール出身

　ジョンが幼い頃、商船乗組員であった父親が家を去ってしまう。母親も他の男性と同棲したため、ジョンは伯母のミミに厳格に育てられ、反発もせずに終生彼女を愛したという。ただ実の両親に育てられなかったためか、頻繁にケンカ騒ぎを起こす反抗的な少年時代でもあった。幼い頃両親に捨てられた心の傷は彼の一生を決定づけ、その後の表現の核となる。16 才の時、エルヴィスの「Heartbreak Hotel」を聴き、ロックンロールの洗礼を受ける。翌年、級友たちと「ザ・クオリーメン」を結成。夏の教会でのコンサートで共通の友人にポー

1

STING　スティング

1951 年 10 月 2 日
UK イングランド・ノーサンバーランド州ウォールズエンド出身

　本名は Gordon Matthew Thomas Sumner（ゴードン・マシュー・トーマス・サムナー）。労働者階級の家庭に生まれ、造船工場の騒音の中で育つ。牛乳販売店を営む母親が愛人をつくり、家を出て行くなど家庭環境は幸福ではなかった。成績の良かった彼は地元のグラマースクールに入学するが、学校には通わずボブ・ディランに夢中になり、現実逃避として音楽にのめりこんでいく。ウォーリック大学に進学したが卒

2

THOM YORKE　トム・ヨーク

1968 年 10 月 7 日
UK イングランド・ノーサンプトンシャー州ウェリングボロー出身

　父親は化学工学機械のセールスマン、母親はデザイナーだった。トムは生まれつき瞼の筋肉が麻痺して開かず、6 才までに 5 回の手術を受けている。年中つけていた眼帯がその後の彼の人格形成に大きく影響しているといわれている。孤独を感じていたこの時期に音楽に出会い、没頭するように

3

ル・マッカートニーを紹介され、運命的出会いとなる。その後、ポールに紹介された
ジョージ・ハリスンもバンドに加入。しかし同年、母親が非番の警察官が運転する車
にはねられ死亡する。この悲劇はジョンの人格形成に大きな影を落とし、「母親を2
度も失った」と考えるようになったという。この母親の事故死は、14才で母親を乳
癌で亡くしていたポールとの友情を固める大きな一因となる。

　1962年22才でザ・ビートルズとしてデビューし、60年代を象徴するバンドとし
て成長していく。60年代後半、日本人前衛芸術家オノ・ヨーコとの出会いがジョン
の人生を次第に変えていく。70年のザ・ビートルズ解散後、70年代前半に米ニュー
ヨークに移住。75年の自らの誕生日（10月9日）と同じ日に誕生した次男ショー
ンの子育てに専念するため5年間音楽活動を休止し、アメリカの永住権も取得する。
ジョンは専業主夫業に専念後、80年に音楽活動を再開。久々のアルバム『Double
Fantasy』を発表するが、直後の12月8日に自宅であるNYダコタハウス前で、ファ
ンによる銃弾に倒れる。享年40才。

業はしていない。その後、教員養成大学を卒業後、ニューカッスル北部のセントポー
ル小学校の国語教師として5〜9才児を教えるが、彼にとっては片手間仕事であった。
ザ・ポリスのシングル「Don't Stand So Close to Me（高校教師）」という曲は、こ
の時の教育実習で15才の生徒を担当した経験を元にできた曲である。

　ザ・ビートルズ、キンクスを通して音楽に興味を持ち、マイルス・デイヴィス、ジョ
ン・コルトレーン、セロニアス・モンク、チャーリー・ミンガスの影響を受ける。大
学在学中、ベーシストとしてニューカッスル・ビッグ・バンドに参加。1974年にバ
ンド「イグジット」を結成したが、スチュワート・コープランドに誘われてロンドン
で活動を開始。77年、アンディ・サマーズが加入し、ザ・ポリスを結成。名前の由
来は、黒と黄色の縦縞模様のシャツを着ていたのが「蜂」を連想させることから、「（チ
クリと）刺す」という意味の"Sting"と呼ばれるようになった。

なる。

　10才でバンドを結成し曲作りを始め、クイーンに触発されて音楽にのめりこんで
いく。最初のエレキギターを自分で作り、14才で曲を録音。パブリックスクール時
代にふたつ目のバンド「TNT」を、1985年に「オン・ア・フライデイ」を結成。そ
の後92年に レディオヘッドとしてデビューする。

1

Albert Collins　アルバート・コリンズ

1932 年　US テキサス州レオナ出身／ブルース・ギタリスト、シンガー　▶ 1985 年
アルバム『Showdown!』✗ 1993 年 11 月 24 日　享年 61 才（癌）

Mariska Veres　マリスカ・ヴェレス

1947 年　オランダ・ホランド州デン・ハーグ出身／ Shocking Blue（ショッキング・
ブルー）／ Vo ／ 1968 年　デビュー　✗ 2006 年 12 月 2 日　享年 59 才（癌）

Martin Turner　マーティン・ターナー

1947 年　UK イングランド・デヴォン州トーキー出身／ Wishbone Ash（ウィッシュボー
ン・アッシュ）／ B.Vo

Youssou N'Dour　ユッスー・ンドゥール

1959 年　セネガル・ダカール出身／ワールド・ミュージック・シンガー　▶ 1994 年
シングル「7 Seconds」

Kevin Griffin　ケヴィン・グリフィン

1968 年　US ルイジアナ州ニューオーリンズ出身／ Better Than Ezra（ベター・ザン・
エズラ）／ G

Richard Oakes　リチャード・オークス

1976 年　UK イングランド・ロンドン出身／ Suede（スウェード）／ G ／ 1994 年
加入　▶ 1996 年　アルバム『Coming Up』

2

Don McLean　ドン・マクリーン

1945 年 US ニューヨーク州ウェストチェスター郡ニューロシェル出身／シンガーソン
グライター　▶ 1971 年　シングル「American Pie」がヒット

Ron Griffiths　ロン・グリフィス

1946 年　UK サウスウェールズ州スウォンジー出身／ Badfinger（バッドフィンガー）
／ B ／ 1968 年　デビュー

Mike Rutherford　マイク・ラザフォード

1950 年　UK イングランド・サリー州ギルフォード出身／ Genesis（ジェネシス）／ G.B
／ 1985 年　Mike + The Mechanics（マイク＆ザ・メカニックス）結成　▶ 1985 年
デビューアルバム『Mike + the Mechanics』　▶ 1988 年　シングル「The Living Years」
全米 1 位

Universal Music

Sting　スティング

1951 年　UK イングランド・ノーサンバーランド州ウォールズエンド出身／本名：
Gordon Matthew Thomas Sumner（ゴードン・マシュー・トーマス・サムナー）／
The Police（ザ・ポリス）／ B.Vo.Com　▶ 1985 年　ソロアルバム『The Dreams of

the Blue Turtles（ブルータートルの夢）』

Phillip Oakey　フィリップ・オーキー
1955 年　UK イングランド・リースター州ヒンクリー出身／ Human League（ヒューマン・リーグ）／ Vo.Kb　▶ 1986 年　アルバム『Crash』

Freddie Jackson　フレディ・ジャクソン
1956 年　US ニューヨーク州ニューヨークシティ・ハーレム出身／ R&B・ソウルシンガー　▶ 1985 年　シングル「Rock Me Tonight」がヒット

Kate St. John　ケイト・セント・ジョン
1957 年　UK イングランド・ロンドン出身／ Dream Academy（ドリーム・アカデミー）／ Vo.Per　▶ 1985 年　デビューアルバム『The Dream Academy』

Robbie Nevil　ロビー・ネヴィル
1958 年　US カリフォルニア州ロスアンゼルス出身／シンガー　▶ 1986 年　シングル「C'est La Vie」がヒット

Al Connelly　アル・コネリー
1960 年　カナダ・ケベック州モントリオール出身／ Glass Tiger（グラス・タイガー）／ G

Tiffany　ティファニー
1971 年　US カリフォルニア州ノーウォーク出身／本名：Tiffany Renee Darwish（ティファニー・レニー・ダーウィッシュ）／シンガー　▶ 1987 年　シングル「Could've Been」がヒット

Jim Root　ジム・ルート
1971 年　US ネバダ州ラスヴェガス出身／ Slipknot（スリップノット）／ G ／ 1999 年デビュー

Lene Nystrom Rasted　リーナ・ニューストロン・ラステッド
1973 年　デンマーク・コペンハーゲン市コペンハーゲン出身／ Aqua（アクア）／ Vo ／ 1996 年　デビュー

Brittany Howard　ブリタニー・ハワード
1988 年　US アラバマ州アテネ出身／ Alabama Shakes（アラバマ・シェイクス）／ Vo.G　▶ 2012 年　アルバム『Boys & Girls』

✘ Tom Petty　トム・ペティ
2017 年　享年 66 才（鎮痛剤過剰摂取）／ロック・シンガー

3

Eddie Cochran　エディ・コクラン

3

1938 年　US ミネソタ州オクラホマシティ出身／ロック・シンガー　✗ 1960 年 4 月 17 日　享年 21 才（交通事故）

Chubby Checker　チャビー・チェッカー
1941 年　US サウスカロライナ州アンドリュース出身／本名：Ernest Evans（アーネスト・エヴァンス）／ R&B シンガー　▶ 1960 年　シングル「The Twist」

Lindsey Buckingham　リンジー・バッキンガム
1949 年　US カリフォルニア州パロアルト出身／ 1975 年　Fleetwood Mac（フリートウッド・マック）／ Vo.G　▶ 1979 年　アルバム『Tusk』

Stevie Ray Vaughan　スティーヴィー・レイ・ヴォーン
1954 年　US テキサス州ダラス出身／ブルース・ギタリスト／ 1978 年　Double Trouble（ダブル・トラブル）　▶ 1983 年　アルバム『Texas Flood』　✗ 1990 年 8 月 27 日　享年 35 才（ヘリコプター墜落事故）

Sony Music Japan

Tommy Lee　トミー・リー
1962 年　ギリシャ・アテネ出身／ Motley Crue（モトリー・クルー）／ Ds

Chris Collingwood　クリス・コリンウッド
1967 年　US ペンシルベニア州セラーズヴィル出身／ Fountains of Wayne（ファウンテインズ・オブ・ウェイン）／ G.Vo.Kb　／ 1996　デビュー　▶ 2003 年　アルバム『Welcome Interstate Managers』

Gwen Stefani　グウェン・ステファニー
1969 年　US カリフォルニア州フラートン出身／ No Doubt（ノー・ダウト）／ Vo　▶ 1995 年　アルバム『Tragic Kingdom』がヒット　▶ 2004 年　ソロ・デビューアルバム『Love Angel Music Baby』

Kevin Richardson　ケヴィン・リチャードソン
1971 年　US ケンタッキー州レキシントン出身／ Backstreet Boys（バックストリート・ボーイズ）

G. Love　G・ラヴ
1972 年　US ペンシルベニア州フィルデルフィア出身／本名：Garrett Dutton Ⅲ（ギャレット・ダットン 3 世）／ G. Love & Special Sauce（G・ラヴ＆スペシャル・ソース）／ 1994 年　デビュー

India Arie　インディア・アリー
1975 年　US コロラド州デンバー出身／シンガーソングライター　▶ 2001 年　アルバム『Acoustic Soul』

Nate Wood　ネイト・ウッド
1979 年　US カリフォルニア州出身／ The Calling（ザ・コーリング）／ Dr

Josh Klinghoffer　ジョシュ・クリングホッファー
1979年　USカリフォルニア州サンタモニカ出身／Red Hot Chili Peppers（レッド・ホット・チリ・ペッパーズ）／G

Ashlee Simpson　アシュリー・シンプソン
1984年　USテキサス州ウェーコ出身／ポップ・シンガー／2004年　デビューアルバム『Autobiography』

✗ Woody Guthrie　ウディ・ガスリー
1967年　享年54才（ハンチントン病）／フォーク・シンガー

✗ Benjamin Orr　ベンジャミン・オール
2000年　享年53才（膵臓癌）／The Cars（ザ・カーズ）／B

ロック史
- ◉ 1964年　のちに日本の"ロックの殿堂"と称される日本武道館が開館。外国人ロック・コンサートとしては、1966年のザ・ビートルズの初来日公演がこけら落としとなる。68年にザ・ウォーカー・ブラザーズ、ザ・モンキーズ、72年以降はディープ・パープル、クイーンなど著名ミュージシャンの公演が次々と開催されるようになった

4

Jim Fielder　ジム・フィールダー
1947年　USテキサス州デントン出身／Blood, Sweat & Tears（ブラッド・スウェット＆ティアーズ）／B

Barbara K. MacDonald　バーバラ・K・マクドナルド
1958年　USウィスコンシン州ウォーソー出身／Timbuk 3（ティムバック3）／G／1986年　デビュー

Chris Lowe　クリス・ロウ
1959年　UKイングランド・ランカシャー州ブラックプール出身／Pet Shop Boys（ペット・ショップ・ボーイズ）／Kb

Jon Secada　ジョン・セカダ
1961年　キューバ・ハバナ出身／ポップ・ラテンシンガー　▶ 1992年　デビューアルバム『Jon Secada』

✗ Janis Joplin　ジャニス・ジョップリン
1970年　享年27才（ドラッグ依存症）／ロック・シンガー

✗ Bruce Parmer　ブルース・パーマー
2004年　享年58才（心臓発作）／The Buffalo Springfield（ザ・バッファロー・スプリングフィールド）／B

4

✗ Mike Gibbins マイク・ギビンズ
2005 年　享年 56 才（脳動脈瘤）／ Badfinger（バッドフィンガー）／ Ds

5

Steve Miller スティーヴ・ミラー
1943 年　US ウィスコンシン州ミルウォーキー出身／ Steve Miller Band（スティーヴ・ミラー・バンド）／ G.Vo　▶ 1973 年　アルバム『The Joker』全米 2 位、シングル「The Joker」全米 1 位　▶ 1976 年　アルバム『Fly Like an Eagle』

Brian Connolly ブライアン・コノリー
1945 年　UK スコットランド・グラスゴー出身／ Sweet（スウィート）／ Vo ／ 1971 年 デビュー　✗ 1997 年 2 月 10 日　享年 51 才（心臓発作、腎不全）

Brian Johnson ブライアン・ジョンソン
1947 年　UK イングランド・ダラム州ゲイツヘッド出身／ AC/DC（エーシー・ディーシー）／ Vo

Eddie Clarke エディ・クラーク
1950 年　UK イングランド・ミドルセックス州チッケンナム出身／ Motörhead（モーターヘッド）／ G ／ 1975 年　デビュー　✗ 2018 年 1 月 10 日　享年 67 才（肺炎）

Bob Geldof ボブ・ゲルドフ
1951 年　アイルランド・ダンレアリー出身／ The Boomtown Rats（ザ・ブームタウン・ラッツ）／ Vo　▶ 1979 年　アルバム『The Fine Art of Surfacing』／ 1984 年　アフリカ飢餓救済チャリティ・コンサート「バンド・エイド（Band Aid）」の提唱者

Lee Thompson リー・トンプソン
1957 年　UK イングランド・ロンドン出身／ Madness（マッドネス）／ Sax ／ 1979 年　デビュー

Dave Dederer デイヴ・デダラー
1964 年　US ワシントン州シアトル出身／ The Presidents of the United States of America（ザ・プレジデンツ・オブ・ユナイテッド・オヴ・アメリカ）／ G

James Valentine ジェイムズ・ヴァレンタイン
1978 年　US ネブラスカ州リンカーン出身／ Maroon 5（マルーン 5）／ G ／ 1999 年 デビュー

Paul Thomas ポール・トーマス
1980 年　US メリーランド州ラ・パラータ出身／ Good Charlotte（グッド・シャーロット）／ B

✗ Bert Jansch バート・ヤンシュ
2011 年　享年 67 才（癌）／スコットランドのフォーク・ミュージシャン／ Pentangle

(ペンタングル) 創立メンバー

ロック史

⊙ 1962 年　ザ・ビートルズ、シングル「Love Me Do」で EMI パーロフォンからデビュー

社会史

⊙ 2011 年　アップル社創業者スティーブ・ジョブズ他界（享年 56 才、膵臓癌）

6

Kevin Cronin　ケヴィン・クローニン
1951 年　US イリノイ州エヴァンストン出身／ REO Speedwagon（REO スピードワゴン）／ Vo　▶ 1980 年　アルバム『Hi Infidelity』

Gavin Sutherland　ギャビン・サザーランド
1951 年　UK スコットランド・アバディーン州ピーターヘッド出身／ Sutherland Brothers（サザーランド・ブラザーズ）／ B.Vo　▶ 1973 年　セカンドアルバム『Lifeboat』

David Hidalgo　デイヴィッド・イダルゴ
1954 年　US カリフォルニア州ロスアンゼルス出身／ Los Lobos（ロス・ロボス）／ G.Vo

Matthew Sweet　マシュー・スウィート
1964 年　US ネブラスカ州リンカーン出身／シンガーソングライター　▶ 1991 年　アルバム『Girlfriend』

Tommy Stinson　トミー・スティンソン
1966 年　US ミシガン州ミネアポリス出身／ The Replacements（ザ・リプレイスメンツ）／ B ／ 1981 年　デビュー

✘ Rod Temperton　ロッド・テンパートン
2016 年　享年 66 才（癌）／シンガーソングライター、プロデューサー

✘ Ginger Baker　ジンジャー・ベイカー
2019 年　享年 80 才（心臓病）／ Cream（クリーム）／ Dr

✘ Edward Van Halen　エドワード・ヴァン・ヘイレン
2020 年　享年 65 才（喉頭癌）／ Van Halen（ヴァン・ヘイレン）／ G

社会史

⊙ 1981 年　エジプトのサダト大統領暗殺

7

Dino Valenti　ディノ・ヴァレンティ
1937 年　US コネチカット州ダンベリー出身／ Quicksilver Messenger Service（クイックシルバー・メッセンジャー・サーヴィス）／ Vo ✘ 1994 年 11 月 16 日　享年 57 才（自宅で

の突然死）

Martin Murray　マーティン・マレー
1939 年　UK イングランド・ロンドン出身／The Honeycombs（ザ・ハニーカムズ）／
G ／ 1964 年　デビュー

Bob Webber　ボブ・ウェバー
1945 年　US コロラド州デンバー出身／Sugarloaf（シュガーローフ）／ G ／ 1970 年
デビュー

Kevin Godley　ケヴィン・ゴドレイ
1945 年　UK イングランド・ランカシャー州プレストウィッチ出身／ 10cc（テン・シー・
シー）／ Ds

David Hope　デヴィッド・ホープ
1949 年　US カンザス州トペカ出身／Kansas（カンサス）／ B

Sony Music Japan

John Cougar Mellencamp　ジョン・クーガー・メレンキャンプ
1951 年　US インディアナ州セイモア出身／本名：John Mellencamp（ジョン・メレンキャ
ンプ）／ロック・シンガー　▶ 1976 年　デビューアルバム『Chestnut Street Incident』
▶ 1982 年　シングル「Jack & Diane」／アルバム『American Fool』

Tico Torres　ティコ・トーレス
1953 年　US ニューヨーク州ニューヨークシティ出身／ Bon Jovi（ボン・ジョヴィ）／
Ds

Ann Curless　アン・カーレス
1964 年　US フロリダ州マイアミ出身／Exposé（エクスポゼ）／ガールズ・グループ
▶ 1987 年　デビューアルバム『Exposure』

Toni Braxton　トニー・ブラクストン
1967 年　US メリーランド州セバーン出身／R&B シンガー　▶ 1993 年　デビューア
ルバム『Toni Braxton』

Thome Yorke　トム・ヨーク
1968 年　UK イングランド・ノーサンプトンシャー州ウェリングボロー出身／ 1992 年
バンド名 On a Day（85 年結成）を Radiohead（レディオ・ヘッド）に改名　▶ 1993
年　デビューアルバム『Pablo Honey』／ Vo.G.Kb

社会史
⦿ 2001 年　アメリカ軍、アフガニスタンにニューヨーク同時多発テロへの報復攻撃
開始

Ray Royer レイ・ロイヤー
1945 年　UK イングランド・サフォーク州パインウッド出身／ Procol Harum（プロコル・ハルム）／ G

Jonny Ramone ジョニー・ラモーン
1948 年　US ニューヨーク州ロングアイランド出身／本名：John William Cummings（ジョン・ウィリアム・カミングス）／ The Ramones（ザ・ラモーンズ）／ G ✗ 2004 年 9 月 15 日　享年 55 才（前立腺癌）

Hamish Stewart ハミッシュ・スチュワート
1949 年　UK スコットランド・グラスゴー出身／ The Average White Band（ザ・アヴェレージ・ホワイト・バンド）／ G.Vo ▶ 1989 年　ポール・マッカートニーの『Flowers in the Dirt』に参加

Jay Graydon ジェイ・グレイドン
1949 年　US ロスアンゼルス州バーバンク出身／ Airplay（エアプレイ）／ G ▶ 1980 年　アルバム『Airplay』

Sony Music Japan

Robert Bell ロバート・ベル
1950 年　US オハイオ州キングストン出身／ Kool & The Gang（クール＆ザ・ギャング）／ Vo.B ▶ 1969 年　デビューアルバム『Kool and the Gang』

C.J. Ramone C.J. ラモーン
1965 年　US ニューヨーク州ニューヨークシティ・クイーンズ出身／ The Ramones（ザ・ラモーンズ）／ B

Teddy Riley テディ・ライリー
1967 年　US ニューヨーク州ニューヨークシティ・ハーレム出身／プロデューサー ▶ 1988 年　アルバム『Guy』／彼の新しいサウンドは “ニュー・ジャック・スウィング” と呼ばれ、一大ブームを起こした ▶ 1991 年　マイケル・ジャクソン『Dangerous』をプロデュース

Leeroy Thornhill リーロイ・ソーンヒル
1968 年　UK イングランド・ロンドン出身／ The Prodigy（ザ・プロディジー）／ダンス

Bruno Mars ブルーノ・マーズ
1985 年　US ハワイ州ホノルル出身／本名：Peter Gene Hernandez Jr.（ピーター・ジーン・ヘルナンデス・ジュニア）／シンガーソングライター ▶ 2010 年　デビューアルバム『Doo-Wops & Hooligans』

Warner Music Japan

✗ **B.J. Wilson** B.J. ウィルソン
1990 年　享年 43 才（肺炎）／ Procol Harum（プロコル・ハルム）／ Ds

8

✝ Mikey Welsh　マイキー・ウェルシュ

2011 年　享年 40 才（心不全）／ Weezer（ウィーザー）／ B

✝ Malcolm Duncan　マルコム・ダンカン

2019 年　享年 74 才（癌）／ The Average White Band（ザ・アヴェレージ・ホワイト・バンド）／ Sax

社会史

- ⊙ 2012 年　京都大学・山中伸弥教授、ノーベル生理学・医学賞受賞（IPS 細胞の作製に成功）

9

John Lennon　ジョン・レノン

1940 年　UK イングランド・マージーサイド州リヴァプール出身／本名：John Winston Ono Lennon（ジョン・ウィンストン・オノ・レノン）／ The Beatles（ザ・ビートルズ）／ Vo.G　▶ 1971 年　ソロアルバム『Imagine』　▶ 1980 年　ラストアルバム『Double Fantasy』　✝ 1980 年 12 月 8 日　享年 40 才（自宅前でファンにより射殺）

Ronnie Barron　ロニー・バロン

1943 年　US ルイジアナ州ニューオーリンズ出身／ Paul Butterfield's Better Days（ポール・バターフィールズ・ベター・デイズ）／ Kb.Vo ／ 1973 年　デビュー　✝ 1997 年 3 月 20 日　享年 53 才（心臓病）

John Entwistle　ジョン・エントウィッスル

1944 年　UK イングランド・ロンドン出身／ The Who（ザ・フー）／ B　✝ 2002 年 6 月 27 日　享年 57 才（コカイン摂取による心臓発作）

Jackson Browne　ジャクソン・ブラウン

1948 年　ドイツ・バーデン・ヴュルテンベルク州ハイデルベルク出身／ウェストコーストを代表するシンガーソングライター　▶ 1972 年 デビューアルバム『Jackson Browne』　▶ 1977 年　アルバム『Running on Empty』がヒット／ 1979 年　米スリーマイル島原発電所事故後の原発建設反対コンサート「No Nukes」の提案者　▶ 1980 年　アルバム『Hold Out』初の全米 1 位

Rod Temperton　ロッド・テンパートン

1949 年　UK イングランド・リンカンシャー州クリースリーブス出身／キーボード＆ソングライター、プロデューサー／仲間内では "The Invisible Man"（見えない男）と呼ばれた　▶ 1979 年　マイケル・ジャクソン『Off the Wall』に楽曲提供・プロデュース　✝ 2016 年 10 月 6 日　享年 66 才（癌）

James Fearnley　ジェイムズ・ファーンリー

1954 年　UK イングランド・ロンドン出身／ The Pogues（ザ・ポーグス）／ P.Acc ／ 1984 年　デビュー（ケルティック・パンク）

Mat Osman　マット・オスマン
1967 年　UK イングランド・ハートフォードシャー州ウェリン・ガーデン・シティ出身／ Suede（スウェード）／ B ／ 1993 年　デビュー

PJ Harvey　PJ ハーヴェイ
1969 年　UK イングランド・ドーセット州ドーセット出身／シンガーソングライター
▶ 1992 年　デビューシングル「Dry」

Sean Lennon　ショーン・レノン
1975 年　US ニューヨーク州ニューヨークシティ出身／シンガー／ジョン・レノンとオノ・ヨーコの息子　▶ 1998 年　デビューアルバム『Into the Sun』

10

Cyril Neville　シリル・ネヴィル
1948 年　US ルイジアナ州ニューオーリンズ出身／ The Neville Brothers（ザ・ネヴィル・ブラザーズ）／ Per.　▶ 1978 年デビューアルバム『The Neville Brothers』

Midge Ure　ミッジ・ユーロ
1953 年　UK スコットランド・サウスラナークシャー出身／ Ultravox（ウルトラボックス）／ G.Vo　▶ 1977 年　デビューアルバム『Ultravox!』／ 1984 年　ボブ・ゲルドフと共に「バンド・エイド（Band Aid）」設立

David Lee Roth　デイヴィッド・リー・ロス
1954 年　US インディアナ州ブルーミントン出身／ 1978 年　Van Halen（ヴァン・ヘイレン）でデビュー／ Vo　▶ 1985 年　ソロシングル「California Girls」　▶ 1983 年シングル「Jump」全米 1 位　▶ 1984 年　アルバム『1984』

Tanya Tucker　タニア・タッカー
1958 年　US テキサス州セミノール出身／ポップ・カントリー・シンガーソングライター
▶ 1972 年　ファーストシングル「Delta Dawn」（13 才の時の作品）

Eric Martin　エリック・マーティン
1960 年　US ニューヨーク州ニューヨークシティ出身／ Mr. Big（ミスター・ビッグ）／ Vo.　▶ 1991 年　シングル「To Be with You」

Martin Kemp　マーティン・ケンプ
1961 年　UK イングランド・ロンドン出身／ Spandau Ballet（スパンダー・バレエ）／ B

Jonathan Butler　ジョナサン・バトラー
1961 年　南アフリカ連邦ケープタウン出身／ギタリスト、シンガーソングライター
▶ 1987 年　アルバム『Jonathan Butler』

Sony Music Japan

Mike Malinin　マイク・マリニン

ロックミュージシャン誕生日事典

10

1967 年　US ワシントン D.C. 出身／ Goo Goo Dolls（グー・グー・ドールズ）／ Ds

Dean Roland　ディーン・ローランド
1972 年　US ジョージア州ストックブリッジ出身／ Collective Soul（コレクティヴ・ソウル）／ G ／ 1994 年　デビュー

Scott Morriss　スコット・モリス
1973 年　UK ミドルセックス州ハウンズロー出身／ The Bluetones（ザ・ブルートーンズ）／ B.Vo ／ 1996 年　デビュー

✗ Solomon Burke　ソロモン・バーク
2010 年　享年 69 才（自然死）／ R&B、ソウル、ブルース、ゴスペルの歌手

社会史
⊙ 1964 年　東京オリンピック開催

11

Sony Music Japan

Daryl Hall　ダリル・ホール
1946 年　US ペンシルベニア州ポッツタウン出身／ Daryl Hall & John Oates（ダリル・ホール＆ジョン・オーツ）　▶ 1972 年 デビューアルバム『Whole Oats（未精白のカラスムギ）』　▶ 1981 年　アルバム『Private Eyes』　▶ 1982 年　アルバム『H2O』（15 週連続全米 3 位、プラチナ・アルバム、自身最高の売上げを記録したアルバム）

Chris Joyce　クリス・ジョイス
1957 年　UK イングランド・グレーターマンチェスター州マンチェスター出身／ Simply Red（シンプリー・レッド）／ Ds ／ 1985 年　デビュー

Blair Cunningham　ブレア・カニンガム
1957 年　US テネシー州メンフィス出身／ Haircut 100（ヘアカット 100）／ Ds ／ 1982 年　デビュー

Andy McCoy　アンディ・マッコイ
1962 年　フィンランド・ラップ州ペルコセンニエミ出身／ Hanoi Rocks（ハノイ・ロックス）／ G ／ 1981 年　デビュー

Tony Moore　トニー・ムーア
1958 年　UK イングランド・ブリストル出身／ Cutting Crew（カッティング・クルー）／ Kb

Dominic Aitchison　ドミニク・エイチソン
1976 年　UK スコットランド・スターリングシャー州バルフロン出身／ Mogwai（モグワイ）／ B ／ 1997 年　デビュー

Sam Moore サム・ムーア
1935 年 US フロリダ州マイアミ出身／Sam & Dave（サム＆デイヴ）／ソウル、R&B デュオ・グループ

Rick Parfitt リック・パーフィット
1948 年 UK イングランド・サリー州ウォキング出身／Status Quo（ステイタス・クォー）／G.Vo／1968 年 デビュー ✗ 2016 年 12 月 26 日 享年 68 才（敗血症）

Pat DiNizio パット・ディニジオ
1955 年 US ニュージャージー州プレインフィールド出身／The Smithereens（ザ・スミザリーンズ）／Vo.G／1980 年 結成 ▶ 1989 年 アルバム『11』／NJ ローカルバンドのリード・ヴォーカルを 40 年近く務めた ✗ 2017 年 12 月 12 日 享年 62 才

Martie Maguire マーティ・マグワイア
1969 年 US ペンシルベニア州ヨーク出身／The Chicks（ザ・チックス）／Fiddle.Vo（リーダー）／元 Dixie Chicks（ディクシー・チックス）▶ 2006 年 アルバム『Taking the Long Way』発表

Jordan Pundik ジョーダン・パンディク
1979 年 US ニュージャージー州イングルウッド出身／New Found Glory（ニュー・ファウンド・グローリー）／Vo

✗ Gene Vincent ジーン・ヴィンセント
1971 年 享年 36 才（胃潰瘍）／1950 年代ロカビリー・ミュージックのシンガー

✗ Ricky Wilson リッキー・ウィルソン
1985 年 享年 32 才（エイズ）／The B-52's（ザ・ビー・フィフティ・トゥーズ）／G

✗ John Denver ジョン・デンバー
1997 年 享年 53 才（自家用飛行機事故）／フォーク・シンガー

✗ Gerry McGee ジェリー・マギー
2019 年 享年 81 才（心臓発作）／The Ventures（ザ・ヴェンチャーズ）／G

Chris Farlowe クリス・ファーロウ
1940 年 UK イングランド・ロンドン出身／Colosseum（コロシアム）／Vo

Paul Simon ポール・サイモン
1941 年 US ニュージャージー州ニューアーク出身／Simon & Garfunkel（サイモン＆ガーファンクル）／1964 年 デビュー ▶ 1968 年 アルバム『Bookends』▶ 1970 年 アルバム『Bridge Over Troubled Water』▶ 1975 年 ソロアルバム『Still Crazy After All These Years』

Sony Music Japan

Jan
Feb
Mar
Apr
May
Jun
Jul
Aug
Sep
Oct
Nov
Dec

Sony Music Japan

Robert Lamm　ロバート・ラム

1944 年　US ニューヨーク州ニューヨークシティ・ブルックリン出身／ Chicago（シカゴ）／ Kb.Vo　▶ 1969 年　アルバム『Chicago Transit Authority』　▶ 1972 年　アルバム『Chicago V』

Sammy Hagar　サミー・ヘイガー

1947 年　US カリフォルニア州モントレー出身／ 1973 年　Montrose（モントローズ）／ 1985 年　Van Halen（ヴァン・ヘイレン）／ Vo

John Ford Coley　ジョン・フォード・コリー

1948 年　US テキサス州ダラス出身／ England Dan & John Ford Coley（イングランド・ダン＆ジョン・フォード・コリー）／ポップ・ロック・デュオ

Simon Nicol　サイモン・ニコル

1950 年　UK イングランド・ロンドン出身／ Fairport Convention（フェアポート・コンヴェンション）／ G ／ 1968 年　デビュー

Ashanti　アシャンティ

1980 年　US ニューヨーク州グレンコーヴ出身／ R&B シンガー　▶ 2002 年　デビューアルバム『Ashanti』

Kelly Okereke　ケリー・オケレケ

1981 年　UK イングランド・マージーサイド州リヴァプール出身／ Block Party（ブロック・パーティ）／ Vo.G

ロック史

⊙ 1986 年　第 1 回「ザ・ブリッジ・スクール・ベネフィット・コンサート」開催。ニール・ヤングが心身障害者のためのコンサートを提唱して開催されてきたチャリティ・ライヴに多数の有名ミュージシャンが出演した。収益は障害を持つ子供たちの学校に寄付されてきたが、2017 年以降は開催されていない

14

Cliff Richard　クリフ・リチャード

1940 年　インド、ウッタル・プラデーシュ州ラックノウ出身／本名：Harry Roger Webb（ハリー・ロジャー・ウェッブ）／イギリスの国民的歌手　▶ 1962 年　シングル「The Young Ones」

Denis Dell　デニス・デル

1943 年　UK イングランド・ロンドン出身／ The Honeycombs（ザ・ハニーカムズ）／ Vo ／ 1964 年　デビュー　✗ 2005 年 7 月 6 日　享年 61 才（癌）

Colin Hodgkinson　コリン・ホジキンソン

1945 年　UK イングランド・ケンブリッジシャー州ピーターボロウ出身／ Whitesnake（ホワイトスネイク）／ B ／ 1978 年　デビュー

Dan McCafferty ダン・マッカファーティー
1946 年 UK スコットランド・ダンファームリン出身／Nazareth（ナザレス）／Vo ／1971 年 デビュー

Justin Hayward ジャスティン・ヘイワード
1946 年 UK イングランド・ウィルトシャー州スウィンドン出身／The Moody Blues（ザ・ムーディ・ブルース）／Vo.G

Thomas Dolby トーマス・ドルビー
1958 年 エジプト・カイロ出身／シンガーソングライター／キーボード奏者、コンポーザー、プロデューサー　▶ 1982 年 シングル「She Blinded Me with Science」

Karyn White キャリン・ホワイト
1965 年 US カリフォルニア州ロスアンゼルス出身／R&B シンガー　▶ 1988 年 デビューアルバム『Karyn White』

Natalie Maines ナタリー・メインズ
1974 年 US テキサス州ラボック出身／The Chicks（ザ・チックス）／Vo.G ／元 Dixie Chicks（ディクシー・チックス）

Usher アッシャー
1978 年 US テネシー州チャタヌーガ出身／本名：Usher Terry Reymond Ⅳ（アッシャー・テリー・レイモンド 4 世）／R&B シンガー　▶ 1994 年 デビューアルバム『Usher』　▶ 2001 年 アルバム『8701』

15

Barry McGuire バリー・マクガイア
1935 年 US オクラホマ州オクラホマシティ出身／シンガー　▶ 1965 年 アルバム『Eve of Destruction』

Don Stevenson ドン・スティーヴンソン
1941 年 US ワシントン州シアトル出身／Moby Grape（モビー・グレイプ）／Ds.Vo ／1967 年 デビュー

Richard Carpenter リチャード・カーペンター
1946 年 US コネチカット州ニューヘイヴン出身／1969 年 妹 Karen（カレン）と Carpenters（カーペンターズ）でデビュー　▶ 1970 年 アルバム『Close to You（遙かなる影）』　▶ 1973 年 アルバム『Now & Then』／1983 年 カレンの突然の他界により、グループとしての活動は終わる

Chris De Burgh クリス・デ・バー
1948 年 アルゼンチン・サンタフェ州ベナドトゥエルト出身（国籍：UK）／シンガーソングライター　▶ 1982 年 デビューアルバム『The Gataway』

15

Tito Jackson　ティト・ジャクソン
1953 年　US インディアナ州ゲーリー出身／ The Jackson 5（ザ・ジャクソン 5）／ ジャクソン家の次男／ 1962 年　デビュー

Gerry Cott　ゲリー・コット
1954 年　アイルランド・ダブリン出身／ The Boomtown Rats（ザ・ブームタウン・ラッツ）／ G.Vo ／ 1977 年　デビュー

Eric Benet　エリック・ベネイ
1966 年　US ウィスコンシン州ミルウォーキー出身／ソウル・シンガー　▶ 1996 年デビューアルバム『True to Myself?』

Douglas Vipond　ダグラス・ヴィポンド
1966 年　UK スコットランド・グラスゴー出身／ Deacon Blue（ディーコン・ブルー）／ Ds ／ 1987 年　デビュー

Chris Geddes　クリス・ゲッデス
1975 年　UK スコットランド・グラスゴー出身／ Belle and Sebastian（ベル・アンド・セバスチャン）／ Kb ／ 1996 年　デビュー

16

Nico　ニコ
1938 年　ドイツ、ノルトライン・ヴェストファーレン州ケルン出身／本名：Christa Paffgen（クリスタ・ペーフゲン）／ The Velvet Underground（ザ・ヴェルヴェット・アンダーグラウンド）／ Vo　✗ 1988 年 7 月 18 日　享年 49 才（自転車事故）

Fred Turner　フレッド・ターナー
1943 年　カナダ・マニトバ州ウィニペグ出身／ Backman Turner Overdrive（バックマン・ターナー・オーヴァードライヴ）／ Vo.B

Bob Weir　ボブ・ウィアー
1947 年　US カリフォルニア州サンフランシスコ出身／ Grateful Dead（グレイトフル・デッド）／ G.Vo　▶ 1967 年　デビューアルバム『The Grateful Dead』　▶ 1990 年アルバム『Without a Net』／ "Dead Heads"（デッドヘッズ）：ファンおよび熱狂的な愛好家の呼称（" ザ・デッド " とも呼ぶ）。多くのデッドヘッズはバンドと共にツアーを回る。元大統領ビル・クリントン、元副大統領アル・ゴア夫妻、スティーブ・ジョブズ、ウォルター・クロンカイト、ナンシー・ペロシ、キース・ヘリング等著名人にも多い

Gary Kemp　ゲイリー・ケンプ
1959 年　UK イングランド・ロンドン出身／ Spandau Ballet（スパンダー・バレエ）／ Kb.G

Bob Mould　ボブ・モールド
1960 年　US ニューヨーク州フランクリン郡マローン出身／ Husker Du（ハスカー・

デゥ）／Vo.G ／ 1981 年　デビュー

Flea　フリー
1962 年　オーストラリア・ニューサウスウェールズ州バーウッド出身／本名：Michael Peter Balzary（マイケル・ビーター・バルザリー）／ 1983 年　Red Hot Chili Peppers（レッド・ホット・チリ・ペッパーズ）結成／ B　▶ 1984 年　デビューアルバム『Red Hot Chili Peppers』

Wendy Wilson　ウェンディ・ウィルソン
1969 年　US カリフォルニア州ロスアンゼルス出身／ Wilson Phillips（ウィルソン・フィリップス）のメンバー／ブライアン・ウィルソン（ザ・ビーチ・ボーイズ）の娘

John Mayer　ジョン・メイヤー
1977 年　US コネチカット州ブリッジポート出身／ギタリスト、シンガーソングライター　▶ 2001 年　メジャー・デビューアルバム『Room for Squares』／ 2007 年　ローリング・ストーン誌で「現代の 3 大ギタリスト」に選出される

Sony Music Japan

社会史

- ⊙ 1962 年　キューバ危機。旧ソ連がキューバに核ミサイル基地を建設していることが発覚。アメリカがカリブ海でキューバの海上封鎖を実施した。米ソ間で核戦争寸前まで達した一連の出来事

17

Jim Seals　ジム・シールズ
1941 年　US テキサス州シドニー出身／ Seals & Crofts（シールズ＆クロフツ）／ソフトロック・デュオ　�֍ 2022 年 6 月 6 日　享年 80 才（慢性疾患）

Michael Hossack　マイケル・ホザック
1946 年　US ニュージャージー州パターソン出身／ The Doobie Brothers（ザ・ドゥービー・ブラザーズ）／ Ds　✖ 2012 年 3 月 12 日　享年 65 才（癌）

Alan Jackson　アラン・ジャクソン
1958 年　US ジョージア州ニューナン出身／カントリー・シンガー　▶ 1990 年　アルバム『Here in the Real World』

Rene Dif　レネ・ディフ
1967 年　デンマーク・コペンハーゲン市コペンハーゲン出身／ Aqua（アクア）／ Vo ／ 1996 年　デビュー

Wyclef Jean　ワイクリフ・ジョン
1969 年　ハイチ、クロワ・デ・ブーケ郡出身／ The Fugees（ザ・フージーズ）／ヒップホップ・グループ

Christopher Kirkpatrick　クリストファー・カークパトリック

17

1971 年　US ペンシルベニア州クラリオン出身／N'Sync（イン・シンク）

Eminem　エミネム
1972 年　US ミズーリ州セントジョセフ出身／本名：Marshall Bruce Mathers Ⅲ（マーシャル・ブルース・マザーズ 3 世）／ラッパー
▶ 2002 年　自伝的映画『8 Mile』主演／主題歌「Lose Yourself」がアカデミー歌曲賞授賞

Sergio Andrade　セルヒオ・アンドラーデ
1977 年　US カリフォルニア州マリブ出身／Lifehouse（ライフハウス）／B ／ 2000 年　デビュー

✗ Derek Bell　デレック・ベル
2002 年　享年 66 才（心停止）／The Chieftains（ザ・チーフタンズ）

社会史
⊙ 1973 年　第 4 次中東戦争によりオイルショック発生

18

Chuck Berry　チャック・ベリー
1926 年　US ミズーリ州セントルイス出身／
本名：Charles Edward Anderson Berry（チャールズ・エドワード・アンダーソン・ベリー）／元祖ロックンローラー
▶ 1956 年　シングル「Roll Over Beethoven」　▶ 1957 年　シングル「Rock and Roll Music」　▶ 1959 年　アルバム『Chuck Berry Is on Top』
✗ 2017 年 3 月 18 日　享年 90 才（自然死）

Russ Giguere　ラス・ギグアー
1943 年　UK イングランド・ハンプシャー州ポーツマス出身／The Association（ザ・アソシエイション）／G.Vo

Laura Nyro　ローラ・ニーロ
1947 年　US ニューヨーク州ニューヨークシティ・ブロンクス出身／シンガーソングライター　▶ 1969 年　アルバム『New York Tendaberry』　✗ 1997 年 4 月 8 日　享年 49 才（卵巣癌）

Gary Richrath　ゲイリー・リチラス
1949 年　US イリノイ州ピオリア出身／REO Speedwagon（REO スピードワゴン）／G　✗ 2015 年 9 月 13 日　享年 65 才

Mark Morriss　マーク・モリス
1971 年　UK イングランド・ロンドン出身／The Bluetones（ザ・ブルートーンズ）／

Vo ／ 1996 年　デビュー

Simon Rix　サイモン・リックス
1977 年　UK イングランド・ウェストヨークシャー州リーズ出身／Kaiser Chiefs（カイザー・チーフス）／ B ／ 2004 年　デビュー

Ne-Yo　ニーヨ
1979 年　US ネバダ州ラスヴェガス出身／本名：Shaffer Chimere Smith（シャファー・シミア・スミス）／ "Ne-Yo" は、映画『マトリックス』でキアヌ・リーブスが演じる主人公ネオ（Neo）から友人が付けた／ R&B シンガーソングライター　▶ 2006 年　アルバム『In My Own Words』

19

Peter Tosh　ピーター・トッシュ
1944 年　ジャマイカ・ウェストモアランド教区出身／レゲエ・シンガー／ Bob Marley & The Wailers（ボブ・マーリー＆ザ・ウェイラーズ）　✘ 1987 年 9 月 11 日　享年 42 才（強盗殺人）

Divine　ディヴァイン
1945 年　US メリーランド州ボルチモア出身／本名：Harris Glenn Mistead（ハリス・グレン・ミステッド）／俳優、シンガー　✘ 1988 年 3 月 7 日　享年 42 才（心臓発作）

Keith Reid　キース・リード
1946 年　UK イングランド・ハートフォードシャー州ウェリン・ガーデン・シティ出身／ Procol Harum（プロコル・ハルム）／作詞・詩人

Patrick Simmons　パトリック・シモンズ
1948 年　US ワシントン州アバディーン出身／ The Doobie Brothers（ザ・ドゥービー・ブラザーズ）／ G　▶ 1983 年　ソロアルバム『Arcade』

Karl Wallinger　カール・ウォーリンジャー
1957 年　UK ウェールズ・プレスタティン出身／ World Party（ワールド・パーティ）　▶ 1987 年　デビューアルバム『Private Revolution』

Sinitta　シニータ
1963 年　US ワシントン州シアトル出身／シンガー　▶ 1988 年　シングル「Toy Boy」

✘ Spencer Davis　スペンサー・デイヴィス
2020 年　享年 81 才（肺炎）／ The Spencer Davis Group（ザ・スペンサー・デイヴィス・グループ）／ Vo.G

社会史
⊙ 1987 年　ブラックマンデー（世界の株式市場大暴落）

Bill Chase　ビル・チェイス

1934 年　US イリノイ州シカゴ出身／ジャズ・ロックバンド Chase（チェイス）／ Tp
▶ 1971 年　シングル「Get It On」　✗ 1994 年 8 月 9 日　享年 40 才（飛行機墜落事故）

Rick Lee　リック・リー

1945 年　US オハイオ州マンスフィールド出身／ Ten Years After（テン・イヤーズ・アフター）／ Ds

Tom Petty　トム・ペティ

1950 年　US フロリダ州ゲインズヴィル出身／ 1973 年　バンド Mudcrutch（マッドクラッチ）結成（75 年解散）／ 1976 年　Tom Petty & The Heartbreakers（トム・ペティ & ザ・ハートブレイカーズ）でデビュー　▶ 1979 年　アルバム『Damn the Torpedoes』全米 2 位／ 1988 年　ボブ・ディラン、ジョージ・ハリスン、ロイ・オービソン、ジェフ・リンの 5 人でバンド Travelling Wilburys（トラヴェリング・ウィルベリーズ）結成　▶ファーストアルバム『The Travelling Wilburys』　✗ 2017 年 10 月 2 日　享年 66 才（鎮痛剤過剰摂取）

Al Greenwood　アル・グリーンウッド

1951 年　US ニューヨーク州ニューヨークシティ出身／ Foreigner（フォリナー）／ Kb

Mark King　マーク・キング

1958 年　UK イングランド・ワイト島出身／ Level 42（レベル 42）／ B.Vo ／イギリスのフュージョン・バンド　▶ 1986 年　シングル「Lessons in Love」▶ 1987 年　アルバム『Running in the Family』

Jim Sonefeld　ジム・ソーンフェルド

1964 年　US ミシガン州ランシング出身／ Footie and the Blowfish（フーティ・アンド・ザ・ブロウフィッシュ）／ Ds

Norman Blake　ノーマン・ブレイク

1965 年　UK スコットランド・ノースラナークシャー州ベルシル出身／ Teenage Fanclub（ティーンエイジ・ファンクラブ）／ Vo.G

Snoop "Doggy" Dogg　スヌープ・"ドギー"・ドッグ

1971 年　US カリフォルニア州ロングビーチ出身／本名：Calvin Cordozar Broadus Jr.（カルバン・コードザー・ブローダス・ジュニア）／ラッパー　▶ 1993 年　デビューアルバム『Doggystyle』

Nick Hodgson　ニック・ホジソン

1977 年　UK イングランド・ウェストヨークシャー州リーズ出身／ Kaiser Chiefs（カイザー・チーフス）／ Ds ／ 2012 年　脱退　▶ 2005 年　デビューアルバム『Employment』

Paul Wilson ポール・ウィルソン
1978年　UKスコットランド・グラスゴー出身／Snow Patrol（スノウ・パトロール）
／B／2005年　加入　▶2006年　アルバム『Eyes Open』

✗ Ronnie Van Zant ロニー・ヴァン・ザント
1977年　享年29才（飛行機事故）／Lynyrd Skynyrd（レーナード・スキナード）／Vo

✗ Henry Vestine ヘンリー・ヴァスタイン
1997年　享年52才（心不全）／Canned Heat（キャンド・ヒート）／G

✗ Paul Raven ポール・レイヴン
2007年　享年46才（心臓発作）／Killing Joke（キリング・ジョーク）／B

ロック史
⊙ 2001年　アメリカ同時多発テロのチャリティ・コンサート「Concert for New York City」が開催される。ポール・マッカートニーの呼びかけにより、ニューヨークのマジソン・スクエア・ガーデンで多数の有名アーティストが出演した

21

Derek Bell デレック・ベル
1935年　UK北アイルランド・ベルファスト出身／The Chieftains（ザ・チーフタンズ）
／Hrp.P／1965年　デビュー　✗2002年10月17日　享年66才（心停止）

Manfred Mann マンフレッド・マン
1940年　南アフリカ共和国・ヨハネスブルグ出身／本名：Manfred Sepse Lubowitz（マンフレッド・セプス・ボウィッツ）／Manfred Mann（マンフレッド・マン）／Kb
▶1964年　シングル「Do Wah Diddy Diddy」　▶同年　アルバム『Manfred Mann Album』

Stephen Lee Cropper スティーヴン・リー・クロッパー
1941年　USミズーリ州ドーラ出身／Booker T. & The MGs（ブッカー・T & ザ・MGs）
／G

Elvin Bishop エルヴィン・ビショップ
1942年　USカリフォルニア州グレンデール出身／ギタリスト／1965年　The Paul Butterfield Blues Band（ポール・バターフィールド・ブルース・バンド）／G／1969年　自らのグループ結成　▶アルバム『The Elvin Bishop Group』

Tetsu Yamauchi テツ・ヤマウチ
1946年　日本・福岡県福岡市出身／Free（フリー）／B／1969年　デビュー

Lee Loughnane リー・ローナン
1946年　USイリノイ州エルムウッド・パーク出身／Chicago（シカゴ）／Tp

21

Brent Mydland　ブレント・ミドランド
1952 年　ドイツ・バイエルン州ミュンヘン出身／ Grateful Dead（グレイトフル・デッド）／ Kb　✄ 1990 年 7 月 26 日　享年 37 才（コカイン・麻薬中毒）

Charlotte Caffey　シャーロット・キャフィ
1953 年　US カリフォルニア州サンタモニカ出身／ The Go-Go's（ザ・ゴーゴーズ）／ G.Kb

Eric Faulkner　エリック・フォークナー
1953 年　UK スコットランド・エディンバラ出身／ Bay City Rollers（ベイ・シティ・ローラーズ）／ G

Julian Cope　ジュリアン・コープ
1957 年　UK ウェールズ・マンマスシャー州デリ出身／ロック・シンガーソングライター
▶ 1987 年　アルバム『Saint Julian』

Steve Lukather　スティーヴ・ルカサー
1957 年　US カリフォルニア州ロスアンゼルス出身／ TOTO（トト）／ G.Vo（結成メンバー）　▶ 1979 年　アルバム『Hydra』　▶ 1989 年　初ソロアルバム『Steve Lukather』

Peter Olsson　ピーター・オルソン
1961 年　スウェーデン・ストックホルム県ダンデリード市出身／ Europe（ヨーロッパ）／ B

Kevin Coleman　ケヴィン・コールマン
1965 年　US カリフォルニア州サンノゼ出身／ Smash Mouth（スマッシュ・マウス）／ Ds ／ 1994 年　デビュー

Charlie Lowell　チャーリー・ローウェル
1973 年　US ニューヨーク州モンロー郡ロチェスター出身／ Jars of Clay（ジャーズ・オブ・クレイ）／ Kb ／ 1993 年　デビュー

✄ Shannon Hoon　シャノン・フーン
1995 年　享年 28 才（薬物過剰摂取）／ Blind Melon（ブラインド・メロン）／ Vo

✄ Elliott Smith　エリオット・スミス
2003 年　享年 34 才（自殺）／シンガーソングライター

✄ Sandy West　サンディ・ウェスト
2006 年　享年 47 才（肺癌）／ The Runaways（ザ・ランナウェイズ）／ Ds

22

Leslie West　レスリー・ウェスト

1945 年　US ニューヨーク州ニューヨークシティ・クイーンズ・フォレストヒルズ出身／ Mountain（マウンテン）／ Vo.G　✘ 2020 年 12 月 23 日　享年 75 才（心臓発作）

Eddie Brigati　エディ・ブリガティ
1945 年　US ニュージャージー州ガーフィールド出身／ The Rascals（ザ・ラスカルズ）／ Vo.Per

Greg Hawkes　グレッグ・ホークス
1952 年　US メリーランド州フルトン出身／ The Cars（ザ・カーズ）／ Kb

Shaggy　シャギー
1968 年　ジャマイカ・キングストン出身／レゲエ・シンガー　▶ 1995 年　アルバム『Boombastic』　▶ 2018 年　スティングとの共演アルバム『44/876』

Shelby Lynne　シェルビィ・リン
1968 年　US ヴァージニア州クアンティコ出身／シンガーソングライター　▶ 1989 年デビューアルバム『Sunrise』

23

Freddie Marsden　フレディ・マースデン
1940 年　UK イングランド・マージーサイド州リヴァプール出身／ Gerry & The Pacemaker（ジェリー＆ザ・ペースメーカー）／ Ds ／ 1963 年デビュー

Greg Ridley　グレッグ・リドリー
1947 年　UK イングランド・カンバーランド州カーライル出身／ Humble Pie（ハンブル・パイ）／ Spooky Tooth（スプーキー・トゥース）／ B　✘ 2003 年 11 月 19 日　享年 56 才（肺炎）

"Weird Al" Yankovic　ウィアード・アル・ヤンコヴィック
1959 年　US カリフォルニア州リンウッド出身／パロディ・シンガー　▶ 1984 年　アルバム『"Weird Al" Yankovic　in 3-D』　▶ シングル「Eat It」がヒット

Robert Trujillo　ロバート・トゥルージロ
1964 年　US カリフォルニア州サンタモニカ出身／ Metallica（メタリカ）／ B

✘ Pete Burns　ピート・バーンズ
2016 年　享年 57 才（急性心不全）／ Dead or Alive（デッド・オア・アライヴ）／ Vo

24

Bill Wyman　ビル・ワイマン
1936 年　UK イングランド・ロンドン出身／本名：William George Perks（ウィリアム・ジョージ・パークス）／ The Rolling Stones（ザ・ローリング・ストーンズ）／ B ／ 1993 年　ザ・ローリング・ストーンズ　脱退

24

Jerry Edmonton　ジェリー・エドモントン
1946 年　カナダ・オンタリオ州オシャワ出身／ Steppenwolf（ステッペンウルフ）／
Ds　✗ 1993 年 11 月 28 日　享年 48 才（交通事故）

Dale Griffin　デイル・グリフィン
1948 年　UK イングランド・ハートフォードシャー州ロス・オン・ワイ出身／ Mott
the Hoople（モット・ザ・フープル）／ Ds

Debbie Googe　デビー・グージ
1962 年　UK イングランド・サマセット州イェヴィル出身／ My Bloody Valentine（マイ・
ブラッディ・ヴァレンタイン）／ B

Alonza Bevan　アロンザ・ベヴァン
1970 年　UK イングランド・ミドルセックス州ハウンズロー出身／ Kula Shaker（クー
ラ・シェイカー）／ B

Drake　ドレイク
1986 年　カナダ・オンタリオ州トロント出身／本名：Aubrey Drake Graham（オーブ
リー・ドレイク・グラハム）／ラッパー、シンガーソングライター　▶ 2010 年　アル
バム『Thank Me Later』

✗ Bobby Vee　ボビー・ヴィー
2016 年　享年 73 才（アルツハイマー病）／ポップ・シンガー

25

Helen Reddy　ヘレン・レディ
1941 年　オーストラリア・ヴィクトリア州メルボルン出身／シンガー　▶ 1973 年
シングル「Delta Dawn」がヒット　✗ 2020 年 9 月 29 日　享年 78 才（死因発表なし／
認知症）

John Anderson　ジョン・アンダーソン
1944 年　UK イングランド・ランカシャー州アクリントン出身／ 1968 年　Yes（イエス）
結成／ Vo　▶ 1983 年　アルバム『90125』

Glenn Tipton　グレン・ティプトン
1947 年　UK イングランド・ウェストミッドランズ州ブラックヒース出身／ Judas
Priest（ジューダス・プリースト）／ G

Richard Lloyd　リチャード・ロイド
1951 年　US ペンシルベニア州ピッツバーグ出身／ Television（テレヴィジョン）／ G.Vo
／ 1975 年　デビュー

Matthias Jabs　マティアス・ヤブス
1955 年　ドイツ・ニーダーザクセン州ハノーファー出身／ The Scorpions（ザ・スコー

ピオンズ）／ G

Robbie McIntosh　ロビー・マッキントッシュ
1957 年　UK イングランド・サリー州サットン出身／ The Pretenders（ザ・プリテンダーズ）／ G ／ 1980 年　デビュー　▶ 1989 年　ポール・マッカートニー『Flowers in the Dirt』に参加／ G

Chad Smith　チャド・スミス
1961 年　US ミネソタ州セントポール出身／ Red Hot Chili Peppers（レッド・ホット・チリ・ペッパーズ）／ Ds　▶ 1991 年　アルバム『Blood Sugar Sex Magik』

John Leven　ジョン・レヴィン
1963 年　スウェーデン・ストックホルム県ストックホルム出身／ Europe（ヨーロッパ）／ B

Speech　スピーチ
1968 年　US ウィスコンシン州ミルウォーキー出身／本名：Todd Thomas（トッド・トーマス）／ Arrested Development（アレステッド・デヴェロップメント）　▶ 1996 年　ソロアルバム『Speech』

Katy Perry　ケイティ・ベリー
1984 年　US カリフォルニア州サンタバーバラ出身／本名：Katheryn Elizabeth Hudson（キャサリン・エリザベス・ハドソン）／シンガーソングライター　▶ 2007 年　アルバム『One of the Boys』

26

Bootsy Collins　ブッツィー・コリンズ
1951 年　US オハイオ州シンシナティ出身／ベーシスト、ヴォーカリスト／ Parliament（パーラメント）、Funkadelic（ファンカデリック）

David Was　デヴィッド・ウォズ
1952 年　US ミシガン州デトロイト出身／ Was (Not Was)［ウォズ（ノット・ウォズ）］／ Kb.Sax.Vo

Keith Strickland　キース・ストリックランド
1953 年　US ジョージア州アセンズ出身／ The B-52's（ザ・ビー・フィフティ・トゥーズ）／ Ds ／ 1979 年　デビュー

Natalie Merchant　ナタリー・マーチャント
1963 年　US ニューヨーク州シャトークア郡ジェームズタウン出身／ 10,000 Maniacs（10,000 マニアックス）／ Vo ／ 1993 年　脱退、ソロ活動へ　▶ 1995 年　ソロアルバム『Tigerlily』

Keith Urban　キース・アーバン

26

1967 年　ニュージーランド・ウェリントン出身／カントリー・シンガー／妻：女優ニコール・キッドマン　▶ 1999 年　アルバム『Keith Urban』

✗ Paul Barrere　ポール・バレア
2019 年　享年 71 才（肝疾患）／ Little Feat（リトル・フィート）／ Vo.G

ロック史

⦿ 1965 年　ザ・ビートルズ、英国 MBE 勲章授与

27

Garry Tallent　ギャリー・タレント
1949 年　US ミシガン州デトロイト出身／ Bruce Springsteen & The E Street Band（ブルース・スプリンスティーン＆ザ・E ストリート・バンド）／ B

Kenneth K.K. Downing　ケネス・K・K・ダウニング
1951 年　UK イングランド・ウェストミッドランズ州ウェスト・ブロムウィッチ出身／ Judas Priest（ジューダス・プリースト）／ G

Simon Lebon　サイモン・ルボン

1958 年　UK イングランド・オックスフォードシャー州オックスフォード出身／ Duran Duran（デュラン・デュラン）／ Vo　▶ 1982 年　アルバム『Rio』

Scott Weiland　スコット・ウェイランド
1967 年　US カリフォルニア州サンノゼ出身／ Stone Temple Pilots（ストーン・テンプル・パイロッツ）／ Vo

Jason Finn　ジェイソン・フィン
1967 年　US ワシントン州シアトル出身／ The Presidents of the United States of America（ザ・プレジデンツ・オブ・ザ・ユナイテッド・ステイツ・オブ・アメリカ）／ Ds

Kelly Osbourne　ケリー・オズボーン
1984 年　UK イングランド・ロンドン出身／シンガー／ Ozzy Osbourne（オジー・オズボーン）の娘　▶ 2002 年　デビューアルバム『Shut Up』

✗ Steve Peregrin Took　スティーヴ・ペレグリン・トゥック
1980 年　享年 31 才（パーティー中にカクテルのチェリーが喉に詰まり窒息死、薬物の検出なし）／ T. Rex（T・レックス）

✗ Lou Reed　ルー・リード
2013 年　享年 71 才（肝臓疾患）／ US ロック・シンガーソングライター、ギタリスト

Hank Marvin　ハンク・マーヴィン

1941 年　UK イングランド・タイン・アンド・ウィア州ニューカッスル・アポン・タイン出身／The Shadows（ザ・シャドウズ）／G ／クリフ・リチャードのバックバンドとしてスタートし、インストゥルメンタル・バンドとしてもその後ヒット曲を出した（リード・ギター）

Wayne Fontana　ウェイン・フォンタナ

1945 年　UK イングランド・グレーターマンチェスター州マンチェスター出身／本名：Glyn Geoffrey Ellis（グリン・ジェフリー・エリス）／Wayne Fontana & The Mindbenders（ウェイン・フォンタナ & ザ・マインドベンダーズ）／Vo

Stephen Morris　スティーヴン・モリス

1957 年　UK イングランド・チェシャー州マックルズフィールド出身／New Order（ニュー・オーダー）／Ds

William Reid　ウィリアム・リード

1958 年　UK スコットランド・イーストキルブライド出身／Jesus & Mary Chain（ジーザス & メリー・チェイン）／G ／1985 年　デビュー

Ben Harper　ベン・ハーパー

1969 年　US カリフォルニア州ロスアンゼルス郡ポモナ出身／シンガーソングライター ▶ 1994 年　デビューアルバム『Welcome to the Cruel World』

Frank Ocean　フランク・オーシャン

1987 年　US ルイジアナ州ニューオーリンズ出身／R&B シンガーソングライター ▶ 2012 年　アルバム『Channel Orange』

Denny Laine　デニー・レイン

1944 年　UK イングランド・ウェストミッドランズ州バーミンガム出身／本名：Brian Frederick Arthur Hines（ブライアン・フレデリック・アーサー・ハインズ）／The Moody Blues（ザ・ムーディ・ブルース）／G.Vo ／1971 年　Wings（ウイングス）参加 ▶ 1977 年　シングル「Mull of Kintyre（夢の旅人）」はポール・マッカートニーとの共作

Robbie Van Leeuwen　ロビー・ファン・レーヴェン

1944 年　オランダ・ホラント州デン・ハーグ出身／Shocking Blue（ショッキング・ブルー）／G ／1968 年デビュー

Peter Green　ピーター・グリーン

1946 年　UK イングランド・ロンドン出身／ギタリスト／John Mayall & The Bluesbreakers（ジョン・メイオール & ザ・ブルースブレイカーズ）から Fleetwood Mac（フリートウッド・マック）へ移籍／G.V ／1970 年 ソロ活動 ✗ 2020 年 7 月 25 日　享

年 73 才

David Paton　デイヴィッド・ベイトン
1949 年　UK スコットランド・エディンバラ出身／ Pilot（パイロット）／ Vo.G ／
1974 年　デビュー

Roger O'Donnell　ロジャー・オドネル
1955 年　UK イングランド・ロンドン出身／ The Cure（ザ・キュアー）／ Kb

Kevin DuBrow　ケヴィン・ダブロウ
1955 年　US カリフォルニア州ロスアンゼルス出身／ Quiet Riot（クワイエット・ライ
オット）／ Vo ✘ 2007 年 11 月 25 日　享年 52 才（コカイン過剰摂取）

Randy Jackson　ランディ・ジャクソン
1961 年　US インディアナ州ゲーリー出身／ The Jacksons（ザ・ジャクソンズ）

Pete Timmins　ピート・ティミンズ
1965 年　カナダ・ケベック州モントリオール出身／ Cowboy Junkies（カウボーイ・ジャ
ンキーズ）／ Ds

Toby Smith　トビー・スミス
1970 年　UK イングランド・ロンドン出身／ Jamiroquai（ジャミロクワイ）／ Kb　▶
1996 年　アルバム『Travelling without Moving』

Chris Baio　クリス・バイオ
1984 年　US ニューヨーク州ウェストチェスター郡ブロンクスヴィル出身／ Vampire
Weekend（ヴァンパイア・ウィークエンド）／ B ／ 2008 年　デビュー

✘ Duane Allman　デュアン・オールマン
1971 年　享年 24 才（バイク事故）／セッション・ギタリスト

✘ Wells Kelly　ウェルズ・ケリー
1984 年　享年 35 才（窒息死）／ Orleans（オーリアンズ）／ Ds

Grace Slick　グレイス・スリック
1939 年　US イリノイ州エヴァンストン出身／ Jefferson Airplane（ジェファーソン・
エアプレイン）／ Vo.Kb　▶ 1967 年　シングル「Somebody to Love」

Timothy B. Schmit　ティモシー・B・シュミット
1947 年　US カリフォルニア州オークランド出身／ 1970 年　Poco（ポコ）／ 1978 年
The Eagles（ザ・イーグルス）加入（ランディ・マイズナー脱退後）／ B.Vo　▶ 1979
年　アルバム『The Long Run』（収録曲「I Can't Tell You Why」全米 8 位）　▶ 1984 年
初ソロアルバム『Playin' It Cool』

Jerry De Borg　ジェリー・デ・ボルグ

1960年　UK イングランド・ロンドン出身／ Jesus Jones（ジーザス・ジョーンズ）／
G.Vo ／ 1989年　デビュー

Ken Stringfellow　ケン・ストリングフェロウ

1968年　US ワシントン州ベリンガム出身／ The Posies（ザ・ポウジーズ）／ G.Kb.
Vo ／ 1990年　デビュー

Snow　スノー

1969年　カナダ・オンタリオ州トロント出身／本名：Darrin Kenneth O'Brien（ダーリ
ン・ケネス・オブライエン）／シンガー／レゲエ・ミュージシャン　▶ 1993年　シン
グル「Informer」

31

Moon Martin　ムーン・マーティン

1945年　US オクラホマ州アルタス出身／シンガーソングライター　▶ 1978年　アル
バム『Shots from a Cold Nightmare』　✘ 2020年5月11日　享年69才

Bob Siebenberg　ボブ・シーベンバーグ

1949年　US カリフォルニア州グレンデール出身／ Supertramp（スーパートランプ）
／ Ds ／ 1970年　デビュー

Bernard Edward　バーナード・エドワード

1952年　US ノースカロライナ州グリーンヴィル出身／ Chic（シック）／ B　▶ 1979
年　アルバム『Risque』　✘ 1996年4月18日　享年43才（日本公演直後に急死／肺炎）

Tony Bowers　トニー・バウワーズ

1952年　UK イングランド・チェシャー州カルチェス出身／ Simply Red（シンプリー・
レッド）／ B ／ 1985年　デビュー

Larry Mullen　ラリー・ミューレン

1961年　アイルランド・ダブリン出身／ U2 ／ Ds

Johnny Marr　ジョニー・マー

1963年　UK イングランド・グレーターマンチェスター州マンチェスター出身／ 1983
年　The Smith（ザ・スミス）のメンバーでデビュー／ G　▶ 1986年　アルバム『The
Queen Is Dead』／ 1989年　Electronic（エレクトロニック）結成、2013年ソロ活動へ

Colm O'Ciosoig　コルム・オコーサク

1964年　アイルランド・ダブリン出身／ My Bloody Valentine（マイ・ブラッディ・ヴァ
レンタイン）／ Ds

Ad-Rock　アド・ロック

1966年　US ニューヨーク州ニューヨークシティ・マンハッタン出身／本名：Adam

Keefe Horovitz（アダム・キーフェ・ホロウィッツ）／ Beastie Boys（ビースティ・ボーイズ）／ Vo.G

Adam Schlesinger　アダム・シュレシンジャー
1967 年　US ニューヨーク州ニューヨークシティ出身／ Fountains of Wayne（ファウンテインズ・オブ・ウェイン）／ B.Kb.Vo ／ 1996 年　デビュー　✄ 2020 年 4 月 1 日 享年 52 才（新型コロナウイルス感染症）

Vanilla Ice　ヴァニラ・アイス
1967 年　US フロリダ州マイアミ・レイクス出身／ラッパー　▶ 1990 年　アルバム『To the Extreme』

Rogers Stevens　ロジャース・スティーヴンス
1970 年　US ミシシッピ州ウェストポイント出身／ Blind Melon（ブラインド・メロン）／ G.Kb ／ 1992 年　デビュー

Malin Berggren　マリーン・バーグレン
1970 年　スウェーデン・ヴェストラ・イェータランド県ヨーテボリ出身／ Ace of Base（エイス・オブ・ベイス）／ Vo

Frank Iero　フランク・アイイアロ
1981 年　US ニュージャージー州ベルヴィル出身／ My Chemical Romans（マイ・ケミカル・ロマンス）／ G ／ 2004 年　デビュー

Noodle　ヌードル
1990 年　日本・大阪府出身（唯一喋れた英語「noodle」（ラーメン）から命名）／ Gorillaz（ゴリラズ）／ G

ロック史
- 1974 年　エリック・クラプトン初来日公演（日本武道館）。1974 〜 2019 年まで 22 回の日本公演を開催。特に日本武道館公演は外国人アーティストとしては最多となる 96 回行なっている

社会史
- 1984 年　インドのガンジー首相暗殺（享年 78 才）

11

November

The
Rock
Musicians'
Birthday
Encyclopedia

November

JIMI HENDRIX　ジミ・ヘンドリックス
1942 年 11 月 27 日
US ワシントン州シアトル出身

　アフリカ系の父親と、アメリカ先住民のインディアンの母親
との間に生まれたブラック・インディアンであり、チェロキー・
インディアンとアイルランド人の血が 1/16 ずつ入っている。遊
び好きで酒と男に溺れる母親は 17 才でジミを生んだあと、家
庭を顧みず彼を置いて出奔してしまう。父親が第二次世界大戦
に出征中だったので、母方の姉夫婦のもとでジミは育てられた。
終戦で帰国した父親がジミを引き取り、ふたりの生活が始まる。
インディアン居留地に住んでいた祖母に預けられることも多く、

1

NEIL YOUNG　ニール・ヤング
1945 年 11 月 12 日
カナダ・オンタリオ州トロント出身

　父親は著名なスポーツ・ジャーナリスト、母親は「ドーター
ズ・オブ・ジ・アメリカン・レボリューション（アメリカ独
立時代からの家系図を大切にする保守的な女性団体）」の会
員だったが、彼が 13 才の時に両親は離婚。母親とふたりで
ウィニペグに移住する。6 才の時に小児麻痺になり、後遺症
により内向的で協調性のない少年になっていった。当時テレ

2

Sony Music Japan

JEFF BUCKLEY　ジェフ・バックリィ
1966 年 11 月 17 日
US カリフォルニア州アナハイム出身

　父親はフォーク、ジャズで有名なティム・バックリィ。母親メ
アリーもミュージシャン。音楽的には非常に恵まれた環境にあっ
た。父親はジェフが 8 才の時、ヘロイン中毒により 28 才で他界。
ジェフは父親と暮らしたことはなかったが母親とは親密で、再
婚した継父も彼のことを愛してくれた。そのため彼の個人的な
生活は精神的にもバランスのとれたものであったという。5 才
でギターを弾き始め、ミュージシャンを目指すようになる。高

3

そこで目の当たりにした希望の少ないインディアンの苦しい生活体験をのちに曲にしている。9才の時に両親は離婚。弟と一緒に父のもとで育てられ、親の離婚と人種差別で孤独を味わうが、多様性に富むシアトルのコミュニティが人種を超えた物の考え方を身につけさせてくれた。

　その後 B.B. キングやエルモア・ジェイムスといった音楽を好きになり、当時アメリカ中の若者が熱狂していたエルヴィスにも夢中になった。その頃初めてエレキギターと出会い、腕を着実に磨いていく。19才で車泥棒のトラブルに巻き込まれ、懲役2年の投獄を避けるために軍隊へ入隊する。そこである黒人ベーシストと出会い、軍隊内のクラブハウスで演奏するように。開戦したばかりのベトナム戦争にジミは従軍していない。その後パラシュート訓練で負傷し、1年で除隊。訓練で経験した"空気の振動音"がジミのギターサウンドに繋がり、ウッドストックの演奏を生んだといわれている。1966年にザ・アニマルズのチャス・チャンドラーに見出され渡英し、ロンドンで「ザ・ジミ・ヘンドリックス・エクスペリエンス」を結成。デビューシングルをリリースし、全英4位のヒットとなる。

ビ出演をしていた母親は、エルヴィスでロックに目覚めたニールにギターを与える。最初のバンド「ザ・スクワイアーズ」は母親の売り込みもあり、地元の人気バンドになる。母親の手厚い庇護のもとで育った彼は大人になりきれない無垢な少年で、フォーク・シンガーを夢見ながら自由奔放に自分の道を進んだ。

　ロックンロール、ロカビリー、ドゥーワップ、カントリーなどを聴き、チャック・ベリー、リトル・リチャーズ、ファッツ・ドミノ、ロイ・オービソンら多数のアーティストから影響を受ける。21才の時、スティーヴン・スティルスらと共に、「バッファロー・スプリングフィールド」を結成。脱退後はソロアルバムをリリース。1969年、バックバンド「クレイジー・ホース」とのセカンドアルバム『Neil Young & Crazy Horse』を発表。やっと自分らしい活動ができるようになる。

校卒業後ハリウッドに移住し、音楽学校に入学して1年の課程を修了。ホテルで働きながら、様々なバンドでプレイするが芽は出なかった。1990年にニューヨークへ渡りチャンスを探すが実らず、ロスアンゼルスに帰ってきてレコード会社に自分を売り込むも上手くいかなかった。その後ニューヨークで開催された父のトリビュート・コンサートに「ティム・バックリィの息子」として出演。結果、このコンサート出演は皮肉にも彼のキャリアにとって大きな一歩となる。92年、ようやくコロムビア・レコードと契約し、94年にはアルバム『Grace』でデビューする。当初売上げは芳しくなかったが、エルトン・ジョンやジミー・ペイジ、ロバート・プラントなど著名人から高評価を受けてセールスも伸びていった。しかし97年5月29日、セカンドアルバム制作中にミシシッピ川で泳いでいた際、溺死してしまう。享年30才。父親と同じく、非常に短い人生を終えることになってしまった。

Rick Grech リック・グレッチ
1946 年　フランス・ジロンド県ボルドー出身／ Blind Face（ブラインド・フェイス）／ B ／ 1969 年　デビュー　✗ 1990 年 3 月 17 日　享年 43 才（アルコール依存症）

David Foster デイヴィッド・フォスター
1949 年　カナダ・ブリティッシュコロンビア州ビクトリア出身／プロデューサー、アレンジャー、ソングライター／シカゴ、AW&F、セリーヌ・ディオン、ホイットニー・ヒューストン他プロデュース　▶ 1979 年　アース・ウィンド・アンド・ファイアー「After the Love Has Gone」のプロデュースで初グラミー賞受賞　▶ 1986 年　アルバム『David Foster』

Dan Peek ダン・ピーク
1950 年　US フロリダ州パナマシティ出身／ America（アメリカ）／ Vo.G　▶ 1971 年　デビューアルバム『A Horse with No Name』✗ 2011 年 7 月 24 日　享年 60 才（心膜炎）

Ronald Bell ロナルド・ベル
1951 年　US オハイオ州ヤングスタウン出身／ Kool & The Gang（クール＆ザ・ギャング）／ Sax ／ 1970 年　デビュー

Eddie MacDonald エディ・マクドナルド
1959 年　UK ノース・ウェールズ出身／ The Alarm（ザ・アラーム）／ B ／ 1978 年　デビュー

Magne Furuholmen マグネ・フルホルメン
1962 年　ノルウェー・オスロ出身／ a-ha（アーハ）／ Kb　▶ 1985 年　デビューシングル「Take on Me」

Anthony Kiedis アンソニー・キーディス
1962 年　US ミシガン州グランド・ラピッズ出身／ Red Hot Chili Peppers（レッド・ホット・チリ・ペッパーズ）／ Vo　▶ 1984 年　デビューアルバム『Red Hot Chili Peppers』　▶ 2006 年　9 作目『Stadium Arcadium』がヒット（初の全米 1 位、全世界 24 か国 1 位、日本では 2 枚組洋楽アルバムでは史上初の初登場 1 位）

Rick Allen リック・アレン
1963 年　UK イングランド・ダービーシャー州ドロンフィールド出身／ Def Leppard（デフ・レパード）／ Ds ／ 1980 年　デビュー／ 1984 年　交通事故で左手を失うが、バンドメンバーとして健在　▶ 1987 年　アルバム『Hysteria』英米で 1 位

LaTavia Roberson ラターヴィア・ロバートソン
1981 年　US テキサス州ヒューストン出身／ Destiny's Child（デスティニーズ・チャイルド）／ 1998 年　デビュー

✗ Jimmy Carl Black　ジミー・カール・ブラック

2008 年　享年 70 才（肺癌）／ The Mothers of Invention（ザ・マザーズ・オブ・インヴェンション）／ Ds

ロック史

⊙ 1894 年　米「Billboard Advertising」創刊。1897 年に現在のビルボード誌に改称

2

Keith Emerson　キース・エマーソン

1944 年　UK ヨークシャー州トッドモーデン出身／ Emerson, Lake & Palmer（ELP：エマーソン・レイク＆パーマー）／ Kb ／ 1970 年　デビュー　▶ 1971 年　ELP アルバム『Tarkus』✗ 2016 年 3 月 10 日　享年 71 才（自殺）

J.D. Souther　J.D. サウザー

Sony Music Japan

1945 年　US ミシガン州デトロイト出身／本名：John David Souther（ジョン・デヴィッド・サウザー）／シンガーソングライター　▶ 1979 年　アルバム『You're Only Lonely』

Dave Pegg　デイヴ・ペグ

1947 年　UK イングランド・ウェストミッドランズ州バーミンガム出身／ Jethro Tull（ジェスロ・タル）／ B

Carter Beauford　カーター・ビューフォード

1958 年　US ヴァージニア州シャーロッツビル出身／ Dave Matthews Band（デイヴ・マシューズ・バンド）／ Ds　▶ 2002 年　アルバム『Busted Stuff』

K.D. Lang　K.D. ラング

Sony Music Japan

1961 年　カナダ・アルバータ州エドモントン出身／本名：Kathryn Dawn Lang（キャスリン・ドーン・ラング）／シンガーソングライター　▶ 1987 年　アルバム『Angel with Lariat』▶ 2002 年　アルバム『A Wonderful World』（トニー・ベネットとのデュエット）

Ron McGovney　ロン・マクガヴニー

1962 年　US カリフォルニア州ロスアンゼルス出身／ Megadeth（メガデス）／ B ／ 1983 年　デビュー

Reginald Arvizu　レジー・アーヴィズ

1969 年　US カリフォルニア州ロスアンゼルス出身／ Korn（コーン）／ B

Nelly　ネリー

1974 年　US テキサス州オースティン出身／本名：Cornell Haynes Jr.（コーネル・ハインズ・ジュニア）／ラップ・ミュージシャン　▶ 2000 年　アルバム『Country Grammar』

Chris Walla　クリス・ウォラ

2

1975 年　US ワシントン州ボセル出身／ Death Cab for Cutie（デス・キャブ・フォー・キューティ）／ G ／ 1998 年　デビュー

3

Bert Jansch　バート・ヤンシュ
1943 年　UK スコットランド・グラスゴー出身／ブリティッシュ・フォーク・ギタリスト／ UK ギタリストのジミー・ペイジなどに大きな影響を与えた／ Pentangle（ペンタングル）／ G　▶ 1968 年　デビューアルバム『The Pentangle』　✗ 2011 年 10 月 5 日　享年 67 才（癌）

Nick Simper　ニック・シンパー
1945 年　UK ミドルセックス州サウスオール・ノーウッド出身／ Deep Purple（ディープ・パープル）／ B

Lulu　ルル
1948 年　UK スコットランド・グラスゴー出身／本名： Marie McDonald McLaughlin Lawrie（マリー・マクドナルド・マクラフリン・ロウリー）／シンガー　▶ 1967 年　シングル「To Sir with Love（いつも心に太陽を）」

Adam Ant　アダム・アント
1954 年　UK イングランド・ロンドン出身／ポップ・シンガー　▶ 1982 年　デビューアルバム『Friend or Foe』

James Prime　ジェームス・プライム
1960 年　UK スコットランド・グラスゴー出身／ Deacon Blue（ディーコン・ブルー）／ Kb

Mark Roberts　マーク・ロバーツ
1967 年　UK ウェールズ・ランウスト出身／ Catatonia（カタトニア）／ G

Mick Thomson　ミック・トムソン
1973 年　US アイオワ州デイモン出身／ Slipknot（スリップノット）／ G ／ 1999 年　デビュー

Ted Lennon　テッド・レノン
1976 年　US カリフォルニア州出身／シンガーソングライター／アコースティック・サーフロック　▶ 2008 年　アルバム『The Calm』

✗ Lonnie Donegan　ロニー・ドネガン
2002 年　享年 71 才（心臓発作）／スキッフル・シンガー（キング・オブ・スキッフル）

4

Chris Difford　クリス・ディフォード
1954 年　UK イングランド・ロンドン出身／ Squeeze（スクイーズ）／ Vo.G

James Scott　ジェームズ・スコット
1956 年　UK イングランド・ロンドン出身／ The Pretenders（ザ・プリテンダーズ）
／ G ／ 1980 年　デビュー　✗ 1982 年 6 月 16 日　享年 25 才（コカイン摂取による心筋梗塞）

Puff Daddy　パフ・ダディ
1969 年　US ニューヨーク州ニューヨークシティ・ハーレム出身／本名：Sean Combs
（ショーン・コムズ）／ラッパー　▶ 1997 年　アルバム『No Way Out』

Cedric Bixler-Zavala　セドリック・ビクスラー＝ザヴァラ
1974 年　US カリフォルニア州レッドウッドシティ出身／ At the Drive-In（アット・ザ・ドライヴ・イン）、The Mars Volta（ザ・マーズ・ヴォルタ）／ Vo

社会史
⊙ 2008 年　アメリカ大統領選挙で民主党バラク・オバマが共和党ジョン・マケインに圧勝

5

Ike Turner　アイク・ターナー
1931 年　US ミシシッピ州クラークスディル出身／ Ike & Tina Turner（アイク & ティナ・ターナー）／ 1960 年　ティナ・ターナーと結婚しデュオを結成／ 1978 年　離婚（デュオも解消）✗ 2007 年 12 月 12 日　享年 76 才

Sony Music Japan

Art Garfunkel　アート・ガーファンクル
1941 年　US ニューヨーク州ニューヨークシティ・クイーンズ・フォレストヒルズ出身／ Simon & Garfunkel（サイモン & ガーファンクル）／ 1964 年　デビュー　▶ 1970年 アルバム『Bridge Over Troubled Water』／ 1973 年　ソロ活動　▶ 1973 年　ソロアルバム『Angel Clare（天使の歌声）』

Gram Parsons　グラム・パーソンズ
1946 年　US フロリダ州ウィンターヘイブン出身／シンガー、ギタリスト／ 1968 年 The Byrds（ザ・バーズ）　▶ 1973 年　ソロアルバム『GP』✗ 1973 年 9 月 19 日　享年 26 才（麻薬過剰摂取）

Peter Noone　ピーター・ヌーン
1947 年　UK イングランド・ランカシャー州デイヴィホルム出身／ Herman's Hermits（ハーマンズ・ハーミッツ）／ Vo　▶ 1965 年　アルバム『Herman's Hermits』

Don McDougall　ドン・マクドゥーガル
1948 年　カナダ・マニトバ州ウィニペグ出身／ The Guess Who（ザ・ゲス・フー）／ G

Jeff Watson　ジェフ・ワトソン
1956 年　US カリフォルニア州サクラメント出身／ Night Ranger（ナイト・レンジャー）／ G

5

Mike Score　マイク・スコア
1957 年　UK イングランド、イースト・ライディング・オブ・ヨークシャー州出身／A Flock of Seagulls（ア・フロック・オブ・シーガルズ）／ Vo

Bryan Adams　ブライアン・アダムス
1959 年　カナダ・オンタリオ州キングストン出身／ロック・シンガーソングライター／ 1980 年　デビュー／ベジタリアン　▶ 1983 年　アルバム『Cuts Like a Knife』　▶ 1984 年　アルバム『Reckless』年間チャート 2 位（1 位はブルース・スプリングスティーン『Born in the U.S.A.』）

David Bryson　デヴィッド・ブライソン
1961 年　US カリフォルニア州サンフランシスコ出身／ Counting Crows（カウンティング・クロウズ）／ G.Vo

Angelo Moore　アンジェロ・ムーア
1965 年　US カリフォルニア州ロスアンゼルス出身／ Fishbone（フィッシュボーン）／ Vo.Sax ／ 1986 年　デビュー

Johnny Greenwood　ジョニー・グリーンウッド
1971 年　UK イングランド・オックスフォードシャー州オックスフォード出身／ Radiohead（レディオヘッド）／ G

Ryan Adams　ライアン・アダムス
1974 年　US ノースカロライナ州ジャクソンヴィル出身／シンガーソングライター／ソングライティングの評価が高い／ 1994 年からオルタナティヴ・バンド Whiskeytown（ウィスキータウン）のフロントマンを経てソロに転向　▶ 2001 年　アルバム『Gold』

✗ Bobby Hatfield　ボビー・ハットフィールド
2003 年　享年 63 才（コカイン摂取による心臓発作）／ The Righteous Brothers（ザ・ライチャス・ブラザーズ）／ Vo

6

Glenn Frey　グレン・フライ
1948 年　US ミシガン州デトロイト出身／ 1972 年　The Eagles（ザ・イーグルス）／ G.Vo でデビュー　▶ 1976 年　アルバム『Hotel California』　▶ 1982 年　ソロ・デビューアルバム『No Fun Aloud』✗ 2016 年 1 月 18 日　享年 67 才（合併症）

Annette Zilinskas　アネット・ジリンスカス
1962 年　US カリフォルニア州ロスアンゼルス出身／ The Bangles（ザ・バングルス）／ B ／ 1984 年　デビュー

Greg Graffin　グレッグ・グラフィン
1964 年　US ウィスコンシン州ラシーン出身／ Bad Religion（バッド・レリジョン）／ Vo

Corey Glover コーリー・グローヴァー

1964年　USニューヨーク州ニューヨークシティ・ブルックリン出身／Living Colour（リヴィング・カラー）／Vo　▶1988年　アルバム『Vivid』全米6位（収録シングル「Cult of Personality」グラミー賞授賞）

Paul Gilbert ポール・ギルバート

1966年　USイリノイ州カーボンデール出身／Mr. Big（ミスター・ビッグ）／G　▶1991年　アルバム『Lean into It』

✕ Hugh McDowell ヒュー・マクダウェル

2018年　享年65才（癌）／The Electric Light Orchestra（ザ・エレクトリック・ライト・オーケストラ）／Cello.Kb

✕ Astro アストロ

2021年　享年64才／本名：Terence Wilson（テレンス・ウィルソン）／UB40／Per. Tp.Vo

7

Johnny Rivers ジョニー・リヴァース

1942年　USニューヨーク州ニューヨークシティ出身／本名：John Henry Ramistella（ジョン・ヘンリー・ラミステラ）／ロック・シンガー　▶1966年　シングル「Poor Side of Town」

Joni Mitchell ジョニ・ミッチェル

1943年　カナダ・アルバート州フォート・マクレオド出身／シンガーソングライター／1968年　デビュー　▶1971年　アルバム『Blue』／9回のグラミー賞受賞／ローリング・ストーン誌が史上最高のシンガーソングライターと評価

Kevin MacMichael ケヴィン・マクマイケル

1951年　カナダ・ニューブランズウィッグ州セントジョン出身／Cutting Crew（カッティング・クルー）／G　✕2002年12月31日　享年51才（肺癌）

Liam O'Maonlai リアム・オ・メンリィ

1964年　アイルランド・ダブリン出身／Hothouse Flowers（ホットハウス・フラワーズ）／Vo.Kb／1986年　デビュー

David Guetta デイヴィッド・ゲッタ

1967年　フランス・パリ出身／ハウス、DJ、プロデューサー　▶2002年　デビューアルバム『Just Little More Love』

Trine Rein トリーネ・レイン

1970年　USカリフォルニア州サンフランシスコ出身／シンガー　▶1993年　シングル「Just Missed the Train」

7

✗ Leonard Cohen　レナード・コーエン
2016年　享年82才（白血病）／シンガーソングライター

8

Bonnie Bramlett　ボニー・ブラムレット
1944年　USイリノイ州アルトン出身／Delaney & Bonnie（デラニー＆ボニー）▶1971年　アルバム『Motel Shot』

Don Murray　ドン・マレー
1945年　USカリフォルニア州イングルウッド出身／The Turtles（ザ・タートルズ）／Ds ✗1996年3月22日　享年50才（胃潰瘍手術後の合併症）

Roy Wood　ロイ・ウッド
1946年　UKイングランド・ウェストミッドランズ州バーミンガム出身／Electric Light Orchestra（ELO：エレクトリック・ライト・オーケストラ）の前身The Move（ザ・ムーヴ）／Vo.G

Minnie Riperton　ミニー・リパートン
1947年　USイリノイ州シカゴ出身／R&Bシンガー　▶1975年　シングル「Lovin' You」✗1979年7月12日　享年31才（乳癌）

Bonnie Raitt　ボニー・レイット
1949年　USカリフォルニア州バーバンク出身／ギタリスト、ヴォーカリスト、コンポーザー／スライド・ギタリスト／グラミー賞10回受賞／1971年 デビュー　▶1989年　アルバム『Nick of Time』▶1991年　アルバム『Luck of the Draw』

Rickie Lee Jones　リッキー・リー・ジョーンズ
1954年　USイリノイ州シカゴ出身／シンガーソングライター　▶1979年　デビューアルバム『Rickie Lee Jones』／グラミー賞「最優秀新人賞」受賞　▶1981年　アルバム『Pirates』

Alan Frew　アラン・フリュー
1956年　UKスコットランド・コートブリッジ出身（16才の時にカナダ・オンタリオ州に家族と引っ越す）／Glass Tiger（グラス・タイガー）／Vo　▶1986年　デビューアルバム『The Thin Red Line』

Leif Garrett　レイフ・ギャレット
1961年　USカリフォルニア州ハリウッド出身／シンガー　▶1977年　シングル「Runaround Sue」

Diana King　ダイアナ・キング
1970年　ジャマイカ・キングストン出身／シンガー　▶1995年　シングル「Shy Guy」

⊙ 2015 年　ミャンマー総選挙でアウンサン・スーチー率いる国民民主連盟（NLD）が圧勝

9

Mary Travers　マリー・トラヴァース
1936 年　US ケンタッキー州ルイビル出身／ Peter, Paul & Mary（ピーター、ポール＆マリー）　✟ 2009 年 9 月 16 日　享年 72 才（白血病）

Tom Fogerty　トム・フォガティ
1941 年　US カリフォルニア州バークレー出身／ John Fogerty（ジョン・フォガティ）と兄弟／ Creedence Clearwater Revival（CCR：クリーデンス・クリアウォーター・リバイバル）／ G　✟ 1990 年 9 月 6 日　享年 48 才（エイズ）

Alan Gratzer　アラン・グラッツァー
1948 年　US ニューヨーク州オノンダガ郡シラキュース出身／ REO Speedwagon（REOスピードワゴン）／ Ds

Joe Bouchard　ジョー・ブーチャード
1948 年　US ニューヨーク州ジェファーソン郡ウォータータウン出身／ Blue Oyster Cult（ブルー・オイスター・カルト）／ B ／ 1972 年　デビュー

Tommy Caldwell　トミー・コールドウェル
1949 年　US サウスカロライナ州スパータンバーグ出身／ The Marshall Tucker Band（ザ・マーシャル・タッカー・バンド）／ B ／ 1973 年　デビュー　✟ 1980 年 4 月 28 日　享年 30 才（自動車事故）

Susan Tedeschi　スーザン・テデスキ
1970 年　US マサチューセッツ州ボストン出身／ Tedeschi Trucks Band（テデスキ・トラックス・バンド）／ Vo.G ／ 2001 年　Derek Trucks（デレク・トラックス／スライド・ギタリスト）と結婚／ 2010 年　自分のスーザン・テデスキ・バンドと夫デレク・トラックス・バンドを合体し、テデスキ・トラックス・バンドに名称を変更　▶ 2011 年　デビューアルバム『Revelator』（グラミー賞「最優秀ブルース・アルバム賞」受賞）

✟ Chuck Mosley　チャック・モズレー
2017 年　享年 57 才（ヘロイン過剰摂取）／ Faith No More（フェイス・ノー・モア）／ Vo

⊙ 1961 年　ザ・ビートルズがのちにマネージャーとなるブライアン・エプスタインとリヴァプール「キャヴァーン・クラブ」で初対面
⊙ 1966 年　ジョン・レノンがオノ・ヨーコとロンドンの個展で出会う
⊙ 1967 年　ローリング・ストーン誌が創刊（表紙はジョン・レノン）
⊙ 2013 年　ポール・マッカートニー来日。11 年ぶりのツアーで約 25 万人動員（東京・

Nov

9

10

Greg Lake　グレッグ・レイク
1947 年　UK イングランド・ドーセット州プール出身／ 1970 年　King Crimson（キング・クリムゾン）から、ELP（エマーソン・レイク＆パーマー）B へ　▶ 1971 年　アルバム『Pictures at an Exhibition』　✗ 2016 年 12 月 7 日　享年 69 才（癌）

Ronnie Hammond　ロニー・ハモンド
1950 年　US ジョージア州メイコン出身／ Atlanta Rhythm Section（アトランタ・リズム・セクション）／ Vo　✗ 2011 年 3 月 14 日　享年 60 才（心不全）

Mario Cipollina　マリオ・シポリナ
1954 年　US カリフォルニア州サンラフェル出身／ Huey Lewis & The News（ヒューイ・ルイス＆ザ・ニュース）／ B

Frank Maudsley　フランク・モーズリー
1959 年　UK イングランド・マージーサイド州リヴァプール出身／ A Flock of Seagulls（ア・フロック・オブ・シーガルズ）／ B

Andrew "Mushroom" Vowles　アンドリュー・"マッシュルーム"・ボウルズ
1967 年　UK イングランド・ブリストル出身／ Massive Attack（マッシヴ・アタック）／ Kb

✗ Gerald Levert　ジェラルド・レヴァート
2006 年　享年 40 才（心臓発作）／ R&B シンガーソングライター

✗ Tony West　トニー・ウェスト
2010 年　享年 72 才／ The Searchers（ザ・サーチャーズ）／ B

✗ Allen Toussaint　アラン・トゥーサン
2015 年　享年 77 才（コンサート後の心臓発作）／ピアニスト、シンガー、プロデューサー

社会史
- 1989 年　ベルリンの壁が崩壊。28 年間にわたる東西ベルリン分断の歴史が終結。翌 11 日には壁は崩され、翌年 90 年に遂にドイツの東西統一が実現した

ロック史

- 「ベルリンの壁崩壊」にロックが影響を与える。壁崩壊前、東ドイツでは音楽規制は徐々に緩和され始め、ブルース・スプリングスティーン、ザ・ローリング・ストーンズ、デペッシュ・モード等の西側アーティストを招待し、パフォーマンスが実現するようになっていた。さらに東側との国境に隣接する西ベルリン国会議事堂前では、マイケル・ジャクソン、ピンク・フロイド等のコンサートも開催された

Vince Martell ヴィンス・マーテル
1945 年 US ニューヨーク州ニューヨークシティ・ブロンクス出身／ Vanilla Fudge（ヴァ
ニラ・ファッジ）／ G

Chris Dreja クリス・ドレヤ
1945 年 UK イングランド・サリー州サービトン出身／ The Yardbirds（ザ・ヤードバー
ズ）／ G

Jim Peterik ジム・ピートリック
1950 年 US イリノイ州バーウィン出身／ Survivor（サヴァイヴァー）／ Kb ▶ 1982
年 アルバム『Eye of the Tiger』

Andy Partridge アンディ・パートリッジ
1953 年 マルタ島ヴァレッタ出身／ XTC（エックス・ティー・シー）／ G.Vo ／バン
ド名は「Ecstasy」をもじってアンディが命名 ▶ 1978 年 デビューアルバム『White
Music』

Marshall Crenshaw マーシャル・クレンショウ
1953 年 US ミシガン州デトロイト出身／シンガーソングライター ▶ 1982 年 デ
ビューアルバム『Marshall Crenshaw』

Ian Craig Marsh イアン・クレイグ・マーシュ
1956 年 UK イングランド・サウスヨークシャー州シェフィールド出身／ Human
League（ヒューマン・リーグ）／ Kb ／ 1979 年 デビュー

Gary Powell ゲイリー・パウエル
1969 年 UK イングランド・ロンドン出身／ The Libertines（ザ・リバティーンズ）／
Ds ／ 2002 年 デビュー

✗ Berry Oakley ベリー・オークリー
1972 年 享年 24 才（バイク事故）／ The Allman Brothers Band（ザ・オールマン・ブラザー
ズ・バンド）

✗ Phil Taylor フィル・テイラー
2015 年 享年 61 才（肝不全）／ Motörhead（モーターヘッド）／ Ds

Nov

John Walker ジョン・ウォーカー
1943 年 US ニューヨーク州ニューヨークシティ出身／本名：John Joseph Maus（ジョ
ン・ジョセフ・モウズ）／ The Walker Brothers（ザ・ウォーカー・ブラザーズ）／ Vo
／男性 3 人組のヴォーカル・グループ ✗ 2011 年 5 月 7 日 享年 67 才（肝臓癌）

Booker T. Jones ブッカー・T・ジョーンズ

12

1944 年　US テネシー州メンフィス出身／オルガン奏者／ Booker T. & The MG's（ブッカー・T & ・ザ・MG's）／ Org ▶ 1962 年　アルバム『Green Onions』

Neil Young　ニール・ヤング
1945 年　カナダ・オンタリオ州トロント出身／ 1966 年　The Buffalo Springfield（ザ・バッファロー・スプリングフィールド）でデビュー　▶ 1968 年　ソロアルバム『Neil Young』発表／ CSN&Y（クロスビー、スティルス、ナッシュ＆ヤング）加入　▶ 1972 年　ソロアルバム『Harvest』

Warner Music Japan

Donald Roeser　ドナルド・ローザー
1947 年　US ニューヨーク州ロングアイランド出身／ Blue Oyster Cult（ブルー・オイスター・カルト）／ G ／ 1972 年　デビュー

Leslie McKeown　レスリー・マッコーエン
1955 年　UK スコットランド・エディンバラ出身／ Bay City Rollers（ベイ・シティ・ローラーズ）／ Vo ▶ 1974 年　アルバム『Rollin'』 ✘ 2021 年 4 月 20 日」　享年 65 才

David Ellefson　デイヴィッド・エレフソン
1964 年　US ミネソタ州ジャクソン出身／ Megadeth（メガデス）／ B

Tevin Campbell　テヴィン・キャンベル
1976 年　US テキサス州ワクサハチー出身／ポップ・R&B シンガー　▶ 1991 年　アルバム『T.E.V.I.N.』

✘ Mitch Mitchell　ミッチ・ミッチェル
2008 年　享年 61 才（ホテル客室での自然死）／ Jimi Hendrix Experience（ジミ・ヘンドリックス・エクスペリエンス）／ Ds

✘ Tony Thompson　トニー・トンプソン
2003 年　享年 48 才（腎細胞癌）／ Power Station（パワー・ステーション）／ Ds

13

Toy Caldwell　トイ・コールドウェル
1947 年　US サウスカロライナ州スパータンバーグ出身／ The Marshall Tucker Band（ザ・マーシャル・タッカー・バンド）／ G ／ 1973 年　デビュー ✘ 1993 年 2 月 25 日　享年 45 才（コカイン過剰摂取）

J.C. Crowley　J.C. クロウリー
1947 年　US テキサス州ヒューストン出身／ Player（プレイヤー）／ Vo.G ▶ 1977 年　シングル「Baby Come Back」（デビューアルバム『Player』収録）がヒット

Andrew Ranken　アンドリュー・ランケン
1953 年　UK イングランド・ロンドン出身／ The Pogues（ザ・ポーグス）／ Ds ／ 1984 年　デビュー（ケルティック・パンク）

Wayne Parker ウェイン・パーカー
1960 年　カナダ・オンタリオ州出身／Glass Tiger（グラス・タイガー）／B

Walter Kibby ウォルター・キビー
1964 年　US カリフォルニア州ロスアンゼルス出身／Fishbone（フィッシュボーン）
／Tp ／1986 年　デビュー

Nikolai Fraiture ニコライ・フレイチュア
1978 年　US ニューヨーク州ニューヨークシティ出身／The Strokes（ザ・ストロークス）
／B

✗ Leon Russel レオン・ラッセル
2016 年　享年 74 才（心臓発作）／シンガーソングライター

14

Freddie Garrity フレディ・ギャリティ
1936 年　UK イングランド・グレーターマンチェスター州マンチェスター出身／
Freddie & The Dreamers（フレディ＆ザ・ドリーマーズ）／Vo　▶ 1965 年　アルバム
『I'm Telling You Now』　✗ 2006 年 5 月 19 日　享年 69 才（病死）

James Young ジェイムズ・ヤング
1949 年　US イリノイ州シカゴ出身／STYX（スティクス）／G.Vo ／アメリカン・プログレッシブ・ハードロックを代表するバンド　▶ 1972 年　デビューアルバム『STYX』
▶ 1981 年　アルバム『Paradise Theater』全米 1 位

Stephen Bishop スティーヴン・ビショップ
1951 年　US カリフォルニア州サンディエゴ出身／シンガーソングライター　▶ 1976
年　デビューアルバム『Careless』　▶ 1983 年　シングル「It Might Be You」

Alec John Such アレック・ジョン・サッチ
1951 年　US ニューヨーク州ウェストチェスター郡ヨンカーズ出身／Bon Jovi（ボン・ジョヴィ）／B　▶ 1994 年　ベストアルバム『Cross Road』を最後にボン・ジョヴィを脱退（かねてからの夢だったバイク屋経営のため）　✗ 2022 年 6 月 5 日　享年 70 才（肝硬変）

Frankie Banali フランキー・バネリ
1951 年　US ニューヨーク州ニューヨークシティ・クイーンズ出身／Quiet Riot（クワ

Jan
Feb
Mar
Apr
May
Jun
Jul
Aug
Sep
Oct
Nov
Dec

14

イエット・ライオット）／ Ds ✗ 2020 年 8 月 20 日　享年 68 才（膵臓癌）

Joseph Simmons　ジョセフ・シモンズ
1964 年　US ニューヨーク州ニューヨークシティ・クイーンズ出身／ Run-D.M.C.（ラン DMC）／ MC

Jeanette Jurado　ジャネット・フラド
1965 年　US カリフォルニア州ロスアンゼルス州出身／ Expose（エクスポゼ）／ Vo ／ 3 人組ヴォーカル・グループ

Nina Gordon　ニーナ・ゴードン
1967 年　US イリノイ州シカゴ出身／本名：Nina Rachel Gordon Shapiro（ニーナ・レイチェル・ゴードン・シャピーロ）／ Veruca Salt（ヴェルーカ・ソルト）／ G.Vo

Brian Yale　ブライアン・イェール
1968 年　US カリフォルニア州カーメル・バイ・ザ・シー出身／ Matchbox Twenty（マッチボックス・トゥエンティ）／ B

Butch Walker　ブッチ・ウォーカー
1969 年　US ジョージア州ローム出身／シンガーソングライター／プロデューサー（アヴリル・ラヴィーン）

Brendan Benson　ブレンダン・ベンソン
1970 年　US ミシガン州ロイヤルオーク出身／ポップ・ロック・シンガーソングライター　▶ 1996 年　デビューアルバム『One Mississippi』　▶ 2002 年　セカンドアルバム『Lapalco』

Douglas Payne　ダグラス・ペイン
1972 年　UK スコットランド・グラスゴー出身／ Travis（トラヴィス）／ B ／ 1997 年デビュー

✗ Martin Fay　マーティン・フェイ
2012 年　享年 76 才（病死）／ The Chieftains（ザ・チーフタンズ）／アイルランドのバンド

ロック史
⊙ 1952 年　英音楽雑誌「NME」がチャートを初掲載。1 位はアル・マルティーノの「Here in My Heart」（全米でも 1 位）

15

Petula Clark　ペトゥラ・クラーク
1932 年　UK イングランド・サリー州エプソム出身／シンガー　▶ 1965 年　アルバム『Downtown』

Frida　フリーダ

1945 年　ノルウェー・ヌールラン県バランゲン出身／本名：Anni-Frid Lyngstad（アンニ＝フリッド・リングスタッド）／

ABBA（アバ）／ Vo ／世界を席巻したポップ・グループ　※メンバーのベニーとは夫婦（1981 年離婚）

▶ 1979 年　アルバム『Voulez-Vous』　▶ 2021 年 11 月 5 日　40 年ぶりのニューアルバム『Voyage』

Steve Fossen　スティーヴ・フォッセン

1949 年　US ワシントン州ケンモア出身／ Heart（ハート）／ B

Frank Infante　フランク・インファンテ

1951 年　US ニュージャージー州ジャージーシティ出身／ Blondie（ブロンディ）／ G ／ 1976 年　デビュー

Alexander O'Neal　アレクサンダー・オニール

1953 年　US ミシシッピ州ナチェズ出身／ R&B シンガー　▶ 1985 年　デビューアルバム『Alexander O'Neal』

Joe Leeway　ジョー・リーウェイ

1955 年　UK イングランド・ロンドン出身／ Thompson Twins（トンプソン・ツインズ）／ Per

Jay Bennett　ジェイ・ベネット

1963 年　US イリノイ州シカゴ出身／ Wilco（ウィルコ）／ G　✗ 2009 年 5 月 24 日　享年 45 才（鎮痛剤過剰摂取）

Chad Kroeger　チャド・クルーガー

1974 年　カナダ・ブリティッシュコロンビア州バンクーバー出身／ Nickleback（ニッケルバック）／ Vo.G

▶ 2001 年　シングル「How You Remind Me」（ビルボードのシングル年間チャート 1 位）

▶同年　アルバム『Silver Side Up』

社会史

⦿ 1975 年　第 1 回先進国首脳会議がフランスで開催

16

Gilbert Gabriel　ギルバート・ガブリエル

1956 年　UK デヴォン州トトネス出身／ Dream Academy（ドリーム・アカデミー）／ Kb

Mani　マニ

1962 年　UK イングランド・グレーターマンチェスター州マンチェスター出身／本名：Gary Michael "Mani" Mounfield（ゲイリー・マイケル・" マニ "・モウンフィールド）

16

／ 1985 年　The Stone Roses（ザ・ストーン・ローゼズ）結成／ B ／ 1999 年解散～ 2011 年再結成～ 2017 年再解散　▶ 1989 年　デビューアルバム『The Stone Roses』 ／ 1996 年　Primal Scream（プライマル・スクリーム）B でも活動

Eric Judy　エリック・ジュディ

1974 年　US ワシントン州イサカー出身／ Modest Mouse（モデスト・マウス）／ B ／ 1996 年　デビュー

17

Gerry McGee　ジェリー・マギー

1937 年　US ルイジアナ州ユーニス出身／ The Ventures（ザ・ヴェンチャーズ）／ G ／ 1960 年　デビュー　✗ 2019 年 10 月 12 日　享年 81 才（心臓発作）

Gordon Lightfoot　ゴードン・ライトフット

1938 年　カナダ・オンタリオ州オリリア出身／シンガーソングライター　▶ 1966 年 デビューアルバム『Lightfoot!』　▶ 1974 年　アルバム『Sundown』

Gene Clark　ジーン・クラーク

1944 年　US ミズーリ州ティプトン出身／ The Byrds（ザ・バーズ）／ Vo.G　▶ 1965 年　アルバム『Mr. Tambourine Man』✗ 1991 年 5 月 24 日　享年 46 才（心臓病）

Martin Barre　マーティン・バレ

1946 年　UK イングランド・ウェストミッドランズ州バーミンガム出身／ Jethro Tull （ジェスロ・タル）／ G ／ 1968 年　デビュー

Iain Sutherland　イアン・サザーランド

1948 年　UK スコットランド・アバディーン州イーロン出身／ Sutherland Brothers（サ ザーランド・ブラザーズ）／ G.Vo ✗ 2019 年 11 月 25 日　享年 71 才

Jim Babjak　ジム・バブジャック

1957 年　US ニュージャージー州カートレット出身／ The Smithereens（ザ・スミザリー ンズ）／ G

Jeff Buckley　ジェフ・バックリィ

1966 年　US カリフォルニア州アナハイム出身／フォーク・シンガーソングライター ／父親は Tim Buckley（ティム・バックリィ）　▶ 1994 年　デビューアルバム『Grace』 ✗ 1997 年 5 月 29 日　享年 30 才（水泳中溺死）

Ben Wilson　ベン・ウィルソン

1967 年 US イリノイ州シカゴ出身／ Blues Traveler（ブルース・トラヴェラー）／ Kb

Ronnie DeVoe　ロニー・デヴォー

1967 年　US マサチューセッツ州ボストン出身／ New Edition（ニュー・エディション） ／ R&B ヴォーカル・グループ

✘ John Glascock ジョン・グラスコック
1979 年 享年 28 才（心臓病）／ Jethro Tull（ジェスロ・タル）／ B.Vo

✘ Michael Karoli ミヒャエル・カローリ
2001 年 享年 53 才（癌）／ Can（カン）／ G

✘ Dennis Peyton デニス・ペイトン
2006 年 享年 63 才（癌）／ The Dave Clark Five（ザ・デイヴ・クラーク・ファイヴ）
／ Sax

18

Herman Rarebell ハーマン・レアベル
1949 年 ドイツ・ザールラント州シュメルツ出身／ The Scorpions（ザ・スコーピオンズ）
／ D

Graham Parker グレアム・パーカー
1950 年 UK イングランド・ロンドン出身／ロック・シンガー／ 1975 年 Graham
Parker & The Rumour（グレアム・パーカー＆ザ・ルーモア）／ Vo ▶ 1976 年 デビュー
アルバム『Howlin' Wind』 ▶ 1978 年 ライヴアルバム『The Parkerilla』

Rudy Sarzo ルディ・サーゾ
1950 年 キューバ・ハバナ出身／ Quiet Riot（クワイエット・ライオット）／ B

John Parr ジョン・パー
1954 年 UK イングランド・ノッティンガムシャー州ワークソップ出身／シンガー
▶ 1985 年 シングル「St. Elmo's Fire」

Kim Wilde キム・ワイルド
1960 年 UK イングランド・ロンドン出身／本名：Kim Smith（キム・スミス）／シン
ガー ▶ 1981 年 デビューシングル「Kids in America」 ▶ 1993 年 シングル「If I
Can't Have You」

Kirk Hammett カーク・ハメット
1962 年 US カリフォルニア州サンフランシスコ出身／ Metallica（メタリカ）／ G

Duncan Sheik ダンカン・シーク
1969 年 US ニュージャージー州モントクレア出身／シンガーソングライター ▶
1996 年 デビューアルバム『Duncan Sheik』

✘ Malcolm Young マルコム・ヤング
2017 年 享年 64 才（認知症）／ AC/DC（エーシー・ディーシー）／ G.Vo

19

Ray Collins レイ・コリンズ

361

1936 年　US カリフォルニア州ロスアンゼルス・ポモナ出身／The Mothers of Invention（ザ・マザーズ・オブ・インヴェンション）／Vo ／1966 年　デビュー ✗ 2012 年 12 月 24 日　享年 76 才（心拍停止）

Fred Lipsius　フレッド・リプシウス
1943 年　US ニューヨーク州ニューヨークシティ・ブロンクス出身／Blood, Sweat & Tears（ブラッド・スウェット＆ティアーズ）／Sax ／1968 年　デビュー

Matt Sorum　マット・ソーラム
1960 年　US カリフォルニア州ロスアンゼルス・ヴェニスビーチ出身／Guns N' Roses（ガンズ・アンド・ローゼズ）／Ds

Travis McNabb　トラヴィス・マクナブ
1969 年　US ルイジアナ州ニューオーリンズ出身／Better Than Ezra（ベター・ザン・エズラ）／Ds

Justin Chancellor　ジャスティン・チャンセラー
1971 年　UK イングランド・ロンドン出身／Tool（トゥール）／B ／1993 年　デビュー

Tony Rich　トニー・リッチ
1971 年　US ミシガン州デトロイト出身／R&B シンガーソングライター　▶ 1996 年 デビューアルバム『Words』

✗ Tom Evans　トム・エヴァンズ
1983 年　享年 36 才（自殺）／Badfinger（バッドフィンガー）／Vo.G.B

社会史
⊙ 1985 年　米レーガン大統領とソ連のゴルバチョフ書記長がジュネーヴで会談。ゴルバチョフ新政権が誕生したことで、軍縮交渉の再開、首脳会談の実現等、米ソ関係において大きな動きが展開していく。両首脳のみで行われた会談は 5 時間におよび、極めて異例なこととして注目された

20

Dr. John　ドクター・ジョン
1941 年　US ルイジアナ州ニューオーリンズ出身／本名：Malcom John Rebennack Jr.（マルコム・ジョン・レベナック・ジュニア）／シンガーソングライター／プロデューサー　▶ 1972 年　アルバム『Dr. John's Gumbo（ガンボ）』 ✗ 2019 年 6 月 6 日　享年 77 才（心臓発作）

Duane Allman　デュアン・オールマン
1946 年　US テネシー州ナッシュビル出身／The Allman Brothers Band（ザ・オールマン・ブラザーズ・バンド）／スライド・ギターの名手　▶ 1969 年　アルバム『The Allman Brothers Band』 ✗ 1971 年 10 月 29 日　享年 24 才（バイク事故）

Joe Walsh　ジョー・ウォルシュ

1947 年　US カンザス州ウィチタ出身／ギタリスト、ヴォーカリスト、コンポーザー
▶ 1972 年　デビューアルバム『Barnstorm』　▶ 1975 年　The Eagles（ザ・イーグルス）
加入（バーニー・レドン脱退後）　▶ 1976 年　『Hotel California』

George Grantham　ジョージ・グランサム

1947 年　US オクラホマ州コーデル出身／ Poco（ポコ）／ Ds.Vo

Mike Diamond　マイク・ダイアモンド

1965 年　US ニューヨーク州ニューヨークシティ出身／ Beastie Boys（ビースティ・ボーイズ）／ Vo.Ds　▶ 1986 年　デビューアルバム『Licensed to Ill』

Jared Followill　ジャレッド・フォロウィル

1986 年　US テネシー州ナッシュビル出身／ Kings of Leon（キングス・オブ・レオン）／ B

✄ Michael Dunford　マイケル・ダンフォード

2012 年　享年 68 才（病死）／ UK プログレ・バンド、Renaissance（ルネッサンス）／ G

21

Lonnie Jordan　ロニー・ジョーダン

1948 年　US カリフォルニア州サンディエゴ出身／ War（ウォー）／ Kb.Vo　▶ 1975 年　シングル「Why Can't We Be Friends?」（同名の 7th アルバムに収録）／多様な人種混合バンドのポジティブで融和的メッセージは、ベトナム戦争終結直後のアメリカ全土で多くの共感を呼び、幅広い層から支持を得た。当時冷戦下にあった米ソ友好の象徴として、NASA が宇宙船内で流したことでも知られる

John "Rabbit" Bundrick　ジョン・"ラビット"・バンドリック

1948 年　US テキサス州ヒューストン出身／ Free（フリー）／ The Who（ザ・フー）／ Kb ／ 1969 年　デビュー

Bjork　ビョーク

1965 年　アイスランド・レイキャビク出身／シンガーソングライター、コンポーザー
▶ 1993 年　アルバム『Debut』／ 2000 年　映画『ダンサー・イン・ザ・ダーク』主演（カンヌ国際映画祭で最優秀女優賞受賞）

Alex James　アレックス・ジェームス

1968 年　UK イングランド・ドーセット州ボーンマス出身／ Blur（ブラー）／ B

Carly Rae Jepsen　カーリー・レイ・ジェプセン

1985 年　カナダ・ブリティッシュコロンビア州ミッション出身／シンガーソングライター　▶ 2012 年　アルバム『Kiss』

21

✗ David Cassidy デイヴィッド・キャシディ
2017 年　享年 67 才（肝不全）／俳優、シンガー／米ドラマ『パートリッジ・ファミリー』
出演

22

Jesse Colin Young ジェシ・コリン・ヤング
1941 年　US ニューヨーク州ニューヨークシティ・クイーンズ出身／シンガーソング
ライター　▶ 1964 年　デビューアルバム『The Soul of a City Boy』／ 1967 年　The
Youngbloods（ザ・ヤングブラッズ）結成／ G.Vo

Tina Weymouth ティナ・ウェイマス
1950 年　US カリフォルニア州サンディエゴ・コロナド出身／ Talking Heads（トーキ
ング・ヘッズ）／ B.Kb

Steve Van Zandt スティーヴ・ヴァン・ザント
1950 年　US マサチューセッツ州ウィンスロップ出身／ Bruce Springsteen & The E
Street Band（ブルース・スプリングスティーン＆ザ・E ストリート・バンド）／ G.Vo

Karen O カレン O
1978 年　韓国出身／ Yeah Yeah Yeahs（ヤー・ヤー・ヤーズ）／ Vo

✗ Michael Hutchence マイケル・ハッチェンス
1997 年　享年 37 才（自殺）／ INXS（インエクセス）／ Vo

社会史

⊙ 1963 年　米ジョン・F・ケネディ大統領がテキサス州ダラスで暗殺される（享年
46 才）

23

Sony Music Japan

Bruce Hornsby ブルース・ホーンズビー
1954 年　US ヴァージニア州リッチモンド出身／ Bruce Hornsby & The Range（ブルー
ス・ホーンズビー＆ザ・レインジ）／ Vo.P　▶ 1986 年　デビューアルバム『The Way
It Is』（グラミー賞「最優秀新人賞」受賞）

Miley Cyrus マイリー・サイラス
1992 年　US テネシー州ウィリアムソン郡フランクリン出身／シンガーソングライター
▶ 2008 年　アルバム『Breakout』

24

Jim Yester ジム・イェスター
1939 年　US アラバマ州ジェファーソン郡バーミンガム出身／ The Association（ザ・
アソシエイション）／ G.Vo ／ The Lovin' Spoonful（ザ・ラヴィン・スプーンフル）の
ジェリー・イェスターの弟　▶ 1966 年　シングル「Cherish」全米 1 位

Donald "Duck" Dunn　ドナルド・ダック・ダン

1941 年　US テネシー州メンフィス出身／ Booker T. & The MG's（ブッカー・T & ザ・MG's）／ B　✂ 2012 年 5 月 13 日　享年 70 才（東京公演翌日にホテルで死亡しているのを発見される）

Bev Bevan　ベヴ・ベヴァン

1944 年　UK イングランド・ウェストミッドランズ州バーミンガム出身／ The Move（ザ・ムーヴ）／ Electric Light Orchestra（ELO：エレクトリック・ライト・オーケストラ）／ Ds

David Sinclair　デイヴィッド・シンクレア

1947 年　UK イングランド・ケント州ハーンベイ出身／ Caravan（キャラヴァン）／ Kb ／ 1968 年　デビュー

Bob Burns　ボブ・バーンズ

1950 年　US フロリダ州ジャクソンヴィル出身／ Lynyrd Skynyrd（レーナード・スキナード）／ Ds ／ 1973 年　デビュー　✂ 2015 年 4 月 3 日　享年 64 才（交通事故）

Clement Burke　クレメント・バーク

1954 年　US ニュージャージー州ベイヨン出身／ Blondie（ブロンディ）／ B ／ 1976 年　デビュー

John Squire　ジョン・スクワイア

1962 年　UK イングランド・グレーターマンチェスター州オルトリンガム出身／ The Stone Roses（ザ・ストーン・ローゼズ）／ G

Brian Yale　ブライアン・イェール

1968 年　US カリフォルニア州カーメル・バイ・ザ・シー出身／ Matchbox Twenty（マッチボックス・トゥエンティ）／ B

✂ Freddie Mercury　フレディ・マーキュリー

1991 年　享年 45 才（エイズ）／ Queen（クイーン）／ Vo.Kb

✂ Eric Carr　エリック・カー

1991 年　享年 41 才（心臓癌）／ KISS（キッス）／ Ds

社会史

◉ 1989 年　11 月、チェコスロバキアで当時の共産党体制を倒した「ビロード革命（Velvet Revolution）」が勃発。この革命のすべての始まりは、当時劇作家だったハヴェルがニューヨークで聴いた、革命と同じ名を持つアメリカのロック・バンド、ザ・ヴェルヴェット・アンダーグラウンドの自由な音楽表現に大きな衝撃を受けたことだった。ソ連に軍事侵攻されながらも 20 年間抵抗を続けたチェコスロバキアは表現の自由が許されない暗い冬の時代を耐えていたが、ハヴェルは手に入れたバンドのレコードを母国に持ち帰り、学生たちや大勢の若者に影響を与えた。ルー・リードは

Jan
Feb
Mar
Apr
May
Jun
Jul
Aug
Sep
Oct
Nov
Dec

あとになってその事実を知ることになる。チェコスロバキアの連邦制を解消後(チェコ共和国とスロバキア共和国に分離/通称:ビロード離婚)、ハヴェルは93年にチェコ共和国の初代大統領に就任。ハヴェル大統領の招かれた米ホワイトハウスのパーティーでは、ルー・リードとバンドがクリントン大統領らの前で演奏を披露した。ロックという自由な音楽文化が国境を越えてひとつの国家の行方を大きく変えた奇跡の革命であった

25

Percy Sledge　パーシー・スレッジ
1940年　US アラバマ州レイトン出身／R&B シンガー　▶1966年　シングル「Where a Man Loves a Woman」　✘ 2015年4月14日　享年74才（肝臓癌）

Steve Rothery　スティーヴ・ロザリー
1959年　UK イングランド・サウスヨークシャー州ブランプトン出身／Marillion（マリリオン）／G／1983年　デビュー

Amy Grant　エイミー・グラント
1960年　US ジョージア州オーガスタ出身／シンガー、コンテンポラリー・クリスチャン・ミュージック　▶1986年　シングル「Next Time I Fall」　▶1991年　シングル「Baby Baby」

Holly Cole　ホリー・コール
1963年　カナダ・ノバスコシア州ハリファックス出身／シンガー　▶1991年　アルバム『Blame It on My Youth』　▶シングル「Calling You」

Tim Armstrong　ティム・アームストロング
1966年　US カリフォルニア州アラメダ郡オールバニ出身／Rancid（ランシド）／Vo.G／90年代を代表するポップ・ロック・バンド　▶1992年　デビューアルバム『Rancid』

Rodney Sheppard　ロドニー・シェパード
1967年　トリニダード・トバゴ出身／Sugar Ray（シュガー・レイ）／G／1995年デビュー

✘ Nick Drake　ニック・ドレイク
1974年　享年26才（抗うつ薬過剰摂取）／フォーク・シンガーソングライター

✘ Kevin Dubrow　ケヴィン・ダブロウ
2007年　享年52才（コカイン過剰摂取）／Quiet Riot（クワイエット・ライオット）／Vo

✘ Iain Sutherland　イアン・サザーランド
2019年　享年71才／Sutherland Brothers（サザーランド・ブラザーズ）／G.Vo

⊙ 1976 年　ザ・バンド、サンフランシスコで解散コンサート

26

Tina Turner　ティナ・ターナー
1939 年　US テネシー州ブラウンズビル出身／ Ike & Tina Turner（アイク＆ティナ・ターナー）／ 1981 年　ソロ活動開始　▶ 1984 年　アルバム『Private Dancer』／ 1998 年 リオデジャネイロ・コンサートでは 18 万人を集客。当時、世界最多動員したソロアーティストとしてギネスブックにも掲載される。8 回のグラミー賞と特別功労賞も受賞

Amos Garrett　エイモス・ギャレット
1941 年　US ミシガン州デトロイト出身／ギタリスト／ Paul Butterfield's Better Days（ポール・バターフィールズ・ベター・デイズ）／ G ／ 1973 年　デビュー

John McVie　ジョン・マクヴィー
1945 年　UK イングランド・ロンドン出身／ Fleetwood Mac（フリートウッド・マック）／ B ／ 1968 年　クリスティン・マクヴィーと結婚／ 1977 年　離婚（この頃、フリートウッド・マックは『Rumours』録音中）

Ray Kennedy　レイ・ケネディ
1946 年　US ペンシルベニア州フィラデルフィア出身／シンガーソングライター、プロデューサー　▶ 1980 年　アルバム『Ray Kennedy』

Adam Gaynor　アダム・ゲイナー
1963 年　US ニューヨーク州ニューヨークシティ・マンハッタン出身／ Matchbox Twenty（マッチボックス・トゥエンティ）／ G

John Stirratt　ジョン・スティラット
1967 年　US ルイジアナ州ニューオーリンズ出身／ Wilco（ウィルコ）／ Vo ／オルタナティヴ・カントリーのグループ。バンド Uncle Tupelo（アンクル・テュペロ）からのメンバーチェンジを経て、Jeff Tweedy（ジェフ・トゥイーディー）と作ったグループ　▶ 2004 年　アルバム『A Ghost Is Born』グラミー賞受賞

Ben Wysocki　ベン・ワイソッキー
1984 年　US コロラド州デンバー出身／ The Fray（ザ・フレイ）／ Ds ／ 2005 年　デビュー

✗ John Rostill　ジョン・ロスティル
1973 年　享年 31 才（鎮静薬中毒）／ The Shadows（ザ・シャドウズ）／ B

ロック史

⊙ 1968 年　クリーム、ロイヤル・アルバート・ホール（ロンドン）で解散コンサート開催

⊙ 1988 年　MTV のライヴ番組『Unplugged』放送開始。ジョン・ボン・ジョヴィと

26

リッチー・サンボラの提案でスタート

27

Jimi Hendrix　ジミ・ヘンドリックス

1942 年　US ワシントン州シアトル出身　▶ 1967 年　デビューアルバム『Are You Experienced?』／ローリング・ストーン誌「最も偉大な 100 人のギタリスト」2003 年 1 位／ 2011 年改訂版 1 位　✗ 1970 年 9 月 18 日　享年 27 才

Randy Brecker　ランディー・ブレッカー

1945 年　US ペンシルベニア州フィルデルフィア出身／ Blood, Sweat & Tears（ブラッド・スウェット＆ティアーズ）／ Tp ／ 1970 年　Dreams（ドリームス）結成　▶アルバム『Dreams』

Charlie Burchill　チャーリー・バーチル

1959 年　UK スコットランド・グラスゴー出身／ Simple Minds（シンプル・マインズ）／ G

Mike Bordin　マイク・ボーディン

1962 年　US カリフォルニア州サンフランシスコ出身／ Faith No More（フェイス・ノー・モア）／ Ds

Fiachna O'Braonain　フィアクナ・オブラニアン

1965 年　アイルランド・ダブリン出身／ Hothouse Flowers（ホットハウス・フラワーズ）／ G ／ 1986 年　デビュー

ロック史

⊙ 1970 年　ジョージ・ハリスン、ザ・ビートルズ解散後初のソロアルバム『All Things Must Pass』を発表

28

Randy Newman　ランディ・ニューマン

1943 年　US カリフォルニア州ロスアンゼルス出身／シンガーソングライター　▶ 1968 年　デビューアルバム『Randy Newman』

Beeb Birtles　ビーブ・バートルズ

1948 年　オランダ・アムステルダム出身／ Little River Band（リトル・リヴァー・バンド）／ G.Vo ／ 1975 ～ 83 年在籍　▶ 1978 年　アルバム『Sleeper Catcher』

Paul Shaffer　ポール・シェイファー

1949 年　カナダ・オンタリオ州サンダーベイ出身／ The Honeydrippers（ザ・ハニードリッパーズ）／ P ／ 1984 年　デビュー

Matt Cameron　マット・キャメロン

1962 年　US カリフォルニア州サンディエゴ出身／ Soundgarden（サウンドガーデン）

／ Pearl Jam（パール・ジャム）／ Ds

Apl.de.ap　アップル・デ・アップ
1974 年　US カリフォルニア州ロスアンゼルス出身／本名：Allan Pineda Lindo（アラン・ピネダ・リンドー）／ Black Eyed Peas（ブラック・アイド・ピーズ）／ Rap ／プロデューサー

Rostam Batmanglij　ロスタム・バトマングリ
1983 年　US ワシントン D.C. 出身／ Vampire Weekend（ヴァンパイア・ウィークエンド）／ Kb ／ 2008 年　デビュー

✄ Jerry Edmonton　ジェリー・エドモントン
1993 年　享年 47 才（自動車事故）／ Steppenwolf（ステッペンウルフ）／ Ds

John Mayall　ジョン・メイオール
1933 年　UK イングランド・チェシャー州マックルズフィールド出身／ギタリスト／ブルース・ロック・シンガーソングライター　▶ 1965 年　デビューアルバム『John Mayall Plays John Mayall』

Denny Doherty　デニー・ドハーティ
1940 年　カナダ・ノバスコシア州ハリファックス出身／ The Mama's & The Papa's（ザ・ママス＆ザ・パパス）✄ 2007 年 1 月 19 日　享年 66 才（病死）

Sony Music Japan

Felix Cavaliere　フェリックス・キャバリエ
1942 年　US ニューヨーク州ウェンチェスター郡ペラム出身／ The Rascals（ザ・ラスカルズ）／ Vo.Kb　▶ 1967 年　アルバム『Groovin'』▶ 1979 年　アルバム『Castles in the Air』

Ronnie Montrose　ロニー・モントローズ
1947 年　US カリフォルニア州サンフランシスコ出身／ Montrose（モントローズ）／ G ／ 1973 年デビュー　✄ 2012 年 3 月 3 日　享年 64 才（自殺）

Barry Goudreau　バリー・グドロー
1951 年　US マサチューセッツ州ボストン出身／ Boston（ボストン）／ G

Roger Troutman　ロジャー・トラウトマン
1951 年　US オハイオ州ハミルトン出身／ファンク・ミュージシャン、ソングライター／ Zapp（ザップ）／ Vo ／ 1990 年にトークボックスを使ったヴァーカルで注目される　▶ 1982 年　アルバム『Zap II』がヒット　✄ 1999 年 4 月 25 日　享年 47 才（実弟により殺害）

Michael Dempsey　マイケル・デンプシー
1958 年　ジンバブエ共和国ハラレ出身／ The Cure（ザ・キュアー）／ B

29

Jonathan Knight ジョナサン・ナイト

1968年 UK ウスターシャー州ウスター出身／New Kids on The Block（ニュー・キッズ・オン・ザ・ブロック）／80年代から90年代前半に人気を集めたボーイズ・グループ

✗ George Harrison ジョージ・ハリスン

2001年 享年58才（肺癌）／The Beatles（ザ・ビートルズ）／G

ロック史

⊙ 2002年 「ジョージ・ハリスン追悼コンサート」がロイヤル・アルバート・ホール（ロンドン）で開催。妻オリヴィアと息子ダニーによって計画され、ジョージの親友エリック・クラプトン主催で行われた。出演者はポール・マッカートニー、リンゴ・スター、ジェフ・リン、ビリー・プレストン、クラウス・ブアマン、ラヴィ・シャンカルの娘アヌーシュカ他多数

30

Leo Lyons レオ・ライオンズ

1943年 UK ノッティンガムシャー州マンスフィールド出身／Ten Years After（テン・イヤーズ・アフター）／B

Rob Grill ロブ・グリル

1943年 US カリフォルニア州ロスアンゼルス出身／The Grass Roots（ザ・グラス・ルーツ）／Vo.B ✗ 2011年7月11日 享年67才（脳卒中合併症）

Roger Glover ロジャー・グローヴァー

1945年 UK ウェールズ・ブレコン出身／Deep Purple（ディープ・パープル）／B

George McArdle ジョージ・マカードル

1954年 オーストラリア・ヴィクトリア州メルボルン出身／Little River Band（リトル・リヴァー・バンド）／B

Billy Idol ビリー・アイドル

1955年 UK イングランド・ミドルセックス州スタンモア出身／本名：William Michael Albert Broad（ウィリアム・マイケル・アルバート・ブロード）／パンクロック・ヴォーカリスト／1976年 Generation X（ジェネレーションX）結成 ▶ 1982年 ソロデビューアルバム『Billy Idol』

John Ashton ジョン・アシュトン

1957年 UK イングランド・ロンドン出身／The Psychedelic Furs（サイケデリック・ファーズ）／G

Richard Barbieri リチャード・バルビエリ

1957年 UK イングランド・ロンドン出身／Japan（ジャパン）／Kb.Vo／1978年デビュー

Stacey Q　ステイシーQ

1958 年　US カリフォルニア州オレンジ郡フラートン出身／ポップ・シンガー　▶

1986 年　アルバム『Better Than Heaven』

Cherie Currie　シェリー・カーリー

1959 年　US カリフォルニア州ロサンゼルス出身／ The Runaways（ザ・ランナウェイズ）

／ Vo　▶ 1976 年　デビューアルバム『The Runaways（悩殺爆弾～禁断のロックン・ロー

ル・クイーン）』／同アルバムからシングルカットされた「Cherry Bomb」は全米 106 位、

日本洋楽部門 1 位を記録

ロック史

⊙ 1982 年　マイケル・ジャクソン、世界で 1 億枚以上のセールスを記録するアルバ
ム『Thriller』リリース

Column 6

2世ミュージシャンたちのいま──偉大な親を超えることはできるのか?

ジュリアン・レノン

1963月4月8日
UKイングランド・マージーサイド州リヴァプール出身
●ジョン・レノンと最初の妻シンシアとの間の息子
／ソロ・アーティスト

　両親の離婚後は母のもとで育てられる。1984年、『Valotte』でアルバムデビュー。プロデュースはフィル・ラモーン。全米17位、全英19位。プラチナディスク獲得、グラミー賞新人賞ノミネート。2011年までに6枚のアルバムをリリースする。デビュー作の大ヒット以降、ヒット曲に恵まれず厳しい状態が続いている。2020年2月には皮膚癌が発見され、病魔の恐怖と闘っていると明かしている。しかし2022年にはウクライナ戦争難民支援のために、父ジョンの楽曲「Imagine」を公の場で初めて演奏・MVを配信。11年ぶりに私小説的最新アルバム『Jude』も発表し、人工知能（AI）を使って制作した楽曲等、積極的に新たな挑戦も開始している。環境・人道的問題に関わってきた彼の今後のアーティストとしての前向きな活動にぜひ期待したい。

ザック・リチャード・スターキー

1965年9月13日　UKイングランド・ロンドン出身
●リンゴ・スターの息子／ドラムのセッション・
　ミュージシャン

　父親リンゴは「ドラムは人から教わるものじゃない」という考え。しかし8才の時、ザ・フーのドラマー、キース・ムーンにドラムを買ってもらい習い始める。腕を認められ、同バンドのサポートメンバーとしてドラマーを務めている。セッション・ドラマーとしてはかなりの実力。父親リンゴよりもハードなドラミングを得意とする。ザ・フーのドラマーとしてのポジションを得て着実に成長し、多くのミュージシャンから認められている。

ジェフ・バックリィ

1966年11月17日　USカリフォルニア州アナハイム出身
●ティム・バックリィ（シンガーソングライター）
　の息子／シンガーソングライター

　父親とは8才の頃に一度会っただけで、麻薬過剰摂取で亡くなるまで会うことはなかった。母親がピアニストという恵まれた家庭環境のもとミュージシャンを目指すが、芽は出なかった。父ティム・バックリィの死後、ニューヨークでのトリビュート・コンサートに息子として出演したのが皮肉にも彼のキャリアの大きな一歩になる。これを機に1994年9月、アルバム『Grace』を発表し、高評価を得る。しかし97年、セカンドアルバム制作中にミシシッピ川で溺死する。享年30才。父親は28才で他界している。

タル・バックマン

1968年8月13日　カナダ・マントバ州ウィニペグ出身
●ランディ・バックマン（バックマン・ターナー・
　オーヴァードライヴのヴォーカル／ギタリスト）
　の息子／シンガーソングライター

　ユタ州立大学卒。1999年に『Tal Bachman』でアルバムデビュー。同アルバムからシングル「She So High」がヒットするが、その後のヒットには恵まれていない。

ウィルソン・フィリップス

●ザ・ビーチ・ボーイズのブライアン・ウィルソンを父に持つ姉妹とザ・ママス＆ザ・パパスのメンバー夫妻（ジョン＆ミッシェル・フィリップス）の娘3人によって結成されたコーラス・グループ

　1990年のデビューアルバム『Wilson Phillips』

は全世界で 1,000 万枚のセールスを記録。シング
ル「Hold On」はビルボード 1 位。2012 年ま
でにアルバムを 4 枚リリースしている。

メンバー
カーニー・ウィルソン
1968 年 4 月 29 日　US カリフォルニア州ベルエア出身
ウェンディ・ウィルソン
1969 年 10 月 16 日　US カリフォルニア州ロスアン
ゼルス出身
チャイナ・フィリップス
1968 年 2 月 12 日　同上

ドゥイージル・ザッパ

1969年9月5日
USカリフォルニア州ロスアンゼルス出身
●フランク・ザッパ（シンガーソングライター、
ギタリスト）の長男／ギタリスト

　1986 年、父のプロデュースのもと、『Havin' a
Bad Day』でアルバムデビューする。ギタリスト
として熱心なファンがついていて信頼は大きいが、
父親フランク・ザッパの実力は超えられていない。

ジェイコブ・ディラン

1969年12月19日
USニューヨーク州ニューヨークシティ出身
●ボブ・ディランの 5 番目の息子／ザ・ウォール・
フラワーズのヴォーカル、ギタリスト

　1989 年結成、92 年にデビュー。96 年、セカ
ンドアルバム『Bring Down the Horse』がグラ
ミー賞 2 部門を受賞する。以後 6 枚のアルバム
とソロアルバムも 2 枚リリース。アメリカン・ロッ
クの継承者であり、素晴らしいシンガーソングラ
イターである。父親の実力を超えるのは難しいが、
着実に自分のポジションを作りつつある。

エイドリアン・J・クラウチ

1971年9月28日
USペンシルベニア州プリンマー出身

●ジム・クロウチ（シンガーソングライター）の
息子／シンガーソングライター

　1973 年、父親を飛行機事故で失う。4 才で脳
腫瘍になり完全に視力を失ったが、10 才の頃、
徐々に回復。盲目時代にスティーヴィー・ワン
ダー、レイ・チャールズの音楽に感化されピアノ
を覚え始める。1993 年、『A. J. Croce』でアル
バムデビューする。プロデューサーは T・ボーン・
バーネット、ジョン・サイモン。

アダム・コーエン

1972年9月18日
カナダ・ケベック州モントリオール出身
●レナード・コーエン（詩人、シンガーソングラ
イター）の息子／シンガーソングライター

　1998 年、『Adam Cohen』でアルバムデビュー
する。シンガーソングライターとしてのヒット曲
はないが、着実な活動を続けている。

ダーニ・ハリスン

1978年8月1日
UKイングランド・バークシャー州ウィンザー出身
●ジョージ・ハリスンの息子／ミュージシャン（ギ
ター、ピアノ）

　父ジョージの容姿と歌声にと
ても似ていて、ポール・マッカー
トニーは「ジョージが昔の姿で
いるみたいだ」と評している。
ジョージ 1 周忌の追悼ライヴイ
ベント「コンサート・フォー・ジョージ」を母オ
リヴィアと計画。2002 年 11 月 29 日にエリック・
クラプトンが主催し、ロンドンのロイヤル・アル
バート・ホールで開催された。ダーニもジョージ
そっくりの容姿でギターを演奏。2006 年、2 人
組ユニット「Thenewno2」を結成し、活動を開
始。17 年に初ソロアルバム『In///Parallel』を
リリースするが、父親を超すギターテクニックや
ソングライティングを見せる可能性は今後に期待
したい。

アルバート・ハモンド・ジュニア

1980年4月9日　USカリフォルニア州ロスアンゼルス出身

● アルバート・ハモンドの息子／ザ・ストローク ス、ソロ・アーティスト

　13才からスイスの名門寄宿学校「ル・ロゼ」に通い、その後ニューヨーク大学に進学。ル・ロゼの同級生ジュリアン・カサブランカとニューヨークで再会し、ザ・ストロークスを結成。ザ・ビートルズ、バディ・ホリー、ジョニー・キャッシュを好むのは父親の影響が大きい。ニューヨーク生活が長いにもかかわらず、西海岸のおおらかさを持っている。2001年『Is This It』でブレイクし、13年までに5枚のアルバムを発表している。06年にはソロアルバムもリリース。ザ・ストロークスは、00年代の多くのUKバンドが影響を受けたポストパンクの代表的なグループに成長している。

ナット・ウェラー

1988年5月10日　UK出身

● ポール・ウェラーの息子／シンガーソングライター

　2014年6月、アルバム『It Begins』で日本メジャーデビュー。10代の頃に父親のツアーで訪れた日本の音楽・文化・ビジュアルに大きな影響を受け、いつの日かJ-POPやJ-ROCKを世界に伝えられるアーティストになりたいと思うようになる。以降、日本語を勉強し、仕事やプライベートでの来日回数は50回を超える。音楽だけでなく、恵まれたルックスを活かした幅広い活躍が期待されたが、父親のようなアーティストになれるかは難しい。現在の音楽活動の最新情報もなかなか掴めない。

ウルフギャング・ヴァン・ヘイレン

1991年3月16日　USカリフォルニア州サディナ出身

● エディ・ヴァン・ヘイレンの長男／ヴァン・ヘイレン（B）

　2004年頃からのヴァン・ヘイレンのメンバー関係悪化により、06年から新メンバーとして加入。父エディの考えで学業を重視し、アルバムの

レコーディングには成人後の12年より参加するようになる。バンド活動はエディの病気により、15年より休止中。20年10月の父親の死がもたらした彼への影響は計りしれない。

ジェイソン・ボーナム

1996年7月15日　UKウスターシャー州ダドリー出身

● ジョン・ボーナム（レッド・ツェッペリンのドラマー）の長男

　レッド・ツェッペリン、UFO、フォリナー他のドラマーとして活躍中。

イライジャ・ヒューソン

1999年8月18日　アイルランド・ダブリン出身

● ボノ（U2）の息子／4人組バンド「インヘイラー」のヴォーカル、ギタリスト

　2019年9月にメジャーデビューした期待のバンド。両親は息子に大学に行ってほしかったため、バンド結成当初は活動に協力的でなかった。今は応援してくれるようになり、期待の新人を選ぶ「BBC Sound of 2020」で5位になる。今後バンド（インヘイラー）としての活動は期待できるが、父親ボノのU2を超えるのはなかなか難しい。

レノン・ギャラガー

1999年9月14日　UKイングランド・ロンドン出身

● オアシスのリアム・ギャラガーと女優・歌手の元妻パッツィ・ケンジットとの息子

　名前はリアムの大好きなジョン・レノンから命名した。リアムと会ったオノ・ヨーコは、様々な理由で"レノン"と名付けるのを懸念したという（英国のサンデー・ミラー紙より）が、祝福の手紙とベビー用品を贈っている。母親の血を引きモデルとしてキャリアを積んできたが、太い眉とカリスマ性を父親から受け継ぎ、2021年アコースティック・ギター・バンド「オートモーション」を結成。計5曲入りのデビューEP『In Motion』がデジタル／ストリーミングでリリースされた。今後が期待されるバンド。

12

December

The
Rock
Musicians'
Birthday
Encyclopedia

December

FRANK ZAPPA　フランク・ザッパ
1940 年 12 月 21 日
US メリーランド州ボルチモア出身

　本名：Frank Vincent Zappa（フランク・ヴィンセント・ザッパ）。科学者・数学者・歴史学者など数多くの職業をこなしたアラブ系シチリア人の父親とフランス系イタリア人の母親を持つ、4 人兄弟の長男。1950 年に彼の喘息療養のためカリフォルニアに引越しする。この頃から R&B、ブルース、クラシックにまで惹かれていき、幅広い音楽性を育んでいく。12 才でド

1

JEFF LYNE　ジェフ・リン
1947 年 12 月 30 日
UK イングランド・ウェストミッドランズ州バーミンガム出身

　父親がクラシックを聴いていたため、ジェフもその影響を受けたといわれている。9 才の時、バーミンガムのシャドーエンドに引越しする。セカンダリー・スクール時代に父親からスペインのギターを買ってもらう。1963 年、地元の仲間4 人で「Andicap」を結成。ジェフに影響を与えたミュージシャンは 13 才の時にバーミンガム・タウンホールで観たデ

2

Altamont Free Concert　オルタモントの悲劇
1969 年 12 月 6 日
US カリフォルニア州サンフランシスコ

　カリフォルニア州サンフランシスコ郊外のオルタモント・スピードウェイで開催されたザ・ローリング・ストーンズのアメリカ・ツアー最終日、大規模の野外コンサートが開催された。ストーンズの他にもサンタナ、ジェファーソン・エアプレイン、クロスビー、スティルス、ナッシュ＆ヤングが出演。会場の決定が数日前だったため、設営や警備の準備が間に合わず、ガードマンとしてアメリカのバイク集団「ヘルズ・エンジェルス」が雇わ

3

ラムを始め、17才の時にギターに転向する。"キャプテン・ビーフ・ハート"ことドン・ヴァン・ヴリートと出会いバンドを組み、64年「ザ・マザーズ」を結成。65年にはMGMと契約し、「ザ・マザーズ・オブ・インヴェンション」と名前を変えてデビューアルバムをリリースする。舞台上の奇人ぶりが有名であったが、70年代以降はますますジャンルの多様化を加速させ、強烈な独創性に裏打ちされた質の高いアルバムを次々に発表した。93年12月4日、前立腺癌のため他界。享年52才。

ル・シャノンであり、よく聴いたのはロイ・オービソン、ザ・ビートルズだった。64年、バンド「The Chads」に入り、その後「Nightriders」、67年「Idle Race」と移る。70年にロイ・ウッドがフロントマンを務めていたザ・ムーヴに加入し、71年にはエレクトリック・ライト・オーケストラ（ELO）に発展していく。88年に、ジョージ・ハリスン、ボブ・ディラン、トム・ペティ、ロイ・オービソンと「トラヴェリング・ウィルベリーズ」を結成するが、ロイ・オービソンとジョージ・ハリスンがその後他界し、3枚のアルバムを残して活動は終了する。プロデュース作品は多く、特にジョン・レノン以外のビートルズ・メンバーの楽曲やビートルズ未発表曲等に深く携わり、"5人目のビートルズ"と呼ばれている。

れた。当日、会場の秩序は崩壊し、ストーンズ登場前には暴徒化した観客をエンジェルスが暴力でねじ伏せるなど不穏な空気が漂っていた。そしてストーンズが登場した時に悲劇が起こる。ステージ上に銃を向けた18才の黒人青年をエンジェルスが刺殺。しかしストーンズのメンバーは騒動に気づかず、あとになって知らされた。事件の模様はドキュメンタリー映画『ギミー・シェルター』に収録されている。この日は、亡くなったブライアン・ジョーンズの代わりにミック・テイラーを迎えた"新生ストーンズ"が全米での活動をスタートさせるにあたり、最初のコンサートでもあった。これ以降、大型ロック・コンサートは自粛され、ローリング・ストーン誌は「ロックンロールにとって最悪の日」と綴った。

Lou Rawls　ルー・ロウルズ
1933 年　US ニューヨーク州ロングアイランド出身／R&B シンガー　✗ 2006 年 1 月 6 日　享年 72 才（肺癌）

Billy Paul　ビリー・ポール
1934 年　US ペンシルベニア州フィラデルフィア出身／本名：Paul Williams（ポール・ウィリアムス）／R&B シンガー　▶ 1973 年　シングル『Me and Mrs. Jones』　✗ 2016 年 4 月 24 日　享年 81 才（膵臓癌）

John Densmore　ジョン・デンスモア
1944 年　US カリフォルニア州ロスアンゼルス出身／The Doors（ザ・ドアーズ）／Ds

Eric Bloom　エリック・ブルーム
1944 年　US ニューヨーク州ニューヨークシティ・ブルックリン出身／Blue Oyster Cult（ブルー・オイスター・カルト）／Vo.G／1972 年　デビュー　▶ 1976 年　アルバム『Agents of Fortune』

Bette Midler　ベット・ミドラー
1945 年　US ニュージャージー州パターソン出身／シンガー　▶ 1980 年　シングル『The Rose』

Gilbert O'sullivan　ギルバート・オサリヴァン
1946 年　アイルランド・ウォーターフォード出身／本名：レイモンド・エドワード・オサリヴァン／シンガーソングライター　▶ 1971 年　デビューアルバム『Himself』　▶ 1972 年　シングル「Alone Again」

Jaco Pastorius　ジャコ・パストリアス
1951 年　US ペンシルベニア州モンゴメリー郡ノリスタウン出身／ジャズ・ベーシスト／ジャズ・フュージョンバンド：Weather Report（ウェザー・リポート）／B　▶ 1976 年　アルバム『Jaco Pastorius』　✗ 1987 年 9 月 21 日　享年 35 才（脳挫傷、安楽死）

Chris Poland　クリス・ポーランド
1957 年　US ニューヨーク州シャトークア郡ダンカーク出身／Megadeth（メガデス）／G／1984 年　デビュー

Steve Jansen　スティーヴ・ジャンセン
1959 年　UK イングランド・ロンドン出身／Japan（ジャパン）／Ds.Vo／メンバーのデヴィッド・シルヴィアンの弟　▶ 1978 年 デビューアルバム『Adolescent Sex（果てしなき反抗）』

Sam Reid　サム・リード
1963 年　カナダ・オンタリオ州ブランプトン出身／Glass Tiger（グラス・タイガー）／Kb

Brad Delson　ブラッド・デルソン
1977 年　US カリフォルニア州アゴーラヒルズ出身／ Linkin Park（リンキン・パーク）
／ G

✄ Bill Lyall　ビル・ライオール
1989 年　享年 36 才（エイズ）／ Pilot（パイロット）／ Kb

2

Tom McGuinness　トム・マクギネス
1941 年　UK イングランド・ロンドン出身／ Manfred Mann（マンフレッド・マン）／ B

Ted Bluechel　テッド・ブルーチェル
1942 年　US カリフォルニア州サンペドロ出身／ The Association（ザ・アソシエ
イション）／ Ds.Vo　▶ 1966 年　デビューアルバム『And Then...Along Comes the
Association』／ 1967 年　史上初の大型ロック・フェスティバル「モントレー・ポップ・
フェスティバル」のファースト・アクトバンドとしても知られる

Rick Savage　リック・サヴェージ
1960 年　UK イングランド・サウスヨークシャー州シェフィールド出身／ Def Leppard
（デフ・レパード）／ B

Joe Henry　ジョー・ヘンリー
1960 年　US ノースカロライナ州シャーロット出身／ギタリスト／シンガーソングライ
ター　▶ 1986 年　デビューアルバム『Talk of Heaven』

Nate Mendel　ネイト・メンデル
1968 年　US ワシントン州リッチランド出身／ Foo Fighters（フー・ファイターズ）／ B

Nelly Furtado　ネリー・ファータド
1978 年　カナダ、ブリティッシュ・コロンビア州ヴィクトリア出身／シンガーソング
ライター　▶ 2000 年　デビューアルバム『Whoa, Nelly!』

Christopher Wolstenholme　クリストファー・ウォルステンホルム
1978 年　UK イングランド・サウスヨークシャー州ロザラム出身／ Muse（ミューズ）
／ B

Sony Music Japan

Britney Spears　ブリトニー・スピアーズ
1981 年　US ルイジアナ州ケンウッド出身／シンガー　▶ 1999 年　デビューアルバム
『Baby...One More Time』

2 社会史

⊙ 1989 年 米ブッシュ大統領とソ連・ゴルバチョフ書記長が「マルタ会談」で東西
冷戦終結を宣言。第二次世界大戦末期の「ヤルタ会談」で始まった米ソ冷戦。両国
の首脳が当時の東欧革命やベルリンの壁崩壊を受けて、地中海マルタ島沖合に浮か
ぶ客船内の会議で 44 年間続いた冷戦の終結を宣言した

3

Sony Music Japan

Ozzy Osbourne　オジー・オズボーン
1948 年　UK イングランド・ウェストミッドランズ・バーミンガム出身／本名：John
Michael Osbourne（ジョン・マイケル・オズボーン）／ 1970 年　Black Sabbath（ブ
ラック・サバス）でデビュー／ Vo　▶ 1980 年　ソロ・デビューアルバム『Blizzard of
Ozz』／ヘヴィメタル・アーティストを集めた「Ozz Fest」を主宰

Don Barnes　ドン・バーンズ
1952 年　US ノースダコタ州出身／ 38 Special（38 スペシャル）／ G

✗ Scatman John　スキャットマン・ジョン
1999 年　享年 57 才（喉頭癌）／シンガーソングライター

✗ Ian McLagan　イアン・マクレガン
2014 年　享年 69 才（脳卒中合併症）／ Small Faces（スモール・フェイセス）／
Faces（フェイセズ）／ Kb

4

Bob Mosley　ボブ・モズリー
1942 年　US カリフォルニア州パラダイスバレー出身／ Moby Grape（モビー・グレイ
プ）／ B.Vo　▶ 1967 年 デビューアルバム『Moby Grape』

Chris Hillman　クリス・ヒルマン
1944 年　US カリフォルニア州ロスアンゼルス出身／ The Byrds（ザ・バーズ）／
Vo.B　▶ 1965 年　デビューアルバム『Mr. Tambourine Man』　▶同年　アルバム『Turn!
Turn! Turn!』

Dennis Wilson　デニス・ウィルソン
1944 年　US カリフォルニア州イングルウッド出身／ウィルソン兄弟の次男／ 1961 年
The Beach Boys（ザ・ビーチ・ボーイズ）／ Ds　結成　▶ 1977 年　ソロアルバム『Pacific
Ocean Blue』　✗ 1983 年 12 月 28 日　享年 39 才（溺死）

Gary Rossington　ゲイリー・ロッシントン
1951 年　US フロリダ州ジャクソンヴィル出身／ Lynyrd Skynyrd（レーナード・スキナー
ド）／ G

Southside Johnny　サウスサイド・ジョニー
1948 年 12 月 4 日　US ニュージャージー州ネプチューン出身／ 1975 年　Southside

Johnny & The Asbury Jukes（サウスサイド・ジョニー＆ザ・アズベリー・ジュークス）
結成／Vo.G　▶ 1976 年　デビューアルバム『I Don't Want to Go Home』

Jay-Z　ジェイ・Z
1969 年　US ニューヨーク州ニューヨークシティ・ブルックリン出身／本名：Shawn
Corey Carter（ショーン・コーリー・カーター）／ラッパー　▶ 1996 年　デビューア
ルバム『Reasonable Doubt』／2008 年　Beyonce（ビヨンセ）と結婚

✂ Tommy Bolin　トミー・ボーリン
1976 年　享年 25 才（麻薬過剰摂取）／Deep Purple（ディープ・パープル）／G.Vo

✂ Frank Zappa　フランク・ザッパ
1993 年　享年 52 才（前立腺癌）／ロック・ミュージシャン、シンガーソングライター

ロック史
⦿ 1971 年　スイス・レマン湖に臨むモントルーで行われたフランク・ザッパの公演
会場のカジノが火災で全焼する。ディープ・パープルは、同カジノ内にあるステー
ジでローリング・ストーンズの移動式スタジオを使用したアルバム・レコーディン
グを目前に控えていたが、この日に発生した火災の一部始終を対岸から目撃。その
火事の光景を歌詞に綴った楽曲「Smoke on the Water」をのちに制作し、73 年に
米国でシングルとしてリリース。ビルボード・チャートで予想外の好成績（4 位）
を獲得し、4 年後の 77 年に本国英国でもシングルリリース
⦿ 1980 年　レッド・ツェッペリンが解散表明

5

Little Richard　リトル・リチャード
1932 年　US ジョージア州ビッブ郡メイコン出身／元祖ロックンロール・シンガー
▶ 1956 年　シングル「Long Tall Sally」　✂ 2020 年 5 月 9 日　享年 87 才（癌）

J.J. Cale　J.J. ケイル
1938 年　US オクラホマ州オクラホマシティ出身／シンガーソングライター（ブルース）
▶ 1971 年　デビューアルバム『Naturally』／他のミュージシャンのファンも多く、エ
リック・クラプトンは「After Midnight」「Cocaine」等をカバーしている　✂ 2013 年 7
月 26 日　享年 74 才（心臓発作）

Sony Music Japan

Jim Messina　ジム・メッシーナ
1947 年　US カリフォルニア州ロスアンゼルス郡メイウッド出身／1967 年　The
Buffalo Springfield（ザ・バッファロー・スプリングフィールド）でデビュー／B／
1968 年　Poco（ポコ）結成／1972 年　Loggins & Messina（ロギンス＆メッシーナ）
結成　▶ 1979 年　ソロアルバム『Oasis』

Les Nemes　レス・ネメス
1960 年　UK イングランド・ロンドン出身／Haircut 100（ヘアカット 100）／B／
1982 年　デビュー

5

Johnny Rzeznik　ジョニー・レズニック
1965 年　US ニューヨーク州エリー郡バッファロー出身／ Goo Goo Dolls（グー・グー・ドールズ）／ Vo.G　▶ 1989 年　デビューアルバム『Jed』　▶ 1998 年　6 枚目『Dizzy Up the Girl』収録の「Iris」が映画主題歌に起用されヒット

Glen Graham　グレン・グラハム
1968 年　US ミシシッピ州出身／ Blind Melon（ブラインド・メロン）／ Ds

ロック史
⊙ 1989 年　東京で「ジョン・レノン生誕 50 周年記念コンサート」開催

社会史
⊙ 2013 年　南アフリカ共和国第 8 代大統領ネルソン・マンデラ他界（享年 95 才）。反アパルトヘイトの闘士。1993 年ノーベル平和賞受賞

6

Robb Royer　ロブ・ロイヤー
1942 年　US カリフォルニア州ロスアンゼルス出身／ Bread（ブレッド）／ Vo.B.Kb　▶ 1969 年 デビューアルバム『Bread』

Mike Smith　マイク・スミス
1943 年　UK イングランド・ミドルセックス州エドモントン出身／ The Dave Clerk Five（ザ・デイヴ・クラーク・ファイヴ）／ Vo.B　▶ 1964 年　アルバム『American Tour』　▶ 1965 年　アルバム『Catch Us If You Can』　✖ 2003 年 2 月 28 日　享年 64 才（肺炎）

Rick Buckler　リック・バックラー
1955 年　UK イングランド・サリー州ウォキング出身／ The Jam（ザ・ジャム）／ Ds ／ 1977 年　デビュー

Peter Buck　ピーター・バック
1956 年　US カリフォルニア州アラメダ郡バークレー出身／ R.E.M.(アール・イー・エム)／ G　▶ 1991 年　アルバム『Out of Time』（全米・全英 1 位、グラミー賞受賞）

Randy Rhoads　ランディ・ローズ
1956 年　US カリフォルニア州ロスアンゼルス出身／ギタリスト／ Quiet Riot（クワイエット・ライオット）／ G ／ Ozzy Osbourne Band（オジー・オズボーン・バンド）／ G　✖ 1982 年 3 月 19 日　享年 25 才（飛行機事故）

Ben Watt　ベン・ワット
1962 年　UK イングランド・ロンドン出身／ Everything But the Girl（エヴリシング・バット・ザ・ガール）／ G

Mark Gardener　マーク・ガードナー

1969年　UK イングランド・オックスフォードシャー州オックスフォード出身／ Ride（ライド）／ Vo.G ／ 1990年　デビュー

Ulf Ekberg　ウルフ・エクバーグ
1970年　スウェーデン・ヴェストラ・イェータランド県ヨーテボリ出身／ Ace of Base（エイス・オブ・ベイス）　▶ 1992年　アルバム『Happy Nation / The Sign』

✗ Roy Orbison　ロイ・オービソン
1988年　享年52才（心筋梗塞）／シンガーソングライター

✗ Johnny Hallyday　ジョニー・アリディ
2017年　享年74才（肺癌）／フランスのロック・シンガー

ロック史

⊙ 1969年　オルタモントの悲劇。ザ・ローリング・ストーンズのブライアン・ジョーンズが自宅プールで溺死したのち、ミック・テイラーが加入。11月に3年ぶりの全米ツアーに出るが、カリフォルニア州オルタモント・スピードウェイの無料コンサートで、警備に雇っていた「ヘルズ・エンジェルス」（カリフォルニア州発祥の国際的バイカーギャング）が興奮した若者に暴力を振るい、黒人青年を殺害するという悲劇が起きてしまう

社会史

⊙ 2020年　日本の小惑星探査機「はやぶさ2」が6年ぶりに地球に帰還。2014年12月に種子島宇宙センターから打ち上げられ、小惑星「リュウグウ」への着陸およびサンプル回収を行なった。はやぶさ2の本体は地球を離れ、別の小惑星へ向かう拡張ミッションに移行している

7

Tom Waits　トム・ウェイツ
1949年　US カリフォルニア州ロスアンゼルス郡ポモナ出身／シンガーソングライター／ "酔いどれ詩人" の異名で知られ、しゃがれ声・ジャズ風のピアノで歌う個性豊かなシンガー　▶ 1973年　デビューアルバム『Closing Time』

Tim Butler　ティム・バトラー
1958年　UK イングランド・ミドルセックス州テディントン出身／ The Psychedelic Furs（サイケデリック・ファーズ）／ B

Louise Post　ルイーズ・ポスト
1966年　US ミズーリ州セントルイス出身／ Veruca Salt（ヴェルーカ・ソルト）／ Vo.G

Phil Cunningham　フィル・カニンガム
1974年　UK イングランド・チェシャー州マックルズフィールド出身／ New Order（ニューオーダー）／ G.Kb

7

Dominic Howard　ドミニック・ハワード

1977 年　UK イングランド・デヴォン州テンマス出身／ Muse（ミューズ）／ Ds ／
1998 年　デビュー

☠ Greg Lake　グレッグ・レイク

2016 年　享年 69 才（癌）／ King Crimson（キング・クリムゾン）／ ELP（エマーソン・
レイク＆パーマー）／ B

☠ Steve Bronski　スティーヴ・ブロンスキー

2021 年　享年 61 才（ロンドンの自宅の火災で煙を吸い込んだため）／ Bronski Beat（ブ
ロンスキー・ビート）／ KB

ロック史

⊙ 1984 年　イギリスとアイルランドのロック・ポップス界のスーパースターたちが
結成したアフリカ救済チャリティー・プロジェクト「バンド・エイド（Band Aid）」
のシングル「Do They Know It's Christmas?」が発売され、375 万枚以上を売上げた

8

Bobby Elliot　ボビー・エリオット

1942 年　UK イングランド・ランカシャー州バーンリー出身／ The Hollies（ザ・ホリー
ズ）／ Ds

Jim Morrison　ジム・モリソン

1943 年　US フロリダ州メルボルン出身／ The Doors（ザ・ドアーズ）／ Vo　▶ 1967
年　デビューアルバム『The Doors』☠ 1971 年 7 月 3 日　享年 27 才（心臓発作）

Mike Botts　マイク・ボッツ

1944 年　US カリフォルニア州ロスアンゼルス出身／ Bread（ブレッド）／ Ds ／ 1969
年　デビュー　☠ 2005 年 12 月 9 日　享年 61 才（大腸癌）

Bertie Higgins　バーティ・ヒギンズ

1944 年　US フロリダ州ピラネス郡ターポン・スプリングス出身／シンガーソングライ
ター　▶ 1982 年　シングル「Casablanca」

Gregg Allman　グレッグ・オールマン

1947 年　US テネシー州ナッシュビル出身／兄デュアンと The Allman Brothers Band
（ザ・オールマン・ブラザーズ・バンド）結成／ Kb.Vo.Com　▶ 1973 年　ソロアルバ
ム『Laid Back』☠ 2017 年 5 月 27 日　享年 69 才（肝臓癌）

Warren Cuccurullo　ウォーレン・ククルロ

1956 年　US ニューヨーク州ニューヨークシティ・ブルックリン出身／ Duran Duran
（デュラン・デュラン）／ G

Phil Collen　フィル・コリン

1957 年　UK イングランド・ロンドン出身／ Def Leppard（デフ・レパード）／ G

Paul Rutherford　ポール・ラザフォード
1959 年　UK イングランド・マージーサイド州リヴァプール出身／ Frankie Goes to Hollywood（フランキー・ゴーズ・トゥー・ハリウッド）／ Vo

Marty Friedman　マーティ・フリードマン
1962 年　US ワシントン D.C. 出身／ Megadeth（メガデス）／ G

Sinead O'Connor　シニード・オコナー
1966 年　アイルランド・ダブリン出身／シンガー／ 1988 年　デビュー　▶ 1990 年　シングル「Nothing Compares 2 U」

Corey Taylor　コリィ・テイラー
1973 年　US アイオワ州デイモン出身／ Slipknot（スリップノット）／ Vo　▶ 1999 年　デビューアルバム『Slipknot』

Nick Zinner　ニック・ジナー
1974 年　US マサチューセッツ州ノーフォーク郡シャーロン出身／ Yeah Yeah Yeahs（ヤー・ヤー・ヤーズ）／ G ／ 2003 年　デビュー

Nicki Minaj　ニッキー・ミナージュ
1982 年　トリニダード・トバゴ、セントジェームス出身／ラップ・シンガーソングライター　▶ 2010 年　デビューアルバム『Pink Friday』

✘ John Lennon　ジョン・レノン
1980 年　享年 40 才（ファンによる銃殺）／ The Beatles（ザ・ビートルズ）／ Vo.G

✘ Dimebag Darrell　ダイムバッグ・ダレル
2004 年　享年 38 才（パーフォーマンス中に銃殺）／元 Pantera（パンテラ）、元 Damageplan（ダメージプラン）／ G

✘ Robbie Shakespeare　ロビー・シェイクスピア
2021 年　享年 68 才（腎臓病）／ Sly and Robbie（スライ・アンド・ロビー）／ B

社会史
⦿ 1991 年　ソビエト連邦が解体。独立国家共同体（CIS）を創設。CIS：ソ連が構成していた 15 か国のうちバルト 3 国を除く 12 か国（発足当初は 10 か国）によって結成されたゆるやかな国家連合体

9

Joan Armatrading　ジョン・アーマトレーディング
1950 年　イギリス領リーワード諸島セントクリストファー・ネービス島バステール出身／シンガーソングライター、ギタリスト　▶ 1976 年　アルバム『Joan Armatrading』

9

Nick Seymour　ニック・セイモア
1958年　オーストラリア・ヴィクトリア州ベナーラ出身／Crowded House（クラウデッ
ド・ハウス）／B

Michael Foster　マイケル・フォスター
1964年　US ヴァージニア州リッチモンド出身／Firehouse（ファイアーハウス）／
Ds／1990年　デビュー

Brian Bell　ブライアン・ベル
1968年　US アイオワ州アイオワシティ出身／Weezer（ウィーザー）／G

Jakob Dylan　ジェイコブ・ディラン
1969年　US ニューヨーク州ニューヨークシティ出身／The Wallflowers（ザ・ウォー
ルフラワーズ）／Vo.G／ボブ・ディランの息子　▶ 1996年　アルバム『Bringing
Down the Horse』（グラミー賞「最優秀ロック・パフォーマンス賞」「最優秀ロック・
ソング賞」受賞、1998年）

Tre Cool　トレ・クール
1972年　旧西ドイツ・フランクフルト出身／Green Day（グリーン・デイ）／Ds

Carl Dalemo　カール・ダレイモ
1980年　スウェーデン・ヴェストラ・イェータランド県リードヒェーピング出身／
Razor Light（レイザー・ライト）／B／2003年　デビュー

✗ Mike Botts　マイク・ボッツ
2005年　享年61才（大腸癌）／Bread（ブレッド）／Ds

✗ Marie Fredriksson　マリー・フレデリクソン
2019年　享年61才（脳腫瘍）

10

Jack Hues　ジャック・ヒューズ
1954年　UK イングランド・ケント州ジリンガム出身／Wang Chung（ワン・チャン）
／Vo.G.Kb

Paul Hardcastle　ポール・ハードキャッスル
1957年　UK イングランド・ロンドン出身／キーボード奏者　▶ 1985年　シングル「19」

Joseph Donald Mascis　ジョセフ・ドナルド・マスシス
1965年　US マサチューセッツ州ハンプシャー郡アマースト出身／Dinosaur Jr.（ダイ
ナソー Jr.）／G.Vo／1985年　デビュー

Donavon Frankenreiter　ドノヴァン・フランケンレイター
1972年　US カリフォルニア州ロスアンゼルス郡ダウニー出身／シンガーソングライ

ター／ジャック・ジョンソン主宰のブラッシュファイア・レコードからデビュー ▶
2006 年 デビューアルバム『Move By Yourself』

Meg White メグ・ホワイト
1974 年 US ミシガン州ウェイン郡グロスポイントファーム出身／ The White Stripes
（ザ・ホワイト・ストライプス）／ Ds ／ 1996 年 同バンドのジャック・ホワイトと結
婚／ 2000 年 離婚／ 2011 年 バンド解散

✗ Otis Redding オーティス・レディング
1967 年 享年 26 才（自家用飛行機事故）／ソウル・シンガーソングライター

✗ Rick Danko リック・ダンコ
1999 年 享年 56 才（就寝中死去）／ The Band（ザ・バンド）／ B

✗ Michael Nesmith マイケル・ネスミス
2021 年 享年 78 才（心不全）／ The Monkees（ザ・モンキーズ）／ Vo.G

ロック史
⦿ 1973 年 NY を代表する伝説的ライヴハウス「CBGB」がオープン。パンクとニュー
ウェーヴ・ムーブメント融合の発信地。パティ・スミス、ザ・ラモーンズ、ザ・ヴェ
ルヴェット・アンダーグラウンド、ブロンディなどが出演し、今では神聖視されて
いる。"CBGB" は「Country, Blue Grass & Blues」の略。2006 年 10 月閉業

11

David Gates デヴィッド・ゲイツ
1940 年 US オクラホマ州タルサ出身／ Bread（ブレッド）／ Vo.G.Kb ▶ 1971 年
アルバム『Baby I'm-a Want You』

Brenda Lee ブレンダ・リー
1944 年 US ジョージア州アトランタ出身／シンガー ▶ 1957 年 シングル
「Dynamite」

Jermaine Jackson ジャーメイン・ジャクソン
1954 年 US インディアナ州ゲーリー出身／ R&B シンガー／ The Jackson 5（ザ・ジャ
クソン 5）／ジャクソン・ファミリーの三男マイケルの弟 ▶ 1980 年 ソロアルバム
『Let's Get Serious』

Stevie Young スティーヴィー・ヤング
1956 年 UK スコットランド・グラスゴー出身／ AC/DC（エーシー・ディーシー）／
G ／アンガス兄弟の甥

Mike Mesaros マイク・メサロス
1958 年 US ニュージャージー州カートレット出身／ The Smithereens（ザ・スミザリー
ンズ）／ B

11

Nikki Sixx　ニッキー・シックス
1958 年　US カリフォルニア州サンタ・クララ郡サンノゼ出身／ Motley Crue（モトリー・クルー）／ B

Justin Currie　ジャスティン・カーリー
1964 年　UK スコットランド・グラスゴー出身／ Del Amitri（デル・アミトリ）／ Vo.B
▶ 1995 年　アルバム『Twisted』

✗ Sam Cooke　サム・クック
1964 年　享年 33 才（他殺）／ソウル・シンガー、ゴスペル・シンガー

✗ Simon Jeffes　サイモン・ジェフス
1997 年　享年 48 才（脳腫瘍）／ Penguin Cafe Orchestra（ペンギン・カフェ・オーケストラ）

✗ Ravi Shankar　ラヴィ・シャンカル
2012 年　享年 92 才（心不全）／シタール奏者

12

Frank Sinatra　フランク・シナトラ
1915 年　US ニュージャージー州ホーボーケン出身／本名：Francis Albert "Frank" Sinatra（フランシス・アルバート・"フランク"・シナトラ）／シンガー、アメリカを代表するエンターテイナー・歌手・俳優　▶ 2008 年　アルバム『Nothing But the Best』 ✗ 1998 年 5 月 14 日　享年 82 才（心臓発作）

Terry Kirkman　テリー・カークマン
1939 年　US カンザス州サライナ出身／ The Association（ザ・アソシエイション）／ Kb.Vo

Sony Music Japan

Dionne Warwick　ディオンヌ・ワーウィック
1940 年　US ニュージャージー州エセックス郡イーストオレンジ出身／シンガーソングライター　▶ 1969 年　シングル「I'll Never Fall in Love Again」　▶ 1982 年　アルバム『Heartbreaker』

Dickey Betts　ディッキー・ベッツ
1943 年　US フロリダ州ウェストパームビーチ出身／本名：Forrest Richard Betts（フォレスト・リチャード・ベッツ）／ The Allman Brothers Band（ザ・オールマン・ブラザーズ・バンド）／ G

Rob Tyner　ロブ・タイナー
1944 年　US ミシガン州デトロイト出身／ MC5（エム・シー・ファイヴ）／ Vo ✗
1991 年 9 月 17 日　享年 46 才（心臓発作）

Alan Ward　アラン・ワード

1945 年　UK イングランド・ロンドン出身／ The Honeycombs（ザ・ハニーカムズ）／
G.Kb ／ 1964 年　デビュー

Clive Bunker　クライヴ・バンカー
1946 年　UK イングランド・ベッドフォードシャー州ルートン出身／ Jethro Tull（ジェ
スロ・タル）／ Ds

Dan Baird　ダン・ベアード
1953 年　US カリフォルニア州サンディエゴ出身／ Georgia Satellites（ジョージア・サ
テライツ）／ G.Vo ／ 1985 年　デビュー

Dave Meniketti　デイヴ・メニケッティ
1953 年　US カリフォルニア州オークランド出身／ Y&T（ワイ・アンド・ティー）／ G.Vo
／ 1976 年　デビュー

Ricky Ross　リッキー・ロス
1957 年　UK スコットランド・グラスゴー出身／ Deacon Blue（ディーコン・ブルー）
／ Vo ／ 1987 年　デビュー

Cy Curnin　サイ・カーニン
1957 年　UK イングランド・ロンドン出身／ The Fixx（ザ・フィクス）／ Vo ／ 1982
年 デビュー　▶ 1983 年　アルバム『Reach the Beach』

Sheila E.　シーラ・E
1957 年　US カリフォルニア州オークランド出身／シンガー、ドラマー、パーカッショ
ン奏者／プリンス・ファミリーの一員　▶ 1984 年　アルバム『Glamorous Life』

Eric Schenkman　エリック・シェンクマン
1963 年　US マサチューセッツ州ケンブリッジ出身／ Spin Doctors（スピン・ドクター
ズ）／ G.Vo ／ニューヨーク出身のオルタナティヴ・ロックバンド　▶ 1991 年　デビュー
アルバム『Pocket Full of Kryptonite』

Dan Hawkins　ダン・ホーキンズ
1976 年　UK イングランド・サフォーク州ローストフ出身／ The Darkness（ザ・ダー
クネス）／ G

✘ Ian Stewart　イアン・スチュワート
1985 年　享年 47 才（心臓発作）／ The Rolling Stones（ザ・ローリング・ストーンズ）
／ Kb ／創立メンバー

✘ Ike Turner　アイク・ターナー
2007 年　享年 76 才／ Ike & Tina Turner（アイク＆ティナ・ターナー）

✘ Pat DiNizio　パット・ディニジオ

12

2017 年　享年 62 才／ The Smithereens（ザ・スミザリーンズ）／ Vo.G

ロック史

- ⊙ 2003 年　英国王室がミック・ジャガーに爵位授与
- ⊙ 2012 年　「12-12-12: The Concert for Sandy Relief」（マジソン・スクエア・ガーデン）開催。米東部のニューヨーク州・ニュージャージー州に上陸したハリケーン「サンディ」の被害救済のため、全米 39 局の放送局とミュージシャンたちがコンサートを実施した。ポール・マッカートニー、ザ・ローリング・ストーンズ、ブルース・スプリングスティーン、エリック・クラプトン、ビリー・ジョエル、ボン・ジョヴィ他多数のミュージシャンが出演し、寄付を募った

社会史

- ⊙ 2015 年　国連気候変動枠組条約第 21 回締約国会議（COP21）開催。2020 年以降の温室効果ガス排出削減等のための新たな国際的枠組みとして、地球温暖化防止に関する「パリ協定」締結

13

Jeff "Skunk" Baxter　ジェフ・スカンク・バクスター
1948 年　US ワシントン D.C. 出身／ギタリスト／軍事アナリスト、アメリカ国防総省軍事顧問／ 1972 年　Steely Dan（スティーリー・ダン）G ／ 1974 年　The Doobie Brothers（ザ・ドゥービー・ブラザーズ）G

Ted Nugent　テッド・ニュージェント
1948 年　US ミシガン州デトロイト出身／ギタリスト、コンポーザー　▶ 1975 年　ソロ・デビューアルバム『Ted Nugent』／ 1990 年　Damn Yankees（ダム・ヤンキース）／ Vo.G ▶同年　アルバム『Damn Yankees』

Tom Verlaine　トム・ヴァーレイン
1949 年　US ニュージャージー州モリス郡デンヴィル出身／ Television（テレヴィジョン）／ Vo.G

Berton Averre　バートン・アヴェール
1953 年　US カリフォルニア州ロスアンゼルス出身／ The Knack（ザ・ナック）／ G

Pat Torpey　パット・トービー
1959 年　US オハイオ州ペインズビル出身／ Mr. Big（ミスター・ビッグ）／ Ds ✘
2018 年 2 月 7 日　享年 64 才（パーキンソン病合併症）

Nick McCarthy　ニック・マッカーシー
1974 年　UK スコットランド・グラスゴー出身／ Franz Ferdinand（フランツ・フェルディナンド）／ Vo.G.Kb ▶ 2004 年　デビューアルバム『Franz Ferdinand』

Amy Lee　エイミー・リー
1981 年　US カリフォルニア州リヴァーサイド出身／ Evanescence（エヴァネッセンス）

／Vo ▶ 2003 年　アルバム『Fallen』

Taylor Swift　テイラー・スウィフト
1989 年　US ペンシルベニア州ウェスト・レディング出身／カントリー・シンガー
▶ 2006 年　デビューアルバム『Taylor Swift』／ 2021 年　グラミー賞「最優秀アルバ
ム賞」受賞（計 3 回この賞を受賞した初めての女性アーティスト）

✗ Zal Yanovsky　ザル・ヤノフスキー
2002 年　享年 57 才（心臓発作）／ The Lovin' Spoonful（ザ・ラヴィン・スプーンフル）
／Vo.G

社会史
⊙ 2003 年　アメリカ軍、イラク中部でフセイン大統領を拘束

14

Lydia Pense　リディア・ペンス
1947 年　US カリフォルニア州サンフランシスコ出身／ Cold Blood（コールド・ブラッ
ド）／Vo

Cliff Williams　クリフ・ウィリアムズ
1949 年　UK イングランド・エセックス州ラムフォード出身／ AC/DC（エーシー・ディー
シー）／B

Mike Scott　マイク・スコット
1958 年　US スコットランド・エジンバラ出身／ The Waterboys（ザ・ウォーターボー
イズ）／Vo.G.Kb

Spider Stacy　スパイダー・ステイシー
1958 年　UK イングランド・ロンドン出身／ The Pogues（ザ・ポーグス）／
Vo.Whistle ／ 1984 年 デビュー／ケルティック・パンク

C.J. Snare　C.J. スネア
1959 年　US ワシントン D.C. 出身／ Firehouse（ファイアーハウス）／ Vo ／ 1990 年
デビュー

Beth Orton　ベス・オートン
1970 年　UK イングランド・チェシャー州ノースウィッチ出身／シンガーソングライ
ター ▶ 1993 年　アルバム『Superpinkymandy』

✗ Ahmet Ertegun　アーメット・アーティガン
2006 年　享年 83 才（ザ・ローリング・ストーンズのベネフィットコンサート会場［NY］
での転倒による頭部強打で昏睡状態に）／アトランティック・レコード創設者

14　**社会史**

◉ 1995 年　ボスニア・ヘルツェゴビナ和平合意調印

15

Sony Music Japan

Dave Clark　デイヴ・クラーク
1939 年　UK イングランド・ミドルセックス州トッテナム出身／ The Dave Clark Five
（ザ・デイヴ・クラーク・ファイヴ）／ Ds ／ロンドンで結成され、ザ・ビートルズの
ライバルとなる　▶ 1964 年　シングル「Glad All Over」　▶ 1965 年　アルバム『Catch
Us If You Can』

Carmine Appice　カーマイン・アピス
1946 年　US ニューヨーク州ニューヨークシティ・ブルックリン出身／ Vanilla Fudge
（ヴァニラ・ファッジ）／ Ds　▶ 1967 年　デビューアルバム『Vanilla Fudge』／ 1969
年　Cactus（カクタス）、その後 Beck, Bogert & Appice（ベック・ボガート＆アピス）

Paul Simonon　ポール・シムノン
1955 年　UK イングランド・ロンドン出身／ The Clash（ザ・クラッシュ）／ G

Sergio Pizzorno　セルジオ・ピッツォーノ
1980 年　UK イングランド・デヴォン州ニュートン・アボット出身／ Kasabian（カサ
ビアン）／ G.Kb　▶ 2004 年　アルバム『Kasabian』

16

Tony Hicks　トニー・ヒックス
1945 年　UK イングランド・ランカシャー州ネルソン出身／ The Hollies（ザ・ホリーズ）
／ G

Benny Andersson　ベニー・アンダーソン
1946 年　スウェーデン・ストックホルム県ストックホルム出身／ ABBA（アバ）／ Kb
／世界を席巻したポップ・グループ　※メンバーのフリーダとは夫婦（1981 年　離婚）
▶ 1977 年　アルバム『Arrival』全英 1 位　▶ 2021 年 11 月 5 日　40 年ぶりのニュー
アルバム『Voyage』

Billy Gibbons　ビリー・ギボンズ
1949 年　US テキサス州ヒューストン出身／ ZZ Top（ZZ トップ）／ G.Vo　▶ 1973
年　アルバム『Tres Hombres』／ 3 枚のソロアルバム発表

Christopher Thorn　クリストファー・ソーン
1968 年　US ペンシルベニア州ドーバー出身／ Blind Melon（ブラインド・メロン）／ G

Michael McCary　マイケル・マッケリー
1971 年　US ペンシルベニア州フィラデルフィア出身／ Boyz Ⅱ Men（ボーイズ Ⅱ メン）

✗ Nicolette Larson　ニコレット・ラーソン

1997 年　享年 45 才（脳浮腫）／シンガー

☒ Stuart Adamson　スチュアート・アダムソン
2001 年　享年 43 才（自殺）／ Big Country（ビッグ・カントリー）／ G.Vo

☒ Dan Fogelberg　ダン・フォーゲルバーグ
2007 年　享年 56 才（前立腺癌）／シンガーソングライター

Art Neville　アート・ネヴィル
1937 年　US ルイジアナ州ニューオーリンズ出身／ The Neville Brothers（ザ・ネヴィル・ブラザーズ）／ Kb　☒ 2019 年 7 月 22 日　享年 81 才

Dave Harman　デイヴ・ハーマン
1941 年　UK ウィルトシャー州ソールズベリ出身／ Dave Dee Group（デイヴ・ディー・グループ）／ Vo ／ 1965 年　デビュー　☒ 2009 年 1 月 9 日　享年 67 才（前立腺癌）

Paul Butterfield　ポール・バターフィールド
1942 年　US イリノイ州シカゴ出身／ブルース／ハープ、ハーモニカ奏者　▶ 1965 年デビューアルバム『The Paul Butterfield Blues Band』　☒ 1987 年 5 月 4 日　享年 44 才（モルヒネ過剰摂取）

Paul Rodgers　ポール・ロジャース
1949 年　UK イングランド・ノースヨークシャー州ミドルズブラ出身／ヴォーカリスト、コンポーザー／ 1968 年　Free（フリー）Vo.G ／ Bad Company（バッド・カンパニー）Vo　▶ 1974 年　アルバム『Bad Company』／ 2005 〜 09 年　クイーン・ワールドツアーにヴォーカルとして参加

Mike Mills　マイク・ミルズ
1958 年　US カリフォルニア州オレンジ郡出身／ R.E.M.（アール・イー・エム）／ B

Bob Stinson　ボブ・スティンソン
1959 年　US ミシガン州ミネアポリス出身／ The Replacements（ザ・リプレイスメンツ）／ G ／ 1981 年　デビュー　☒ 1995 年 2 月 18 日　享年 35 才（ドラッグ使用による臓器不全）

Sara Dallin　サラ・ダリン
1961 年　UK イングランド・ブリストル出身／ Bananarama（バナナラマ）／ヴォーカル・トリオ

Craig Bullock　クレイグ・ブロック
1970 年　US カリフォルニア州オレンジ郡出身／ Sugar Ray（シュガー・レイ）／ DJ ／ 1995 年　デビュー

17

Eddie Fisher エディ・フィッシャー
1973 年　US オレゴン州ヒルズボロ出身／ OneRepublic（ワンリパブリック）／ B ／
2002 年　デビュー

✗ Dick Heckstall-Smith ディック・ヘクストール=スミス
2004 年　享年 70 才（急性肝不全）／ Colosseum（コロシアム）／ Sax

✗ Denis Payton デニス・ペイトン
2006 年　享年 63 才（癌）／ The Dave Clark Five（ザ・デイヴ・クラーク・ファイヴ）
／ Sax

✗ Captain Beefheart キャプテン・ビーフハート
2010 年　享年 69 才（多発性硬化症）／シンガーソングライター

18

Chas Chandler チャス・チャンドラー
1938 年　UK イングランド、タイン・アンド・ウィア州ニューキャッスル出身／ The
Animals（ザ・アニマルズ）／ B ／ジミ・ヘンドリックスの発掘、Slade（スレイド）
のマネジメント　✗ 1969 年 7 月 17 日　享年 57 才（大動脈瘤）

Keith Richards キース・リチャーズ
1943 年　UK イングランド・ケント州ダートフォード出身／ The Rolling Stones（ザ・ロー
リング・ストーンズ）／ G.Vo　▶ 1964 年　デビューアルバム『The Rolling Stones』
▶ 1969 年　アルバム『Let It Bleed』　▶ 2015 年　ソロアルバム『Crosseyed Heart』（通
算 3 作目）全英 7 位・全米 11 位　※インタビュー中も喫煙するヘビースモーカー

Elliot Easton エリオット・イーストン
1953 年　US ニューヨーク州ニューヨークシティ・ブルックリン出身／ The Cars（ザ・
カーズ）／ G　▶ 1979 年　アルバム『Candy-O』　▶ 1985 年　ソロアルバム『Change
No Change』

Daddy G ダディ・G
1959 年　UK イングランド・ブリストル出身／本名：Grantley Evan Marshall（グラン
トリー・エヴァン・マーシャル）／ Massive Attack（マッシヴ・アタック）／ Vo

Kevin "Geordie" Walker ケヴィン・"ジョーディ"・ウォーカー
1960 年　UK イングランド・ダラム州チェスター・リ・ストリート出身／ Killing Joke（キ
リング・ジョーク）／ G（インダストリアル・ロック）

DJ Lethal DJ リーサル
1972 年　ロシア・ラトビア・リガ出身／ Limp Bizkit（リンプ・ビズキット）／ターンテー
ブル

Christina Aguilera クリスティーナ・アギレラ

1980 年　US ニューヨーク州ニューヨークシティ・スタテンアイランド出身／シンガー
▶ 1999 年　シングル『What a Girl Wants』

Billie Eilish　ビリー・アイリッシュ
2001 年　US カリフォルニア州ロスアンゼルス出身／本名：Billie Eilish Pirate Baird
O'Connell（ビリー・アイリッシュ・パイレート・ベアード・オコンネル）／シンガー
ソングライター　▶ 2019 年　デビューアルバム『When We All Fall Asleep, Where Do
We Go?』／全世界 13 か国で 1 位／2002 年　グラミー賞史上最年少（18 才）で受賞

✄ Ralph MacDonald　ラルク・マクドナルド
2011 年　享年 67 才（肺癌）／パーカッショニスト、ソングライター

19

Sony Music Japan

Maurice White　モーリス・ホワイト
1941 年　US テネシー州メンフィス出身／Ramsey Lewis Trio（ラムゼイ・ルイス・ト
リオ）参加／Ds／1969 年　自身のバンド「Salty Peppers」を結成／70 年　占星術
において自身に「土、風、火の要素がある」ことから、モーリスが宇宙論と結びつけ
て Earth Wind & Fire（アース・ウィンド・アンド・ファイアー）に改名／Vo.Ds　▶
1977 年　アルバム『All 'N All』　✄ 2016 年 2 月 3 日　享年 74 才（パーキンソン病）

Alvin Lee　アルヴィン・リー
1944 年　UK イングランド・ノッティンガムシャー州ノッティンガム出身／Ten Years
After（テン・イヤーズ・アフター）／Vo.G　▶ 1969 年　アルバム『Ssssh』　✄ 2013
年 3 月 6 日　享年 68 才（合併症）

Zal Yanovsky　ザル・ヤノフスキー
1944 年　カナダ・オンタリオ州トロント出身／The Lovin' Spoonful（ザ・ラヴィン・
スプーンフル）／G　✄ 2002 年 12 月 13 日　享年 57 才（心臓発作）

Jimmy Bain　ジミー・ベイン
1947 年　スコットランド・ニュートンモア出身／Rainbow（レインボー）／B

Doug Johnson　ダグ・ジョンソン
1957 年　カナダ・アルバータ州カルガリー出身／Loverboy（ラヴァーボイ）／Kb

Limahl　リマール
1958 年　UK イングランド・ランカシャー州ウィガン出身／Kajagoogoo（カジャグー
グー）／Vo　▶ 1984 年　ソロシングル「Never Ending Story」

✄ Michael Clark　マイケル・クラーク
1993 年　享年 47 才（肝臓疾患）／The Byrds（ザ・バーズ）／Ds

✄ Rob Buck　ロブ・バック
2000 年　享年 42 才（肝臓疾患）／10,000 Maniacs（10,000 マニアックス）／G

20

Bobby Colomby　ボビー・コロンビー
1944 年　US ニューヨーク州ニューヨークシティ出身／ Blood, Sweat & Tears（ブラッド・スウェット＆ティアーズ）／ Ds　▶ 1968 年　アルバム『Blood, Sweat & Tears』

Peter Criss　ピーター・クリス
1945 年　US ニューヨーク州ニューヨークシティ・ブルックリン出身／ KISS（キッス）／ Ds ／猫男のキャラクター（ステージ上の化粧）は当時のポップ・カルチャーのアイコンに／世界ツアー成功後の 1980 年に KISS を脱退。ソロ活動後、95 年から再結成ツアーに参加

Alan Parsons　アラン・パーソンズ
1948 年　UK イングランド・ロンドン出身／エンジニア、プロデューサー／ 1965 年アビーロード・スタジオのエンジニア／ 1974 年　エリック・ウルフソンとアラン・パーソンズ・プロジェクト結成　▶ 1976 年　デビューアルバム『Tales of Mystery and Imagination (Edgar Allan Poe)』　▶ 1982 年　アルバム『Eye in the Sky』

Sony Music Japan

Chris Robinson　クリス・ロビンソン
1966 年　US ジョージア州マリエッタ出身／ The Black Crowes（ザ・ブラック・クロウズ）／ Vo

Chris Edwards　クリス・エドワーズ
1980 年　UK イングランド・レスターシャー州出身／ Kasabian（カサビアン）／ B

✗ Bobby Darin　ボビー・ダーリン
1973 年　享年 37 才（心臓手術後の合併症）／シンガー、作曲家、俳優

社会史
⊙ 1999 年　ポルトガルが中国にマカオを返還

21

Frank Zappa　フランク・ザッパ
1940 年　US メリーランド州ボルチモア出身　▶ 1966 年　デビューアルバム『Freak Out』／ G ／ The Mothers of Invention（ザ・マザーズ・オブ・インヴェンション）をバックに活躍したロック史に残るアーティスト　✗ 1993 年 12 月 4 日　享年 52 才（前立腺癌）

Carl Wilson　カール・ウィルソン
1946 年　US カリフォルニア州ホーソーン出身／ The Beach Boys（ザ・ビーチ・ボーイズ）／ Vo.G ／ウィルソン兄弟三男　✗ 1998 年 2 月 6 日　享年 51 才（肺癌）

Nick Gilder　ニック・ギルダー
1951 年　UK イングランド・ロンドン出身／シンガー　▶ 1978 年　アルバム『Hot Child in the City』

Murph マーフ
1964 年　US ワシントン D.C. 出身／ Dinosaur Jr.（ダイナソー Jr.）／ Ds ／ 1985 年
デビュー

✗ Albert King アルバート・キング
1992 年　享年 69 才（心臓発作）／ブルース・ギタリスト、シンガー

✗ Lee Dorman リー・ドーマン
2012 年　享年 70 才／ Iron Butterfly（アイアン・バタフライ）／ B

22

Barry Jenkins バリー・ジェンキンス
1944 年　UK イングランド・レスターシャー州出身／ The Animals（ザ・アニマルズ）
／ Ds

Rick Nielsen リック・ニールセン
1946 年　US イリノイ州ロックフィールド出身／ Cheap Trick（チープ・トリック）／
G　▶ 1979 年　アルバム『Dream Police』

Sony Music Japan

Robin Gibb ロビン・ギブ
1949 年　UK マン島ダグラス出身／ The Bee Gees（ザ・ビー・ジーズ）／メンバーのモー
リスとは二卵性双生児　▶ 1967 年　UK デビューアルバム『Bee Gees』 ✗ 2012 年 5
月 20 日　享年 62 才（結腸癌）

Morris Gibb モーリス・ギブ
1949 年　UK マン島ダグラス出身／ The Bee Gees（ザ・ビー・ジーズ）✗ 2003 年 1
月 12 日　享年 53 才（腸閉塞）

Richey James Edwards リッチー・ジェームス・エドワーズ
1967 年　UK ウェールズ・ブラックウッド出身／ 1988 年　Manic Street Preachers
（マニック・ストリート・プリーチャーズ）結成／ G　▶ 1992 年　デビューアルバム
『Generation Terrorists』／ 1995 年　失踪 ✗ 2008 年 11 月 23 日　享年 40 才（死亡宣告）

Vanessa Paradis ヴァネッサ・パラディ
1972 年　フランス・パリ出身／シンガー　▶ 1987 年　デビューシングル「Joe Le
Taxi」

Meghan Trainor メーガン・トレイナー
1993 年　US マサチューセッツ州ナンタケット出身／シンガーソングライター　▶
2015 年　アルバム『Title』

✗ Joe Strummer ジョー・ストラマー
2002 年　享年 50 才（心臓発作）／ The Clash（ザ・クラッシュ）

22

✗ Joe Cocker ジョー・コッカー
2014 年　享年 70 才（肺癌）／ロック・シンガー

23

Jorma Kaukonen ヨーマ・コーコネン
1940 年　US ワシントン D.C. 出身／ Jefferson Airplane（ジェファーソン・エアプレイン）／ G.Vo　▶ 1966 年　デビューアルバム『Jefferson Airplane Take Off』

Ron Bushy ロン・ブッシー
1941 年　US ワシントン D.C. 出身／ Iron Butterfly（アイアン・バタフライ）／ Ds　▶
1968 年　アルバム『In-A-Gadda-Da-Vida』✗ 2021 年 8 月 29 日　享年 79 才（食道癌）

Robbie Dupree ロビー・デュプリー
1946 年　US ニューヨーク州ニューヨークシティ・ブルックリン出身／ AOR シンガー
▶ 1980 年　シングル「Steal Away（ふたりだけの夜）」　▶アルバム『Robbie Dupree』

Graham Bonnet グラハム・ボネット
1947 年　UK イングランド・リンカーンシャー州スケグネス出身／ Rainbow（レインボー）／ Alcatrazz（アルカトラス）／ Vo

Adrian Belew エイドリアン・ブリュー
1949 年　US ケンタッキー州コビントン出身／ギタリスト／ Frank Zappa（フランク・ザッパ）のバンドから、1981 年以降 King Crimson（キング・クリムゾン）／ G　▶
1982 年　ソロアルバム『Lone Rhino』

Anthony Phillips アンソニー・フィリップス
1951 年　UK イングランド・ロンドン出身／ギタリスト／ 1961 年　Genesis（ジェネシス）／ G.Vo

Dave Murray デイヴ・マーレイ
1956 年　UK イングランド・ロンドン出身／ Iron Maiden（アイアン・メイデン）／ G

Sony Music Japan

Eddie Vedder エディ・ヴェダー
1964 年　US イリノイ州エヴァンストン出身／ 1991 年　Pearl Jam（パール・ジャム）結成／ Vo　▶同年　デビューアルバム『Ten』／ニルヴァーナと共にグランジ・ムーブメントの中心となったバンド

✗ Eddie Hazel エディ・ヘイゼル
1992 年　享年 42 才（肝不全）／ Funkadelic（ファンカデリック）／ G

✗ Leslie West レスリー・ウェスト
2020 月　享年 75 才（心臓発作）／ Mountain（マウンテン）／ G

⊙ 1966 年　ロンドンの伝説的ライヴハウス「UFO」がオープン。ピンク・フロイド
やソフト・マシーン等が出演

24

Lemmy Kilmister　レミー・キルミスター
1945 年　UK イングランド、ストーク・オン・トレント出身／ Motörhead（モーターヘッ
ド）／ B.Vo ／ 1975 年 デビュー　✗ 2015 年 12 月 28 日　享年 70 才（前立腺癌、心不全）

Jan Akkerman　ヤン・アッカーマン
1946 年　オランダ・アムステルダム出身／ Focus（フォーカス）／ G ／ 1970 年　デ
ビュー

Gary Valentine　ゲイリー・ヴァレンタイン
1955 年　US ニュージャージー州ベイヨン出身／ Blondie（ブロンディ）／ B ／ 1976
年　デビュー

Ian Burden　イアン・バーデン
1957 年　UK イングランド・ノッティンガムシャー州ニューアーク・オン・トレント
出身／ Human League（ヒューマン・リーグ）／ Kb

Mary Ramsey　メアリー・ラムジー
1963 年　US ワシントン D.C. 出身／ 10,000 Maniacs（10,000 マニアックス）／ Vla.
Vo

Ricky Martin　リッキー・マーティン
1971 年　プエルトリコ・サンファン出身／シンガー　▶ 1999 年　シングル「Livin' La
Vida Loca」

Louis William Tomlinson　ルイ・ウィリアム・トムリンソン
1991 年　UK イングランド・サウスヨークシャー州ドンカスター出身／ One Direction
（ワン・ダイレクション）

✗ Ray Collins　レイ・コリンズ
2012 年　享年 76 才（心拍停止）／ The Mothers of Invention（ザ・マザーズ・オブ・インヴェ
ンション）／ Vo

⊙ 1979 年　ソビエト軍のアフガニスタン侵攻開始

25

Kelly Isley　ケリー・アイズレー
1937 年　US オハイオ州シンシナティ出身／ The Isley Brothers（ザ・アイズレー・ブ
ラザーズ）　✗ 1986 年 3 月 31 日　享年 48 才（心臓発作）

Jacqui McShee　ジャッキー・マクシー
1943 年　UK イングランド・ロンドン出身／ Pentangle（ペンタングル）／ Vo ／ 1968
年 デビュー

Henry Vestine　ヘンリー・ヴェスティン
1944 年　US メリーランド州タコマパーク出身／ Canned Heat（キャンド・ヒート）
／ G　✗ 1997 年 10 月 20 日　享年 52 才（心不全）

Noel Redding　ノエル・レディング
1945 年　UK イングランド・ケント州フォークストーン出身／ Jimi Hendrix Experience
（ジミ・ヘンドリックス・エクスペリエンス）／ B ／ 1997 年　デビュー

Jimmy Buffett　ジミー・バフェット
1946 年　US ミシシッピ州パスカグーラ出身／シンガーソングライター／アイランド・
エスケーピズム（Island Escapism：島への現実逃避）を感じさせる音楽で最も有名

Annie Lennox　アニー・レノックス
1954 年　UK スコットランド・アバディーン出身／ 1980 年　Eurythmics（ユーリズミッ
クス）／ Vo.Kb　▶ 1983 年　アルバム『Sweet Dreams』　▶ 1992 年　ソロ・デビュー・
アルバム『Diva』

Shane MacGowan　シェイン・マガウアン
1957 年　UK イングランド・ケント州ペンブリー出身／ The Pogues（ザ・ポーグス）
／ Vo.G

Alannah Myles　アランナ・マイルズ
1958 年　カナダ・オンタリオ州トロント出身／シンガーソングライター　▶ 1989 年
シングル「Black Velvet」全米 1 位

Noel Hogan　ノエル・ホーガン
1971 年　アイルランド・リムリック・モイロス出身／ The Cranberries（ザ・クランベ
リーズ）／ G

Dido　ダイド
1971 年　UK イングランド・ロンドン出身／本名：Dido Armstrong（ダイド・アーム
ストロング）　▶ 1999 年　アルバム『No Angel』

✗ James Brown　ジェイムス・ブラウン
2006 年　享年 73 才（心不全）／ソウル・ファンク・R&B シンガー、作曲家／ファン
クの帝王

✗ George Michael　ジョージ・マイケル
2016 年　享年 53 才（自然死）／ Wham!（ワム！）

Phil Spector　フィル・スペクター
1939 年　US ニューヨーク州ニューヨークシティ・ブロンクス出身／本名：ハーヴェイ・フィリップ・スペクター／ 1959 年からプロデューサー・ソングライターとして活躍／"ウォール・オブ・サウンド" と呼ばれる　▶ 1963 年　ザ・ロネッツ「Be My Baby」▶ 1970 年　ザ・ビートルズ『Let It Be』プロデュース　✗ 2021 年 1 月 6 日　享年 81 才（新型コロナウイルス感染症）

Paul Quinn　ポール・クイン
1951 年　UK スコットランド・ダンディ出身／ Saxon（サクソン）／ G ／ 1979 年デビュー（ヘヴィメタル）

Chuck Mosley　チャック・モズレー
1959 年　US カリフォルニア州ハリウッド出身／ Faith No More（フェイス・ノー・モア）／ Vo ／オルタナティヴ・ロック系カリスマ・バンド　▶ 1985 年 デビューアルバム『We Care a Lot』／ 1998 年　解散　✗ 2017 年 11 月 9 日　享年 57 才（ヘロイン過剰摂取）

Lars Ulrich　ラーズ・ウルリッヒ
1963 年　デンマーク・ゲントフテ出身／ 1981 年　Metallica（メタリカ）結成／ Ds　▶ 1983 年　デビューアルバム『Kill' Em All』　▶ 1991 年　アルバム『Metallica』

Jay Farrar　ジェイ・ファーラー
1966 年　US イリノイ州ベルヴィル出身／ Uncle Tupelo（アンクル・テュペロ）、Son Volt（サン・ヴォルト）／ Vo.G

Stuart David　スチュアート・デヴィッド
1969 年　UK スコットランド・グラスゴー出身／ Belle and Sebastian（ベル・アンド・セバスチャン）／ B ／ 1996 年　デビュー

James Mercer　ジェイムズ・マーサー
1970 年　US ハワイ州ホノルル出身／ The Shins（ザ・シンズ）／ Vo.G ／ 2001 年デビュー

Chris Daughtry　クリス・ドートリー
1979 年　US ノースカロライナ州ロアノークラピッズ出身／ロック・シンガー／ Daughtry（ドートリー）／ Vo ／ 2006 年　『アメリカン・アイドル』4 位　▶ デビューアルバム『Daughtry』

✗ Curtis Mayfield　カーティス・メイフィールド
1999 年　享年 57 才（糖尿病合併症）／作曲家、マルチプレイヤー

✗ Teena Marie　ティーナ・マリー
2010 年　享年 54 才／ R&B シンガーソングライター（ブルー・アイド・ソウル）

26

✘ Rick Parfitt リック・パーフィット

2016 年　享年 68 才（敗血症）／ Status Quo（ステイタス・クォー）／ G.Vo

ロック史

- 1963 年　ザ・ビートルズ、シングル「I Want to Hold Your Hand」で全米デビュー
- 1967 年　ザ・ビートルズが監督と制作を担当したテレビ映画『マジカル・ミステリー・ツアー』が BBC で初放送される
- 1979 年　「カンボジア難民救済コンサート」が開催される（ハマースミス・オデオン、〜 29 日）。出演：ポール・マッカートニー、ザ・フー、レッド・ツェッペリン他多数

社会史

- 2004 年　スマトラ島沖地震発生（マグニチュード 9.1）

27

Mike Pinder マイク・ピンダー

1941 年　UK イングランド・ウェストミッドランズ州バーミンガム・アーディントン出身／ The Moody Blues（ザ・ムーディ・ブルース）／ Vo.Kb

Les Maguire レス・マグワイア

1941 年　UK イングランド・マージーサイド州ウォラシー出身／ Gerry & The Pacemakers（ジェリー＆ザ・ペースメーカーズ）／ Kb ／ 1963 年　デビュー

Pete Sinfield ピート・シンフィールド

1943 年　UK イングランド・ロンドン出身／ King Crimson（キング・クリムゾン）／作詞家

Mick Jones ミック・ジョーンズ

1944 年　UK イングランド・ロンドン出身／元 Spooky Tooth（スプーキー・トゥース）／ Vo.G ／ 1976 年　ニューヨークで Foreigner（フォリナー）結成。イギリス人の彼はバンド内の外国人（Foreigner）であったため、このバンド名になった　▶ 1977 年　デビューアルバム『Foreigner』　▶ 1978 年　セカンドアルバム『Double Vision』／ 2018 年　『Double Vision』の 40 周年記念ライヴを開催

Lenny Kaye レニー・ケイ

1946 年　US ニューヨーク州ニューヨークシティ・マンハッタン出身／ Patti Smith Group（パティ・スミス・グループ）／ G

Larry Byrom ラリー・バイロム

1948 年　US アラバマ州ハンツヴィル出身／ Steppenwolf（ステッペンウルフ）／ G

Les Taylor レス・テイラー

1948 年　US ケンタッキー州オネイダ出身／ Exile（エグザイル）／ G.Vo

Terry Bozzio　テリー・ボジオ
1950 年　US カリフォルニア州サンフランシスコ出身／ Missing Persons（ミッシング・パーソンズ）／ U.K.（ユー・ケー）／ Ds ／ 1981 年　デビュー

Karla Bonoff　カーラ・ボノフ
1951 年　US カリフォルニア州ロスアンゼルス出身／シンガーソングライター　▶
1977 年　デビューアルバム『Karla Bonoff』　▶ 1979 年　アルバム『Restless Nights』

Sony Music Japan

David Knopfler　デヴィッド・ノップラー
1952 年　UK スコットランド・グラスゴー出身／ Dire Straits（ダイアー・ストレイツ）／ G ／ Mark Knopfler（マーク・ノップラー）の弟

Martin Glover　マーティン・グローヴァー
1960 年　UK イングランド・ランカシャー州ダンディ出身／ Killing Joke（キリング・ジョーク）／ B（インダストリアル・ロック）

28

Charles Neville　チャールズ・ネヴィル
1938 年　US ルイジアナ州ニューオーリンズ出身／ The Neville Brothers（ザ・ネヴィル・ブラザーズ）／ Sax ✗ 2018 年 4 月 26 日　享年 79 才（膵臓癌）

Edgar Winter　エドガー・ウィンター
1946 年　US テキサス州ボーモント出身／ヴォーカリスト、キーボード奏者／ Johnny Winter（ジョニー・ウィンター）の実弟　▶ 1970 年　ソロ・デビューアルバム『Entrance』▶ 1972 年　アルバム『They Only Come Out at Night』／ The Edgar Winter Group（ザ・エドガー・ウィンター・グループ）

John Legend　ジョン・レジェンド
1978 年　US オハイオ州スプリングフィールド出身／ R&B・ソウルシンガー／ 2004 年　デビューアルバム『Get Lifted』／グラミー賞「最優秀新人賞」受賞

James Gregory　ジェームズ・グレゴリー
1984 年　UK イングランド・イーストサセックス州ブライトン出身／ The Ordinary Boys（ザ・オーディナリー・ボーイズ）／ B ／ 2004 年　デビュー

✗ Freddie King　フレディ・キング
1976 年　享年 42 才（心不全）／ブルース・シンガー、ギタリスト

✗ Dennis Wilson　デニス・ウィルソン
1983 年　享年 39 才（水死）／ The Beach Boys（ザ・ビーチ・ボーイズ）

✗ Lemmy Kilmister　レミー・キルミスター
2015 年　享年 70 才（前立腺癌、心不全）／ Motörhead（モーターヘッド）／ B

Jan

Feb

Mar

Apr

May

Jun

Jul

Aug

Sep

Oct

Nov

Dec

Ray Thomas　レイ・トーマス

1941 年　UK イングランド・ウスターシャー州ストアポート・オン・セバーン出身／The Moody Blues（ザ・ムーディ・ブルース）／Vo.Fl　▶ 1971 年　アルバム『Every Good Boy Deserves Favour』　✗ 2018 年 1 月 4 日　享年 76 才

Rick Danko　リック・ダンコ

1943 年　カナダ・オンタリオ州グリーンズ・コーナー出身／The Band（ザ・バンド）／B　▶ 1975 年　アルバム『Northern Lights-Southern Cross』　✗ 1999 年 12 月 10 日　享年 55 才（就寝中死去）

Marianne Faithfull　マリアンヌ・フェイスフル

1946 年　UK イングランド・ロンドン出身／アイドル・シンガー、俳優　▶ 1964 年　シングル「As Tears Go By」がヒット

Cozy Powell　コージー・パウエル

1947 年　UK イングランド・グロスターシャー州サイレンセスター出身／Rainbow（レインボー）／Ds　▶ 1979 年　ソロアルバム『Over the Top』　✗ 1998 年 4 月 5 日　享年 50 才（自動車事故）

Jim Reid　ジム・リード

1961 年　UK スコットランド・イーストキルブライド出身／Jesus & Mary Chain（ジーザス＆メリー・チェイン）／Vo／1985 年　デビュー

Mark "Cow" Day　マーク・"カウ"・デイ

1961 年　UK イングランド・グレーターマンチェスター州マンチェスター出身／Happy Mondays（ハッピー・マンデーズ）／G／1987 年　デビュー

Dexter Holland　デクスター・ホーランド

1965 年　US カリフォルニア州オレンジ郡出身／The Offspring（ザ・オフスプリング）／Vo　▶ 1994 年　アルバム『Smash』

Glen Phillips　グレン・フィリップス

1970 年　US カリフォルニア州サンタバーバラ出身／Toad the Wet Sprocket（トード・ザ・ウェット・スプロケット）／Vo／1989 年　デビュー

Steve Kemp　スティーヴ・ケンプ

1978 年　UK イングランド・ランカシャー州ステインズ出身／Hard-Fi（ハード・ファイ）／Ds／2005 年　デビュー

✗ John Hartman　ジョン・ハートマン

2021 年　享年 71 才／The Doobie Brothers（ザ・ドゥービー・ブラザーズ）／D

Bo Diddley　ボ・ディドリー

1928 年　US ミシシッピ州マッコム出身／本名：エラス・O・B・マクダニエル／シンガー、ギタリスト／ロックン・ロール生みの親のひとり　☠ 2008 年 6 月 2 日　享年 79 才（心不全）

Del Shannon　デル・シャノン

1934 年　US ミシガン州クーパーズヴィル出身／ 60 年代を代表するポップ系ロックンローラー　▶ 1961 年　シングル「Runaway（悲しき街角）」がヒット　☠ 1990 年 2 月 8 日　享年 55 才（自殺）　▶ 1991 年　遺作『Rock On!』

Paul Stookey　ポール・ストゥーキー

1937 年　US メリーランド州ボルチモア出身／ Peter, Paul & Mary（ピーター・ポール&マリー）／ G.Vo

Felix Pappalardi　フェリックス・パパラルディ

1939 年　US ニューヨーク州ブロンクス出身／ Mountain（マウンテン）／ B ／プロデューサー　▶ 1970 年　デビューアルバム『Climbing!』　☠ 1983 年 4 月 17 日　享年 43 才（妻により射殺）

Michael Nesmith　マイケル・ネスミス

1942 年　US テキサス州ヒューストン出身／ 1966 年　The Monkees（ザ・モンキーズ）／ G.Vo　▶ 1970 年　ソロアルバム『Magnetic South』／ 2021 年　ミッキー・ドレンツとザ・モンキー最後のツアー「The Monkees Farewell Tour」　☠ 2021 年 12 月 10 日　享年 78 才（心不全）

Davy Jones　デイヴィ・ジョーンズ

1945 年　UK イングランド・グレーターマンチェスター州マンチェスター出身／ 1966 年　The Monkees（ザ・モンキーズ）でデビュー／ Vo.Per　☠ 2012 年 2 月 29 日　享年 66 才（心臓発作）

Patti Smith　パティ・スミス

1946 年　US イリノイ州シカゴ出身／女性ロック・シンガーの先駆者／ニューヨーク・パンクの女王／多くのミュージシャン（R.E.M.、U2、パール・ジャム等）に影響を与える　▶ 1975 年　デビューアルバム『Horses』　▶ 1978 年　シングル「Because the Night」

Sony Music Japan

Jeff Lynne　ジェフ・リン

1947 年　UK イングランド・ウェストミッドランズ州バーミンガム出身／ギタリスト、ヴォーカリスト、プロデューサー／ 1968 年　The Idol Race（ザ・アイドル・レース）1970 年　The Move（ザ・ムーヴ）を経て、Electric Light Orchestra（ELO：エレクトリック・ライト・オーケストラ）活動開始／ G.Vo　▶ 1977 年　ELO アルバム『Out of the Blue』／ 1988 年　Traveling Wilburys（トラヴェリング・ウィルベリーズ）　▶ 1990 年　ソロアルバム『Armchair Theatre』

30

Tony Sciuto トニー・シュート
1952 年 US メリーランド州ボルチモア出身／AOR シンガー ▶ 1980 年 アルバム『Island Nights』

Tracey Ullman トレイシー・ウルマン
1959 年 UK バークシャー州スラウ出身／シンガー ▶ 1983 年 シングル「They Don't Know」

Sony Music Japan

Jay Kay ジェイ・ケイ
1969 年 UK イングランド・グレーターマンチェスター州ストレトフォード出身／Jamiroquai（ジャミロクワイ）／Vo ▶ 1996 年 アルバム『Travelling without Moving』

社会史
⊙ 2006 年 イラクのサダム・フセイン元大統領の死刑執行

31

Andy Summers アンディ・サマーズ
1942 年 UK イングランド・ランカシャー州出身／The Police（ザ・ポリス）／G／ザ・ポリス活動休止中も、ギタリストとしてジャズ・フュージョン系のアルバムを発表している ▶ 1989 年 ソロアルバム『Golden Wire』

Sony Music Japan

John Denver ジョン・デンヴァー
1943 年 US ニューメキシコ州ロズウェル出身／本名：Henry John Deutschendorf Jr.（ヘンリー・ジョン・デュッチェンドルフ・ジュニア）／フォーク・シンガーソングライター ▶ 1969 年 デビューアルバム『Rhymes and Reasons』 ▶ 1971 年シングル「Take Me Home, Country Roads」 ✘ 1997 年 10 月 12 日 享年 53 才（飛行機事故）

Pete Quaife ピート・クウェイフ
1943 年 UK イングランド・デヴォン州タヴィストック出身／The Kinks（ザ・キンクス）／B ✘ 2010 年 6 月 23 日 享年 66 才（腎臓病）

Burton Cummings バートン・カミングス
1947 年 カナダ・マニトバ州ウィニペグ出身／The Guess Who（ザ・ゲス・フー）／Vo ▶ 1970 年 アルバム『American Woman』

Donna Summer ドナ・サマー
1948 年 US マサチューセッツ州ボストン出身／シンガー／ディスコ・クイーン ▶ 1975 年 アルバム『Love to Love You Baby』 ✘ 2012 年 5 月 17 日 享年 63 才

Tom Hamilton トム・ハミルトン
1951 年 US コロラド州コロラドスプリングス出身／Aerosmith（エアロスミス）／B

Paul Westerberg ポール・ウェスターバーグ

1959 年　US ミシガン州ミネアポリス出身／The Replacements（ザ・リプレイスメンツ）
／Vo.G　／1981 年　デビュー

Joey McIntyre　ジョー・マッキンタイヤー
1972 年　US マサチューセッツ州ニーダム出身／New Kids On the Block（ニュー・キッ
ズ・オン・ザ・ブロック）／5 人組ボーイズ・グループ　▶ 1990 年　シングル「Step
By Step」全米 1 位

Andrew Taggart　アンドリュー・タガート
1989 年　US メイン州ポートランド出身／The Chain Smokers（ザ・チェイン・スモー
カーズ）／DJ、プロデューサー　▶ 2017 年　アルバム『Memories... Do Not Open』

Sony Music Japan

✗ Ricky Nelson　リッキー・ネルソン
1985 年　享年 45 才（飛行機事故）／ミュージシャン、俳優

✗ Kevin MacMichael　ケヴィン・マクマイケル
2002 年　享年 51 才（肺癌）／Cutting Crew（カッティング・クルー）／G

✗ Natalie Cole　ナタリー・コール
2015 年　享年 65 才（心臓疾患）／R&B・ジャズ・シンガー

ロック史
- ⊙ 1969 年　ジミ・ヘンドリックス率いるバンド・オブ・ジプシーズが NY のライヴ
　ハウス「フィルモア・イースト」に初出演

社会史
- ⊙ 1999 年　ミレニアム・カウントダウン（2000 年問題発生）

Jan
Feb
Mar
Apr
May
Jun
Jul
Aug
Sep
Oct
Nov
Dec

Column 7

同い年のミュージシャン

■ 時代の変化と音楽の進化

1940-50年代生まれ

　ベビーブーマー世代が圧倒的多数。第二次世界大戦後の社会情勢や環境変化が進む中、60年代になると彼らは"ロック・ミュージック"を自己表現やレジスタンス活動の手段としていく。特に彼らのベトナム戦争反戦歌は、体制・政治批判のメッセージを込めたプロテスト・ソングとしても若者の間で広がり、ヒッピームーブメントと共に世界的な盛り上がりとなった。イギリスではザ・ビートルズを頂点とした"イングリッシュ・インヴェンション"が世界中に拡大した。

1960年代生まれ

　出生率が減少し始める。彼らが大人になる20年後のMTVの登場で、ミュージシャンはビジュアルでのアピールが可能になり、売上げを左右するようになる。またシンセサイザーの発達に伴い、ニューウェーヴやユーロビート、テクノ等の新たなジャンルの音楽が生まれる。

1970年代生まれ

　新たな音楽の傾向として、商業的な活動を嫌い、より研ぎ澄まされた音楽性を追求するオルタナティヴ・ロックがこの頃から定着する。

1980年代生まれ以降

　グランジ、オルタナティヴ・ロックは継続するが、ロック指向やバンド活動が徐々に影を潜める。90年代以降、新たなダンスミュージックやラップ、ヒップホップが若者のメイン・ストリームになっていく。

■ 世代定義

　日本の世代定義は独特で他国のそれと異なるため、以下の通り世界共通（アメリカ中心）の世代名を使用する（例えば、アメリカの「ベビーブーマー世代」は第二次世界大戦終結からケネディ政権の期間［1946-64年］にあたるが、日本におけるベビーブーマー世代といわれる「団塊の世代」は戦後3年間［1947-49年］生まれの呼称である）。

①ビート・ジェネレーション（1914-29）
②サイレント・ジェネレーション（1928-45）
③ベビーブーマー（1946-64）
④ジェネレーションX（1965-80）
⑤ジェネレーションY／ミレニアル世代（1981-96）
⑥ジェネレーションZ／Zoomers(1997-2012)およびiGen＆スマホ世代（1995-2012）
⑦ジェネレーションAlpha（2010-20以降）
※有名ミュージシャンを中心に919名を抽出

◎1920年代生まれ（9名）
ビート・ジェネレーション（1914-29）

　1920年代、主にアメリカに生まれた世代を呼ぶ。抑圧された彼らの必死の文学的抵抗が、第二次世界大戦後の狂騒の40〜60年代アメリカの様々なカルチャーから政治にまで大きな影響を与える。

▶ 1920年（申年）：ラヴィ・シャンカル（4/7）
▶ 1925年（丑年）：B.B.キング（9/16）
▶ 1926年（寅年）
〈ロックンロールの創設者、チャック・ベリーが誕生〉
ジョージ・マーティン（1/3）／マイルス・デイヴィス（5/26）／トニー・ベネット（8/3）ジョン・コルトレーン（9/23）／チャック・ベリー（10/18）
▶ 1928年（辰年）
ファッツ・ドミノ（2/26）／バート・バカラック（5/12）

◎1930年代生まれ（60名）
サイレント・ジェネレーション（1928-45）

　1930年代の世界恐慌と40年代初頭の第二次世界大戦により、子供が非常に少なくなった時期に生まれた世代。彼らは50年代に成人すると、公民権運動を形成し、「サイレント・マジョリティ」（物言わぬ多数派）を構成していく。1950～60年代のロックンロール音楽を創造した元祖といわれる世代。

▶ **1930年（午年）**
レイ・チャールズ（9/23）
▶ **1931年（未年）**
サム・クック（1/22）
▶ **1932年（申年）**
ジョニー・キャッシュ（2/26）／カール・パーキンス（4/9）／ペトゥラ・クラーク（11/15）／リトル・リチャード（12/5）
▶ **1933年（酉年）**
オノ・ヨーコ（2/18）／クインシー・ジョーンズ（3/14）／ウィリー・ネルソン（4/29）／ジェイムズ・ブラウン（5/3）／メル・テイラー（9/24）／ジョン・メイオール（11/29）／ルー・ロウルズ（12/1）
▶ **1934年（戌年）**
フランキー・ヴァリ（5/3）／レナード・コーエン（9/21）／ビリー・ポール（12/1）／デル・シャノン（12/30）
▶ **1935年（亥年）**
　〈キング・オブ・ロック、エルヴィスが誕生〉
エルヴィス・プレスリー（1/8）／ジーン・ヴィンセント（2/11）／ソニー・ボノ（2/16）／ボビー・ヴィントン（4/16）／ノーキー・エドワーズ（5/9）／ジョン・フィリップス（8/30）／ジェリー・リー・ルイス（9/29）／バリー・マクガイア（10/15）
▶ **1936年（子年）**
　〈ロイ・オービソン＆バディ・ホリーが同い年〉
グレン・キャンベル（4/22）／ロイ・オービソン（4/23）／バディ・ガイ（7/30）／バディ・ホリー（9/7）／ビル・ワイマン（10/24）／マリー・トラヴァース（11/9）
▶ **1937年（丑年）**
ボブ・ボーグル（1/16）／ロバータ・フラック（2/10）／ポール・ストゥーキー（12/30）
▶ **1938年（寅年）**
ピーター・ヤーロウ（5/31）／ビル・ウィザース（7/4）／ケニー・ロジャース（8/21）／ベン・E・キング（9/28）／エディ・コクラン（10/3）／ニコ（10/16）／ゴードン・ライトフット（11/17）／J.J.ケイル（12/5）
▶ **1939年（卯年）**
スコット・マッケンジー（1/10）／フィル・エヴァリー（1/19）／バリー・マン（2/9）／レイ・マンザレク（2/12）／マーヴィン・ゲイ（4/2）／ダスティ・スプリングフィールド（4/16）／ジュディ・コリンズ（5/1）／イアン・ハンター（6/3）)／ゲイリーU.S.ボンズ（6/6）／チャールズ・ミラー（7/2）／スペンサー・デイヴィス（7/17）／ジンジャー・ベイカー（8/19）／ジェイムズ・バートン（8/21）／ロイ・ブキャナン（9/23）／グレイス・スリック（10/30）／デヴィッド・ゲイツ（11/11）／ティナ・ターナー（11/26）／フェリックス・パパラルディ（12/30）

◎1940年代生まれ（340名）
『ベビーブーマー世代』（1946-1964）

　戦後の出生率上昇の時期に生まれ、アメリカでは少年時代から青年時代にかけてベトナム戦争に遭遇した世代。ベトナム戦争に反対するベビーブーマーズはその後ヒッピー運動を起こし、ロック全盛期を創り上げていく。

　ボリューム的にも、ジャンルや才能・質的にも、ロックの全盛期が大きく花開く。1960年代にはイギリスではビートルズの狂騒的な人気を筆頭に、"第一次ブリティッシュ・インヴェージョン"が遂げられる。

▶ **1940年（辰年）**
　〈3か月違いのジョンとリンゴのザ・ビートルズをトップに、ロック全盛時代の幕開け世代〉
スモーキー・ロビンソン（2/19）／ディーン・トーレンス（3/10）／フィル・レッシュ（3/15）／リッキー・ネルソン（5/8）／トニー・シェリダン（5/21）／リヴォン・ヘルム（5/26）／トム・ジョーンズ（6/7）／スチュアート・

サトクリフ（6/23）／リンゴ・スター（7/7）／ボビー・ハットフィールド（8/10）／ポール・ウィリアムズ（9/19）／ビル・メドレー（9/19）／ジョン・レノン（10/9）／クリフ・リチャード（10/14）／マンフレッド・マン（10/21）／フレディ・ギャリティ（11/14）／パーシー・スレッジ（11/25）／ディオンヌ・ワーウィック（12/12）／フランク・ザッパ（12/21）

▶ 1941 年（巳年）

〈幼なじみサイモン＆ガーファンクル～恋人同士になるボブ・ディランとジョーン・バエズが同い年〉

ジョーン・バエズ（1/9）／キャプテン・ビーフハート（1/15）／アーロン・ネヴィル（1/24）／ニール・ダイアモンド（1/24）／マイク・ラヴ（3/15）／ポール・カントナー（3/17）／ウィルソン・ピケット（3/18）／ジャン・ベリー（4/3）／エリック・バードン（5/11）／リッチー・ヴァレンス（5/13）／ロナルド・アイズレー（5/21）／ボブ・ディラン（5/24）／チャーリー・ワッツ（6/2）／ジョン・ロード（6/9）／ハリー・ニルソン（6/15）／ジョージ・クリントン（7/22）／ポール・アンカ（7/30）／デイヴィッド・クロスビー（8/14）／ジャッキー・デシャノン（8/21）／ジョン・マクナリー（8/30）／オーティス・レディング（9/9）／デヴィッド・クレイトン・トーマス（9/13）／キャス・エリオット（9/19）／リンダ・マッカートニー（9/24）／チャビー・チェッカー（10/3）／ポール・サイモン（10/13）／ヘレン・レディ（10/25）／アート・ガーファンクル（11/5）／トム・フォガティ（11/9）／ジェシ・コリン・ヤング（11/22）／ドナルド・ダック・ダン（11/24）／モーリス・ホワイト（12/19）／レイ・トーマス（12/29）

▶ 1942 年（午年）

〈よきライバルのポールとブライアンは2日違い／ジミヘンも同級生〉

マーティ・バリン（1/30）／グラハム・ナッシュ（2/2）／コリー・ウェルズ（2/5）／キャロル・キング（2/9）／オーティス・クレイ（2/11）／ピーター・トーク（2/13）／ポール・ジョーンズ（2/24）／ルー・リード（3/2）／マーク・リンゼイ（3/9）／アレサ・フランクリン（3/25）／レオン・ラッセル（4/2）／アラン・クラーク（4/5）／アラン・プライス（4/19）／バーブラ・ストライサンド（4/24）／イアン・デューリー（5/12）／カーティス・メイフィールド（6/3）／ポール・マッカートニー（6/18）／ブライアン・ウィルソン（6/20）／ブルース・ジョンストン（6/27）／ジェリー・ガルシア（8/1）／B.J.トーマス（8/7）／アル・ジャーディン（9/3）／ジェリー・マースデン（9/24）／エルヴィン・ビショップ（10/21）／ジョニー・リヴァース（11/7）／ジミ・ヘンドリックス（11/27）／フェリックス・キャヴァリエ（11/29）／デイヴ・クラーク（12/15）／ポール・バターフィールド（12/17）／マイケル・ネスミス（12/30）／アンディ・サマーズ（12/31）

▶ 1943 年（未年）

〈ザ・ローリング・ストーンズのふたりをはじめ、個性派＆伝説的ロックスター多数誕生の年〉

ヴァン・ダイク・パークス（1/3）／スコット・ウォーカー（1/9）／ジム・クロウチ（1/10）／ジャニス・ジョップリン（1/19）／ジョージ・ハリスン（2/25）／ボブ・ハイト（2/26）／ポール・コットン（2/26）／ラリー・リー（3/7）／スライ・ストーン（3/15）／ジャック・ブルース（5/14）／ジョニー・アリディ（6/15）／バリー・マニロウ（6/17）／ロビー・ロバートソン（7/5）／クリスティーン・マクヴィー（7/12）／ミック・ジャガー（7/26）／ビリー・J・クレイマー（8/19）／デイヴィッド・ソウル（8/28）／ロジャー・ウォーターズ（9/6）／グロリア・ゲイナー（9/7）／マリア・マルダー（9/12）／フリオ・イグレシアス（9/23）／ランディ・バックマン（9/27）／スティーヴ・ミラー（10/5）／バート・ヤンシュ（11/3）／ジョニ・ミッチェル（11/7）／マイク・スミス（12/6）／ジム・モリソン（12/8）／キース・リチャ - ズ（12/18）／リック・ダンコ（12/29）／ジョン・デンヴァー（12/31）

▶ 1944 年（申年）

〈ハードロック、プログレ、AOR の全盛期を創る人材の宝庫〉

ジミー・ペイジ（1/9）／ニック・メイソン（1/27）／アル・クーパー（2/5）／ジョニー・

ウィンター（2/23）／ニッキー・ホプキンス（2/24）／ロジャー・ダルトリー（3/1）／ボビー・ウーマック（3/4）／ジョン・セバスチャン（3/17）／デイヴィッド・リンドレー（3/21）／リック・オケイセック（3/23）／ダイアナ・ロス（3/26）／リッチー・フューレイ（5/9）／アルバート・ハモンド（5/18）／ジョー・コッカー（5/20）／パティ・ラベル（5/24）／グラディス・ナイト（5/28／ミッシェル・フィリップス（6/4）／ボズ・スキャッグス（6/8）／レイ・デイヴィス（6/21）／ピーター・アッシャー（6/22）／クリス・ウッド（6/24）／ジェフ・ベック（6/24）／ジム・キャパルディ（8/2）／ケヴィン・エアーズ（8/16）／バリー・ホワイト（9/1）／ピーター・セテラ（9/13）／マイケル・フランクス（9/18）／ロバート・ラム（10/13）／ジョン・アンダーソン（10/25）／デニー・レイン（10/29）／キース・エマーソン（11/2）／ブッカー・T・ジョーンズ（11/12）／ジーン・クラーク（11/17）／デニス・ウィルソン（12/4）／アルヴィン・リー（12/19）／ザル・ヤノフスキー（12/19）／ミック・ジョーンズ（12/27）

▶ **1945 年（酉年）**

〈未来の英代表的ヒーロー、米人気女性ヴォーカリストなど多彩なジャンルの才能溢れる年〉

スティーヴン・スティルス（1/3）／ロッド・スチュワート（1/10）／エリック・スチュワート（1/20）／ロバート・ワイアット（1/28）／ボブ・マーリー（2/6）／ミッチ・ライダー（2/26）／ミッキー・ドレンツ（3/8）／ロビン・トロワー（3/9）／エリック・ウルフソン（3/18）／エリック・クラプトン（3/30）／ローウェル・ジョージ（4/13）／リッチー・ブラックモア（4/14）／ボブ・シーガー（5/6）／スティーヴ・カッツ（5/9）／イアン・マクレガン（5/12）／ピート・タウンゼント（5/19）／ジョン・フォガティ（5/28）／ゲイリー・ブルッカー（5/29）／ロッド・アージェント（6/14）／カーリー・サイモン（6/25）／デボラ・ハリー（7/1）／キム・カーンズ（7/20）／イアン・ギラン（8/19）／ボブ・ウェルチ（8/31）／ヴァン・モリソン（8/31）／ホセ・フェリシアーノ（9/10／ブライアン・フェリー（9/26）／

ダニー・ハサウェイ（10/1）／ドン・マクリーン（10/2）／ケヴィン・ゴドレイ（10/7）／J.D. サウザー（11/2）／ニール・ダイアモン（11/12）／フリーダ（11/15）／ジョン・マクヴィー（11/26）／ベット・ミドラー（12/1）／ピーター・クリス（12/20）／デイヴィ・ジョーンズ（12/30）

▶ **1946 年（戌年）**

〈シェール、フレディ、ダリル、パティ、リンダ、シド、キース・ムーン、ボン・スコット〜キャラが際立つ伝説的ミュージシャン誕生の年〉

ジョン・ポール・ジョーンズ（1/3）／シド・バレット（1/6）／ジョージ・デューク（1/12）／ドリー・パートン（1/19）／テリー・キャス（1/31）／J・ガイルズ（2/20）／デヴィッド・ギルモア（3/6）／ピーター・ウルフ（3/7）／リー・オスカー（3/24）／ロニー・レーン（4/1）／アル・グリーン（4/13）／グレアム・グールドマン（5/10）／デイヴ・メイソン（5/10）／ドノヴァン（5/10）／ロバート・フリップ（5/16）／シェール（5/20）／イアン・マクドナルド（6/25）／ボン・スコット（7/9）／ミッチ・ミッチェル（7/9）／リンダ・ロンシュタット（7/1）／アラン・ゴーリー（7/19）／ジミー・ウェッブ（8/15）／ラルフ・ヒュッター（8/20）／キース・ムーン（8/23）／バリー・ギブ（9/1）／ビリー・プレストン（9/2）／フレディ・マーキュリー（9/5）／ダリル・ホール（10/11）／リチャード・カーペンター（10/15）／ピーター・グリーン（10/29）／グラム・パーソンズ（11/5）／デュアン・オールマン（11/20）／ギルバート・オサリヴァン（12/1）／ベニー・アンダーソン（12/16）／カール・ウィルソン（12/21）／エドガー・ウィンター（12/28）／パティ・スミス（12/30）

▶ **1947 年（亥年）**

〈ベビーブーマー世代で最多人数〜ブリティッシュ・ロック、グラム・ロック、プログレが花開く〉

サンディ・デニー（1/6）／デヴィッド・ボウイ（1/8）／ウォーレン・ジヴォン（1/24）／デヴィッド・バイロン（1/29）／スティーヴ・マリオット（1/30）／デイヴ・デイヴィス（2/3）／ティム・バックリィ（2/14）／

デニス・デ・ヤング（2/18）／ルパート・ホルムズ（2/24）／キキ・ディー（3/6）／キャロル・ベイヤー・セイガー（3/8）／ランディ・マイズナー（3/8）／トム・ショルツ（3/10）／ライ・クーダー（3/15）／カール・パーマー（3/20）／エルトン・ジョン（3/25）／スティーヴ・ハウ（4/8）／ジェリー・ラファティ（4/16）／イギー・ポップ（4/21）／ピート・ハム（4/27）／ビル・チャップリン（5/21）／ロン・ウッド（6/1）／ポール・ヤング（6/17）／ミック・フリートウッド（6/24）／ウィルコ・ジョンソン（7/12）／ブライアン・メイ（7/19）／カルロス・サンタナ（7/20）／ドン・ヘンリー（7/22）／リック・デリンジャー（8/15）／ジェイムズ・パンコウ（8/20）／ドン・フェルダー（9/21）／ミートローフ（9/27）／マーク・ボラン（9/30）／サミー・ヘイガー（10/13）／ボブ・ウィアー（10/16）／ローラ・ニーロ（10/18）／ティモシー・B・シュミット（10/30）／ミニー・リパートン（11/8）／グレッグ・レイク（11/10）／ジョー・ウォルシュ（11/20）／ジム・メッシーナ（12/5）／グレッグ・オールマン（12/8）／コージー・パウエル（12/29）／ジェフ・リン（12/30）／バートン・カミングス（12/31）

▶ **1948年（子年）**

〈1970年代以降の米ウェストコースト・サウンドやアダルト・コンテンポラリーを創作する年代〉

ケニー・ロギンス（1/7）／ドナルド・フェイゲン（1/10）／ジョセフ・ヘンリー（1/14）／ロニー・ヴァン・ザント（1/15）／リック・ジェイムズ（2/1）／アリス・クーパー（2/4）／ダン・シールズ（2/8）／トニー・アイオミ（2/19）／リトル・ペギー・マーチ（3/8）／ジェフリー・オズボーン（3/9）／ジェイムス・テイラー（3/12）／スティーヴン・タイラー（3/26）／ジミー・クリフ（4/1）／ジャン・ハマー（4/17）／ポール・デイヴィス（4/21）／スティーヴ・ウィンウッド（5/12）／ブライアン・イーノ（5/15）／レオ・セイヤー（5/21）／スティーヴィー・ニックス（5/26）／ジョン・ボーナム（5/31）／ニック・ドレイク（6/19）／トッド・ラングレン（6/22）／キャット・

スティーヴンス（7/21）／トム・ジョンストン（8/15）／ロバート・プラント（8/20）／ルドルフ・シェンカー（8/31）／オリヴィア・ニュートン・ジョン（9/26）／マーク・ファーナー（9/29）／ジョニー・ラモーン（10/8）／ジャクソン・ブラウン（10/9）／ジョン・フォード・コーリー（10/13）／パトリック・シモンズ（10/19）／グレン・フライ（11/6）／オジー・オズボーン（12/3）／ジェフ・スカンク・バクスター（12/13）／テッド・ニュージェント（12/13）／アラン・パーソンズ（12/20）／ドナ・サマー（12/31）

▶ **1949年（丑年）**

〈時代を象徴するロックのシンガーソングライターやバンド、プログレ進化系の人材が誕生〉

ミック・テイラー（1/17）／ロバート・パーマー（1/19）／スティーヴ・ペリー（1/22）／ビル・ペイン（3/12）／エディ・マネー（3/21）／ジョン・オーツ（4/7）／スティーヴ・ガッド（4/9）／ビリー・ジョエル（5/9）／ビル・ブルーフォード（5/17）／リック・ウェイクマン（5/18）／ダスティ・ヒル（5/19）／ジョン・ウェットン（6/12）／ラッセル・ヒッチコック（6/15）／ライオネル・リッチー（6/20）／グレッグ・キーン（7/14）／トレヴァー・ホーン（7/15）／ロジャー・テイラー（7/26）／エリック・カルメン（8/11）／マーク・ノップラー（8/12）／リック・スプリングフィールド（8/25）／ジーン・シモンズ（8/25）／ブルース・スプリングスティーン（9/23）／リンジー・バッキンガム（10/3）／ジェイ・グレイドン（10/8）／ロッド・テンパートン（10/9）／クリス・デ・バー（10/15）／デイヴィッド・フォスター（11/1）／ボニー・レイット（11/8）／トム・ウェイツ（12/7）／ポール・ロジャース（12/17）／モーリス・ギブ（12/22）／ロビン・ギブ（12/22）／エイドリアン・ブリュー（12/23）

◎**1950年代生まれ（216名）**

▶ **1950年（寅年）**

〈カレン、スージー、アグネッタ、アン、フィービー～個性豊かな人気女性ヴォーカリストたちが華やかに生誕！〉

ビリー・オーシャン（1/10）／ダニー・フェデリッチ（1/23）／ナタリー・コール（2/6）／スティーヴ・ハケット（2/12）／ピーター・ガブリエル（2/13）／アンディ・パウエル（2/19）／ウォルター・ベッカー（2/20）／ジョナサン・ケイン（2/26）／カレン・カーペンター（3/2）／ロジャー・ホジソン（3/21）／テディ・ペンダーグラス（3/26）／トニー・バンクス（3/27）／アグネッタ（4/5）／デイヴィッド・キャシディ（4/12）／ピーター・フランプトン（4/22）／ロブ・ハイマン（4/24）／ルー・グラム（5/2）／スティーヴィー・ワンダー（5/13）／マーク・マザーズボー（5/18）／スージー・クアトロ（6/3）／グラハム・ラッセル（6/11）／アン・ウィルソン（6/19）／ヒューイ・ルイス（7/5）／フィービー・スノウ（7/17）／テッド・ターナー（8/2）／パティ・オースティン（8/10）／キッド・クレオール（8/12）／ジョン・マクフィー（9/9）／ジョー・ペリー（9/10）／ポール・コゾフ（9/14）／エミリオ・キャスティーヨ（9/24）／マイク・ラザフォード（10/2）／トム・ペティ（10/20）／ダン・ピーク（11/10）

▶ **1951 年（卯年）**

〈バンド活動が盛況になる年代〜多様なジャンルの人気ヴォーカリスト、ロッカーが続々降臨〉

クリスタル・ゲイル（1/9）／フィル・コリンズ（1/30）／メリサ・マンチェスター（2/15）／クリス・レア（3/4）／ジャニス・イアン（4/7）／メル・シャッカー（4/8）／マックス・ウェインバーグ（4/13）／ピーボ・ブライソン（4/13）／ルーサー・ヴァンドロス（4/20）／ポール・キャラック（4/22）／エース・フレーリー（4/27）／クリストファー・クロス（5/3）／フィリップ・ベイリー（5/8）／ジョーイ・ラモーン（5/19）／デニス・ウィリアムズ（6/3）／ボニー・タイラー（6/8）／スティーヴ・ウォルシュ（6/15）／ニルス・ロフグレン（6/17）／トミー・ボーリン（8/1）／アンドリュー・ゴールド（8/2）／ダン・フォーゲルバーグ（8/13）／ボビー・コールドウェル（8/15）／ジョン・ディーコン（8/19）／ロブ・ハルフォード（8/25）／マーティン・チャンバース（9/4）／クリッシー・ハインド（9/7）

／ディー・ディー・ラモーン（9/18）／デイヴィッド・カヴァデール（9/22）／スティング（10/2）／ボブ・ゲルドフ（10/5）／ジョン・メレンキャンプ（10/7）／ジャコ・パストリアス（12/1）／カーラ・ボノフ（12/27）

▶ **1952 年（辰年）**

〈同い年とは思えない、バラエティーに富んだ個性派ミュージシャンたちばかり〉

ポール・スタンレー（1/20）／マイケル・マクドナルド（2/12）／ジェイムズ・イングラム（2/16）／ジュース・ニュートン（2/18）／ゲイリー・ムーア（4/4）／ナラダ・マイケル・ウォルデン（4/23）／ドニー・ヴァン・ザント（6/11）／ジノ・ヴァネリ（6/16）／ティム・フィン（6/25）／ローラ・ブラニガン（7/3）／ジョン・ウェイト（7/4）／デイヴィッド・パック（7/15）／ジョニー・サンダース（7/15）／スチュワート・コープランド（7/16）／ジョン・ハイアット（8/20）／ダグ・フィージャー（8/20）／ジョー・ストラマー（8/21）／ジェフリー・ダウンズ（8/25）／デイヴ・スチュワート（9/9）／ジェリー・ベックリー（9/12）／ニール・パート（9/12）／ドン・ウォズ（9/13）／ナイル・ロジャース（9/19）デヴィッド・ウォズ（10/26）

▶ **1953 年（巳年）**

〈パワフルでキャラが際立つ女性ヴォーカリストたちが誕生〉

マルコム・ヤング（1/6）／パット・ベネター（1/10）／ロビン・ザンダー（1/23）／マイケル・ボルトン（2/26）／チャカ・カーン（3/23）／アレックス・ヴァン・ヘイレン（5/8）／マイク・オールドフィールド（5/15）／リチャード・ペイジ（5/16）／ジョージ・ジョンソン（5/17）／ジミー・マカロック（6/4）／シンディ・ローパー（6/22）／コリン・ヘイ（6/29）／エリック・バジリアン（7/21）／ゲディー・リー（7/29）／ロバート・クレイ（8/1）／ジェイムズ・"J.T."・テイラー（8/16）／トミー・ショウ（9/11）／ミッジ・ユーロ（10/10）／アンディ・パートリッジ（11/11）

▶ **1954 年（午年）**

ニール・ショーン（2/27）／ナンシー・ウィルソン（3/16）／ジェフ・ポーカロ（4/1）

／マイケル・センベロ（4/17）／デヴィッド・ベイチ（6/25）／ニール・テナント（7/10）／エルヴィス・コステロ（8/25）／ベンモント・テンチ（9/7）／パトリース・ラッシェン（9/30）／スティーヴィー・レイ・ヴォーン（10/3）／デイヴィッド・リー・ロス（10/10）／アダム・アント（11/3）／リッキー・リー・ジョーンズ（11/8）／ブルース・ホーンズビー（11/23）／ジャーメイン・ジャクソン（11/11）

▶ **1955年（未年）**

マイケル・シェンカー（1/10）／トレヴァー・ラビン（1/13）／エドワード・ヴァン・ヘイレン（1/26）／ニーナ・ヘイゲン（3/11）／ランディ・ヴァンウォーマー（3/30）／アンガス・ヤング（3/31）／ルイス・ジョンソン（4/13）／スティーヴ・ジョージ（5/20）／スタン・リンチ（5/21）／マイク・ポーカロ（5/29）／グリーン・ガートサイド（6/22）／ミック・ジョーンズ（6/26）／スティーヴ・ジョーンズ（9/3）／パット・ディニジオ（10/12）／レスリー・マッコーエン（11/12）／ビリー・アイドル（11/30）

▶ **1956年（申年）**

バーナード・サムナー（1/4）／ショーン・コルヴィン（1/10）／ポール・ヤング（1/17）／トム・ベイリー（1/18）／ジョン・ライドン（1/31）／リー・ラナルド（2/3）／ティーナ・マリー（3/5）／ダニー・ワイルド（6/3）／ケニー・G（6/5）／クリス・アイザック（6/26）／イアン・カーティス（7/15）／ジョー・サトリアーニ（7/15）／パティ・シャルファ（7/29）

▶ **1957年（酉年）**

〈TOTOのメンバーは3人が仲良く同じ年〉

サイモン・フィリップス（2/6）／ファルコ（2/19）／シェリル・リン（3/11）／ヴィンス・ギル（4/12）／シド・ヴィシャス（5/10）／パティ・スマイス（6/26）／マーク・アーモンド（7/9）／グロリア・エスティファン（9/1）／スティーヴ・ポーカロ（9/2）／ニック・ケイヴ（9/22）／カール・ウォリンジャー（10/19）／ジュリアン・コープ（10/21）／スティーヴ・ルカサー（10/21）／サイ・カーニン（12/12）

▶ **1958年（戌年）**

〈人気ミュージシャンの"ビッグ3"が同じ年〜そしてなぜか若くして他界する人が多い年〉

ヴィッキー・ピーターソン（1/11）／アニタ・ベイカー（1/26）／デヴィッド・シルヴィアン（2/23）／ニック・カーショウ（3/1）／アンディ・ギブ（3/5）／マーティン・フライ（3/9）／パット・マッグリン（3/31）／スチュアート・アダムソン（4/11）／ジェーン・ウィードリン（5/20）／ポール・ウェラー（5/25）／マリー・フレデリクソン（5/30）／プリンス（6/7）／ミック・カーン（7/12）／サーストン・ムーア（7/25）／ケイト・ブッシュ（7/30）／マイケル・ペン（8/1）／マドンナ（8/16）／ベリンダ・カーライル（8/17）／マイケル・ジャクソン（8/29）／シヴォーン・ファヘイ（9/10）／ミック・テイラー（9/11）／ジョーン・ジェット（9/22）／ショーン・キャシディ（9/27）／トーマス・ドルビー（10/14）／マーク・キング（10/20）／リマール（11/19）

▶ **1959年（亥年）**

〈人気ヴォーカリストに成長する女の子が多く誕生した年〉

スザンナ・ホフス（1/17）／ジョディ・ワトリー（1/30）／アイリーン・キャラ（3/18）／テリー・ホール（3/19）／ブライアン・セッツァー（4/10）／ベイビーフェイス（4/10）／ロバート・スミス（4/21）／シーナ・イーストン（4/27）／イアン・マッカロク（5/5）／スティーヴ・スティーヴンス（5/5）／モリッシー（5/22）／マーク・コーン（7/5）／ジム・カー（7/9）／リッチー・サンボラ（7/11）／スザンヌ・ヴェガ（7/11）／ジョー・エリオット（8/1）／ピート・バーンズ（8/5）／エディ・リーダー（8/29）／モートン・ハルケット（9/14）／コリーン・ドリュリー（9/21）／ウィアード・アル・ヤンコビック（10/23）／ブライアン・アダムス（11/5）

◎**1960年代生まれ（138名）**

▶ **1960年（子年）**

〈1980年代の第2次ブリティッシュ・インヴェイジョンを生み出していく〉

マイケル・スタイプ（1/4）／マイケル・ハッチェンス（1/22）／スティーヴ・ブロンスキー（2/7）／ホリー・ジョンソン（2/9）／アダム・クレイトン（5/13）／ボノ（5/10）／トニー・ハドリー（6/2）／スティーヴ・ヴァイ（6/6）／ミック・ハックネル（6/8）／ジョン・テイラー（6/20）／エイミー・マン（9/8）／デイヴィッド・ロウリー（9/10）／アル・コネリー（10/2）／エリック・マーティン（10/10）

▶ **1961 年（丑年）**

〈イギリスのニューウェーヴ・ロックを台頭させ、ブリティッシュ・インヴェイジョンはさらに続く〉

アンディ・テイラー（2/16）／ドクター・ロバート（5/2）／エンヤ（5/17）／ニック・ヘイワード（5/20）／ローランド・ギフト（5/28）／メリッサ・エスリッジ（5/29）／エル・デバージ（6/4）／ボーイ・ジョージ（6/14）／アリソン・モイエ（6/18）／カート・スミス（6/24）／テリー・ナン（6/26）／ヴィンス・クラーク（7/3）／キース・スウェット（7/22）／ジ・エッジ（8/8）／ローランド・オーザバル（8/22）／デイヴ・ムステイン（9/13）／ロビー・ネヴィル（10/2）／ジョン・セカダ（10/4）／チャド・スミス（10/25）／ランディ・ジャクソン（10/29）

▶ **1962 年（寅年）**

〈アメリカの大人気ハードロック・バンドのヴォーカルふたりが同じ年！〉

アクセル・ローズ（2/6）／ガース・ブルックス（2/7）／シェリル・クロウ（2/11）／ジョン・ボン・ジョヴィ（3/2）／テイラー・デイン（3/7）／テレンス・トレント・ダービー（3/15）／MC ハマー（3/30）／ゲイリー・デイリー（5/5）／パディ・マクアルーン（6/7）／ポーラ・アブドゥル（6/19）／ジョーン・オズボーン（7/11）／トレイシー・ソーン（9/26）／トミー・リー（10/3）／カーク・ハメット（11/18）／ベン・ワット（12/6）

▶ **1963 年（卯年）**

〈早世してしまう実力派人気ヴォーカリストふたりが誕生〉

アンドリュー・リッジリー（1/26）／シール（2/19）／イアン・ブラウン（2/20）／ヴァ

ネッサ・ウィリアムズ（3/18）／ジュリアン・レノン（4/8）／ジョージ・マイケル（6/25）／ジェイムズ・ヘットフィールド（8/3）／ホイットニー・ヒューストン（8/9）／リチャード・マークス（9/16）／ナタリー・マーチャント（10/26）／ジョニー・マー（10/31）

▶ **1964 年（辰年）**

ロディ・フレイム（1/29）／トレイシー・チャップマン（3/30）／アンディ・ベル（4/25）／ロレイン・マッキントッシュ（5/5）／レニー・クラヴィッツ（5/26）／トム・モレロ（5/30）／ケリー・キング（6/3）／コートニー・ラヴ（7/9）／アダム・ダーリッツ（8/1）／アダム・ヤウク（8/5）／ジョセフ・シモンズ（11/14）／ジャスティン・カリー（12/11）／エディ・ヴェダー（12/23）

ジェネレーションX（1965-1980）

アメリカではケネディ政権が発足（61 年）してからベトナム戦争終結（75 年）までに生まれた世代を「ジェネレーションX」と呼ぶ。幼少期とテレビの爆発的普及開始が重なる彼らは、ベトナム戦争やキューバ危機、ヒッピー運動と常に共にあった。その後、ヒッピー運動衰退とベトナム戦争終結による「しらけムード」の中で 10 代を過ごす。

20 年後の MTV 登場で映像表現が必須に。ロックからハードロック、グランジまで進化させる黄金世代。

▶ **1965 年（巳年）**

グレッグ K（1/20）／アンディ・スターマー（3/11）／トレント・レズナー（5/17）／スラッシュ（7/23）／シャナイア・トゥエイン（8/28）／ビョーク（11/21）／ジョニー・レズニック（12/5）／ジョセフ・ドナルド・マスシス（12/10）

▶ **1966 年（午年）**

リック・アストリー（2/6）／エディ・ブリッケル（3/10）／ジェリー・カントレル（3/18）／マイケル・マクレディ（4/5）／リサ・スタンスフィールド（4/11）／サマンサ・フォックス（4/15）／ダリウス・ラッカー（5/13）／ジャネット・ジャクソン（5/16）／シャー

リー・マンソン（8/26）／ベン・フォールズ（9/12）／ヌーノ・バッテンコート（9/20）／アド・ロック（10/31）／ポール・ギルバート（11/6）／ジェフ・バックリィ（11/17）／シニード・オコナー（12/8）／クリス・ロビンソン（12/20）

▶ **1967年（未年）**

〈グランジなどオルタナティヴ・ロックを将来台頭させる新世代が誕生〉

R・ケリー（1/8）／デイヴ・マシューズ（1/9）／カート・コバーン（2/20）／ビリー・コーガン（3/17）／ノエル・ギャラガー（5/29）／ジェフ・トゥイーディー（8/25）／ハリー・コニック・ジュニア（9/11）／フェイス・ヒル（9/21）／キース・アーバン（10/26）／ヴァニラ・アイス（10/31）／デイヴィッド・ゲッタ（11/7）／リッチー・ジェームス・エドワーズ（12/22）

▶ **1968年（申年）**

LLクールJ（1/14）／リサ・マリー・プレスリー（2/1）／チャイナ・フィリップス（2/12）／リサ・ローブ（3/11）／デイモン・アルバーン（3/23）／ジェイムズ・イハ（3/26）／セリーヌ・ディオン（3/30）／エド・オブライエン（4/15）／カーニー・ウィルソン（4/29）／イーグル・アイ・チェリー（5/7）／ラルフ・トレスヴァント（5/16）／カイリー・ミノーグ（5/28）／チャーリー・セクストン（8/11）／スチュアート・マードック（8/25）／トム・ヨーク（10/7）／シャギー（10/22）

▶ **1969年（酉年）**

〈ウッドストック・フェスティバル開催の年〜2世ミュージシャンも誕生〉

マリリン・マンソン（1/5）／デイヴ・グロール（1/14）／ジェイムズ・ディーン・ブラッドフィールド（2/21）／パット・モナハン（2/28）／グレアム・コクソン（3/12）／アイス・キューブ（6/15）／ジェニファー・ロペス（7/24）／ドゥイージル・ザッパ（9/5）／PJハーヴェイ（10/9）／ウェンディ・ウィルソン（10/16）／ジェイ・Z（12/4）／ジェイコブ・ディラン（12/9）／ジェイ・ケイ（12/30）

◎**1970年代生まれ（91名）**

▶ **1970年（戌年）**

ザック・デ・ラ・ロッチャ（1/12）／ジョン・フルシアンテ（3/5）／リヴァーズ・クオモ（6/13）／ベック（7/8）／アンディ・ベル（8/11）／スーザン・テデスキ（11/9）／ベス・オートン（12/14）

▶ **1971年（亥年）**

メアリー・J・ブライジ（1/11）／ダニエル・パウター（2/25）／エリカ・バドゥ（2/26）／マライア・キャリー（3/27）／ミッシー・エリオット（7/1）／アリソン・クラウス（7/23）／リアム・ハウレット（8/21）／ドロレス・オリオーダン（9/6）／ティファニー（10/2）／スヌープ・"ドギー"・ドッグ（10/20）／ジョニー・グリーンウッド（11/5）／リッキー・マーティン（12/24）

▶ **1972年（子年）**

ロブ・トーマス（2/14）／ビリー・ジョー・アームストロング（2/17）／ティンバランド（3/10）／マイク・クルーガー（6/25）／ジェリ・ハリウェル（8/6）／リアム・ギャラガー（9/21）／G・ラヴ（10/3）／エミネム（10/17）

▶ **1973年（丑年）**

ファレル・ウィリアムス（4/5）／ルーファス・ウェインライト（7/22）／フラン・ヒーリー（7/23）

▶ **1974年（寅年）**

メラニー・チズム（1/12）／ロビー・ウィリアムス（2/13）／ジェイムス・ブラント（2/22）／ヴィクトリア・ベッカム（4/17）／ジュエル（5/23）／アラニス・モリセット（6/1）／ケリー・ジョーンズ（6/3）／ナタリー・メインズ（10/14）／ライアン・アダムス（11/5）／チャド・クルーガー（11/15）

▶ **1975年（卯年）**

ビッグ・ボーイ（2/1）／ウィル・アイ・アム（3/15）／ファーギー（3/27）／エンリケ・イグレシアス（5/8）／ジャック・ジョンソン（5/18）／ローリン・ヒル（5/26）／メラニー・ブラウン（5/29）／ジャック・ホワイト（7/9）／マーク・ロンソン（9/4）／ショーン・レノン（10/9）／クリス・ウォラ（11/2）

▶ **1976年（辰年）**

エマ・バントン（1/21）／ブランドン・ボイド（2/15）／ジャ・ルール（2/29）／チェスター・ベニントン（3/20）／ベン・ギバード（8/11）

▶ **1977年（巳年）**

シャキーラ（2/2）／マイク・シノダ（2/11）／クリス・マーティン（3/2）／ジェラルド・ウェイ（4/9）／カニエ・ウェスト（6/8）／ジェイソン・ムラーズ（6/23）／ジェイムズ・マッカートニー（9/12）／フィオナ・アップル（9/13）／ジョン・メイヤー（10/16）

▶ **1978年（午年）**

ポール・バンクス（5/3）／マシュー・ベラミー（6/9）／ダーニ・ハリスン（8/1）／ジュリアン・カサブランカス（8/23）／アッシャー（10/14）／カレンO（11/22）／ジョン・レジェンド（12/28）

▶ **1979年（未年）**

ブランディ（2/11）／トム・チャップリン（3/8）／ピート・ドハーティ（3/12）／アダム・レヴィーン（3/18）／ノラ・ジョーンズ（3/30）／アルバート・ハモンド・ジュニア（4/9）／デレク・トラックス（6/8）／ライアン・テダー（6/26）／ピンク（9/8）／ニーヨ（10/18）

◎1980年代生まれ（50名）
ジェネレーションY／ミレニアル世代
（1981-1996）

　幼少期から青年期にIT革命を経験した「デジタル・ネイティヴ」最初の世代。ミレニアム（新千年紀）が到来した2001年前後、あるいはそれ以降に社会に進出したことから、ミレニアル世代（Millennial Generation）とも呼ばれる。次の「Z世代」以降が該当する「iGen」（スマホ世代）への過渡期にあたる。

　ヒップホップ／ラップ、ニューメタルなどすべてがポップにシフトしつつ、インターネット世代が全く新しいジャンルを創り出していく。女性シンガーのメガスターたちも続々と誕生する。この頃からバンド形式でのミュージシャンが徐々に減少し、ソロで実力勝負するタイプが増えていく。

▶ **1980年（申年）**

ニック・カーター（1/28）／コナー・オバー

スト（2/15）／ウィン・バトラー（4/14）／ジェイソン・ウェイド（7/5）／ジェシカ・シンプソン（7/10）／ヴァネッサ・カールトン（8/16）／クリスティーナ・アギレラ（10/18）

▶ **1981年（酉年）**

〈アメリカでMTV放送開始～大人気女性ヴォーカリスト：アリシア、ビヨンセ、ブリトニーが同級生〉

トム・ミーガン（1/11）／ピットブル（1/15）／アリシア・キーズ（1/25）／ジョニー・ラング（1/29）／ジャスティン・ティンバーレイク（1/31）／ジョシュ・グローバン（2/27）／クレイグ・デイヴィッド（5/5）／アイザック・スレイド（5/26）／ブランドン・フラワーズ（6/21）／ビヨンセ・ノウルズ（9/4）／ジェニファー・ハドソン（9/12）／エイミー・リー（11/13）／ブリトニー・スピアーズ（12/2）

▶ **1982年（戌年）**

カレブ・フォロウィル（1/14）／ニック・ウィーラー（3/20）／ケリー・クラークソン（4/25）／ニッキー・ミナージュ（12/8）

▶ **1983年（亥年）**

アンドリュー・ヴァンウィンガーデン（2/1）／キャリー・アンダーウッド（3/10）／エイミー・ワインハウス（9/14）

▶ **1984年（子年）**

〈アヴリル・ラヴィーンとケイティ・ペリーがたった1か月違いの同い年〉

タイソン・リッター（4/24）／パトリック・スタンプ（4/27）／ダフィー（6/23）／アヴリル・ラヴィーン（9/27）／ケイティ・ペリー（10/25）

▶ **1985年（丑年）**

ルーク・プリチャード（3/2）／レオナ・ルイス（4/3）／ブルーノ・マーズ（10/8）／カーリー・レイ・ジェプセン（11/21）

▶ **1986年（寅年）**

アレックス・ターナー（1/6）／レディ・ガガ（3/28）／ドレイク（10/24）

▶ **1987年（卯年）**

マーカス・マムフォード（1/31）／ケシャ（3/1）／ジョス・ストーン（4/11）／ケンドリック・ラマー（6/17）

▶ **1988年（辰年）**

リアーナ（2/20）／アデル（5/5）／ブリタニー・ハワード（10/2）／タイラー・ジョゼフ（12/1）

▶ **1989 年（巳年）**

マシュー・ヒーリー（4/8）／クリス・ブラウン（5/5）／テイラー・スウィフト（12/13）

◎1990年代生まれ（13名）
ジェネレーションYから「ジェネレーションZ」「iGen」（1995-2012）へ

　2010 年代から 20 年代に社会進出する世代。パソコンよりもスマートフォンを日常的に使いこなし、生活の一部となっている。さらに、ビデオ通話サービスの Zoom を多用することから「Zoomers（ズーマーズ）」とも呼ばれる。また、1995 ～ 2012 年頃に生まれた世代を指して、iGen（アイジェン、i ジェネレーション：スマホ世代）ともいう。スマホ時代に思春期から青春時代を過ごした最初の世代。一日のほとんどがスマホによって「繋がっている」状態にあり、SNSで友だちとコミュニケーションをとっている。従来の世代と比べ、外出して友だちと遊ぶという行動に消極的で、不安感や孤独をより感じているとされる。

　音楽の世界では、ダンスミュージックとラップの売上げがロックを初めて超える。2000 年前後の音楽ダウンロード販売開始、および 00 年代後半のストリーミング・サービスの登場で、デジタル配信の再生回数が数億回を超えるミュージシャンも誕生する。当初はデジタル配信を拒んだミュージシャンも多数存在した。

▶ **1991 年（未年）**

エド・シーラン（2/17）／チャーリー・プース（12/2）

▶ **1992 年（申年）**

サム・スミス（5/19）／セレーナ・ゴメス（7/22）／ニック・ジョナス（9/16）

▶ **1993 年（酉年）**

ゼイン・ジャヴァッド・マリク（1/12）／アリアナ・グランデ（6/26）

▶ **1994 年（戌年）**

ハリー・スタイルズ（2/1）／ジャスティン・ビーバー（3/1）

▶ **1995 年（亥年）**

ポスト・マローン（7/4）／デュア・リパ（8/22）

▶ **1997 年（丑年）**

カミラ・カベロ（3/3）

▶ **1998 年（寅年）**

ショーン・メンデス（8/8）

◎2000年代生まれ（2名）
〈さらに進化したジャンルを創造し、型にはまらず自由であることを心情とする〉

▶ **2001 年（巳年）**

ビリー・アイリッシュ（12/18）

▶ **2003 年（未年）**

オリヴィア・ロドリゴ（2/20）

Index

索引

Brian Jones 1942.2.28
Brian Liesegang 1970.2.10
Brian Littrell 1975.2.20
Brian May 1947.7.19
Brian McKnight 1969.6.5
Brian Nash 1963.5.20
Brian Robertson 1956.2.12
Brian Setzer 1959.4.10
Brian Weitz 1979.3.26
Brian Welch 1970.6.19
Brian Wilson 1942.6.20
Brian Yale 1968.11.24
Brinsley Schwarz 1947.3.25
Britney Spears 1981.12.2
Brittany Howard 1988.10.2
Bruce Cockburn 1945.5.27
Bruce Conte 1950.3.3
Bruce Dickinson 1958.8.7
Bruce Foxton 1955.9.1
Bruce Gary 1951.4.7
Bruce Hall 1953.5.3
Bruce Hornsby 1954.11.23
Bruce Johnston 1942.6.27
Bruce Palmer 1946.9.9
Bruce Springsteen 1949.9.23
Bruce Watson 1961.3.11
Bruno Mars 1985.10.8
Bryan Adams 1959.11.5
Bryan Ferry 1945.9.26
Bryce Soderberg 1980.4.10
Buddy Guy 1936.7.30
Buddy Holly 1936.9.7
Buddy Miles 1947.9.5
Bun E. Carlos 1950.6.12
Burt Bacharach 1928.5.12
Burton Cummings 1947.12.31
Butch Trucks 1947.5.11
Butch Vig 1955.8.2
Butch Walker 1969.11.14

C

C.J. Fogelklou 1980.8.15
C.J. Lewis 1967.2.1
C.J. Ramone 1965.10.8
C.J. Snare 1959.12.14
Cait O'Riordan 1965.1.4
Caleb Followill 1982.1.14
Calvin Harris 1984.1.17
Camila Cabello 1997.3.3
Captain Beefheart 1941.1.15
Carl Barat 1978.6.6
Carl Dalemo 1980.12.9
Carl Giammarese 1947.8.21
Carl Palmer 1950.3.20
Carl Perkins 1932.4.9
Carl Radle 1942.6.18
Carl Wilson 1946.12.21
Carlos Cavazo 1957.7.8
Carlos Santana 1947.7.20

Carly Rae Jepsen 1985.11.21
Carly Simon 1945.6.25
Carmine Appice 1946.12.15
Carnie Wilson 1968.4.29
Carol King 1942.2.9
Carole Bayer Sager 1947.3.8
Caroline Corr 1973.3.17
Carter Beauford 1958.11.2
Cass Elliot 1941.9.19
Cat Stevens 1948.7.21
Ce Ce Peniston 1969.9.6
Cedric Bixler-Zavala 1974.11.4
Celine Dion 1968.3.30
Cerys Matthews 1969.4.11
Cesar Rosas 1954.9.26
Chad Allan 1943.3.29
Chad Kroeger 1974.11.15
Chad Smith 1961.10.25
Chaka Khan 1953.3.23
Chan Kinchla 1969.5.29
Charice 1992.5.10
Charles Kelley 1981.9.11
Charles Miller 1939.7.2
Charles Neville 1938.12.28
Charles Smith 1948.9.6
Charlie Burchill 1959.11.27
Charlie Gillingham 1960.1.26
Charlie Lowell 1973.10.21
Charlie Sexton 1968.8.11
Charlie Watts 1941.6.2
Charlotte Caffey 1953.10.21
Charlotte Hatherley 1979.6.20
Chas Chandler 1938.12.18
Chas Smash 1959.1.14
Cher 1946.5.20
Cherie Currie 1959.11.30
Cheryl Gamble 1970.6.13
Cheryl Lynn 1957.3.11
Chester Bennington 1976.3.20
Chet Atkins 1924.6.20
Chet McCracken 1952.7.17
Chick Churchill 1946.1.2
Chilli 1971.2.27
Chino Moreno 1973.6.20
Chris Baio 1984.10.29
Chris Ballew 1965.5.28
Chris Barron 1968.2.5
Chris Britton 1945.1.21
Chris Brown 1989.5.5
Chris Collingwood 1967.10.3
Chris Copping 1945.8.29
Chris Cornell 1964.7.20
Chris Cross 1952.7.14
Chris Curtis 1941.8.26
Chris Daughtry 1979.12.26
Chris De Burgh 1948.10.15
Chris DeGamo 1963.6.14
Chris Difford 1954.11.4

Chris Dreja 1945.11.11
Chris Edwards 1980.12.20
Chris Farlowe 1940.10.13
Chris Fehn 1973.2.24
Chris Foreman 1956.8.8
Chris Frantz 1951.5.8
Chris Geddes 1975.10.15
Chris Hesse 1974.1.26
Chris Hillman 1944.12.4
Chris Isaak 1956.6.26
Chris Joyce 1957.10.11
Chris Lowe 1959.10.4
Chris Mars 1961.4.26
Chris Martin 1977.3.2
Chris Poland 1957.12.1
Chris Rea 1951.3.4
Chris Robinson 1966.12.20
Chris Shiflett 1971.5.6
Chris Spedding 1944.6.17
Chris Squire 1948.3.4
Chris Stein 1950.1.5
Chris Tomson 1984.3.6
Chris Walla 1975.11.2
Chris White 1943.3.7
Chris Wood 1944.6.24
Chrissie Hynde 1951.9.7
Christina Aguilera 1980.12.18
Christina Milian 1981.9.26
Christine McVie 1943.7.12
Christopher Cross 1951.5.3
Christopher Kirkpatrick 1971.10.17
Christopher Thorn 1968.12.16
Christopher Wolstenholme 1978.12.2
Chubby Checker 1941.10.3
Chuck Berry 1926.10.18
Chuck Comeau 1979.9.17
Chuck D 1960.8.1
Chuck Mosley 1959.12.26
Chuck Negron 1942.6.8
Chuck Panozzo 1948.9.20
Chuck Portz 1945.3.28
Chynna Phillips 1968.2.12
Cindy Wilson 1957.2.28
Clarence Clemons 1942.1.11
Claus Norreen 1970.6.5
Clement Burke 1954.11.24
Cliff Richard 1940.10.14
Cliff Williams 1949.12.14
Clifford Lee Burton 1962.2.10
Clint Warwick 1940.6.25
Clive Bunker 1946.12.12
Colbie Caillat 1985.5.28
Colin Blunstone 1945.6.24
Colin Greenwood 1969.6.26
Colin Hay 1953.6.29
Colin Hodgkinson 1945.10.14
Colin Moulding 1955.8.17
Colm O' Ciosoig 1964.10.31

Dennis Tufano 1946.9.11
Dennis Wilson 1944.12.4
Denny Doherty 1940.11.29
Denny Laine 1944.10.29
Derek Bell 1935.10.21
Derek Forbes 1956.6.22
Derek Longmuir 1951.3.19
Derek Pellicci 1953.2.18
Derek Trucks 1979.6.8
Deryck Whibley 1980.3.21
Dewey Bunnell 1951.1.19
Dewy Martin 1940.9.30
Dexter Holland 1965.12.29
Diana King 1970.11.8
Diana Ross 1944.3.26
Dick Halligan 1943.8.29
Dick Heckstall-Smith 1934.9.16
Dick Lee 1956.8.24
Dick St. Nicklaus 1946.4.13
Dick Taylor 1943.1.28
Dickey Betts 1943.12.12
Dido 1971.12.25
Dimebag Darrell 1966.8.20
Dino Danelli 1944.7.23
Dino Valenti 1937.10.7
Dion 1939.7.18
Dionne Warwick 1940.12.12
Divine 1945.10.19
Dizzy Reed 1963.6.18
DJ Lethal 1972.12.18
Dmitry 1964.6.4
Douglas Robb 1975.1.2
Dolly Parton 1946.1.19
Dolores O'Riordan 1971.9.6
Dominic Aitchison 1976.10.11
Dominic Howard 1977.12.7
Don Barnes 1952.12.3
Don Brewer 1948.9.3
Don Everly 1937.2.1
Don Felder 1947.9.21
Don Henley 1947.7.22
Don McDougall 1948.11.5
Don McLean 1945.10.2
Don Murray 1945.11.8
Don Powell 1946.9.10
Don Reynolds 1987.7.14
Don Stevenson 1941.10.15
Don Was 1952.9.13
Don Wilson 1933.2.10
Donald "Duck" Dunn 1941.11.24
Donald Fagen 1948.1.10
Donald Roeser 1947.11.12
Donavon Frankenreiter 1972.12.10
Donna Godchaux 1947.8.22
Donna Summer 1948.12.31
Donnie Van Zant 1952.6.11
Donnie Wahlberg 1969.8.17
Donny Hathaway 1945.10.1

Donovan 1946.5.10
Doug Clifford 1945.4.24
Doug Fieger 1952.8.20
Doug Hopkins 1961.4.11
Doug Ingle 1945.9.9
Doug Johnson 1957.12.19
Doug Wimbish 1956.9.22
Dougie Thomson 1951.3.24
Douglas Payne 1972.11.14
Douglas Vipond 1966.10.15
Dr. John 1941.11.20
Dr. Robert 1961.5.2
Drake 1986.10.24
Dua Lipa 1995.8.22
Duane Allman 1946.11.20
Duane Eddy 1938.4.26
Duff McKagan 1964.2.5
Duffy 1984.6.23
Duke Erikson 1951.1.15
Duncan Sheik 1969.11.18
Dusty Hill 1949.5.19
Dusty Springfield 1939.4.16
Dweezil Zappa 1969.9.5

E

Eagle-Eye Cherry 1968.5.7
Ed Gagliardi 1952.2.13
Ed King 1949.9.14
Ed O'Brien 1968.4.15
Ed Roland 1963.8.3
Ed Sheeran 1991.2.17
Ed Simons 1970.6.9
Eddi Reader 1959.8.29
Eddie Brigati 1945.10.22
Eddie Clarke 1950.10.5
Eddie Cochran 1938.10.3
Eddie Fisher 1973.12.17
Eddie Harsch 1957.5.27
Eddie Hazel 1950.4.10
Eddie Jackson 1961.1.29
Eddie Jobson 1955.4.28
Eddie MacDonald 1959.11.1
Eddie Money 1949.3.21
Eddie Vedder 1964.12.23
Edgar Froese 1944.6.6
Edger Winter 1946.12.28
Edie Brickell 1966.3.10
Edward Van Halen 1955.1.26
Edwin Starr 1942.1.21
El DeBarge 1961.6.4
Elliot Easton 1953.12.18
Elliott Smith 1969.8.6
Elliott Yamin 1978.7.20
Elton John 1947.3.25
Elvin Bishop 1942.10.21
Elvis Costello 1954.8.25
Elvis Presley 1935.1.8
Emilio Castillo 1950.9.24
Emilio Estefan 1953.3.4

Emily Robinson 1972.8.16
Emily Saliers 1963.7.22
Eminem 1972.10.17
Emma Bunton 1976.1.21
Emmylou Harris 1947.4.2
Enrique Iglesias 1975.5.8
Enya 1961.5.17
Eric Avery 1965.4.25
Eric Bazilian 1953.7.21
Eric Bell 1947.9.3
Eric Benet 1966.10.15
Eric Bloom 1944.12.1
Eric Burdon 1941.5.11
Eric Carmen 1949.8.11
Eric Clapton 1945.3.30
Eric Faulker 1953.10.21
Eric Haydock 1943.2.3
Eric Hutchinson 1980.9.8
Eric Judy 1974.11.16
Eric Kretz 1966.6.7
Eric Martin 1960.10.10
Eric Schenkman 1963.12.12
Eric Singer 1958.5.12
Eric Stewart 1945.1.20
Eric Woolfson 1945.3.18
Erik Brann 1950.8.11
Ernie Isley 1952.3.7
Erykah Badu 1971.2.26
Evan Dando 1967.3.4
Everyn "Champagne" King 1960.7.1
Ewen Vernal 1964.2.27
Ezra Koenig 1984.4.8

F

Fabrizio Moretti 1980.6.2
Faith Evans 1973.6.10
Faith Hill 1967.9.21
Falco 1957.2.19
Fat Mike 1967.1.31
Fatboy Slim 1963.7.31
Fats Domino 1928.2.26
Feargal Sharkey 1958.8.13
Felix Cavaliere 1942.11.29
Fergal Lawler 1971.3.4
Fergie 1975.3.27
Felix Pappalardi 1939.12.30
Fiachna O' Braonain 1965.11.27
Fiona Apple 1977.9.13
Fish 1958.4.25
Flavor Flav 1959.3.16
Flea 1962.10.16
Flo Rida 1979.9.16
Florian Schneider 1947.4.7
Fran Sheehan 1949.3.26
Francis Healy 1973.7.23
Francis MacDonald 1970.9.11
Francis Rossi 1949.5.29
Frank Beard 1949.6.11
Frank Iero 1981.10.31

ロックミュージシャン誕生日事典

Holly Johnson 1960.2.9
Honey Lantree 1943.8.28
Howard Donald 1968.4.28
Howard Jones 1955.2.23
Howard Kaylan 1947.6.22
Howard Scott 1946.3.15
Howie Dorough 1973.8.22
Howie Epstein 1955.7.21
Huey Lewis 1950.7.5
Hugh Cornwell 1949.8.28
Hugh Grundy 1945.3.6
Hugh Harris 1987.7.19
Hugh McDowell 1953.7.31

I

Iain Harvie 1962.5.19
Iain Sutherland 1948.11.17
Ian Anderson 1947.8.10
Ian Astbury 1962.5.14
Ian Bairnson 1953.8.3
Ian Baker 1965.9.29
Ian Broudie 1958.8.4
Ian Brown 1963.2.20
Ian Burden 1957.12.24
Ian Craig Marsh 1956.11.11
Ian Curtis 1956.7.15
Ian Dury 1942.5.12
Ian Gillan 1945.8.19
Ian Hill 1951.1.20
Ian Hunter 1939.6.3
Ian Matthews (Fairport Convention)
  1946.6.16
Ian Matthews (Kasabian) 1971.6.20
Ian McCulloch 1959.5.5
Ian McDonald 1946.6.25
Ian McLagan 1945.5.12
Ian Mitchell 1958.8.22
Ian Paice 1948.6.29
Ian Stanley 1957.2.28
Ian Stewart 1938.7.18
Ice Cube 1969.6.15
Ice-T 1958.2.16
Iggy Pop 1947.4.21
Ike Turner 1931.11.5
India Arie 1975.10.3
Irene Cara 1959.3.18
Irmin Schmidt 1937.5.29
Isaac Brock 1975.7.9
Isaac Hayes 1942.8.20
Isaac Slade 1981.5.26
Isobel Campbell 1976.4.27
Ivan Neville 1959.8.19
Izzy Stradlin 1962.4.8

J

J.C. Crowley 1947.11.13
J.D. Souther 1945.11.2
J.J. Cale 1938.12.5
J.P. Pennington 1949.1.22
J.R. Cobb 1944.2.5

Ja Rule 1976.2.29
Jack Antonoff 1984.3.31
Jack Blades 1954.4.24
Jack Bruce 1943.5.14
Jack Cassady 1944.4.13
Jack Hues 1954.12.10
Jack Irons 1962.7.18
Jack Johnson 1975.5.18
Jack White 1975.7.9
Jackie DeShannon 1941.8.21
Jackie Jackson 1951.5.4
Jackson Browne 1948.10.9
Jaco Pastorius 1951.12.1
Jacqui McShee 1943.12.25
Jacqui O'Sullivan 1960.8.7
Jah Wobble 1958.8.11
Jake Bugg 1994.2.28
Jaki Liebezeit 1938.5.26
Jakob Dylan 1969.12.9
James Bay 1990.9.4
James Blunt 1974.2.22
James Brown 1933.5.3
James Burton 1939.8.21
James Cotton 1935.7.1
James Dean Bradfield 1969.2.21
James Fearnley 1954.10.9
James Gregory 1984.12.28
James Griffin 1943.8.10
James Hetfield 1963.8.3
James Iha 1968.3.26
James Ingram 1952.2.16
James "J.T." Taylor 1953.8.16
James Mercer 1970.12.26
James Pankow 1947.8.20
James Prime 1960.11.3
James Righton 1983.8.25
James Scott 1956.11.4
James Shaffer 1970.6.6
James Taylor 1948.3.12
James Valentine 1978.10.5
James Warren 1951.8.25
James Young 1949.11.14
Jamie Cook 1985.7.8
Jamie Cullum 1979.8.20
Jamie Reynolds 1980.7.29
Jan Akkerman 1946.12.24
Jan Berry 1941.4.3
Jan Hammer 1948.4.17
Jane Wiedlin 1958.5.20
Janet Jackson 1966.5.16
Janet Kay 1958.1.17
Janis Ian 1951.5.7
Janis Joplin 1943.1.19
Jared Followill 1986.11.20
Jarvis Cocker 1963.9.19
Jason Cooper 1967.1.31
Jason Falkner 1968.6.2
Jason Finn 1967.10.27

Jason McCaslin 1980.9.3
Jason Mizell 1965.1.21
Jason Mraz 1977.6.23
Jason Newsted 1963.3.4
Jason Orange 1970.7.10
Jason Wade 1980.7.5
Jay Bennett 1963.11.15
Jay Darlington 1968.5.3
Jay Farrar 1966.12.26
Jay Graydon 1949.10.8
Jay Kay 1969.12.30
Jay-Z 1969.12.4
JC Chasez 1976.8.8
Jeanette Jurado 1965.11.14
Jean-Jacques Burnel 1952.2.21
Jean-Paul Maunick 1957.2.19
Jeff Ament 1963.3.10
Jeff Beck 1944.6.24
Jeff Buckley 1966.11.17
Jeff Carlisi 1952.7.15
Jeff Cease 1967.6.24
Jeff Hanneman 1964.1.31
Jeff Lynne 1947.12.30
Jeff Porcaro 1954.4.1
Jeff "Skunk" Baxter 1948.12.13
Jeff Stinco 1978.8.22
Jeff Tweedy 1967.8.25
Jeff Watson 1956.11.5
Jeffrey Osborne 1948.3.9
Jem Finer 1955.7.20
Jennifer Hudson 1981.9.12
Jennifer Lopez 1969.7.24
Jennifer Warnes 1947.3.3
Jenny Berggren 1972.5.19
Jeremiah Green 1977.3.4
Jeremy Coleman 1960.2.26
Jeremy Jordan 1973.9.19
Jeremy Spencer 1948.7.4
Jermaine Jackson 1954.12.11
Jerome Augustyniak 1958.9.2
Jerome Geils 1946.2.20
Jerry Cantrell 1966.3.18
Jerry Corbetta 1947.9.23
Jerry Dammers 1955.5.22
Jerry De Borg 1960.10.30
Jerry Edmonton 1946.10.24
Jerry Fisher 1942.3.1
Jerry Garcia 1942.8.1
Jerry Harrison 1949.2.21
Jerry Jeff Walker 1942.3.16
Jerry Lee Lewis 1935.9.29
Jerry Martini 1943.10.1
Jerry Miller 1943.7.10
Jerry Nolan 1946.5.7
Jerry Shirley 1952.2.4
Jerry Yester 1943.1.9
Jesse Carmichael 1979.4.2
Jesse Charland 1981.7.4

Jon Moss 1957.9.11
Jon Secada 1961.10.4
Jon Spencer 1965.2.5
Jonas Berggren 1967.3.21
Jonathan Butler 1961.10.10
Jonathan Cain 1950.2.26
Jonathan Davis 1971.1.18
Jonathan Fishman 1965.2.19
Jonathan Jeczalik 1955.5.11
Jonathan Knight 1968.11.29
Jonathan Lind 1948.4.14
Jonathan Richman 1951.5.16
Joni Mitchell 1943.11.7
Jonny Buckland 1977.9.11
Jonny Lang 1981.1.29
Jonny Quinn 1972.2.26
Jonny Ramone 1948.10.8
Jonny Rotten 1956.1.31
Jonsi Birgisson 1975.4.23
Jools Holland 1958.1.24
Jordan Knight 1970.5.17
Jordan Pundik 1979.10.12
Jorge Santana 1951.6.13
Jorma Kaukonen 1940.12.23
Jose Feliciano 1945.9.10
Jose Pasillas 1976.4.26
Joseph Donald Mascis 1965.12.10
Joseph Simmons 1964.11.14
Josh Dibb 1978.1.6
Josh Groban 1981.2.27
Josh Klinghoffer 1979.10.3
Josh McClorey 1995.9.10
Joss Stone 1987.4.11
Jude Cole 1960.6.18
Judy Collins 1939.5.1
Judy Dyble 1949.2.13
Juice Newton 1952.2.18
Jules Alexzander 1943.9.25
Julia Fordham 1962.8.10
Julian Casablancas 1978.8.23
Julian Cope 1957.10.21
Julian Lennon 1963.4.8
Julio Iglesias 1943.9.23
Justin Bieber 1994.3.1
Justin Chancellor 1971.11.19
Justin Currie 1964.12.11
Justin Hawkins 1975.3.17
Justin Hayward 1946.10.14
Justin Timberlake 1981.1.31

K

Kanye West 1977.6.8
Karen Carpenter 1950.3.2
Karen O 1978.11.22
Kari Mueller 1962.7.27
Karl Bartos 1952.5.31
Karl Hyde 1957.5.10
Karl Jenkins 1944.2.17
Karl Wallinger 1957.10.19

Karla Bonoff 1951.12.27
Karyn White 1965.10.14
Kate Bush 1958.7.30
Kate Nash 1987.7.6
Kate Pierson 1948.4.27
Kate St. John 1957.10.2
Kathy Valentines 1959.1.7
Katrina Leskanich 1960.4.10
Katy Perry 1984.10.25
K.D. Lang 1961.11.2
Keith Emerson 1944.11.2
Keith Flint 1969.9.17
Keith Godchaux 1948.7.19
Keith Knudsen 1948.2.18
Keith Knudsen 1952.10.18
Keith Levene 1957.7.18
Keith Moon 1946.8.23
Keith Reid 1946.10.19
Keith Relf 1943.3.22
Keith Richards 1943.12.18
Keith Strickland 1953.10.26
Keith Sweat 1961.7.22
Keith Urban 1967.10.26
Kelly Clarkson 1982.4.24
Kelly Groucutt 1945.9.8
Kelly Isley 1937.12.6
Kelly Jones 1974.6.3
Kelly Keagy 1952.9.15
Kelly Okereke 1981.10.13
Kelly Osbourne 1984.10.27
Kelly Rowland 1981.2.11
Ken Stringfellow 1968.10.30
Kenneth K.K. Downing 1951.10.27
Kenny G 1965.6.5
Kenny Jones 1948.9.16
Kenny Loggins 1948.1.7
Kenny Rogers 1938.8.21
Keren Jane Woodward 1961.4.2
Kerry King 1964.6.3
Kerry Livgren 1949.9.18
Kesha 1987.3.1
Kevin Ayers 1944.8.16
Kevin Cadogan 1970.8.14
Kevin Coleman 1965.10.21
Kevin Cronin 1951.10.6
Kevin DuBrow 1955.10.29
Kevin "Geordie" Walker 1960.12.18
Kevin Godley 1945.10.7
Kevin Griffin 1968.10.1
Kevin Haskins 1960.7.19
Kevin MacMichael 1951.11.7
Kevin "Noodle" Wasserman 1963.2.4
Kevin Richardson 1971.10.3
Kevin Shields 1963.5.21
Keziah Jones 1968.1.10
Kid Creole 1950.8.12
Kid Rock 1971.1.17
Kieren Webster 1986.5.10

Kiki Dee 1947.3.6
Kim Carnes 1945.7.20
Kim Fowley 1939.7.21
Kim Gordon 1953.4.28
Kim Thayil 1960.9.4
Kim Wilde 1960.11.18
Kim Wilson 1951.1.6
King Curtis 1934.2.7
Kirk Hammett 1962.11.18
Kirk Pengilly 1958.7.4
Klaus Dinger 1946.3.24
Klaus Meine 1948.5.25
Klaus Schultze 1947.8.4
Klaus Voormann 1938.4.29
Krist Novoselic 1965.5.16
KT Tunstall 1975.6.23
Kurt Coban 1967.2.20
Kyle Cook 1975.8.29
Kyle Falconer 1987.6.6
Kylie Minogue 1968.5.28
Kyp Malone 1973.2.27

L

Lady Gaga 1986.3.28
Lady Miss Kier 1963.8.15
Laetitia Sadier 1968.5.6
Lance Bass 1979.5.4
Larry Byrom 1948.12.27
Larry Graham 1946.8.14
Larry Hoppen 1951.1.12
Larry Junstrom 1949.6.22
Larry Lee 1943.3.7
Larry Mullen 1961.10.31
Lars Frederiksen 1971.8.30
Lars Ulrich 1963.12.26
LaTavia Roberson 1981.11.1
Laura Branigan 1957.7.3
Laura Nyro 1947.10.18
Laurie Anderson 1947.6.5
Lauryn Hill 1975.5.26
Layne Staley 1967.8.22
LeAnn Rimes 1982.8.28
Leanne Lyons 1973.7.17
Lee Brilleaux 1952.5.10
Lee Dorman 1942.9.15
Lee Harris 1962.7.20
Lee Loughnane 1946.10.21
Lee Mavers 1962.8.2
Lee Oskar 1948.3.24
Lee Ranaldo 1956.2.3
Lee Rocker 1961.8.3
Lee Thompson 1957.10.5
Leeroy Thornhill 1968.10.8
Leif Garrett 1961.11.8
Leland Sklar 1947.5.28
Lemmy Kilmister 1945.12.24
Lene Nystrom Rasted 1973.10.2
Lenny Davidson 1944.5.30
Lenny Kaye 1946.12.27

Matthew Sweet 1964.10.6
Matthias Jabs 1955.10.25
Matty Lewis 1975.5.8
Maureen Tuker 1944.8.26
Maurice White 1941.12.19
Mauro Pagani 1946.2.5
Max Rafferty 1983.8.7
Max Weinberg 1951.4.13
Maxi Priest 1961.6.10
Maxim Reality 1967.3.21
Maxwell 1973.5.23
Maynard James Keenan 1964.4.17
MC Hammer 1962.3.30
Meat Loaf 1947.9.27
Meg White 1974.12.10
Meghan Trainor 1993.12.22
Meja 1969.2.12
Mel Galley 1948.3.8
Mel Gaynor 1959.5.29
Mel Pritchard 1948.1.20
Mel Schacher 1951.4.8
Mel Taylor 1933.9.24
Melanie Chisholm 1974.1.12
Melissa Etheridge 1961.5.29
Melissa Manchester 1951.2.15
Meshell Ndegeocello 1969.8.29
Michael Allsup 1947.3.8
Michael Anthony 1954.6.20
Michael Bivins 1968.8.10
Michael Bland 1969.3.14
Michael Bolton 1953.2.26
Michael Brown 1949.4.25
Michael Buble 1975.9.9
Michael Clarke 1946.6.3
Michael Davis 1943.6.5
Michael Dempsey 1958.11.29
Michael DeRosier 1951.8.24
Michael Foster 1964.12.9
Michael Franks 1944.9.18
Michael Giles 1942.3.1
Michael Hanson 1963.1.1
Michael Hossack 1946.10.17
Michael Hutchence 1960.1.22
Michael Ivins 1963.3.17
Michael Jackson 1958.8.29
Michael Karoli 1948.4.29
Michael McCary 1971.12.16
Michael McDonald 1952.2.12
Michael McNeil 1958.7.20
Michael Monarch 1950.7.5
Michael Monroe 1962.6.17
Michael Nesmith 1942.12.30
Michael Penn 1958.8.1
Michael Schenker 1955.1.10
Michael Sembello 1954.4.17
Michael Steele 1955.6.2
Michael Stipe 1960.1.4
Michael Timmins 1959.4.21

Michael Tucker 1947.7.17
Michael Ward 1967.2.21
Michael Wilton 1962.2.23
Michelle Branch 1983.7.2
Michelle Phillips 1944.6.4
Michelle Williams 1980.7.23
Mick Abraham 1943.4.7
Mick Avory 1944.2.15
Mick Box 1947.6.9
Mick Fleetwood 1947.6.24
Mick Hucknall 1960.6.8
Mick Jagger 1943.7.26
Mick Jones (Foreigner) 1944.12.27
Mick Jones (The Clash) 1955.6.26
Mick Karn 1958.7.24
Mick Mars 1951.5.4
Mick Ralphs 1944.3.31
Mick Ronson 1946.5.26
Mick Talbot 1958.9.11
Mick Taylor 1949.1.17
Mick Thomson 1973.11.3
Mickey Hart 1943.9.11
Micky Dolenz 1945.3.8
Micky Moody 1950.8.30
Midge Ure 1953.10.10
Mik Kaminski 1951.9.2
Mika 1983.8.18
Mikael Jorgensen 1972.6.4
Mike Barson 1958.4.21
Mike Bloomfield 1943.7.28
Mike Bordin 1962.11.27
Mike Botts 1944.12.8
Mike Campbell 1950.2.1
Mike D'Abo 1944.3.1
Mike Diamond 1965.11.20
Mike Dirnt 1972.5.4
Mike Edwards 1964.6.22
Mike Einziger 1976.6.21
Mike Gibbins 1949.3.12
Mike Harrison 1945.9.3
Mike Hogan 1973.4.29
Mike Hugg 1942.8.11
Mike Inez 1966.5.14
Mike Joyce 1963.6.1
Mike Kellie 1947.3.24
Mike Kroeger 1972.6.25
Mike Love 1941.3.15
Mike Malinin 1967.10.10
Mike McCready 1966.4.5
Mike McGear 1944.1.7
Mike Mesaros 1958.12.11
Mike Mills 1958.12.17
Mike Oldfield 1953.5.15
Mike Patton 1968.1.27
Mike Pender 1942.3.3
Mike Percy 1961.3.11
Mike Peters 1959.2.25
Mike Pinder 1941.12.27

Mike Pinera 1948.9.29
Mike Porcaro 1955.5.29
Mike Reno 1955.1.8
Mike Rutherford 1950.10.2
Mike Score 1957.11.5
Mike Scott 1958.12.14
Mike Shinoda 1977.2.11
Mike Smith 1943.12.6
Mike Starr 1966.4.4
Mike Vickers 1940.4.18
Mikey Craig 1960.2.15
Mikey Madden 1979.5.13
Mikey Way 1980.9.10
Mikey Weish 1971.4.20
Miles Davis 1926.5.26
Miley Cyrus 1992.11.23
Mince Fratellis 1983.5.16
Minnie Riperton 1947.11.8
Missy Elliott 1971.7.1
Mitch Michell 1946.7.9
Mitch Ryder 1945.2.26
Moby 1965.9.11
Moon Martin 1945.10.31
Morgan Fisher 1950.1.1
Morris Gibb 1949.12.22
Morrissey 1959.5.22
Morten Harket 1959.9.14
Muddy Waters 1913.4.4
Muff Winwood 1943.6.15
Murdoc Niccals 1966.6.6
Murph 1964.12.21
Murphy Karges 1967.6.20

N

Nancy Wilson 1954.3.16
Narada Michael Walden 1952.4.23
Nat King Cole 1919.3.17
Natalie Cole 1950.2.6
Natalie Imbruglia 1975.2.4
Natalie Maines 1974.10.14
Natalie Merchant 1963.10.26
Nate Mendel 1968.12.2
Nate Ruess 1982.2.26
Nate Wood 1979.10.3
Nathan Connolly 1981.1.20
Nathan Followill 1979.6.26
Nathan Morris 1971.6.18
Neal Doughty 1946.7.29
Neal Schon 1954.2.27
Ned Doheny 1948.3.26
Neil Diamond 1941.1.24
Neil Finn 1958.5.27
Neil Larsen 1948.8.7
Neil Mitchell 1965.6.8
Neil Peart 1952.9.12
Neil Primrose 1972.2.20
Neil Sedaka 1939.3.13
Neil Tennant 1954.7.10
Neil Young 1945.11.12

Pete Seeger 1919.5.3
Pete Shelley 1955.4.17
Pete Sinfield 1943.12.27
Pete Timmins 1965.10.29
Pete Townshend 1945.5.19
Pete Way 1951.8.7
Pete Wentz 1979.6.5
Pete Willis 1960.2.16
Pete York 1942.8.15
Peter Allen 1944.2.10
Peter Asher 1944.6.22
Peter Banks 1947.7.15
Peter Bardens 1945.6.19
Peter Beckett 1948.8.10
Peter Buck 1956.12.6
Peter Cetera 1944.9.13
Peter Criss 1945.12.20
Peter DiStefano 1959.7.10
Peter Frampton 1950.4.22
Peter Gabriel 1950.2.13
Peter Garrett 1953.4.16
Peter Gill 1964.3.8
Peter Green 1946.10.29
Peter Hook 1956.2.13
Peter Lewis 1945.7.15
Peter Murphy 1957.7.11
Peter Noone 1947.11.5
Peter O'Toole 1932.8.2
Peter Olsson 1961.10.21
Peter Salisbury 1971.9.24
Peter Tork 1942.2.13
Peter Tosh 1944.10.19
Peter Van Hooke 1950.4.6
Peter Wolf 1946.3.7
Peter Yarrow 1938.5.31
Petula Clark 1932.11.15
Pharrell Williams 1973.4.5
Phil Anselmo 1968.6.30
Phil Collen 1957.12.8
Phil Collins 1951.1.30
Phil Cunningham 1974.12.7
Phil Ehart 1951.2.4
Phil Everly 1939.1.19
Phil Jordan 1982.7.3
Phil Judd 1953.3.20
Phil Lesh 1940.3.15
Phil Lynott 1949.8.20
Phil Mogg 1948.4.15
Phil Manzanera 1951.1.31
Phil Ramone 1934.1.5
Phil Rudd 1954.5.19
Phil Selway 1967.5.23
Phil Smith 1959.5.1
Phil Solem 1956.7.1
Phil Spector 1939.12.26
Phil Taylor 1954.9.21
Philip Adrian Wright 1956.6.30
Philip Bailey 1951.5.8

Philip Oakey 1955.10.2
Phillip Rhodes 1968.5.26
Phoebe Snow 1950.7.17
Pick Withers 1948.4.4
Pierre Bouvier 1979.5.9
Pitbull 1981.1.15
PJ Harvey 1969.10.9
Post Malone 1995.7.4
Prescott Niles 1954.5.2
Prince 1958.6.7
Puff Daddy 1969.11.4
Pye Hastings 1947.1.21

Q

Quincy Jones 1933.3.14

R

Rachael Yamagata 1977.9.23
Ralf Hutter 1946.8.20
Ralph Tresvant 1968.5.16
Rami Jaffee 1969.3.11
Randy Bachman 1943.9.27
Randy Brecker 1945.11.27
Randy Crawford 1952.2.18
Randy Guss 1967.3.7
Randy Jackson 1961.10.29
Randy Meisner 1946.3.8
Randy Murray 1945.8.24
Randy Newman 1943.11.28
Randy Rhoads 1956.12.6
Randy Scruggs 1953.8.3
Randy Vanwarmer 1955.3.30
Raul Midon 1966.3.14
Ravi Shankar 1920.4.7
Ray Charles 1930.9.23
Ray Collins 1936.11.19
Ray Davies 1944.6.21
Ray Ennis 1942.5.26
Ray Kennedy 1946.11.26
Ray LaMontagne 1973.6.18
Ray Manzarek 1939.2.12
Ray Parker Jr. 1954.5.1
Ray Royer 1945.10.8
Ray Sawyer 1937.2.1
Ray Thomas 1941.12.29
Ray Toro 1977.7.15
Redfoo 1975.9.3
Reg Presley 1941.6.12
Reginald Arvizu 1969.11.2
Regine Chassagne 1976.8.19
Rene Dif 1967.10.17
Reni 1964.4.10
Rex Brown 1964.7.27
Ric Ocasek 1944.3.23
Rich Fifield 1941.2.9
Rich Robinson 1969.5.24
Richard Archer 1977.1.18
Richard Ashcroft 1971.9.11
Richard Barbieri 1957.11.30
Richard Butler 1956.6.5

Richard Carpenter 1946.10.15
Richard Colburn 1970.7.25
Richard Coughlan 1947.9.2
Richard Darbyshire 1960.3.8
Richard Davies 1944.7.22
Richard Finch 1954.1.23
Richard Hughes 1975.9.8
Richard Jones 1974.5.23
Richard Lloyd 1951.10.25
Richard Manuel 1943.4.3
Richard Marx 1963.9.16
Richard Oakes 1976.10.1
Richard Page 1953.5.16
Richard Palmer 1947.6.11
Richard Patrick 1968.5.10
Richard Sinclair 1948.6.6
Richard Swift 1977.3.16
Richard Tandy 1948.3.26
Richard Thompson 1949.4.3
Richey James Edwards 1967.12.22
Richie Furay 1944.5.9
Richie Havens 1941.1.21
Richie Hayward 1946.2.6
Richie Sambora 1959.7.11
Rick Allen 1963.11.1
Rick Astley 1966.2.6
Rick Bell 1967.9.18
Rick Buckler 1955.12.6
Rick Coonce 1946.8.1
Rick Danko 1943.12.29
Rick Derringer 1947.8.5
Rick Grech 1946.11.1
Rick Huxley 1940.8.5
Rick James 1948.2.1
Rick Lee 1945.10.20
Rick McMurray 1975.7.11
Rick Nielsen 1946.12.22
Rick Parfitt 1948.10.12
Rick Rubin 1963.3.10
Rick Savage 1960.12.2
Rick Springfield 1949.8.23
Rick Wakeman 1949.5.18
Rick Woolstenhulme 1979.9.20
Rick Wright 1943.7.28
Rickie Lee Jones 1954.11.8
Ricky Martin 1971.12.24
Ricky Nelson 1940.5.8
Ricky Ross 1957.12.12
Ricky Wilson 1978.1.17
Ricky Wilson (The B-52's) 1953.3.19
Rihanna 1988.2.20
Ringo Starr 1940.7.7
Rita Coolidge 1945.5.1
Ritchie Blackmore 1945.4.14
Ritchie Valens 1941.5.13
Rivers Cuomo 1970.6.13
R. Kelly 1967.1.8
Rob Bourdon 1979.1.20

Shawn Crahan 1969.9.24
Shawn Mendes 1998.8.8
Shawn Stockman 1972.9.26
Sheena Easton 1959.4.27
Sheila E. 1957.12.12
Shelby Lynne 1968.10.22
Sheryl Crow 1962.2.11
Shirley Manson 1966.8.26
Sib Hashian 1949.8.17
Sid Vicious 1957.5.10
Sid Wilson 1977.1.20
Sim Cain 1963.7.31
Simon Crowe 1955.4.14
Simon Fowler 1965.5.25
Simon Gallup 1960.6.1
Simon Gilbert 1965.5.23
Simon Jeffes 1949.2.19
Simon Jones 1972.7.29
Simon Kirke 1949.7.28
Simon Lebon 1958.10.27
Simon Nicol 1950.10.13
Simon Phillips 1957.2.6
Simon Rix 1977.10.18
Simon Taylor 1982.6.18
Sinead O'Connor 1966.12.8
Sinitta 1963.10.19
Siobhan Fahey 1958.9.10
Siouxsie Sioux 1957.5.27
Skip Battin 1934.2.18
Sky Blu 1986.8.23
Slash 1965.7.23
Slim Jim Phantom 1961.3.20
Sly Dunbar 1952.5.10
Sly Stone 1943.3.15
Smokey Robinson 1940.2.19
Snoop "Doggy" Dogg 1971.10.20
Snow 1969.10.30
Snowy White 1948.3.3
Sonny Bono 1935.2.16
Sonny LeMaire 1946.9.16
Soren Rasted 1969.6.13
Southside Johnny 1948.12.4
Speech 1968.10.25
Spencer Davis 1939.7.17
Spider Stacy 1958.12.14
Stacey Q 1958.11.30
Stan Frazier 1968.4.23
Stan Lynch 1955.5.21
Stan Webb 1946.2.3
Steffan Halperin 1985.8.12
Stephan Jenkins 1964.9.27
Stephan Lessard 1974.6.4
Stephen Bishop 1951.11.14
Stephen Bladd 1942.7.13
Stephen Duffy 1960.5.30
Stephen Kupka 1946.3.25
Stephen Lee Cropper 1941.10.21
Stephen Mason 1975.7.8

Stephen Morris 1957.10.28
Stephen Pearcy 1959.7.3
Stephen Stills 1945.1.3
Sterling Campbell 1964.5.3
Steve Berlin 1955.9.14
Steve Boone 1943.9.23
Steve Bronski 1960.2.7
Steve Brookins 1951.6.2
Steve Clark 1960.4.23
Steve Coy 1962.3.15
Steve Cradock 1969.8.22
Steve Dawson 1952.2.24
Steve Farris 1957.5.1
Steve Fossen 1949.11.15
Steve Gadd 1945.4.9
Steve George 1955.5.20
Steve Goetzman 1950.9.1
Steve Gorman 1965.8.17
Steve Gustafson 1957.4.10
Steve Hackett 1950.2.12
Steve Harris 1956.3.12
Steve Harwell 1967.1.9
Steve Howe 1947.4.8
Steve Jansen 1959.12.1
Steve Jocz 1981.7.23
Steve Jones 1955.9.3
Steve Katz 1945.5.9
Steve Kemp 1978.12.29
Steve Lukather 1957.10.21
Steve Marker 1959.3.16
Steve Marriott 1947.1.30
Steve Miller 1943.10.5
Steve Morse 1954.7.28
Steve Norman 1960.3.25
Steve Peregrin Took 1949.7.28
Steve Perkins 1967.9.13
Steve Perry 1949.1.22
Steve Porcaro 1957.9.2
Steve Priest 1948.2.23
Steve Rothery 1959.11.25
Steve Shelley 1962.6.23
Steve Singleton 1959.4.17
Steve Stevens 1959.5.5
Steve Turner 1965.3.28
Steve Upton 1946.5.24
Steve Val 1960.6.6
Steve Van Zandt 1950.11.22
Steve Walsh 1951.6.15
Steve White 1965.5.31
Steve Winwood 1948.5.12
Steven Adler 1965.1.22
Steven Drozd 1969.6.11
Steven Severin 1955.9.25
Steven Tyler 1948.3.26
Stevie Jackson 1969.1.16
Stevie Nicks 1948.5.26
Stevie Ray Vaughan 1954.10.3
Stevie Wonder 1950.5.13

Stevie Young 1956.12.11
Stewart Copeland 1952.7.16
Stuwart "Woolly" Wolstenholme
  1947.4.15
Sting 1951.10.2
Stone Gossard 1966.7.20
Stormy Patterson 1940.9.8
Stu Cook 1945.4.25
Stuart Adamson 1958.4.11
Stuart Braithwaite 1976.5.10
Stuart Cable 1970.5.19
Stuart Coleman 1983.1.29
Stuart David 1969.12.26
Stuart Murdoch 1968.8.25
Stuart Sutcliffe 1940.6.23
Stuart Tosh 1951.9.26
Stuart Wood 1957.2.25
Susan Boyle 1961.4.1
Susan Tedeschi 1970.11.9
Susanna Hoffs 1959.1.17
Suzanne Vega 1959.7.11
Suzi Quatro 1950.6.3
Syd Barrett 1946.1.6
Sylvie Vartan 1944.8.15

T

T-Bone Burnett 1948.1.14
T-Bone Walker 1910.5.28
T-Boz Watkins 1970.4.26
Taboo 1975.7.14
Taco 1955.7.21
Tad Kinchla 1973.2.21
Taj Mahal 1942.5.17
Tamara Johnson 1971.4.29
Tammi Terrell 1945.4.29
Tanya Tucker 1958.10.10
Taylor Dayne 1962.3.7
Taylor Hawkins 1972.2.17
Taylor Swift 1989.12.13
Ted Bluechel 1942.12.2
Ted Lennon 1976.11.3
Ted Nugent 1948.12.13
Ted Turner 1950.8.2
Teddy Pendergrass 1950.3.26
Teddy Riley 1967.10.8
Teena Marie 1956.3.5
Tei Towa 1964.9.7
Terence Trent D'arby 1962.3.15
Terry "Geezer" Butler 1949.7.17
Terry Bozzio 1950.12.27
Terry Chambers 1955.7.18
Terry Hall 1959.3.19
Terry Kath 1946.1.31
Terry Kirkman 1939.12.12
Terry Nunn 1961.6.26
Terry Sylvester 1947.1.8
Tetsu Yamauchi 1946.10.21
Tevin Cambell 1976.11.12
The Edge 1961.8.8

おわりに

　私は中学生の時に"洋楽"というものを知り、高校生の時にはザ・ビートルズ、大学時代はジャズに出会い、現在まで聴き続けてきました。ラジオから流れてくる音楽を必死に聴いて、レコード店に飛んで行った当時を今では懐かしく思い出します。

　昨今のデジタル化の進歩と共に音楽の表現方法や聴き方もかなりの速度で変化しています。CD離れも顕著で、世界中の多くのCDショップは閉店続き。それでも新型コロナのパンデミックが起こる前は、一番多く"店舗"が残っているといわれる日本のレコード店・CDショップに、商品の購入を目的にした多くの来日観光客が訪れるという現象が見られました。そういった報道を見聞きするたびに私は、デジタルでは味わえない音源のクオリティを求めている人がまだまだ存在することを実感しました。新しいメディアの急速な拡大により、どんな音楽も瞬時に世界中で共有でき、聴く環境もより便利になる一方、音楽業界は商業的に厳しくなり、時代の変化に敏感に対応せざるを得ない状況です。若い世代の"洋楽離れ"も叫ばれて久しい昨今です

が、その原因は海外の音楽情報（発信メディア）の少なさにあるのではないのか、国内の音楽で満足（内向き志向？）しているのではないか、と私は想像します。

　現在海外では、再びLP盤を積極的に発売するミュージシャンが増えています。良い音質でアルバム全体を聴き、自分たちの想いの詰まった曲順構成で作品を感じてほしいという熱い気持ちの表れでしょう。LP盤本来の優れた音質はもちろん、ジャケット写真のアートとしての魅力や、洋楽であれば解説文や訳詞など、デジタル聴取スタイルにはない楽しみ方がたくさんあることを知ってほしいと願ってやみません。

　私にとって、音楽は人生の伴走者です。聴く環境はどうあれ、本書の「ミュージシャンの誕生日」を洋楽に出会うひとつのきっかけとしていただければ嬉しいです。急速化したデジタル社会では、私たち世代が若い頃に抱いた海外への憧れや夢を、今の若い方々が強く感じることはそれ程ないでしょう。でもそんな状況だからこそ、海外の音楽にもぜひ目を向けてほしい。そこには貴方の今まで知らなかった素晴らしい音楽が確実に存在して

Afterword

います。これまで日本人ミュージシャンたちは洋楽に影響を受け続け創作した結果、例えば「シティ・ポップ」のような魅力的な音楽を生み、多くのヒット曲が出ました。今ではそれらの曲がストリーミング・サービスの普及によって海外で支持を得るという現象も起きています。

「自分の誕生日と同じミュージシャンって誰？」「私の好きなあのミュージシャンはどこで生まれたの？」など、身近な話題を見つけてみてください。「7つのコラム」は、本書の制作を通して私が学んだ、明暗様々な彼らの個性的な生き方をまとめたもので、興味深い内容が満載でした。また、本書に掲載されているミュージシャンたちは私の好きな人を中心にした独断の選択です。ミュージシャンごとに情報量に違いがあることもどうぞお許しください。もしご自分の好きなミュージシャンが載っていなかったら、ぜひ書き込んでみてください。そして貴方オリジナルの『ロックミュージシャン誕生日事典』を創ってみてください。

最後に本書の出版にあたり、大変ご協力ただいた元ニッポン放送の稲石氏、洋楽チャートの生き字引であるヤング・ス

タッフの大高氏、ソニー・ミュージックの白木氏、ワーナー・ミュージックの野中氏、小林氏、ユニバーサル・ミュージックの山際氏、小林氏。そして洋楽が大好きな歯科医師・福地邦弘先生、私を救ってくれた外科医・藤元博行先生、内科医・常喜眞理先生。細部にわたってのご指導・サポートをしていただいた DU BOOKS の小澤氏。そして「コラム」および「ロック史」「社会史」の執筆とデータをまとめてくれた洋子さん、すべての人に心から感謝申し上げます。ありがとう！

寺嶋孝直

「ミュージシャンの誕生日を可能な限り調べている」と聞いた時は、「誕生日!?」というのが私の率直な感想でした。しかし自分の一番好きな洋楽の世界に没頭する真摯な時間が、絶望感に襲われていた彼の生きる希望に繋がっていくのを実感しました。もしかしたら、誕生日周辺だけでもこれだけ広く調べ尽くせば、何かしら他の"大切なモノ"が見えてくるかもしれない。そう思って書き始めたのが、本書に収録されている「コラム」です。

多くのミュージシャンの人生の機微に改めて触れるのはとても楽しく、また悲しく切ない事実を多く知ることともなりました。彼らの波乱万丈な生き様や"各世代と音楽との関係"は想像以上に興味深い内容ばかり。今では想像もつかない驚きの出来事が満載でした。

　本書の制作を通じ、過去の偉大な音楽家たちは次世代を確実にインスパイアしてきた、私たちにとって大切な宝物なのだと改めて理解しました。ビートルズ、ストーンズ、ボブ・ディラン、ビーチ・ボーイズからジミ・ヘンドリックス、ピンク・フロイド、レッド・ツェッペリン、T・レックス、クイーン、マイケル・ジャクソン、プリンス、ニルヴァーナ……。彼らから、世界中の多くの次世代ミュージシャンたちが影響を受けて、今そして未来の音楽があるのです。

　NYパンク・ロックの雄、ラモーンズは自分たちの音楽について、次のように振り返ったといいます。「時代の先を行き過ぎていて、世界が自分たちに追いつくまで何十年もかかってしまった。新世代の先鋭的なリスナーたちは必ず楽しんでもらえるよ」。パンク・ブームは一瞬で散ってしまったけれど、その精神、ファッション、サウンドが後世に残した影響力は想像以上に大きく、過去と未来の出来事は確実に繋がっていると実感します。本書を通して、海外ミュージシャンならではの興味深い生き様と多様な音楽にぜひみなさまが触れていただけることを祈ります。

　最後に、10代から聴き続けた「全米TOP40」から始まり、私のロック人生に明るい夢と希望を与え続けてくださった音楽評論家の湯川れい子さんに心からの感謝を込めて。

Radio playin' so no one can see
誰もいない部屋でラジオを聴いていた

We need change, and we need it fast
俺らは変わらないと、早く変わらないと…

Before Rock's just part of the past
ロックが過去の一部になってしまう前に

'Cause lately it all sounds the same to me
だって最近の曲なんて、全部同じに聞こえるから

Ramones –
"Do You Remember Rock 'N' Roll Radio?" (1980)

五木田洋子

参考文献

八木誠監修・著『洋楽ヒットチャート大事典 チャート・歴史・人名辞典』小学館、2009 年

鈴木祐、保科好宏『ロック人名辞典』音楽之友社、2004 年

広田寛治『ロック・クロニクル 現代史のなかのロックンロール』河出書房新社、2012 年

上林格『この日のビートルズ』朝日新聞出版、2013 年

クロスビート編集部『ミュージシャンの履歴書』シンコーミュージック・エンタテイメント、2011 年

クロスビート編集部『US Rock 2000-2011』シンコーミュージック・エンタテイメント、2011 年

クロスビート編集部『UK ROCK DISC GUIDE 2000-2011』シンコーミュージック・エンタテイメント、2011 年

「AERA in Rock」No.10、朝日新聞社、2005 年

『The DIG』No.50、シンコーミュージック・エンタテイメント、2007 年

「ミュージック・ライフ」1964 年 9 月号別冊、新興楽譜出版社

同上、1965 年 4 月号別冊

日経エンタテインメント！編「大人のロック！」Vol.17、日経 BP 社、2008 年

同上、Vol.21、2009 年

日経エンタテインメント！編「大人のロック！ 特別編集 レジェンド・オブ・ロックスターズ」日経 BP 社、2013 年

「SIGHT」Vol.24、ロッキング・オン、2005 年

「rockin'on」1985 年 4 月号、ロッキング・オン

同上、1987 年 1 月号

同上、2020 年 1 月号

同上、2021 年 1 月号

本書の制作にあたっては、上記の文献および各レコード会社公式ホームページを主に参照させていただいた。
感謝を込めて記します。

著者・編者略歴

寺嶋 孝直　Takanao Terashima

1948 年　大阪府生まれ

1970 年　関西外国語大学卒業

　　　　　（株）キャニオン・レコード関西支社

1971 年　（株）ニッポン放送関西支社

1980 年　（株）ニッポン放送東京本社制作部・営業部

1995 年　（株）J-WAVE

2005 年　（株）スペースシャワーネットワーク

洋楽の魅力を伝えたいロック＆ポップス大好き親父

五木田 洋子　Yoko Gokita

1958 年　東京都生まれ

1980 年　青山学院女子短期大学卒業後、（株）電通入社

2005 年　（株）電通　早期退職後、油絵の勉強へ

2018 年　（社）示現会　会員（美術家団体）

ザ・ビートルズとブルース・スプリングスティーンとの出会いが人生の宝物

ロックミュージシャン誕生日事典
The Rock Musicians' Birthday Encyclopedia

初 版 発 行	2023年1月27日
著	寺嶋孝直
編 集	五木田洋子
デ ザ イ ン	高橋力・布谷チエ（m.b.llc.）
制 作	小澤俊亮（DU BOOKS）
発 行 者	広畑雅彦
発 行 元	DU BOOKS
発 売 元	株式会社ディスクユニオン

東京都千代田区九段南3-9-14
編集　TEL 03-3511-9970　FAX 03-3511-9938
営業　TEL 03-3511-2722　FAX 03-3511-9941
https://diskunion.net/dubooks/

印刷・製本　大日本印刷株式会社

ISBN978-4-86647-187-7
Printed in Japan
©2023 Takanao Terashima / diskunion

本書の感想をメールにて
お聞かせください。
dubooks@diskunion.co.jp

ロック映画ポスター ヴィンテージ・コレクション

ポスター・アートで見るロックスターの肖像

井上由一 編　アレックス・コックス 序文

あのアレックス・コックス（『シド・アンド・ナンシー』監督）が序文寄稿!!
ロックを映画は、どう表現してきたのか？ "MUSIC makes MOVIES" をキーワー
ドに、ポスター・アートワークの傑作群を俯瞰できる1冊。
貴重なコレクションが世界20ヵ国から一堂に集結！　掲載数400枚超えの永久保
存版ビジュアル・ブック。完全限定生産1,000部。

本体3500円＋税　A4　224ページ（オールカラー）

マンガで読むロックの歴史

ビートルズからクイーンまで ロックの発展期がまるごとわかる！

南武成 著　キム・チャンワン あとがき　岡崎暢子 訳

笑って読めちゃう楽しい音楽史！　パブロック、HR/HM、パンク、ニューウェイヴ、
プログレ……。ロックはこうやって進化した！　1960年代後期～70年代、ロック
を進化させ様々なシーンを切り拓いた破天荒ロッカーたちの物語。ジャンルを横
断して紹介した、韓国発、音楽の歴史本決定版。荻原健太さん監修！「入門編と
してだけでなく、ロック上級者の再確認作業にも、ぜひ」

本体2300円＋税　A5変型　344ページ

ザ・ビートルズ・アイテム100モノ語り

The Beatles Collection Archive

ブライアン・サウソール 著　奥田祐士 訳　眞鍋 "MR.PAN" 崇 楽器・機材監修

ザ・ビートルズの息遣いが、現代によみがえる。
コンサートのチケット、映画の香盤表、スタジオの灰皿、手書きの歌詞草稿、楽
器、車、カメラ、服飾品、オフィシャル・グッズ──ファブフォーの活動を新しいか
たちで紐解き、浮き彫りにしてくれるモノたちをフルカラーで集大成した、初めて
の本。読めば、ザ・ビートルズが世界を支配していた時代の空気が蘇る。

本体3200円＋税　A5変型　256ページ（オールカラー）

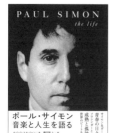

ポール・サイモン 音楽と人生を語る

ロバート・ヒルバーン 著　奥田祐士 訳

「自伝は絶対に書かない」と公言してきたサイモンが、信頼をよせる著者とともに
作り上げ、ツアー引退とともに刊行された、決定的な一冊。
重要曲については歌詞を掲載し、ポール自ら、その背景を語り、レコーディング手
法については、S&G時代からのエンジニア兼プロデューサー、ロイ・ハリーが証言
した、クリエイターも必読の書。

本体3800円＋税　A5　632ページ＋口絵16ページ